БИОГРАФИИ
ВЕЛИКИХ СТРАН

ГЕНРИ В. МОРТОН

ПО АНГЛИИ И УЭЛЬСУ

H. V. Morton

ПУТЕШЕСТВИЯ ПО БРИТАНИИ

Po Anglii i Uelsu

ЭКСМО

Москва
МИДГАРД
Санкт-Петербург
2008

УДК 94(410)
ББК 63.3(4Вел)
   М 79

Henry V. Morton

IN SEARCH OF ENGLAND. IN SEARCH OF WALES

© by the Estate of H. V. Morton, 1964

Перевод с английского *Т. Мининой, Н. Омельянович*
под общей редакцией *К. Королева*

Перевод стихов, кроме особо оговоренных случаев, *М. Башкатова*

Фотографии *О. Королевой* и *М. Башкатова*

Оформление серии *А. Саукова*

Мортон Генри В.

М 79   По Англии и Уэльсу. Путешествия по Британии / Генри
В. Мортон; [пер. Т. Мининой, Н. Омельянович под общ.
ред. К. Королева]. — М.: Эксмо; СПб.: Мидгард, 2008. —
736 с.: ил. — (Биографии Великих Стран).

   ISBN 978-5-699-30605-3

   Если хочешь по-настоящему узнать страну, ни в коем случае нельзя ограничиваться столицей и ее ближайшими окрестностями. Чем дальше от столицы, тем менее парадным и чопорным становится пейзаж, тем меньше столичного блеска и городской суеты, тем искреннее местные жители и неподдельнее эмоции.

   Генри Мортон, певец Лондона и классик travel writing, предпринял путешествие, которое по аналогии с его знаменитой книгой об английской столице можно назвать путешествием в поисках Великобритании. Он объехал всю Англию — от Лондона до Адрианова вала и пограничного городка Гретна-Грин, он побывал в Уэльсе, посетил могучие валлийские замки, поднимался на гору Сноудон и спускался в шахту в окрестностях Кардиффа. Итогом путешествия Генри Мортона в поисках Великобритании стали книги, каждая из которых повествует не столько об истории той или иной местности, сколько о людях, ее населяющих, людях из глубинки, исконных обитателях этих мест, об их повседневной жизни, лишенной лоска крупных городов.

   Приятных прогулок по Британии!

                                                         УДК 94(410)
                                                         ББК 63.3(4Вел)

ОТ РЕДАКЦИИ

Двадцать минут на поезде от Лондона в любую сторону — и за окнами раскрывается легендарная английская глубинка, точно такая же, какой она была и сто, и двести, и триста лет назад. Поменялись лишь детали — появились автомобили, сотовые вышки, телеантенны и спутниковые тарелки на домах; ландшафт же остался неизменным, словно время за пределами крупных городов застыло. Ничуть не изменились и сельские жители, разве что обзавелись в хозяйстве различными техническими приспособлениями и приборами, да одеваются как принято сегодня. В остальном же все по-прежнему — неторопливая, размеренная жизнь; разговоры о погоде, в которые нашлось бы что вставить человеку минувших эпох и не показаться при этом не от мира сего; привычный деревенский досуг, лишь в малой степени осовремененный бормотанием телевизора или мерцанием компьютерного монитора... А между населенными пунктами — все те же ровные зеленые поля, все те же лесистые холмы, все те же кролики, без всякого страха скачущие у дороги, и все те же лисы, внимательно наблюдающие за кроликами с пригорков...

Генри Мортон, певец Лондона и классик travel writing, предпринял путешествие, которое по аналогии с его знаменитой книгой об английской столице можно назвать путешествием в поисках Великобритании. Он объехал всю Англию — от Лондона до Ливерпуля, от Манчестера до Адрианова вала, от пограничного городка Гретна-Грин до Линкольна и Нориджа. Он побывал в Уэльсе, посетил могучие валлийские замки, поднимался на гору Сноудон и спускался в шахту в окрестностях Кардиффа. Англичанин до мозга костей, он любовно описал Шотландию, в которой бывал не раз и которую исходил и изъездил вдоль и поперек — от равнинного юга до гористого севера с его клановыми традициями, замками на суровых скалах и многочисленными озерами, включая ставшее широко известным озеро Лох-Несс. В завершение своего путешествия он посетил Ирландию — присутствовал на гонках куррахов, пробовал свежесваренное пиво на пивоварне Гиннеса и, как заметил его биограф Майкл Бартоломью, «узнал ирландцев настолько близко, насколько это доступно чужаку, живущему под ирландским кровом, питающемуся ирландской едой и не отказывающемуся даже от зубодробительного местного самогона».

Итогом путешествия Генри Мортона в поисках Великобритании стали четыре книги, каждая из которых посвящена конкретной части Соединенного Королевства и каждая из которых повествует не столько об истории той или иной местности, сколько о людях, ее населяющих, людях из глубинки, исконных обитателях этих мест, об их повседневной жизни, лишенной лоска (и суеты и чада) крупных городов. Мортон заново открыл Великобританию даже для своих соотечественников, привыкших замыкаться в пределах собственного «ареала обитания», не говоря уже о туристах, которые, как правило, ограничиваются Лондоном, Эдинбургом и Дублином и ближайшими окрестностями, Уэльс воспринимают как страну диких горцев и неграмотных пастухов, а в Стратфорде-на-Эйвоне, побывав в доме Шекспира, спрашивают, где тут убивал своих жертв Джек Потрошитель и далеко ли на такси до «того самого озера Несси». Книги Мортона — отнюдь не путеводители, они по праву входят в число лучших образцов классической английской прозы, и время над ними не властно: ведь меняются детали, внешний антураж, а суть остается неизменной. И каждый абзац книг Генри Мортона, настоящего английского джентльмена, тонкого наблюдателя и человека, влюбленного в свою страну, приводит на память хрестоматийные строчки Роберта Браунинга:

Хорошо проснуться в Англии
И увидеть, встав с постели,
Влажные ветви на вязах и кленах
В маленьких, клейких листочках зеленых,
Слышать, как зяблик щебечет в саду
В Англии — в этом году...
И пусть еще хмурится поле седое,
В полдень проснутся от света и зноя
Лютики — вешнего солнца подарки.
Что перед ними юг этот яркий![1]

Приятных прогулок по Великобритании!

---

[1] Перевод С. Маршака.

В ПОИСКАХ АНГЛИИ

Перевод с английского Т. Мининой
Перевод стихов, за исключением особо оговоренных случаев,
М. Башкатова

Вступление

Эта книга представляет собой путевые заметки, сделанные во время автомобильного путешествия по Англии.

И ее достоинства (если таковые отыщутся), и ее многочисленные недостатки имеют одну и ту же причину. Они проистекают из фактора спонтанности, ибо книга создавалась буквально на обочине дороги. Ее главы писались на стенах крестьянских ферм, в сельских соборах и на погостах, на умывальниках деревенских гостиниц и в других, совершенно неподходящих для этого местах. Я объездил всю страну, подобно непоседливой сороке, перебираясь с места на место и подбирая по пути все яркие, блестящие безделушки — мои путевые впечатления. Список мест, которые я посетил, убедительно доказывает, что книга моя никак не может претендовать на роль туристического путеводителя. А беглого знакомства с содержанием книги достаточно, чтобы сделать меня объектом ярой ненависти местных патриотов, чьи любимые деревушки не попали на страницы этих заметок. Заранее принимаю их упреки — многое действительно осталось за рамками моего повествования, и тут уж ничего не поделаешь. В своей поездке я не придерживался определенного, заранее спланированного маршрута, а следовал туда, куда вела дорога. Вернее, дорог этих было множество: одни прямые, другие уводящие в сторону. Первые оказывались полезными, вторые — захватывающе-интересными.

В наши дни любая книга, посвященная Англии, находит как никогда многочисленную и заинтересованную аудиторию. А причина кроется в том, что сегодня огромное количество людей занялось исследованием родной страны. Этому немало способствовала налаженная система междугородного автобусного сообщения, возникшая в XX веке и охватившая всю Англию. Благодаря ей простым гражданам открылись такие уголки, которые ранее — даже при наличии железной дороги — казались далекими и недоступными. Появление дешевых автомобилей также сыграло большую роль в возрождении интереса к английской старине, истории и топографии. Нашим современникам повезло куда больше, чем предыдущим поколениям: фактически они впервые получили возможность познакомиться с реальной страной. Трудно переоценить энтузиазм людей, которые возвращаются домой из подобных поездок.

Старые дороги Англии, которые с появлением железнодорожного сообщения на целое столетие потеряли было свою актуальность, потихоньку возрождаются к жизни. Целые толпы исследователей, путешественников и просто любителей приключений снова тронулись в путь, пешком и на автомобилях. И я возьму на себя смелость предположить — хотя, наверное, многих это огорчит, — что в ближайшие годы мы станем свидетелями снижения интереса к приморским курортам и, напротив, роста популярности традиционных сельских гостиниц.

Данная тенденция скрывает в себе опасность опошления нашей любимой сельской Англии. Мне доводилось наблюдать шумные автобусные выезды горожан на лоно природы — это готовый материал для страстного эссе о пагубной

роли Прогресса. Никогда не забуду визгливые звуки корнетов, осквернявших тишину деревенских лужаек, и то вар-
варское пренебрежение, с которым жители промышленных
кварталов разрушали сельскую идиллию. Их поведение выглядело бы возмутительным, не будь оно столь бессозна-
тельным. А так... остается лишь пожалеть этих людей. Слава
богу, подобные ситуации не часты. Как правило, рядовой
горожанин, независимо от своей классовой принадлежности, испытывает глубокую и трепетную любовь к сельской
местности, куда влекут его древние инстинкты.

Что касается неизбежного риска загрязнения и опошления сельской старины, то ему мы должны противопоставить
соображение, которое уже приводилось выше: на волне этого
нового всенародного интереса к путешествиям тысячи и
тысячи наших соотечественников — вполне разумных мужчин и женщин — открывают для себя английскую глубин-
ку. А чем больше будет таких людей — с любовью и пони-
манием относящихся к безвестным деревушкам и сельским
городкам, — тем выше наши шансы сохранить для потомков бесценные исторические памятники, что, несомненно,
является нашим святым долгом. Время и так уже безжалостно потрудилось над многими старинными постройками.
От него пострадали и древние соборы, заложенные еще в
эпоху норманнской Англии, и такие знаменитые крепости,
как Даремский замок, и даже колоссальное сооружение,
известное под названием Адрианов вал. Всем этим объек-
там следовало бы немедленно присвоить официальный статус «памятников старины» и с помощью бетона и современных технологий оградить от дальнейшего разрушения. Вот
когда английская общественность на самом деле прочувству-
ет, что это не просто обломки прошлого, не просто версто-
вые столбы на историческом пути, а подлинные источники
вдохновения для настоящего и будущего, которые вдобавок
представляют собой интерес как часть общенационального

культурного наследия, — только тогда мы сделаем большой шаг... и, возможно, оправдаем существование такого чудовища, как бензиновый двигатель.

В данном вопросе существует еще один весьма интересный аспект. С того самого дня, как, прогуливаясь под кронами вековых деревьев в Глазго-Грин, Джеймс Уатт изобрел паровой двигатель и открыл дверь в совершено новый мир, город и деревня развивались раздельно. Они перестали понимать друг друга. Грянула так называемая Великая промышленная революция — хотя, на мой взгляд, тут уместнее говорить об «эволюции», — и жизнь в сельской Англии покатилась под уклон. Для земледелия настали тяжелые времена, технический прогресс истощал и лишал деревню жизненных сил.

Нетренированному взгляду горожанина трудно сразу разглядеть за внешними красотами сельских пейзажей экономические и общественные язвы на теле английской глубинки. Старый, традиционный уклад подвергся серьезному испытанию. «Нашей величайшей промышленности» — как ее называют эксперты — теперь не требуется такого количества рабочей силы. Она просто не в состоянии поглотить огромную армию людей, которые перебиваются на пособие по безработице и отчаянно пытаются выжить в условиях полного социального безразличия. Пока наши родные поля из года в год зарастают сорной травой, наш государственный долг за импорт продовольствия достиг уже колоссальной суммы. И повсюду одна и та же картина: заложенные и перезаложенные фермы, отсутствие свободного капитала, упадок и разрушение старинных поместий со смертью их владельцев. Англия не может себе позволить выращивать собственную пшеницу — слишком велики будут затраты на фоне иностранной конкуренции; глупо заниматься разведением скота, когда традиционный английский ростбиф дешевле доставить из Аргентины.

Да и с какой стати, скажете вы, городу вникать в специфические сельские проблемы? У нас полным-полно собственных забот. Деревня должна сама зализывать свои раны. Так считают многие горожане, но мне подобная точка зрения видится исключительно невежественной и недальновидной. Нам придется решать сельскохозяйственные проблемы, поскольку подобный перекос — когда город процветает, а деревня хиреет (а именно так обстоят дела в сегодняшней Англии) — неминуемо портит физическое и моральное здоровье нации. История учит, что никакой народ не в состоянии жить исключительно в городах. Лишь то государство может считаться здоровым и прогрессивным, в котором современные промышленные города существуют рядом с процветающим крестьянством.

Призыв «Назад к земле» идеально отвечает принципу национального выживания. У нас ведь как: чуть только человек разбогател, он первым делом покупает себе сельский дом. Одна волна городских переселенцев сменяет другую. Так формировалась история всех наших великих семейств — с тех самых пор, как представители древних аристократических родов сложили свои головы в самоубийственной войне Алой и Белой роз. Любой мужчина, если он желает успеха и процветания своей семье, должен в определенный момент перевезти ее и укоренить на сельской почве. Вот вы мне скажите, куда подевались все городские фамилии? Где сейчас лондонские Грешэмы? А Уайтингтоны? А Филипоты?

У Лэнгтона Сэндфорда в его справочнике «Великие правящие семейства Англии» мы читаем: «Гренвилли — представители сельской аристократии, которые на протяжении пяти столетий мирно живут в своих постепенно расширяющихся поместьях в Бэкингемшире». Подумайте только, на протяжении пяти столетий! Да любому городскому семейству хватило бы и половины этого срока, чтобы бесследно сгинуть в ходе национального вырождения.

Свои соображения я изложил в виде книги, написанной в весьма оптимистичном ключе. А причина в том, что я верю: горожане рано или поздно одумаются и придут на помощь сельской Англии. Сегодня политическая власть в основном сосредоточена в больших городах. Здесь проживает четыре пятых всего электората, в то время как сельский житель мало знаком с законодательной традицией. Ему не до того; как правило, его кругозор ограничивается пределами собственного участка. Но если мы договорились, что страна нуждается в здоровом и успешном крестьянстве, то следует признать: первейший долг любого гражданина — вникнуть в проблемы, стоящие перед деревней, и попытаться их решить. Если верить моей почте, сегодня тысячи мужчин и женщин отправились в путешествие с целью познакомиться с сельской Англией. И если все они за очаровательными пейзажами будут видеть не просто сцену, на которой разыгрывались далекие исторические события, а нечто живое и щедрое, что давало кров и пищу многим поколениям людей (а именно так воспринимали землю наши предки), тогда мы окажемся значительно ближе к идеалу национального государства: с одной стороны — богатые промышленные центры, с другой — благополучная и счастливая деревня, поставляющая свежую кровь для городов, свято хранящая народные традиции и всегда готовая раскрыть объятия для третьего поколения горожан, ищущих возрождения в английской глубинке.

Возможно, нам и не удастся вернуть к жизни старую английскую деревню с ее творчеством, с ее ремеслами. Газеты, радио, автомобили и железнодорожное сообщение уже безвозвратно погубили то интеллектуальное уединение, в котором сельские жители формировали свою житейскую мудрость, наблюдали за эльфами в «ведьминых кругах» и сочиняли песни, которые сегодня, к сожалению, забыты. Увы, те дни безвозвратно миновали. Ныне деревня перестала быть заповедной волшебной страной и стала просто частью государства. Более того, теперь она ясно видит, насколько, в сущности, мал мир! Но тем не менее деревня была и остается частью нашего прошлого. Она — то гнездо, из которого мы все вышли, откуда мы стартовали на нашем пути к статусу величайшей европейской нации, воплощающей невиданную после Римской империи мощь.

Эта самая деревня зачастую строилась на обочине римской дороги. Иногда она сохраняла структуру древнего саксонского поселения с его храмом, общинным домом и ветхими лачугами рядовых жителей. Сегодня глупо говорить о ее гибели, на самом деле деревня всем нам дала великолепный урок выживания. И отблеск ее вековечной мудрости служит своеобразным предупреждением: мы должны беречь эту старую соломенную крышу, ибо настанет день, когда, возможно, нам придется под нее вернуться, и она убережет и согреет — если не бренные тела, то наши бессмертные души.

Карта
АНГЛИИ
*с указанием
маршрута автора*

Адрианов вал

Йорк

Линкольн

Питерборо
Или
Кембридж

Норидж

Оксфорд

Рединг **ЛОНДОН**

Кентербери

Винчестер

...сбери

Мы пили за королеву,
За отчий священный дом,
За наших английских братьев
(Друг друга мы не поймем).
Мы пили за мирозданье
(Звезды утром зайдут),
Так выпьем — по праву и долгу!
За тех, кто родился тут!

Над нами чужие светила,
Но в сердце свои бережем,
Мы называем домом
Англию, где не живем.
Про жаворонков английских
Мы слышали от матерей,
Но пели нам пестрые лори
В просторе пыльных полей...

За стадо на пышных склонах
И за стада облаков,
За хлеб на гумне соседа
И звук паровозных гудков,
За привычный вкус мяса,
За свежесть весенних дней,
За женщин наших, вскормивших
По девять и десять детей!

За детей, за девять и десять (встать!),
За цену прожитых лет!
Если что-то мы бережем, мы и поем о том,
Если чем-то мы дорожим, мы и стоим на том:
Два удара — на каждый в ответ![1]

Редьярд Киплинг.
По праву рождения

---

[1] Перевод Н. Голя.

Глава первая
Где заканчивается Лондон

Я отправляюсь на поиски Англии. Рассказ о том, как я выехал из Места, Где Заканчивается Лондон; познакомился с резчиком по дереву; постоял на холме рядом с виселицей; посетил Винчестер; принял подаяние странника в больнице Сент-Кросс и под конец, как и полагается, вызволил прекрасную даму из беды.

1

Там, в Палестине, я был уверен, что скоро умру. К несчастью, рядом не оказалось умной женщины, которая убедила бы меня, что острая боль в шее, которая мучила меня, вовсе не обязательно является симптомом развивающегося спинномозгового менингита. А поскольку мои страдания продолжались, то я начал готовиться к собственным похоронам. Единственное, что меня удивляло, так это почему мой аппетит никак не угасал с приближением смертного часа.

Впав в самую черную меланхолию, я поднялся на вершину холма, возвышавшегося над Иерусалимом, — лучшего места для смерти трудно было бы подыскать, но тогда я об этом не задумывался, — и повернулся лицом в ту сторону, где, по моим подсчетам, скрывалась родная Англия. И меня захлестнула столь мощная и неконтролируемая волна ностальгии, что сейчас, по прошествии времени, мне даже совестно о ней вспоминать. Ныне — находясь за сотни миль от того холма и в своем обычном умонастроении — я затрудняюсь подобрать название для охвативших меня чувств. Боль в шее давным-давно прошла и стерлась из памяти, но никогда мне не забыть ту щемящую боль в сердце.

Пока мой взор рассеянно скользил по негостеприимным склонам окрестных гор, в памяти вставали картины родного края. Причем эти воспоминания принимали настолько необычные формы, что при других обстоятельствах я и сам бы удивился. Я горько сожалел о каждой минуте, которую я, глупец, провел вдали от дома, в своих многочисленных странствиях по миру. Я клялся сам себе, что если только мне вновь доведется увидеть милые утесы Дувра, я никогда — слышите, никогда! — их больше не покину. К тому моменту я довел себя до форменного безумия и был уже не в состоянии осознать, что переживаемый мною приступ домоседства — оборотная сторона любви к путешествиям. Возможно, по контрасту с безотрадным палестинским пейзажем мне припомнилась тихая улочка где-то в маленькой английской деревушке. Представьте себе: смеркается, в воздухе тянет легким дымком от затопленных печей, там и сям под соломенными крышами зажигаются огоньки. Я вновь услышал звон церковных колоколов — такой родной, такой привычный; воочию увидел, как в это время года солнце опускается за горизонт, окрашивая низкое небо на западе в тускло-красный цвет и с каждой минутой затемняя кудрявые верхушки вязов. Затем — неизбежная примета английского вечера — появляются летучие мыши: они носятся и мелькают, подобно крошечным клочкам полуобгоревшей бумаги. И вот наконец вдалеке раздается перекличка колокольчиков — это крестьяне возвращаются с полей домой... Когда вы вот так сидите в полном одиночестве на чужбине и перебираете в памяти дорогие воспоминания, вы начинаете в полной мере постигать смысл выражения «душевные муки».

Но возникает вопрос: не странно ли, что закоренелый горожанин терзается подобными идиллическими картинками? Разве не естественнее бы ему было вспоминать свой родной город? Почему, например, мне на память не пришел собор Святого Павла... или Пикадилли? С тех пор мне довелось выяснить, что видения, посетившие меня в тот час над Иерусалимом, являются обычными для многих изгнанников: мы все думаем о доме, тоскуем по нему, но перед глазами встает нечто большее — *мы все в подобной ситуации видим Англию.*

Эта деревушка, символизирующая родную страну, на самом деле дремлет в подсознании многих горожан. Маленький рабочий с лондонской фабрики, с которым я познакомился во время войны, признался мне (правда, произошло это после долгих, мучительных раздумий и не без нажима с моей стороны), что когда он думает о стране, за которую воюет, — а все мы, наверное, помним агитационные плакаты «Ты нужен Англии», — то почему-то вспоминает не свою родную улицу, не Лондон, а зеленые кущи Эппинг-Фореста, куда он ездил на банковские каникулы. Думаю, так поступали многие из нас. Деревня и сельская Англия — это наши истоки, та завязь, откуда все мы вышли. Большие промышленные города, которыми мы по праву гордимся, насчитывают едва ли сто с лишним лет, в то время как наши деревни существуют со времен Семивластия[1].

В то далекое утро, когда я предавался мрачным раздумьям на холме над Иерусалимом, меня посетила одна неприятная, я бы даже сказал, унизительная мысль: а что я, собственно, знаю о своей родной Англии? Мне было горь-

---

[1] Семивластие (гептархия) — союз семи государств англов и саксов. — *Здесь и далее примеч. ред.*

ко и стыдно сознавать, что, скитаясь в поисках новых впечатлений по миру, я непростительно пренебрегал скромными английскими красотами. Обычное дело: в молодости мы стремимся вдаль, за горизонт, ну а родная сторона... куда ж она денется? Англия как стояла, так и стоит на месте, ждет, когда мы удосужимся обратить на нее внимание. Как же горько я ошибался! Где она сейчас, моя Англия — такая далекая, такая недостижимая... И тогда я дал себе страшный обет: если только эта проклятая боль в шее не прикончит меня прямо здесь, на ветреных холмах Палестины, то я обязательно вернусь домой, чтобы как следует узнать свою страну. Я пройдусь по всем тропинкам Англии; мимо крохотных домишек под соломенными крышами; я постою, свесившись через перила, на английских мостах; полежу на травянистых полянах и погляжу в английское небо.

Я отворил окно в апрельские сумерки и, бросив взгляд на лондонский скверик, с удивлением обнаружил, что в тусклом свете уличных фонарей серебрятся молодые клейкие листочки. В комнату ворвался свежий запах сырой земли и мокрой травы. Верхние сучья деревьев отчетливо вырисовывались на темно-оранжевом фоне лондонского неба, сами же стволы уходили вниз и скрывались в безмолвной тьме, наводящей на мысль о древних первобытных лесах. Прихотливый транспортный поток мчался влево и вправо вдоль ограды, а за ней простиралось темное пространство, в котором притаилась некая таинственная жизненная сила, куда более древняя, чем окружающий ее город. Удивительные дела творятся в Лондоне с приходом весны. Кажется, будто сами тротуары готовы треснуть и расступиться под напором освобождающейся земли. В воздухе разлито такое всепобеждающее ощущение жизни, что так и мнится: убери на пару недель дорожное движение — и Пикадилли вновь зарастет травой. А в трещинах мостовой, куда случайно просыпалось фуражное зерно, зазеленеют первые ростки овса.

И лондонские скверы, тусклые и неприбранные с прошлогодней октябрьской непогоды, начинают постепенно, день за днем, заполняться живой материей. Так море просачивается по неприметным трещинам, исподволь, дюйм за дюймом, отвоевывает себе пространство, прокладывает дорогу на каменистую сушу, пока вдруг не хлынет и не заполнит своей животворной влагой все пересохшие русла.

Лондонские скверы — эти заповедные кусочки сельской природы, уцелевшие благодаря исконной любви англосаксов к траве и деревьям, — цепко удерживают частицу весенней магии на своих тесных, отгороженных полянах и прогалинах. Полагаю, я был не первым человеком, который вот так апрельским вечером стоял у открытого окна, выходящего на лондонский скверик, и чутко прислушивался, пытаясь уловить послание из отдаленных уголков сельской Англии. Несомненно, мои предшественники георгианской эпохи грезили о древних фавнах и кентаврах, цокающих копытами по Беркли-сквер. Мне же, над моим скромным сквериком, рисовались не менее пасторальные картинки: живые изгороди из дикого боярышника, весенние сады на пороге недолговечного кипения цвета, привольные поля, в которых дымчато-серые ягнята боязливо жмутся к своим меланхоличным маткам, свежераспаханные борозды, по которым вслед за плугом медленно движется вечная, как мир, фигура пахаря.

Итак, час настал. Я отправляюсь в путь — именно сейчас, вслед за весной, по дорогам, зовущим меня в глубь Англии. И не важно, куда именно ехать, ведь Англия везде и повсюду.

Наконец-то я увижу то, что лежит в стороне от наезженных дорог. По своему желанию буду посещать знаменитые города и маленькие безвестные деревушки. Прикоснусь к праху великих королей и аббатов, вновь выведу на дорогу рыцарей и кавалеров и, может быть, однажды услышу шум былых схваток у церковных врат и на земляных валах. Если же мне надоест наслаждаться ароматом седых легенд, я просто посижу на берегу сельского пруда и полюбуюсь закатом либо же поведу лошадей на водопой. Меня ждет множество встреч, я буду беседовать с лордами и простыми крестьянами, с бродягами, цыганами и сельскими псами. Господи боже мой, да я могу делать все, что мне взбредет в голову! И буду делать это весело и беспечно. С легким сердцем я приму все, что — в дождь ли, в солнцепек — выпадет мне на моем пути.

2

Насколько мне известно, храбрые рыцари, пилигримы, искатели лучшей доли и правдоборцы, даже обычные глупцы — все они, покидая родной город, оборачивались и произносили прощальное слово, каждый в соответствии со своим характером и интеллектом. Это ключевой момент в любом путешествии — когда кровь волнуется в ожидании предстоящих приключений, когда подпруги плотно затянуты и все готово для долгого пути. Некоторые города — как, например, расположенный на холме Дарем или Солсбери, который, помнится, лежит в укромной ложбине, — как нельзя более подходят для торжественного прощания. Так и кажется, будто сама природа или же человеческий гений предназначили их для поощрения благородного жанра прощальных речей. Что же касается Лондона, то он слишком велик для этой цели: к тому времени, как вы достигнете его границ, разглядеть сам город уже не представляется возможным. Сомнительно, чтобы кто-либо произносил прочувствованные речи под стенами газового завода или водоочистных сооружений...

Стоит ли уточнять, что никто из нынешних горожан не видел Лондона? В последний раз подобная возможность —

как следует разглядеть город — существовала во времена Стюартов. Тогда еще можно было выйти на затопленные водой вестминстерские луга и полюбоваться на английскую столицу, раскинувшуюся на склонах Ладгейт-Хилла, всю целиком, с ее шпилями и церковными башенками. Наиболее же удобным в этом отношении следует признать Лондон эпохи Плантагенетов — обнесенный стенами город был идеально приспособлен для обозрения и прощальных слов. Сегодня, даже если вы вскарабкаетесь на купол собора Святого Павла, Лондон предстанет вашему взору не в виде компактного полиса, а скорее в виде города-лабиринта. Если вы желаете получить наиболее точное представление об английской столице, поднимитесь на башню Саутуоркского собора, а еще лучше прокатитесь на лодке по Темзе поздней ночью, когда густая тьма окутывает своей древней магией панораму города.

Все это хорошо, друзья, но вот что я вам скажу: человек, покидающий Лондон и обдумывающий свою прощальную речь, будет весьма разочарован, когда наконец доберется до Места, Где Заканчивается Лондон.

Во всяком случае весь мой энтузиазм испарился, когда я обнаружил, что нынешний Лондон заканчивается ничем не примечательным пабом.

На пороге паба высилась фигура древнего старика с седыми бакенбардами и таким недовольным выражением лица, что оно невольно наводило на мысль: кто-то когда-то, еще в 1885 году, оставил его здесь, пообещав проставить выпивку, да так и не вернулся назад.

— Привет, — обратился я к старику, но он отвел взгляд в сторону и презрительно сплюнул.

С двух сторон от паба выстроились в ряд современные магазины. Чуть поодаль за шоссе расположилась целая группа ужасных бело-розовых коттеджей. При каждом из них убогий, чахлый садик и непременный оцинкованный мусорный бачок у задних дверей. Домохозяйки — такие же неухоженные, как домики и садики, — суетливо хлопотали на кухне и время от времени выглядывали в окно, чтобы убедиться, что их отпрыски находятся по эту сторону забора, а следовательно, в безопасности. Наиболее яркой достопримечательностью пейзажа являлся пустой омнибус, устало прикорнувший на остановке напротив паба. На его маршрутной схеме значились лондонские названия, но выглядели они столь же неправдоподобно, как итальянские наименования на французских экспрессах в Кале.

Хвост Лондона тянулся еще на милю-полторы вдоль дороги: за красным омнибусом продолжалось все то же — бело-розовые домики, магазинчики, новоиспеченные домохозяйки и их дети.

— Доброе утро, — поздоровался я со стариком.

— Двигай прямо, — прозвучало в ответ.

— Утро доброе, — сделал я новую попытку.

— Миль семь или около того, — прорычал старец.

У меня возникло чувство, что мы отлично поладим с этим упрямцем.

— Не хотите ли выпить? — закинул я удочку.

Увы, но даже эта хитрая уловка не пробила брешь в безразличии моего собеседника. Тогда я ткнулся прямо в его серебряные бакенбарды и проорал что было мочи: «Пиво!» Это возымело действие: старик мгновенно насторожился и проследовал за мной в питейное заведение. Продолжая общаться таким образом — а именно, выкрикивая свои реплики чуть правее его левого уха, — я постепенно наладил контакт со своим новым знакомцем, личностью не только обаятельной, но и весьма интересной.

Он полюбопытствовал, куда это я направляюсь в своей маленькой голубой машинке.

— Куда-нибудь — трижды повторил я.

Выяснилось, что подобно многим старым джентльменам, чье основное занятие — стоять в задумчивости (или про-

сто так) перед пабом, мой собеседник в прошлом служил в
военно-морском флоте. Следовательно, по моему мнению,
был вполне в состоянии понять и одобрить пытливое умо-
настроение.

— У меня такое чувство, — вещал я, — какое бывало в
детстве, по окончании учебного года... или когда объявили
о подписании перемирия. Представляете? Никаких проблем,
никаких обязанностей... Полная свобода. Ничего не надо
делать, иди куда пожелаешь. Можно по желанию остановиться отдохнуть, поболтать с кем-нибудь. А если понадобится, можно и поторопиться.

Я поведал ему о тех городах и селах Англии, что ждут
меня впереди; а старик в ответ сообщил, что у него есть брат,
который раньше жил в Болтоне.

Наша беседа текла весело и непринужденно, когда снаружи раздался оглушительный ритмичный гул — это заработал движок омнибуса! Я кинулся к дверям. Вот он, долгожданный момент! Кондуктор отшвырнул сигарету, которую
курил; водитель взгромоздился на свое сиденье; пожилая
дама в черном прошла в салон автобуса, а молодой человек
в подпоясанном макинтоше занял место на верхней площадке. Вслед за этим водитель выжал сцепление, и последняя
красная ниточка, связывавшая меня с Лондоном, неспешно
покатила по дороге.

— Прощай, Лондон!

Вот и все, что я сказал. В любом путешествии наступает
момент, когда вы понимаете: действительно началось! Это
может случиться за несколько недель до вашего выезда или
несколько недель спустя... неважно. Речь идет не о конкретной точке на временной оси, а о вашем эмоциональном
состоянии, вашей готовности с легким сердцем устремиться
в будущее. Именно это я и почувствовал, когда последний
омнибус отправился обратно в Лондон, а меня оставил в
одиночестве в Месте, Где Заканчивается Лондон...

Я завел мотор с ощущением легкой грусти и облегчения.

— Прощайте, — кивнул я старику.

Он молча утер губы и посмотрел в другую сторону. По-моему, он меня не услышал.

Ну и ладно... Я устремился по зеленому туннелю сельской дороги — впереди меня ждала Англия. Свежий воздух пьянил, как вино; шелест молодой листвы звучал райской музыкой.

Мимо промчался Датчет со своим восхитительным речным пейзажем... Аристократически сдержанный Итон дремал за вековыми вязами... Караульные в красных мундирах маршировали вверх и вниз по крутому склону перед входом в Виндзорский замок... На самом въезде в Рединг стояли две очаровательные маленькие девочки с белым щенком силихем-терьера... А я все ехал и ехал, углубляясь в зеленые просторы Беркшира, пока не увидел узкую проселочную дорогу с ответвлением посередине. При виде этой развилки сердце у меня радостно забилось. Казалось, дорога бросала мне вызов: «Ну что, слабо?»

— Отлично! — воскликнул я.

Вдоль всей дороги тянулась колея; в ней стояла дождевая вода. Сама дорога была неправдоподобного янтарного цвета, она круто взбиралась на холм, к Баклберийской пустоши, и там терялась в зарослях утесника. Кое-где из этих пламенеющих зарослей вздымались высоченные деревья, чьи ветви переплетались, образовывая прихотливый зеленый узор на фоне облачного неба.

3

Пока я гадал, в какую сторону свернуть, в поле зрения объявился мужчина средних лет, по виду — местный библиотекарь. Он шел мне навстречу, оскальзываясь на мокрой песчаной дороге, и нес в руках деревянную миску. Я окликнул его, как решил окликать всех, кого встречу по пути.

— Не поможете ли сориентироваться в здешних доро-гах? А то я, похоже, заблудился... — обратился я к «биб-лиотекарю». — И еще... Вы, наверное, знаете: есть здесь какие-нибудь достопримечательности? Хотелось бы их ос-мотреть, прежде чем покину ваши края.

— Ага... А что вы скажете вот об этом? — и мужчина протянул мне для обозрения свою деревянную чашу.

Не желая обижать его отказом, я внимательно оглядел изделие: великолепная фактура, на редкость аккуратная шлифовка. По внешней стороне чаши шли две тонкие кру-говые полоски.

— Это, — продолжал мужчина, — работа нашего мест-ного резчика по дереву. Первоклассный мастер, последний такой в Англии. Он живет на вершине холма, в Баклбери. Самая главная наша достопримечательность. Вы обязатель-но должны заглянуть в его мастерскую, нигде больше тако-го не увидите!

Мужчина нежно, любовно поглаживал свою чашу, и как только я это приметил, сразу заподозрил в нем страстного коллекционера. Мои подозрения окрепли, когда, стоя в луже и не замечая этого, незнакомец пустился в долгую лекцию по поводу дерева и деревянных изделий.

— Прежде чем появился пьютер[1], — начал он, — люди повсеместно использовали деревянную посуду: под-носы, тарелки, пивные кубки и миски — все делалось из дерева. Такие изделия можно было увидеть в каждом доме. Затем при Елизавете в моду вошло олово, и деревянная по-суда осталась в ходу лишь у бедняков. Надеюсь, я не слиш-ком вас утомляю, сэр? Так вот, со временем появились фарфор и стекло. Они вытеснили пьютер из обихода, а уж о деревянной посуде и говорить нечего. Теперь она никого не интересует, но, по счастью, само искусство вырезания из

---

[1] Пьютер — сплав олова со свинцом.

дерева уцелело. Наш мастер уникален, он работает по старинке. Режет так, как это делали во времена Альфреда Великого...

Резкий порыв ветра с дождем заставил мужчину прервать страстный монолог, и он побрел прочь, прижимая к груди свое сокровище. А я отправился на поиски последнего уцелевшего резчика деревянной посуды.

Вся Баклберийская пустошь пришла в движение: ветер гнул и трепал огненно-рыжие заросли утесника, а птицы, как сумасшедшие, пели под дождем.

Странное дело, дождь в Лондоне совсем не то, что в деревне. Там он, как правило, проникает в самую душу и действует угнетающе. Сельский же дождик редко навевает печаль, скорее бодрит и оживляет. Лично мне всегда от него хочется петь.

Вот уж я не хотел бы служить почтальоном в Баклбери. Дома прячутся за деревьями, стоят на изрядном расстоянии друг от друга — так что вся деревушка расползлась по множеству окрестных холмов. В результате, разыскивая нужный дом в зарослях утесника, неопытный автомобилист может оказаться в одном из соседних городков — Стэнфорд-Дингли, Йаттендоне, Фрилшеме или даже Бинхеме. А, собственно, почему бы и нет? Вполне себе симпатичные названия. Да и местные дороги на удивление хороши — так и манят в путешествие. Так (или почти так) рассуждал я, пытаясь отыскать жилище резчика по дереву. Я уж совсем было решил плюнуть на все и поехать в Йаттендон, когда внезапно наткнулся на полуразрушенную хижину, стоявшую на зеленом пригорке. Снаружи, у двери, лежали огромные вязовые бревна; внутри я увидел мужчину — он точил длинный нож на точильном камне. Мельком взглянув на меня, он признался, что его действительно зовут Уильям Лэйли. Мне он напомнил застенчивого пожилого фавна — краснощекого, с простым деревенским лицом под широкими полями зеленой шляпы. Сделав приглашающий жест, он преспокойно повернулся ко мне спиной и вернулся к своему занятию. Меня такое поведение чрезвычайно порадовало, поскольку казалось совершенно естественным. В данный момент нож интересовал его гораздо больше, чем невесть откуда появившийся незнакомец, и он был абсолютно прав. Я посмотрел на руки Лэйли — настоящие руки ремесленника.

Нет, сэр, там, в соседней комнате нет ничего особо интересного, он просто там работает... но если вам любопытно, то, конечно же, смотрите. Да, ему нравится вырезать деревянную посуду больше всего на свете! Для него высшее счастье взять в руки хороший кусок дерева и подойти с ним к станку! Этому научил его отец, а того — его отец, ну и так далее... до бог знает каких времен.

Приговаривая так, он отворил дверь в мастерскую.

Я заглянул и обомлел. Сказать, что восемь столетий пронеслись мимо этой комнаты — значило бы не сказать ничего. Она выглядела как самая настоящая англосаксонская мастерская. Наверняка подобный сарай мог бы существовать и где-нибудь в Древнем Египте. На первый взгляд все это нагромождение шкивов, веревок и барабанов казалось порождением причудливого гения Хита Робинсона[1]. Пол был покрыт толстым слоем древесной стружки, а через всю комнату протянулся ствол молодой ольхи, кожаным ремнем прикрепленный к примитивному токарному станку.

---

[1] Х. Робинсон (1872—1944) — известный британский иллюстратор и карикатурист, работал в технике гравюры и акварели, вошел также в историю механики и криптологии, его перу принадлежит целая серия рисунков загадочных, фантастических приспособлений. Одно время в Англии словосочетание «Хит Робинсон» обозначало странные таинственные механизмы.

— Тут годится только такой станок, — объяснил Уильям Лэйли, проходя на свое рабочее место, некое подобие детского манежа за плетеной загородкой. — Молодое дерево уменьшает натяжение. Смотрите! Сейчас я буду резать чашу из вяза.

Он подобрал с пола средних размеров чурбан и установил его в свой станок. Затем, работая ножной педалью, привел чурбан в движение и поднес острый изогнутый нож к быстро вращающейся древесине. Одним точным плавным движением он снял излишки материала и придал дереву внешнюю форму. Затем, сменив нож, вырезал серединку, как мы вырезаем сердцевину репы. В первом приближении чаша была готова.

— Конечно, ее надо будет подправить, — улыбнулся Лэйли, — а из внутренней части мы сделаем еще одну чашу, поменьше.

Ствол ольхи отскочил назад, сотрясаясь от вибрации — грубое, примитивное, но на редкость эффективное устройство. Я подумал: наверное, именно в подобных изобретениях (а сколько их утрачено безвозвратно!) скрывается секрет красоты и изящества античных произведений искусства, которые, несмотря на всю современную прогрессивную технику, остались непостижимыми и недостижимыми для нас.

— Сегодня не так-то легко найти себе преемника, — посетовал резчик. — Ведь дело довольно сложное, и если не начать учиться с самого раннего детства, то так ничего и не достигнешь.

Он подвел меня к целой куче великолепных резных мисок в углу хижины. Я посмотрел на них и наконец понял, о чем так вдохновенно вещал мужчина на дороге: каждая являлась произведением искусства. Любое из этих изделий отличала та особая, неповторимая индивидуальность, которую придает неодушевленному предмету рука настоящего мастера.

— Послушайте, — сказал я, — вы ведь могли бы зарабатывать на этом кучу денег.

— Денег? — переспросил он, и по лицу его скользнула лукавая усмешка фавна. — Деньги меня не интересуют, от них, как правило, одни беды. Нет, сэр, мне нравится делать миски, а не деньги.

— Что вы сказали? Повторите, пожалуйста.

Он прислонился к двери своей жалкой хижины, на его загорелом лице под обтрепанными зелеными полями застыло легкое недоумение — боюсь, он подумал, что я над ним смеюсь. Но вы-то, наверное, уже догадались, что мне просто хотелось еще раз услышать его голос — голос настоящего ремесленника, влюбленного в свое дело, гордого созидателя прекрасных в своей обыденности вещей; голос, который сегодня так редко удается услышать из-за шума и скрипа современных машин.

Я ехал вниз по зеленому холму и улыбался: похоже, мое путешествие по Англии началось удачно.

4

Мне рассказывали, что в беркширском Ньюбери дети до сих пор приносят цветы на курганы, под которыми вместе лежат «кавалеры» и «круглоголовые»: некогда заклятых врагов похоронили рядом — так же, как они остались лежать на ратных полях гражданской войны. Ньюбери — типичный маленький городок, в котором появление на улицах скаковых лошадей и кривоногих щеголей-жокеев — обычное зрелище. Этот город словно две капли воды похож на Ньюмаркет: так и кажется, что оба зажали нос и недовольно косятся на близлежащие конюшни[1].

---

[1] Вся жизнь этих городков связана с конным спортом. В Ньюбери имеется ипподром, на котором происходят ежегодные состязания. Неподалеку, в двадцати минутах езды, располагается знаменитый Эпсом — один из центров коннозаводства и традиционное место проведения скачек «Дерби».

Я отправился в старинный Клот-холл, который ныне превратился в музей, и полюбовался на египетские древности. Эти экспонаты являются даром последнего графа Карнарвона, человека, который пожелал быть похороненным на голой вершине мелового утеса Бикон-Хилл, — трудно представить себе более одинокую могилу во всей Англии...

На исходе дня я наконец добрался до известковых холмов Гемпшира. В мои планы входило пересечь их, нигде не задерживаясь, и к ночи уже быть в Винчестере (полагаю, вы успели понять, что я не слишком лихой водитель). Однако очень скоро я обнаружил, что совершенно запутался в неразберихе сельских дорог: они взбирались по склонам и круто устремлялись вниз, петляли, перекрещивались и никуда не приводили. Остановившись, чтобы сориентироваться, я заметил на верхушке самого высокого холма нечто, с первого взгляда похожее на флагшток. Но с какой стати флагштоку торчать на пустынной вершине высоченного холма? Заинтригованный, я решил прибегнуть к помощи своего полевого бинокля. Можете представить себе мое удивление, когда таинственный предмет оказался виселицей. Возведенная на такой высоте, что была видна жителям нескольких графств, она стояла — темная и непреклонная, как бы изъявляя готовность послужить своему предназначению.

Ничего себе... Настоящая виселица!

Я тут же решил, что должен непременно разглядеть ее поближе. Но перед долгим и крутым подъемом не мешало бы порасспросить местных жителей. С первым вопросом я обратился к рабочему на велосипеде.

— Что это такое на холме?

— Ну, виселица, — ответил он, глядя на меня с подозрением.

— И кого же там повесили?

— А я почем знаю?

— Ну ладно... а когда ею пользовались в последний раз?

— А я почем знаю?

— Может, вы слышали какие-нибудь истории, связанные с этой виселицей?

— Не-а.

Как выяснилось, парень родился и вырос у самого подножья Инкпен-Бикон (именно так назывался этот холм), но ничего не знал. Со вторым и третьим собеседником мне повезло не больше. Тем временем начало смеркаться, и я решил больше не тратить время на пустые разговоры. Дорога опоясывала холм по широкой спирали, уходя все выше и выше. Справа открывалась великолепная, слегка затянутая туманом панорама. Далеко внизу расстилались зеленые поля, виднелись темные купы деревьев, между ними протянулись белые тоненькие ниточки дорог. Сверху пейзаж ограничивался низко плывущими темными облаками. Я оставил машину там, где дорога кончалась, и дальше пошел пешком, по щиколотку в траве.

Вскоре на бледном фоне ненастного неба четко обозначилась перекладина виселицы. Я продолжил свой путь и четверть часа спустя уже стоял на самой вершине холма. Высота составляла не менее тысячи футов, где-то внизу лежал Гемпшир, похожий на ровный зеленый стол.

Все виселицы, о которых я когда-либо читал, имели одну неприятную отличительную особенность — в них всегда самым мерзким образом завывал ветер. Здешняя кумская виселица не была исключением: порывы ветра с жутким воем обрушивались на нее и на меня, стоящего рядом, — так что мне даже пришлось ухватиться за столб, чтобы сохранять равновесие. Я почувствовал, как дрожит и вибрирует старое дерево под моей рукой. Было что-то зловещее в том, чтобы вот так, в полном одиночестве, стоять на вершине холма: низкие облака проплывают над головой, вокруг ни души, лишь ветер треплет и гнет кустарник, да редкие дождевые капли падают с небес.

Что за мрачное преступление связано с этим старым крестом? Приглядевшись, я заметил, что кое-где дерево выглядит поновее — виселицу, очевидно, ремонтировали, причем совсем недавно. Это показалось мне странным. Затем я обратил внимание на клочок бумаги, трепыхавшийся на четырех гвоздях. Может, в нем изложена история загадочного преступления? Напрягая зрение (уже почти стемнело), я прочитал: «Ужины с чаем подаются в Куме».

Увы, все скелеты так и остались по своим шкафам. Рассмеявшись, я побрел по высокой траве к своей машине.

Позже мне удалось раскопать историю кумской виселицы в ходе посещения Винчестерской библиотеки. Привожу эту историю в том виде, в каком прочитал на страницах пожелтевшего альманаха. Седьмого марта 1676 года некая пара — мужчина и женщина — была подвергнута казни через повешение, а их тела остались висеть в назидание будущим грешникам. Повешенных звали Джордж Браунмен и Дороти Ньюман, а преступление их заключалось в том, что они жестоко убили двоих детей Дороти от первого брака. Тела несчастных жертв обнаружили в небольшом пруду на вершине холма, неподалеку от того места, где позже и возвели виселицу.

Собственно, пруд этот находился на территории Инкпенского прихода, но тамошние власти не пожелали нести расходы по задержанию и казни преступников. Они предпочли отречься от этой жалкой лужи, где были найдены тела детей. Тогда за дело взялся соседний округ Кум, в котором проживала упомянутая парочка. Границы округов были в спешном порядке пересмотрены (так, что к Куму отошли лишние двадцать пять акров земли вместе со злополучным прудом), выстроена виселица, и тела злоумышленников вывесили на всеобщее обозрение.

Во всей этой истории присутствует один довольно странный аспект: дело в том, что кумская виселица обязана сво-

им столь долгим существованием одному из пунктов аренд-
ного соглашения на Иствичскую ферму, стоящую у подножия холма. Договор был составлен на двести пятьдесят лет,
в течение которых арендаторы обязались содержать виселицу в порядке и осуществлять ее текущий ремонт. Нынешнее сооружение являлось уже третьим по счету, возведен-
ным на прежнем месте. Более того, как я узнал, Кумское
благотворительное общество напрямую зависит от состояния виселицы. Если она исчезнет, то пропадет сам смысл
существования общества. Впрочем, все это лишь одна из
версий местной трагедии. У. Г. Хадсон, например, в своей
книге «Пешком по Англии» рассказывает совсем иную историю.

До Винчестера я добрался только в восемь часов, когда с
ратуши доносился вечерний звон — этот колокол звучал уже
восемьсот шестьдесят лет. Позже к нему присоединились и
колокола местного собора. Вот таким и запомнился мне
Винчестер — маленький старинный городок, уютный, дружелюбный, наполненный колокольным звоном.

К полуночи город затих, погрузился в ночное безмолвие.
Я высунулся из окна, почти уверенный, что вот сейчас увижу призрак короля Альфреда, шествующий мимо гостиницы. Но снаружи шел дождь, и улицы были пусты.

5

Ночью дождь прекратился, и, проснувшись рано поутру
(как это всегда бывает в непривычном месте), я увидел яркие солнечные лучи, пробивавшиеся сквозь жалюзи. Винчестер еще спал. А зря; стояло то восхитительное время
года — ранняя весна, — когда весь мир, казалось, умыл-
ся, принарядился и замер в ожидании праздника. Я прогуливался по пустынным улицам и гадал, когда же горожа-

не — те самые, которые в настоящий момент укрылись в
полутемных спальнях и пытались удержать последние остатки сна, — поймут свою ошибку, распахнут настежь двери и шумной толпой высыплют на улицу радостно встречать весну. Одинокий дрозд самозабвенно распевал свою
песню в липовой аллее перед собором. Солнце, еще наполовину скрытое за горизонтом, играло волшебные шутки с городом, отбрасывая фантастические тени и расцвечивая золотом совершенно непривычные уголки. Оно окрасило в
теплый медовый цвет небо над старой школой, которая подарила миру многие поколения высококлассных специалистов. Вы можете узнать их с первого взгляда, особенно в зале
суда, когда они встают, чтобы произнести безукоризненную обвинительную речь, или же — с особым холодным
удовольствием — излагают неопровержимые доводы в защиту подсудимого. И все это при помощи безотказного интеллектуального оружия, отлитого в Винчестере, — «aut disce, aut discede, mane sors tertia caedi»[1]. Некто, хорошо знакомый с Винчестером (возможно, сам Кристофер Рен),
высек эти слова на стене школы в 1683 году.

Я пошел дальше, размышляя над тем, что если бы кто-то задался целью отыскать колыбель Британской империи,
то лучшего кандидата, чем этот маленький тихий городок,
ему не найти. Правители Винчестера после долгой войны с
данами отвоевали себе право называться королями Уэссекса, а позже — и королями всей Англии. Винчестер, столица королей, долгое время был сердцем Англии — до той
поры, пока вокруг Вестминстерского аббатства не выросла
новая английская столица.

Сидя на нагретой солнцем стене, я пытался проникнуть
взглядом в глубь истории, в те далекие дни, когда нищие
свинопасы, устроившись ночью на камнях старой римской

---

[1] «Или учись, или уходи — третьего не дано» (*лат.*).

дороги, ворошили угли в костре и шепотом пересказывали друг другу страшные истории о призраках, населяющих мертвый город на холме. Дикий терновник и бузина оплетали стены древнего Лондиния, растаскивая камни и проделывая бреши в старой кладке. Легко представить, как один из этих пастухов пробирается за прохудившуюся стену и бродит по опустевшим улицам. Вот он останавливается перед поверженной статуей великого Цезаря или озадаченно рассматривает найденные фигурки Исиды или Христа. Кем ему виделись эти люди и боги, что он о них думал? Нет, не разгадать мне эту загадку, сидя на стене древнего Винчестера, все теряется в тумане минувших веков. Как писал Джордж М. Тревельян в своей «Истории Англии»: «Эпоха кельтов, саксов и данов подобна битве Макбета на выжженной вересковой пустоши. Вещие знаки буквально витают в воздухе. В тумане разносится звук боевых рожков, слышен невнятный шум схватки. Краем глаза мы можем уловить движение гигантских фигур — главным образом это сражающиеся воины. Но среди них попадаются и патриархальные пахари за работой, а время от времени раздается звук топоров дровосеков. Перекрывая все эти звуки, слышится шум морских волн и возгласы моряков, пытающихся наперекор прибою причалить к берегу».

Наверняка, если бы туман веков слегка рассеялся, мы смогли бы разглядеть группу людей с крестом, бредущих по старым римским дорогам Англии — возможно, это возвращаются вчерашние легионеры, принявшие постриг? Все звуки перекрывает монотонное пение, а самой значимой фигурой — куда более важной, чем Гутрум с его мечом и щитом, — является некий святой, который беседует под могучим дубом с бородатым королем. Он пересказывает правителю странную и чудесную историю, много лет назад приключившуюся в Вифлееме. Я почти уверен, что так оно и было. Потому что Рим завоевывал Англию дважды: один раз мечом, а второй — с помощью той самой истории. И пока звучали боевые горны, а воины с шумом и ревом сходились в схватках у палисадов, церковь за наглухо закрытыми дверьми пыталась сохранить то, что осталось от цивилизации. Многие монахи бежали, спасая реликвии. Честь и хвала им, хранителям того слабого пламени, которому в дальнейшем суждено было стать светочем для нового мира. И сегодня, когда мы заглядываем в прошлое сквозь туман минувших веков, эти безвестные герои — римляне, валлийцы, ирландцы, — бредущие по старым римским дорогам через темные леса, через пустынные вересковые пустоши со своей благой вестью, напоминают нам мальчишек, которые со счастливым смехом бегут по улицам города в первый час наступившего нового года.

Раздался глубокий перезвон — это проснулись колокола старого собора, а птицы продолжали выводить свою утреннюю песню на ветвях липы.

6

Я отправился осмотреть Большой зал Винчестерского замка — все, что осталось от королевского дворца, стоявшего на месте легендарного замка короля Артура. В прошлом Винчестер считался престижным местом. В 1486 году король Генрих VII, желая укрепить свои притязания на английский трон, не придумал ничего лучшего, как привезти жену в Винчестер — дабы будущий наследник появился на свет в замке короля Артура.

Отправляясь на экскурсию, я ожидал увидеть нечто норманнское по духу, но здесь царил раннеанглийский архитектурный стиль: галереи, мансардные окна и высокие гладкие колонны из пурбекского мрамора. Винчестерский Большой зал, как и многие другие замки, дворцы, военные форпосты, аббатства и монастыри, поражает воображение обилием исторических ассоциаций. Полагаю, будь я смотрителем подобного сооружения, я бы довел себя до безумия, стараясь продемонстрировать публике свое детище, сыгравшее столь важную роль в долгой и драматической истории нашей державы.

Знаменитый Круглый стол короля Артура на протяжении пяти столетий был связан с древними стенами Винчестерского зала. Первое упоминание о нем встречается у Джона Хардинга в 1378 году:

> Сей Круглый стол в Винчестере стоял,
> И днесь стоит, и таково пребудет...

Генрих VIII столь высоко ценил эту реликвию, что в 1522 году во время визита императора Карла V в Англию специально привез сюда гостя, дабы тот мог полюбоваться на главную достопримечательность королевства. Безусловно, я отдаю себе отчет, что здешний Круглый стол — не более чем легенда, но это ни в коей мере не умаляет его достоинств как произведения высокого искусства. Во времена Тюдоров он подвергся реставрации, и сейчас на нем красуется изображение короля Артура в короне и костюме тюдоровской эпохи. Между прочим, хочу привести соображение в пользу правдивости красивой легенды: на самом деле стол достаточно велик, чтобы вокруг него разместилось двадцать четыре рыцаря во главе со своим королем.

7

Он стоял на клиросе Винчестерского собора в окружении туристской группы, первой в этом году. У него было чисто выбритое подвижное лицо прирожденного актера, острый, проницательный взгляд, в глубине которого таилась усмешка, и совершенно седые волосы, гладко зачесан-

ные назад. Как я потом узнал, он был хорошо известен и
пользовался заслуженной популярностью в Америке.

Это тем более удивительно, что, как правило, церковные служители не слишком любимы в народе. Увы, но большинство представителей этой профессии отличает бесцвет-
ная внешность, тихие, вкрадчивые манеры и чудовищная
безграмотность по части английской истории. Поэтому,
взглянув мельком на служителя кафедрального собора уэс-
секских королей, я стал энергично проталкиваться к толпе
слушателей. Мне хотелось крикнуть: «Не слушайте эту
мумию! Я бы вам порассказал кое-что взамен той галима-
тьи, которую подобные "лекторы" скармливают туристам,
подобно зачерствевшим булочкам».

Мне понадобилось ровно две минуты, чтобы убедиться:
этот рассказчик отнюдь не напоминает мумию, он живой на
все сто процентов! Он обладал и воображением, и магнетизмом. К тому же его речь свидетельствовала об историческом
чутье и весьма недурственном владении ораторскими приема-
ми. Он забрасывал наживку для слушателей, а затем начинал разворачивать повествование, по всем правилам закру-
чивая сюжет и подводя к кульминации. Рядом со мной стоял
пожилой автомобилист с обветренным красным лицом. Насколько я разбираюсь в людях, он жизнь напролет был занят
тем, что зарабатывал деньги, поэтому во всем остальном сохранил интеллект и восприятие восьмилетнего ребенка. Так
вот, мой сосед выглядел потрясенным: похоже, некоторые
вещи он увидел совершенно в новом свете.

— А он отличный парень, этот святоша, — прошептал
он, обращаясь ко мне. — Хотя, думаю, чуток мухлюет...
Он так обо всем рассказывает, будто сам там был и видел
все собственными глазами.

А седовласый мужчина стоял посреди притихшего кли-
роса Винчестерского собора и продолжал вещать — перед
ним простирался великолепный просторный неф, по бокам

в тусклом золотистом свете вырисовывались замечательные нормандские трансепты; во время рассказа он плавно жестикулировал и переводил цепкий взгляд с одной группы слушателей на другую. Толпа безмолвствовала — ни привычного шарканья, ни перешептываний. Ах, как он держал аудиторию! Все эти люди пришли сюда, приготовившись честно проскучать полчаса. И вот теперь они стояли, странно взволнованные, захваченные энтузиазмом рассказчика и теми картинами, которые перед ними разворачивались. Потрясающий момент: перед нами проходила история с человеческим лицом...

По мере того как церковнослужитель развивал свое повествование, мы погружались в темные коридоры времени. Суровые уэссекские короли вскачь пересекали страну, которая еще тогда и Англией-то не называлась; на наших глазах длинные хищные ладьи выплывали из-за горизонта, нацеливаясь на наши берега; мы стали свидетелями упадка и запустения гордых римских городов, раскинувшихся на вершинах холмов. Тьма и междоусобица спустились на Британские острова. Затем мы увидели римского монаха, который брел по английским лугам и проповедовал возле языческих колодцев. Это был святой Августин, вернувшийся из Рима и принесший христианство на землю Англии. Он рассказывал величайшую в истории человечества притчу всем, кто пожелает его слушать, — королям, баронам, простым людям. Так было брошено семя, из которого потом выросли многочисленные монастыри и соборы. Вслед за этим наш лектор перешел к истории строительства Винчестера, он рассказывал подробно, можно сказать, перебрал камень за камнем. Благодаря верно выбранному ключу древняя история приобрела новое звучание, стала как-то ближе и драматичнее. Толпа, собравшаяся в соборе, слышала все это и раньше (как минимум от школьных учителей), но *увидела* впервые.

— Ну, кто идет со мной на крышу? — бодро вопросил лектор. — Не робейте, вы получите огромное удовольствие. К тому же я проведу вас дорогой, по которой в прежние времена маршировали монахи, денно и нощно охраняя золотую гробницу святого Суизина. Кстати, она располагалась именно там, где вы сейчас стоите.

Мы начали подниматься по спиральной лестнице, придерживаясь в темноте за веревочные перила и ощущая под ногами гладкость стертых от времени камней. Шли довольно долго, пока не добрались до пыльного, полутемного коридора, поперек которого проходила деревянная платформа. Мы стояли над огромным сводчатым нефом Винчестерского собора. Над головой у нас уходил ввысь купол, под ним перекрещивались массивные дубовые балки, поддерживавшие всю конструкцию.

— Вы только взгляните на них! — восторженно заговорил наш провожатый. — Прослужили восемьсот лет, а выглядят как новенькие. Архитектор, осматривавший их на днях, утверждал, что балки нужно чуть-чуть «подлечить» свинцовыми белилами, и всё. Представляете, а ведь они сделаны из гигантских дубов, срубленных еще норманнами! Вперед, друзья, и будьте осторожны, не ударьтесь головой!

Мы проследовали за ним в то невероятное место, где висели огромные колокола Винчестерского собора — с вековечным терпением они ждали своего часа. Наш необычный гид выстроил всю группу в ряд — впереди серьезные пожилые женщины, за ними несколько толстых мужчин, затем худые мужчины и маленькие дети. Каждый из нас получил веревку от соответствующего колокола и прослушал краткую лекцию по обращению с ним. Затем, повинуясь указующему персту нашего дирижера, мы стали дергать за веревки и таким образом — о чудо из чудес! — довольно связно воспроизвели мелодию церковного гимна «Останься со мной».

По-моему, каждый из нас испытал восхищение и законную гордость.

Затем мы снова продолжили свой путь по винтовой лестнице: все вверх и вверх, пока, пригнувшись, не миновали низкий каменный проем и не вышли на крышу собора. Под нами распростерся Винчестер — давний соперник Лондона.

Во все глаза мы смотрели на кудрявые верхушки старых лип, на реку, холмы, стоявшие в отдалении, и маленький городок, привольно раскинувшийся в легкой дымке от затопленных каминов. Винчестер!

— Потрясающе! — выдохнул церковнослужитель. — Вам следует подняться сюда ночью, при лунном свете, и посмотреть вниз. При известной доле воображения вы сможете увидеть привидения...

— Должно быть, вы посвятили этому всю свою жизнь, — поддержал я разговор.

— Когда много лет назад меня сюда прислали, дух Винчестера овладел мною, и я понял, что нашел свое место в жизни. Я безумно люблю каждый камень этого собора.

— И кто из ваших слушателей вам кажется наиболее разумным? — не удержался я от вопроса.

— Американки за сорок! — ответил он, не раздумывая. После этого мы снова спустились по винтовой лестнице и вышли наружу, на липовую аллею. Мы все ощущали себя старинными приятелями: прежде чем расстаться, долго трясли друг другу руки. Вот что может сотворить энтузиазм одного человека.

8

Ранним утром я шел из Винчестера в Комптон, когда заметил одетого в лохмотья старика на обочине дороги. Мы разговорились, и старик сообщил мне, что «ищет случайную работу». Но что-то в его облике подсказывало: если эта самая случайная работа, паче чаяния, покажется на горизонте, горе-соискатель будет старательно смотреть в другую сторону.

От нечего делать он поплелся за мной — шел рядом медленной шаркающей походкой завзятого бродяги и нехотя цедил слова. Выяснилось, что раньше старик жил в Хаунслоу, но этим почерпнутые сведения и исчерпывались. Что касается всего остального, то мой попутчик предпочитал держать рот на замке. Уж я старался и так и эдак — все бесполезно. Зато, беседуя на разные нейтральные темы, я, к своему изумлению, обнаружил, что мой новый знакомый не знает об окружающей действительности буквально ничего. Свои обрывочные сведения о мире он черпал из тех обрывков газет, в которых ему время от времени подавали еду.

Где-то на окраине Винчестера старик углядел впереди еще одного такого же оборванца и внезапно заторопился.

— Не хочу пропустить свое пиво, — нехотя пояснил он.

— Какое еще пиво? — удивился я. — Никто вам не нальет сейчас пива, ведь еще нет и десяти.

— С *моим* пивом все будет в порядке, — огрызнулся старик, — если только эти засранцы (да уж, изяществом речи мой собеседник не отличался) не вылакают все прежде!

Мы вышли на улочку, которая вела к реке Итчен. Улочка упиралась в симпатичную серую сторожку, за которой открывался огороженный дворик. В самом его конце, в обрамлении зеленеющих деревьев и невысоких зданий из серого известняка, стояла еще одна будочка — все вместе здорово напоминало картезианский монастырь, как его обычно изображают на картинках.

Возле входа в эту вторую сторожку толклось несколько мужчин сомнительного вида, все они что-то прихлебывали из емкостей, сделанных в виде рога, и жевали сухой белый хлеб. Мой новый приятель поспешно проковылял через дворик, растолкал толпу у входа и громко постучал в дверь. Та немедленно открылась, в проеме показался пожилой привратник.

— Подайте бедному страннику! — привычно произнес мой старик.

Ему, не мешкая, вручили рог, до краев наполненный элем, и изрядный кус белого хлеба.

— А мне вы не предложите подаяние странника? — полюбопытствовал я.

Привратник высунулся из сторожки и с интересом уставился на меня.

— Мы никому не предлагаем подаяния, — ответил он. — Вы должны попросить сами.

— Ну, хорошо... Пожалуйста, можно и мне подаяние странника?

И тут же рука привратника протянула мне рог с элем и кусок хлеба.

Так я попал в больницу Сент-Кросс.

Если правда, что души умерших смотрят на нас сверху из-за своих золотых оград и радуются, то тогда такие люди, как старый Томас Саттон, основавший Чартерхаус в Смитфилде, и более поздние филантропы — как, например, епископ Анри де Блуа (он же Генрих Блуазский), правнук Вильгельма Завоевателя, который построил приют Сент-Кросс в Гемпшире, должны испытывать абсолютное, всепоглощающее счастье. Семена благотворительности, брошенные ими на английскую почву, принялись и на протяжении многих веков приносят свои плоды. Время, разрушившее не один грандиозный монумент, пощадило их деяния — и сегодня милосердные дела продолжают излучать добро в мир.

В 1136 году Генрих Блуазский основал больницу Сент-Кросс, дабы дать кров и пищу «тринадцати беднякам, которые в силу болезни или старческой немощи не в состоянии прожить без посторонней помощи». Их надлежало обеспечить «одеждой и постелью с учетом их хворого состояния, а также предоставлять постояльцам ежедневно пшеничного хлеба в количестве пяти марок[1], обед из трех блюд и одно блюдо дополнительно на ужин, не говоря уж о достаточном питье хорошего качества». Кроме того, больница была обязана накормить и напоить любого странника, постучавшего в ее ворота.

Так продолжается уже семьсот девяносто лет. Приют по сей день сохраняет свой устав и располагается все в тех же старинных зданиях — древние стены по-прежнему защищают бедную братию Сент-Кросса. И, как и сто лет назад, любой бродяга с Королевской дороги может рассчитывать на свое законное подаяние.

Сент-Кросс — старейший в Англии дом призрения.

Подобные места живут своей особой жизнью с ее простым, неспешным укладом. Это настолько непривычно, что порой кажется, будто попал совсем в иной мир. Вся суета, все наши беды и проблемы остаются за воротами. Внутри царят мир и благодать — под стать безмятежной лужайке, раскинувшейся посреди двора. В западной части двора располагаются жилые помещения братии. Это маленькие домики с высокими дымоходами. Внутри все устроено на манер картезианского монастыря: две скромные комнатки, кладовая и крохотный садик. По двору расхаживают братья, все в длинных сутанах с серебряным крестом на груди. Когда кто-нибудь из братьев умирает, крест аккуратно вырезают из его одеяния и помещают на алую подушечку, которую на время панихиды кладут покойнику на грудь. Перед погребением настоятель Сент-Кросса изымает крест и прикрепляет его на грудь очередному послушнику, что равносильно приему в братство.

---

[1] Марка — старинная мера веса, 248 г.

— У нас знаете сколько желающих? — с гордой улыбкой спросил один из ветеранов Сент-Кросса. — Список длиной с вашу руку. Это огромное везение — жить и умереть в нашем приюте. Вам, наверное, будет интересно осмотреть церковь?

Он проводил меня в норманнскую церковь переходного периода — одну из лучших, какую мне доводилось видеть, — величественную, спокойную, с безупречными пропорциями, неф которой украшали огромные колонны, смахивающие на стволы гигантских дубов. Во время последней реставрации в 1866 году на каменных поверхностях обнаружили остатки росписи, которую было решено восстановить. В результате все внутреннее пространство церкви заполнилось узорами в красных, желтых и синих тонах — они в точности воспроизводят те, что скрывались под прежней побелкой. По словам моего провожатого, многие не одобряют такого разноцветья, а мне понравилось. На мой взгляд, эти жизнерадостные краски привнесли в храм дыхание жизни, изгнав прежние холод и сдержанность.

Зал братии — это помещение, где на протяжении столетий собирались обитатели приюта, дабы вкусить трапезу, сдобренную элем. Если бы этому месту потребовался девиз, то лучшего слова, чем «милосердие», не подыскать. Вообще, было бы крайне интересно и поучительно проследить историю благотворительности в веках. Мы бы увидели, как в разные времена рядом с беспримерной жестокостью уживалась искренняя и благочестивая любовь к нашим «сирым братьям во Христе». В центре зала располагается рельефный очаг, который топится углем, — холодными вечерами вокруг него собираются все монахи. В одном конце комнаты имеется прелестная галерея: по особым случаям здесь исполняли — и исполняют — свои произведения менестрели.

Покидая территорию приюта, я остановился у сторожки поболтать с привратником. Он сообщил мне, что ежедневное «подаяние странникам» составляет два галлона пива и две большие буханки хлеба, которые обычно делятся на тридцать две порции.

— Это, конечно, немного, — сказал он, — так, легкий перекус. Но такова традиция. Она очень древняя — уходит корнями в прошлое на семьсот лет.

Итак, примерно тридцать странников — большей частью городских бродяг, любителей дармового пива — каждый день приходят сюда за подаянием.

В переулке мне повстречался еще один такой «путник» — с озабоченным лицом он спешил к воротам приюта.

— Все в порядке! — крикнул я ему вслед. — Вы как раз вовремя!

И мне представилась странная процессия: тысячи мужчин и женщин с пустыми желудками, которые за последние восемь столетий проделали этот путь по короткому переулку к вратам гостеприимного Сент-Кросса.

9

Вот уж о чем я меньше всего думал, когда бодро катил вниз по склону холма, так это о прекрасных дамах. Все мои мысли крутились вокруг запасных шин и качества дорожного покрытия. Внезапно прямо по курсу я увидел небольшой каменный мост, на котором стояла девушка — перегнувшись через перила, она, подобно Мелизанде[1], неотрывно глядела в воду. Тут же, на крутом подъезде к мосту, стояла маленькая,

---

[1] Мелизанда — персонаж лирической драмы М. Метерлинка «Пеллеас и Мелизанда», прекрасная жительница леса; в одной из сцен она склоняется над источником и пристально глядит в воду, пытаясь увидеть будущее.

но, судя по всему, строптивая машинка — она кашляла, чихала и вообще всячески выражала свое неудовольствие. А должен сказать вам, дорогой читатель, что утро выдалось совершенно волшебное: дождик окончился, выглянуло яркое солнышко, птички вовсю распевали в ветвях деревьев — на всем лежала печать счастья и всеобъемлющей любви.

У меня оставались считанные секунды, чтобы принять решение. Я мог бы привлечь внимание девушки к бедственному положению ее автомобиля и предложить свою помощь. Но, возможно, ей просто нравилось вот так стоять на мосту и наблюдать за неспешным течением реки. Тогда мое грубое вмешательство ее наверняка оскорбит, и она посчитает меня наглецом. Но, с другой стороны, рассуждал я, если с ее машиной действительно серьезные неполадки, то девушка должна рвать и метать от досады. Скорее всего, она ненавидит эту реку, на которую вынуждена пялиться, и возненавидит меня, если я просто проеду мимо. Да еще и сочтет неотесанным деревенщиной. Итак, что лучше: наглец или деревенщина? По счастью, мне не пришлось выбирать, поскольку девушка внезапно — ох уж этот удивительный женский талант одним махом решать маленькие жизненные проблемы — оставила свой наблюдательный пункт на мосту, выскочила на середину дороги и вскинула руку на манер дорожного полицейского.

Я остановился.

Она улыбнулась.

Я улыбнулся в ответ и был вознагражден еще одной улыбкой.

Мне ничего не оставалось, кроме как выключить мотор и в знак приветствия приподнять шляпу.

— Простите, вы не могли бы... — произнесла девушка, очаровательно хлопая ресницами (наверняка не один час репетировала перед зеркалом), — нельзя ли одолжить у вас полпинты бензина?

Она выглядела совершенно очаровательной, особенно когда вот так наивно и беспомощно хлопала ресницами. На ней была изящная коричневая шляпка с крошечной бриллиантовой брошкой в виде стрелы — несмотря на простоту, в этом изделии безошибочно угадывалась рука дорогого ювелира с Бонд-стрит. Всем своим обликом девушка напоминала изящную, трепетную лань. А ее одеяние лишь подчеркивало это сходство с оленьим племенем: коричневый твидовый костюм, крапчатые чулки и спортивного покроя туфли на низком каблуке. На шее, в вырезе оранжевой блузки, поблескивала тонкая нитка жемчуга.

Услышав ее просьбу, я испытал огромное облегчение. Ха, полпинты бензина! Уверен, подобные же чувства испытал бы средневековый странствующий рыцарь, встретивший на пути одинокую прекрасную деву, взывающую о помощи. Представляете, бедняга только-только изготовился к кровопролитному сражению с огромным и весьма неприятным с виду драконом, как вдруг выясняется, что никакого дракона-то и нет. Всего-то и требуется, что отцепить юбку дамы от колючего терновника или прогнать с дороги мерзкого вида жабу.

Должен сознаться, воображение мое рисовало нечто соизмеримое по своим катастрофическим последствиям с упомянутым драконом. Я уже видел себя с головой нырнувшим во внутренности маленькой, но упрямой машины. Традиционное мужское тщеславие не позволило бы мне сознаться, что я ничего в этом не понимаю, и пришлось бы с умным видом корчить из себя опытного автомеханика и тыкаться во все дырки с абсолютно бесполезным гаечным ключом. Я бы наверняка поранился, вышел из себя, ругался на чем свет стоит и в результате нанес бы непоправимый (и весьма дорогостоящий) вред маленькой строптивице.

А тут всего-навсего полпинты бензина...

— *Одолжить* полпинты бензина нельзя, — веско произнес я (девушка разочарованно ахнула — в полном соот-

ветствии с моими планами), а я продолжил: — Но я мог
бы — и с удовольствием это сделаю — *подарить* вам два
галлона топлива.

Глядя на девицу во время своего монолога, я осознал,
какое это мизерное количество — два галлона. Мне следовало предложить ей... как там дальше идет по порядку?

Две пинты — одна кварта,

Четыре кварты — один галлон,

Девять галлонов — один фиркин,

Восемнадцать галлонов — один килдеркин,

Тридцать шесть галлонов — один баррель...

Вот, мне следовало сказать:

— Позвольте предложить вам баррель бензина или по
крайней мере (ведь путь-то мне предстоит неблизкий) хотя
бы фиркин!

Кляня себя в душе за мелочность, я выбрался из машины и тут услышал нежный голосок:

— О, спасибо... но это чересчур!

Я посмотрел на девушку.

— Нет, правда, — сказала она и снова похлопала ресницами (хлоп-хлоп-хлоп!), — это слишком щедрый подарок, я не могу его принять.

Я-то знал, что вполне может и примет, поэтому не стал
спорить: просто достал канистру и водрузил ее на капот
маленькой, похожей на ванночку машины.

— Послушайте, — продолжала настаивать девушка, —
честное слово, я так не могу!

Дрозд на ветке, видно, не выдержал и решил присоединиться к нашей беседе.

— Ну и дурак! Ну и дурак! Ну и дурак! — донеслось
из ближайших кустов.

— Вы слышали?

— Что? — переспросила девушка.

— Птичку!

— По крайней мере, позвольте мне заплатить вам.

— Глупости, — отрезал я, и — буль-буль-буль — два галлона моего первосортного бензина ухнули в ее маленькую, но прожорливую машину.

Дело сделано!

Девушка, должно быть, направлялась на стипль-чез, поскольку на заднем сидении у нее я заметил складной стульчик...

— Так сколько я вам должна? — спросила она (хлоп-хлоп), роясь в сумочке.

— Я этого не слышал!

— Ну пожалуйста, скажите же!

Мне очень хотелось ей сказать:

— Позвольте вам кое-что объяснить, леди. Рыцарство как таковое предполагает радость от служения всему женскому полу. Поверьте, если б вы были мужчиной, то я объявил бы вас полным кретином — за то, что выехали из дому с пустым баком, и содрал бы двойную цену. Но вы женщина... И будь вы хоть очкастой мымрой — прыщеватой, с заячьими зубами и ногами, как у старого жокея, — то и тогда бы я с таким же удовольствием (ну, или почти с таким же) подарил вам эти два галлона бензина. Тот факт, что вы чертовски хороши и так очаровательно хлопаете ресницами, лишь добавляет приятности акту дарения, ничуть не меняя его по сути.

На самом же деле я скромно произнес:

— Оставьте, пожалуйста! Это сущие мелочи.

— Ах, как мило с вашей стороны! — улыбнулась красотка и, щелкнув замочком, закрыла сумочку.

Меня так и подмывало с вежливым поклоном сказать:

— Леди, мне ни в коей мере не хотелось бы, чтобы вы чувствовали себя обязанной. Но, видите ли, я не бензозаправка, поэтому денег за бензин не возьму. Более того, я почитаю это своей мужской привилегией. Суть куртуазности в том и заключается, что мы вознесли вас на пьедестал, с которого вы то и дело норовите сойти, дабы предоставить себя нашим заботам. На самом деле это я у вас в долгу. Не лишайте меня радости и законной гордости по поводу моей принадлежности к сильному полу.

В действительности же я ограничился нейтральным вопросом:

— Ну, теперь у вас все в порядке?

— Вполне, благодарю вас! — свой ответ она сопроводила уже привычным взмахом ресниц.

Ах, эти голубые глаза!

— Славный денек!

— Просто великолепный!

— Ну, что ж... до свидания. И удачи вам.

— Прощайте... И огромное спасибо.

Продемонстрировав мне напоследок свое изумительное искусство по части хлопанья ресницами, девушка загрузилась в свою жестяную мыльницу и газанула по мосту. Минуту спустя она скрылась за горизонтом. Я же помедлил еще немного, а затем поехал своей дорогой.

Ведь что такое, в сущности, романтика? Это просто наша вера в то, что мир лучше, чем он есть на самом деле... в то, что женщины прекраснее, мы сильнее и отважнее... а трава зеленее, чем нам видится.

— Ну и дурак! Ну и дурак! Ну и дурак! — долбил свое дрозд.

— Спасибо! — прошептал я. — Ты был очень добр ко мне.

Глава вторая
Сельские приметы

Я осматриваю женский монастырь в Ромси; наблюдаю за отплытием лайнера в Америку; углубляюсь в дебри Нью-Фореста; веду беседу о привидениях в аббатстве и посещаю стипль-чез.

1

Ромси из волшебного графства Гемпшир представляет собой маленький провинциальный городок — идеальное место для проведения еженедельных ярмарок. Посреди центральной площади на высоком постаменте горделиво красуется местный благодетель — лорд Пальмерстон. Памятник, открытый всем ветрам и дождям, стоит уже не один год, и бронза местами изрядно позеленела. Рядом с монументом в расслабленной позе застыл полицейский, он меланхолично рассматривает кондитерскую напротив. Темп жизни, как и все прочее в этом городке, неспешный, события — разумно предсказуемы. На бордюрном камне расположилась группа мужчин в гетрах, они молча стоят с выражением глубокой задумчивости на лицах. Время от времени площадь пересекает корова в сопровождении своего хозяина.

Немного поодаль от дороги среди деревьев белеет высокое каменное здание — это Бродлендс, особняк, некогда принадлежавший Пальмерстону. Во всем Ромси царит атмосфера безмятежного покоя; кажется, будто городок утверждает: я немало потрудился, внес достойную лепту в бурную политическую жизнь девятнадцатого столетия, а теперь с полным основанием удалился на заслуженный отдых.

Самым заметным зданием в Ромси, как и во многих провинциальных английских городах, является монастырь — видавшая виды серая громада, построенная еще при саксах, разрушенная данами, восстановленная в 1130 году и выкупленная горожанами за 100 фунтов стерлингов во время кампании по разрушению монастырей, проводившейся Генрихом VIII (согласитесь, неплохая сделка, свидетельствующая о коммерческой сметке ромсийцев).

Ромси — средоточие английского духа. Здесь налицо все приметы сельской Англии: начиная от статуи Пальмерстона с позеленевшей головой, городского констебля, коровы на площади и кончая серым аббатством, уходящим корнями во времена Гептархии.

Я стоял, прислонившись к церковной ограде, и сквозь кучерявую листву вязов рассматривал верхний ряд окон, освещавших хоры (вот уж где норманнский стиль), приземистую серую башню и замысловатый флюгер, на который всякий раз перед дождем усаживается галка (примета верная, убеждали меня ромсийские старожилы, можете не сомневаться). На сей раз бедная птица, должно быть, умаялась и покинула свой пост, потому что, сколько я ни глядел, никаких признаков пернатой не приметил.

Три маленькие девочки в белых передничках играли на дорожках церковного кладбища: с серьезным видом они нянчили своих целлулоидных младенцев. Мимо на велосипеде прокатил рассыльный из лавки мясника с грузом баранины. По вязовой аллее неторопливо шел пожилой мужчина с букетом желтофиолей в правой руке. Поравнявшись со мной, он поздоровался, и мы разговорились — сначала коснулись истории, затем потолковали о жизни вообще. Старик оказался церковным старостой. К моему огромному удивлению, я узнал, что ему семьдесят шесть лет — я бы на глаз дал не более пятидесяти пяти. Бледно-голубые глаза моего собеседника весело блеснули, когда я сказал ему об этом.

— И, представьте себе, я ни разу не болел за всю жизнь! — с законной гордостью похвастался он. — Возраста своего совершенно не ощущаю, а знаете почему? Потому что счастлив. Я абсолютно убежден, что секрет здоровья и долголетия любого человека — в умиротворенном состоянии духа.

— Ну да, — вздохнул я, — вам-то наверняка не приходится бегать за автобусом!

Старик улыбнулся.

— Здесь очень спокойное место, — сказал он. — Тишь да гладь! Никогда ничего не случается. Хотите осмотреть церковь? Вообще-то она закрыта, но я проведу вас внутрь.

И мы пошли дальше по вязовой аллее уже вместе.

Здесь, при сером свете, отраженном от старого камня, в окружении мощных норманнских колонн и полукруглых арок (если вы поклонник норманнской архитектуры, вам непременно надо посетить это аббатство), в суровой тиши древнего храма я познакомился с историей леди Этельфледы, третьей аббатисы Ромси. О ее благочестии сохранилось множество красивых легенд. Рассказывают, например, что благодаря своей святости эта дама могла под покровом ночи войти обнаженной в студеный ручей, протекавший рядом с аббатством, и часами стоять там, распевая псалмы.

Лично я думаю, что подобная история сродни той легенде, которую рассказывают жители Ковентри о леди Годиве.

Благочестие Этельфледы было по заслугам вознаграждено небесами. Вот еще один прелестный эпизод из жизни ромсийской аббатисы. Как-то раз во время ночной службы она читала поучение для сестер. Внезапно пламя свечи задрожало и погасло. И что же Этельфледа? Она продолжала читать отрывок из Библии в слабом, неверном свете, струящемся с кончиков ее пальцев. Трудно представить себе эту набожную даму в условиях финансового кризиса, однако и на сей счет существует красивая легенда. Якобы однажды у святой Этельфледы оказалась на руках довольно большая сумма денег, ей не принадлежавшая. В порыве сострадания она раздала все деньги нищим, хотя никто ее на это не уполномочивал. И что дальше? А дальше настал день, когда сумму надо было вернуть владельцу. Наша аббатиса пала на колени, вознесла горячую молитву и — алле-ап! — пустые кошели наполняются снова... Подумать только, ну и счастливица эта святая Этельфледа!

А однажды ночью в древних стенах Ромси едва не разыгралась драма, если не сказать — трагедия.

Вильгельм Рыжий, бывший, по слухам, весьма неприятным типом, задумал во что бы то ни стало жениться на Эдите, прекрасной саксонской принцессе, которая на тот момент находилась на попечении аббатисы Ромси. Желание его было вполне понятным, поскольку таким образом — соединившись со старинной саксонской династией — он намеревался укрепить норманнское правление в Англии. Проблема заключалась в том, что девица отнюдь не стремилась к этому браку, посему и укрылась в монастыре. Так или иначе, однажды ночью в аббатстве случился жуткий переполох — чадили факелы, гулко стучали копыта по булыжной мостовой — это король Вильгельм Рыжий явился за своей добычей. В планы матушки-настоятельницы не входило выдавать девицу настойчивому жениху. Поэтому она наскоро переодела ее в монашеское одеяние и поставила на колени перед алтарем.

Короля, однако, пришлось впустить. Аббатиса объяснила, что принцесса приняла обет безбрачия и теперь принадле-

жит небесному жениху. Разгневанный Вильгельм ринулся
в храм. Можно представить, как трепетала девушка, слы-
ша за своей спиной тяжелые шаги, эхом отдававшиеся в
пустынном нефе. Однако король дальше придела не пошел.
Тяжелым взглядом он уставился на юную коленопрекло-
ненную монашку, погруженную в молитву. После чего развернулся и вышел вон. Той же ночью Вильгельм вернулся в
свой замок.

А вот еще одна любопытная история, связанная с Ром-
сийским аббатством. Во время раскопок, проводившихся в
1839 году, под полом бокового придела, неподалеку от ке-
льи аббатисы, был обнаружен свинцовый гроб эпохи саксонского правления. Гроб был пуст, если не считать дере-
вянного ларца, в котором хранился длинный локон золоти-
сто-каштанового цвета. Что за тайна скрывается за этой
находкой? Как часто подобные загадки застревают в памяти и продолжают волновать сердца, когда истории о величайших церковных реликвиях скользят по поверхности нашего внимания и благополучно забываются.

Норманнские камни — серые, мрачные — по-прежнему лежат в основе Ромсийского аббатства. И тихие вздохи
и поскрипывания за закрытыми дверями церкви позволяют
оживить тени далекого прошлого. Мне кажется, я бы не
удивился, воочию увидев пред алтарем бледную и трепещу-
щую Эдиту или святую Этельфледу — закутанную в плащ,
подобно Монне Ванне[1], и направляющуюся к холодной заводи со сборником псалмов в руках.

Не говоря ни слова, мы со старым хранителем покинули
церковь и вышли под сень вязовой аллеи.

---

[1]Монна Ванна — героиня одноименной исторической драмы М. Метерлинка.

2

Поднявшись на старинные каменные ворота Бар-гейт в Саутгемптоне, я разглядывал раскинувшийся внизу город сэра Бевиса[1]. Утро выдалось ясное. На узких городских улочках царили толчея и сутолока. Под воротами прогрохотали трамвайные вагоны, как по мановению волшебной палочки открыв проем, и в воздухе повеяло близостью моря и кораблей.

Стоя там и пытаясь проследить линию древних городских стен, я размышлял: «О чем бы мне написать? Может, о том, как Ричард Львиное Сердце покидал Саутгемптон в 1189 году? Или же о том, как отплывали в Новую Землю "Спидвэл" и "Мэйфлауэр"? А, может, что-нибудь из более поздней героической истории города: когда темной августовской ночью 1914 года бесконечные воинские эшелоны один за другим входили в Саутгемптон — еще до того, как большинство англичан узнали новость, которой было суждено навсегда изменить их жизни и их мысли?»

До чего же трудно уложиться в несколько слов, когда речь идет о городе, где каждый камень хранит свою историю.

Так ничего и не решив, я спустился вниз и направился в сторону причала. По дороге я размышлял о великане Аскапарте, чья огромная размалеванная фигура была изображена на стене древних ворот по соседству с сэром Бевисом, о доме Божьем (или приюте Святого Джулиана), который обладает собственной историей. Затем на Саутгемптонской набережной я стал свидетелем настоящей человеческой драмы, которая происходила в самом центре города на глазах у сотен людей.

---

[1] Сэр Бевис Хэмптон — легендарный англосаксонский герой XI в., полумифический основатель Саутгемптона.

Здесь, в гавани, готовился к отплытию атлантический лайнер. Вокруг царила привычная суета: по сходням сновали грузчики с багажом; в толпе раздавались предостерегающие крики, когда стрела подъемного крана описывала в воздухе полукруг, перенося на борт судна тяжелые упакованные тюки. Среди собравшихся на причале царила нервозность, которая обычно предшествует отправлению корабля. Люди то и дело поглядывали на часы, сейчас, как никогда, каждая секунда обретала вес. Из труб огромного судна валил дым и растворялся в небе. Громада лайнера с его многочисленными палубами вздымалась вверх подобно крутому утесу. Кое-где в иллюминаторах маячили взволнованные лица пассажиров — мне они напомнили троглодитов, которые, высовываясь из своих пещер, высматривают врагов на дне долины.

И тут откуда-то сверху, с самой вершины горы, раздался голос, выкрикивающий мое имя. Присмотревшись, я заметил своего знакомого — весьма обеспеченного человека.

— Поднимайтесь ко мне на борт! — прокричал он.

Не прошло и нескольких минут, как я уже сидел в элегантном будуаре, выдержанном в сизо-серых тонах. Больше всего помещение смахивало на уборную какой-нибудь театральной дивы (при условии, конечно, что кто-то предварительно потрудился навести в ней порядок). Мой приятель обозвал это великолепие своей каютой. Здесь стояла никелированная кровать, за дверью располагалась отделанная мрамором ванная комната, также напичканная никелированными рычагами и краниками, которые обеспечивали поступление холодной и горячей воды. Назначение прочих ультрасовременных приспособлений осталось для меня загадкой. Как выяснилось, все это обошлось моему знакомому в двести фунтов.

— Должно быть, у моряков нелегкая жизнь, — попытался завести я разговор.

— Какая жалость, что вы не можете ко мне присоединиться, — перебил меня приятель с тем идиотским пренебрежением к чужим планам и обстоятельствам, которое является отличительной чертой всех богачей.

После этого он повел меня на экскурсию по бесконечным, пахнущим свежей краской коридорам. Я узнал точную длину коридоров (в ярдах), правда, эта информация тут же испарилась из моей памяти. Мы посетили просторный салон и ресторан, которому позавидовал бы солидный отель. Затем заглянули в плавательный бассейн и тренажерный зал с обилием электрических коней, гребных лодок, велосипедов и прочих приспособлений для того, чтобы сгонять жирок у слишком тучных пассажиров. (Вот интересно, что бы сказал Колумб, очутившись на таком корабле?)

Позолоченные лифты ездили вверх-вниз, по ковровым дорожкам бесшумно сновали стюарды. Повсюду бродили растерянные пассажиры, на их лицах явственно читалось сомнение: в тот ли коридор они свернули, и что будет, если они не сумеют найти дорогу к своим каютам?

Мой приятель как-то быстро заскучал и удалился по своим делам, а я продолжил свой путь в самые недра этого океанского отеля.

Там я увидел сотни бедно одетых людей, которые ютились возле своих тюков, сумок и сундуков. Мне они напомнили стадо перепуганного скота. Среди них были ирландцы, англичане, итальянцы и евреи; целые семейства со своим скарбом сгрудились в тесном пространстве с единственной целью — добраться до далеких берегов Америки, где они намеревались начать новую жизнь. Третий класс!

По мне, так нет более печального зрелища, чем эти несчастные, забитые люди. Пока я глядел на них, у меня возникло странное щемящее чувство, что шикарные, позолоченные каюты наверху — не более чем красивый сон, а настоящая реальность — здесь, на этой невидимой, забытой Богом и людьми нижней палубе. Некоторые из пассажиров выглядели потерянными и подавленными, другие, напротив, были возбуждены и чрезмерно разговорчивы. Язык не поворачивался назвать их авантюристами — трудно представить себе людей, менее похожих на искателей приключений, — и тем не менее представьте себе, какая это авантюра: бросить все и отправиться к чужим берегам, чтобы начать жизнь сначала.

Девушка развернула бумажный пакет, достала бутерброд и протянула его пожилому мужчине, по виду ее отцу. Она нежно обняла его за плечи, а мужчина с отсутствующим видом похлопал ее по руке.

Я уже предчувствовал, сколько здесь будет слез и истерического смеха в самом ближайшем будущем...

Взвыла сирена.

— Провожающих просят сойти на берег!

Огромный корабль был готов пуститься в свое плавание через Атлантику.

Я встретил своего друга возле ресторана.

— Есть совсем не хочется, — грустно пожаловался он, и тут грянул оркестр.

Старший стюард успокаивал раздраженную даму: насколько мне удалось понять, она осталась без ванной комнаты, которую оплатила заранее. На трапе стояли юноша и девушка с очень бледным лицом; на их губах играла жалкая, беспомощная улыбка, которая обычно сопутствует расставанию.

— Прощай! — сказал он. — Пиши мне каждый день из Нью-Йорка... хотя бы по нескольку слов.

Снова раздался звук сирены, что-то прокричал дежурный офицер. Девушка промокнула глаза платочком и неуверенно улыбнулась. Молодой человек начал медленно, понурившись спускаться по трапу. Огромное судно представлялось ему — памятуя древние трагедии, я абсолютно в этом уверен — злобным чудовищем, которое уносит прочь его возлюбленную, в каждом обертоне корабельной сирены ему слышался бездушный дьявольский хохот. И тысячи бесконечных миль, отделяющих его от девушки, начнут с беспощадной непреложностью разматываться, как только его нога коснется набережной. Еще какое-то время ее бледное лицо будет маячить перед его взором, но это ничего уже не изменит. Мне было искренне жаль их обоих!

Вновь прозвучал бодрый, веселый гудок, огромное судно дернулось и медленно — так медленно — тронулось с места.

Сначала от причала его отделяла полоска шириной в дюйм, затем она увеличилась до ярда. Увы, с точки зрения разлученных возлюбленных это расстояние равнялось бесконечности, по сути, можно было считать, что корабль уже достиг Нью-Йорка. Молодой человек стоял с бледным, искаженным лицом и наблюдал, как океанский лайнер мучительно медленно — дюйм за дюймом — удалялся, прокладывая себе путь по Саутгемптонской бухте. Пару раз он сделал попытку повернуться и уйти, но так и не смог...

Я стоял рядом — весь во власти жалости и сочувствия — и размышлял о тех несчастных пассажирах третьего класса, которые сидели сейчас во чреве корабля рядом со своими жалкими пожитками. Что они делали в тот момент, когда гигантский лайнер пустился в плавание — плакали, смеялись, молились?

На набережной, у самой кромки берега, застыл мальчишка-рассыльный с телеграфа — в руке пачка недоставленных сообщений, во взгляде, которым он провожал удалявшийся корабль, светились обида и раздражение. Он выглядел смехотворно — чисто лягушонок, досадующий на препятствие в виде действующего вулкана. Впрочем, горевал парнишка недолго. Присвистнув, он вскочил на свой велосипед и покатил обратно, увозя с собой стопку розовых конвертов — слова последнего «прости!» возвращались в серый город прощаний под названием Саутгемптон.

3

Здесь, в Бьюли (местные жители часто произносят это название как Бьюлей), никогда ничего не происходит... если не считать, конечно, прилива и отлива на реке, появления и опадания листьев, восхода и заката солнца и луны...

Это уединенное и странное место в самом сердце последнего из великих английских лесов. Я бы даже назвал его самым странным местом из всех, которые когда-либо видел. Живут здесь медлительные саксы — благовоспитанные, степенные люди, не слишком разговорчивые, но имеющие обо всем собственное мнение. Их далеким предкам хватило ума держаться подальше, когда король Вильгельм Рыжий ломился сквозь папоротник в пылу охотничьего азарта (мы все помним, к каким фатальным последствиям привела его погоня за благородным оленем[1]). Прошедшие века не изменили местный народ: они такие же мастаки прятаться за надежной стеной вежливой скрытности. Ничего удивительного, порой кажется, что сами здешние места способствуют неторопливому и сдержанному укладу жизни. Находясь здесь, вы начинаете понимать, что далекий Лондон со всей его блестящей мишурой не столь важен, как появление нового помета у свиньи мистера Смита. Попробуйте постоять вот так — в полной тишине, прислонившись к деревенской изгороди, — и вам откроется удивительная

---

[1] В 1100 г. король Вильгельм Рыжий был убит случайной стрелой на охоте; несмотря на множество слухов об убийстве, его смерть отнесли к разряду несчастных случаев.

тайна: оказывается, все то, за чем гоняются столичные жители, ради чего они разбиваются в лепешку, ничего не стоит по сравнению с возможностью смотреть на чистый лик луны за переплетением березовых сучьев. Бр-р, ну и ересь!

Но остерегайтесь надолго оставаться в Бьюли. Очень скоро вы обнаружите, что ваше единственное желание — это радоваться приплоду вместе с мистером Смитом или стоять по колено в мельничном ручье и наблюдать, как разгораются яркие звезды на небе.

Я же, поддавшись чарам этой деревушки, пытался решить проблему: возможно ли, чтобы ореол святости, который некогда окружал старинный храм, сохранился, словно пристав к здешнему месту?

Это крохотное поселение с развалинами величественного аббатства в период с 1204 по 1539 год являлось одним из главных убежищ Англии, куда стекались воры, убийцы, заговорщики со всей страны. Любой беглец мог укрыться за стенами монастыря от правосудия, и никто был не вправе претендовать на его жизнь. «Милосердие церкви» укрывало его лучше всякого щита: шериф со своими подручными мог колотить в двери аббатства так, будто настал судный день; а кровожадные рыцари рыскать по округе сколько им вздумается — все бесполезно, птичка упорхнула. Вчерашний грешник был в полной безопасности, будто никогда и не грешил!

На протяжении всех Средних веков Бьюли оказывал гостеприимство самой выдающейся компании негодяев и проходимцев — все они жили там, не выходя за стены аббатства. Белые братья вели хозяйство, ловили рыбу и огородничали, каждый день распевая торжественную мессу в прелестной местной церквушке. Время от времени на дороге показывался всадник на взмыленной лошади, который во весь опор влетал на территорию аббатства, чтобы остаться здесь навсегда, присоединившись к сомнительному братству.

Не удивлюсь, если книга посетителей аббата Бьюли в точности соответствовала списку лиц, разыскиваемых Скотланд-Ярдом.

И все, что осталось от былого кипения жизни, — это древние развалины, которые печально высятся в свете все той же луны на берегу все той же реки. Порок, похоже, навсегда покинул Бьюли, но атмосфера убежища сохранилась. Это может показаться странным, но «милосердие церкви» по-прежнему витает над здешними полями, нарушая их уединение.

Именно таким мыслям я предавался как-то вечером, когда на реке уже начался отлив, а солнце клонилось к западному горизонту. Оно изрядно потеряло в своем великолепии, почти скрывшись за верхушками деревьев.

Если посмотреть на небо, можно было обнаружить два слоя облаков: один — безмятежный, нежно-абрикосового цвета — висел неподвижно в вышине, второй — грозовой, цвета индиго — двигался на небольшой высоте. Весь запад был объят золотым пламенем, которое частично захватывало и края темной грозовой гряды. Все это великолепие двигалось, изменялось... Река в угасающих лучах солнца казалась полоской чистого серебра, по которой бесшумно двигался крошечный гагатовый силуэт — припозднившаяся утка искала себе ночлег. Неподалеку застыл лебедь, спрятавший голову под крыло, — еще один контур, вырезанный из черной бумаги. Ветер нагонял легкую зыбь на поверхность воды, одновременно швыряя пригоршни бледных лепестков в прибрежную траву. Вместе с сумерками сгущалась и тишина. До меня доносился далекий лай собаки; голоса двух мужчин, ведущих неспешную беседу за поросшей мхом стеной, звучали явственно, как колокольный звон.

Да, говорил один, дела в саду поправились бы, если б выдалась солнечная неделька. Эх, если бы...

Дзинь! Лопата чиркнула о подвернувшийся камень.

Речная вода серебрилась в налетевшем порыве ветра, золото на небе загустело и потускнело; над ним начал проступать серый перламутр — не столько наступление темноты, сколько рождение нового, неземного света...

В сельской местности на закате всегда наступает такой миг, когда кажется, будто весь окружающий мир замер в вечерней молитве. Я всякий раз удивляюсь, почему другие люди не чувствуют того же — ведут себя, как последние несмышленыши: что-то обсуждают, бредут куда-то с лопатами на плече, — вместо того чтобы все бросить и упасть на колени прямо в траву. Ведь в эти краткие мгновения благословенного затишья — перед тем, как зажгутся первые звезды на небе — вся вселенная ждет Божественного откровения. Так и чудится, будто облака вот-вот разойдутся, тьма рассеется, и человеку откроется его судьба...

Тем временем ночь окончательно утвердилась в своих правах, в окнах начали зажигаться огоньки. На дороге прозвучали чьи-то шаги, кто-то громко рассмеялся... и все, очарование момента исчезло, испарилось... И моя мечта так и осталась нереализованной.

4

Если вы хотите увидеть средь бела дня привидение, вам непременно надо посетить развалины аббатства Бьюли. Вряд ли найдется другое такое место на Земле. Причем, что характерно, это не какие-то зловещие, завывающие и гремящие цепями призраки, которых изображают в фильмах ужасов. Нет, скорее всего, это будет вполне себе безобидный послушник, направляющийся к бывшей прачечной с корзиной белья. Или же медленно бредущий по направлению к кухне с блюдом лущеного гороха. Присмотритесь: вот он приостановился, чтобы украдкой полакомиться парой-тройкой горошин... или вытряхнуть камешек из своего башмака. Это мирное место, в котором обитают милые и добрые привидения.

За прошедшие века среди мягкой травы поднялись высокие стволы деревьев; развалины монастырских зданий сплошь заросли мелкими голубенькими цветочками; а стены бывшего капитула облюбовала целая колония первоцвета. В послеобеденные часы, когда косые лучи солнца падают на серые каменные стены, в воздухе разливается ленивая истома — кажется, будто он загустел от несмолкаемого жужжания пчел. Пожалуй, самым мистическим местом является поляна, где некогда стояла главная церковь аббатства. Генрих VIII милостиво разрешил монахам остаться в своих жилищах, но повелел, чтобы от церкви и камня на камне не осталось. Естественно, приказ его выполнили — церковь разрушили до основания, однако фундамент остался, сохранив очертания древнего храма. Глядя на него, вы инстинктивно снимаете шляпу, ибо чувствуете: это святое место. Здесь, посреди заросшей травой поляны, четко вырисовывается гигантский крест, поперечная перекладина которого проходит на месте бывших трансептов. Узкая протоптанная дорожка, похожая на козью тропу (если только козьи тропы бывают идеально прямыми), ведет к центру того, что некогда служило главным нефом. Раньше здесь стоял главный алтарь королевского Бьюли, курившийся голубым фимиамом.

Вот такой получился диковинный храм: небо ему служит куполом, дрозд в зарослях тисового дерева исполняет роль хора, а ночная роса участвует в обряде освящения.

Местные жители верят, что это место облюбовали себе привидения, и избегают надолго оставаться на руинах древней церкви. Хотя вообще-то уцелевшие здания активно используются в общественной жизни прихода: так, например, Домус[1] служит для проведения многочисленных

---

[1] Домус — так называлось западное крыло аббатства.

выставок и праздничных мероприятий; а бывшая монастырская трапезная превращена в приходскую церковь. Поговаривают, будто нынешний викарий, который уже свыше тридцати лет добросовестно и со всей душой заботится о Бьюли, находится в прекрасных отношениях с призраками бывших монахов-цистерцианцев, но это, скорее всего, просто слухи.

Единственный человек, кто знает все наверняка, это мисс Эйми Чешир, молодая женщина, живущая в полном одиночестве на развалинах бывшего аббатства. Она занимает большое помещение на месте бывшей монастырской спальни. Это фрагмент каменного здания, и внизу, в единственной комнате, довольно холодно и темно, но зато наверху, под дубовыми балками, получилась вполне уютная спаленка для мисс Чешир. Ей пришлось, конечно, провести себе электричество, иначе жить там было бы уж слишком неуютно. Представляете, каково это — коротать вечера при свете свечи в таком уединенном месте? Слабенький огонек не разгоняет тьмы и лишь порождает зловещие качающиеся тени на стенах комнаты. На ночь аббатство запирается, и мисс Чешир оказывается полностью отрезанной от внешнего мира — с тем же успехом она могла бы находиться где-нибудь в сердце пустыни. А что за вид открывается из ее узких, глубоко утопленных окошек! Отшлифованные временем камни ярко блестят в лунном свете, через всю поляну протянулись темные тени от старых могучих тисов, там и сям вздымаются полуразрушенные закругленные арки, трава и желтофиоль, растущие поверх монастырских стен, придают им странный взъерошенный вид. Мисс Эйми остается один на один с прошедшими столетиями. Семьсот лет... Из них триста тридцать пять лет — с 1204 по 1539 год — на месте нынешних развалин кипела активная жизнь. Увы, царили здесь не тихие молитвы, но буйство и порок, ибо, как я уже говорил, аббатство охотно принимало под свою крышу всевозможных грешников (за исключением, конечно, еретиков и святотатцев).

— И вам никогда не страшно здесь одной? — спросил я мисс Чешир.

— Нет, — улыбнулась она. — Сейчас уже нет. Два года назад, когда я только решила переехать сюда, мои друзья буквально умоляли меня пригласить кого-нибудь, чтобы провести в компании хотя бы первую ночь. Но я не послушалась их совета. Я твердо знала: если струшу в первую ночь, то так и буду дрожать всю первую неделю, затем вторую... а потом придется сдаться.

Мы сидели в просторной монастырской комнате, за маленькими окошками со свинцовым переплетом ярко светило солнышко. Ручная малиновка, распушивши свой хвостик, уселась на край ширмы.

— Не каждая женщина осмелилась бы жить одна в таком месте. Вам ведь достаточно чуть-чуть раскиснуть, чтобы начать воображать себе всякое.

— Здесь и в самом деле происходят странные вещи, — пожала плечами мисс Чешир, — но тут уж ничего не поделаешь. Я в таких случаях просто отворачиваюсь к стенке и стараюсь поскорее заснуть.

— Что вы имеете в виду?

— Ну, например, по ночам я часто слышу шаги или такой звук, будто кто-то поворачивает ключ в замочной скважине. Видите ли, раньше здесь спали монахи, и обычно кто-нибудь еще затемно приходил будить их на заутреню. Некоторые люди, находясь в этих кельях, слышали хоровое пение. Это происходит не слишком часто — иногда ночью, иногда днем — и чаще всего с людьми, которые разбираются в подобных вопросах... ну, вы понимаете, что я имею в виду. Что касается меня, то я не слишком интересуюсь такими явлениями, потому что считаю это неправильным. К тому же я знаю многих людей, которые потеряли здоровье на занятиях всякими спиритуалистическими штучками.

— А вам... простите, конечно, мой вопрос... вам все это не мнится?

— Нет. Я не из тех людей, которым что-то кажется. Будь у меня склонность воображать себе всякие страсти, то, живя в подобном месте, я бы постоянно что-то видела (или думала, что вижу), и тут уж прости-прощай душевный покой. Поющих монахов слышали двое моих друзей, которые, между прочим, ни во что такое не верят и пришли специально, чтобы опровергнуть все слухи. Все случилось внезапно, когда мы сидели в этой самой комнате после ужина. Я их ни о чем не предупреждала, чтобы посмотреть, кто услышит призраков первым... да и услышит ли вообще. Так вот, они оба слышали пение.

Малиновка перепорхнула через всю комнату и уселась неподалеку от меня. Я почувствовал приступ легкой нервозности: было что-то зловещее в том, как эта женщина сидела в залитой солнцем комнате и преспокойно рассуждала о потустороннем мире.

— Обратите внимание, — продолжала она, — я поставила пианино возле того старого окна, потому что мне было очень четкое видение. Я видела брата Амброзиуса, музыканта, когда-то жившего в этой келье.

Попрощавшись, я поспешно спустился по старым каменным ступеням и зашагал по тропинке, которую давным-давно протоптали здешние обитатели. По пути я размышлял о том, что если б мне довелось ночевать одному в аббатстве Бьюли, то я наверняка увидел бы и услышал гораздо больше, чем мисс Чешир. Правда, скорее всего, я сбежал бы после первой же ночи — ненавижу, когда меня будят к заутрене.

5

Маленькое государство Бьюли имело свой собственный порт, расположенный немного южнее, в трех милях по течению реки Бьюли. Назывался он Баклерс-Хард.

Первая половина названия происходит от имени мистера Баклера, который когда-то жил в тех местах. Что же касается словечка «Хард» (букв. «суровый»), то оно, скорее всего, характеризует негостеприимные берега реки в окрестностях порта. Сейчас, попадая в Баклерс-Хард, вы сразу же проникаетесь особой атмосферой, характерной для любого места, где некогда кипела активная деятельность, сопровождаемая гигантским выходом человеческой энергии. Сегодня деревушка, кажется, дремлет, отдыхая после эпохи великих свершений. Центральная (а по сути, единственная) улица шириной с Риджентс-стрит имеет всего сотню ярдов в длину! Помпезно развернутая, она резко — как отрубленная — оканчивается, упираясь в зеленые холмы и пригорки, на которых мирно пасется скот.

Ниже этой единственной проложенной в полях улицы местность постепенно спускается к руслу реки Бьюли — широкой и полноводной во время прилива и превращающейся в неглубокий ручеек с заросшими тростником берегами в пору отлива. За рекой до самого горизонта тянутся густые леса.

Прогуливаясь вдоль реки, вы то и дело наталкиваетесь на скрытые в высокой траве останки сгинувшей деревни. Все те же зеленые холмы и курганы. Огромные бревна, некогда служившие стапелями, теперь без дела валяются на мелководье — забытые, никому не нужные, они год за годом гниют и покрываются водорослями. В полях обнаруживаются гигантские ямы и котлованы, заросшие буйной травой и цветами.

А ведь эти стапеля и котлованы, возможно, еще помнят крепкие, сработанные из дуба парусники, которые внесли свою лепту (весьма достойную) в процесс становления Британской империи. Когда-то эта маленькая, забытая богом гемпширская деревушка являлась центром судостроения — тут день и ночь слышался перестук кузнечных молотов, а тысячи толстенных дубовых бревен превращались в десятки горделивых боевых кораблей. Именно здесь, на берегах Бьюли, в 1781 году был спущен на воду «Агамемнон» — 64-пушечный корабль водоизмещением 1384 тонны, на котором плавал сам великий Нельсон (на нем же адмирал получил ранение и лишился правого глаза во время осады крепости Кальви).

Однако Баклерс-Хард представляет интерес не только как вымершая деревня, в свое время немало послужившая империи. Его история весьма поучительна в философском плане — на примере Баклерс-Хард мы видим, как быстро, буквально в одночасье, может измениться судьба какого-то места.

Примерно сто пятьдесят лет назад герцог Джон Монтегю владел поместьем в этих местах. Факт сам по себе не слишком примечательный, особенно если учесть, что герцогу же принадлежал один из Вест-Индских островов — а именно остров Сент-Винсент, славившийся своим сахарным тростником. Но дело в том, что в Баклерс-Хард у Монтегю был собственный маленький порт, к тому же свободный от королевских налогов — привилегия, доставшаяся герцогу в наследство от бывшего аббатства Бьюли. Вот и родилась в его предприимчивом мозгу идея превратить Баклерс-Хард в процветающий центр колониальной торговли. Для этого требовался флот. Так за чем же дело стало, когда под боком у Монтегю Нью-Форест — сколько угодно первоклассной древесины? Надо только позаимствовать у Саутгемптона мастерство судостроения и привить его на новой почве в Баклерс-Хард. У герцога уже имелись отличные кузни в Соули-Понд. Все, что требовалось, — мастеракорабелы. И он раздобыл таких мастеров благодаря хитрому ходу. Монтегю на выгодных условиях предложил в аренду участки набережной реки — сроком на девяносто девять лет при ежегодной ренте всего в шесть с небольшим пенсов! Вдобавок за каждый выстроенный дом он пообещал его владельцу три лоуда[1] древесины. И дело закипело! Благородный герцог расхаживал по холму, прислушивался к звукам стройки, и сердце его пело от радости. Прямо на глазах воплощалась в жизнь мечта — создать величайший морской порт в этой отдаленной, укрытой от всех опасностей глубинке. Следуя порыву души, он переименовал разраставшийся поселок в Монтегю-таун.

Герцогу удалось заполучить Генри Адамса, ветерана кораблестроения, обеспечив, таким образом, успех своему предприятию.

В 1745—1808 годах в Баклерс-Хард построили и ввели в строй сорок четыре военных корабля. Среди них — прославленный «Агамемнон», любимец Нельсона, «Свифтшур» и «Эвриал», чьи пушки сыграли не последнюю скрипку в грозной мелодии Трафальгарской битвы.

Тихая уединенная деревушка превращалась в арену кипящих страстей, когда на воду спускали очередное судно. Порой со всех концов округи съезжались до десяти тысяч зрителей. Прибывали целыми семьями — на деревенских телегах и в крытых двуколках. Готовый корабль стоял на стапелях, а собравшаяся толпа, затаив дыхание, ждала, когда прилив наберет полную силу. Полагаю, это было удивительное зрелище: один берег маленькой речушки битком забит народом, второй — за которым до самого горизонта расстилаются зеленые леса — тихий и спокойный. Напряжение росло с каждой минутой. Затем в какой-то миг раздавались крики: «Пошел... пошел!», и огромный 74-ору-

---

[1] Лоуд — английская мера объема древесины, 1,12 м³.

дийный корабль медленно сползал в воду под звуки оркестра, наяривающего «Боже, храни короля».

Деревянные детища Баклерс-Хард бороздили воды мирового океана и принимали участие во многих сражениях. Они гордо пронесли британский флаг через все морские битвы, их носы рассекали чужие воды и повсюду представляли угрозу для французских кораблей.

В 1749 году — пять лет спустя после того, как началось бурное строительство в Баклерс-Хард, — Джон Монтегю мирно скончался в своем доме в Прайви-Гарденс. Он отправился на небеса с твердой уверенностью, что основанный им Монтегю-таун затмит славу Портсмута.

Однако время внесло свои коррективы.

Деревянная обшивка уступила место железу, паруса — паровому двигателю. Количество кораблей, строившихся на берегу Бьюли, неуклонно уменьшалось. Судостроительная чудо-деревушка пришла в упадок — так же стремительно, как и возвысилась. Она вновь вернула себе старое имя — Баклерс-Хард — и теперь потихоньку зарастает травой. Лесные птицы снова кричат и воркуют там, где когда-то стучали плотницкие топоры. Серые цапли безбоязненно посиживают на дубовых бревнах — тех самых стапелях, по которым медленно спускались воинственные парусники, чтобы во всем своем великолепии войти в морскую историю Британии...

Таинственное, полное преданий место! Мне так хочется верить, что когда последний дубовый рельс треснет и рухнет в воду, кто-нибудь из старожилов обернется на этот звук и неожиданно увидит призрачный корабль — едва различимый в воздухе, будто сотканный из речного марева, с мерцающими парусами, с изодранными в клочья штандартами. Он тихо приплывет обратно в Баклерс-Хард, чтобы исчезнуть, раствориться, как ночной туман, и неприметной росой пасть на английскую траву, которая некогда дала ему жизнь.

6

Нам предстоит посетить самое значимое мероприятие английской весны — скачки стипль-чез.

Время перевалило за полдень. Дождь прекратился, выглянуло солнышко, а вместе с ним проснулась и вся провинция. Пустые особняки на холме и неприметные лесные сторожки, которые шесть дней в неделю выглядели абсолютно необитаемыми, внезапно ожили. Выяснилось, что в них обретаются различные полковники, майоры и прочие вполне реальные люди — сэр Альфред Такой-то и лорд Сякой-то. И это внезапное возрождение носит повсеместный характер. Обычно безлюдное шоссе заполняется лимузинами (корзинка с традиционным ланчем снаружи, укреплена на крыше автомобиля, внутри прелестные девушки, за рулем — очередной майор). Они движутся сплошным потоком, в то время как на боковой, подъездной дороге царит полное уныние: сельский полицейский, взмокший и раздраженный, стоит напротив ворот во владения мистера Суитбреда, безнадежно затертый многочисленными «фордами» и «роллс-ройсами». Среди них застрял и гунтер леди Снэтчер по кличке Пинч-о-Джинджер, один из фаворитов состязаний. Жеребец, заботливо укрытый попоной горчичного цвета, чувствует себя неуютно среди забрызганных грязью капотов, беспрестанно переступает с ноги на ногу, прядает ушами, а конюх поглаживает его по шее и нашептывает что-то успокаивающее.

Молодой парень крестьянского вида занял позицию у ворот: он собирает по десять шиллингов с водителей, желающих передохнуть на лугу мистера Суитбреда. Те платят беспрекословно и, развернувшись на грязной и раскисшей площадке, проезжают на импровизированную автостоянку, где царит сладкий запах свежескошенной травы и маргариток.

Пронзительный ветер гонит вереницу облаков по небу: подобно огромным золотым парусам, они проносятся над вершинами холмов. С этих холмов открывается великолепная перспектива: акры зеленых полей, разделенные живыми изгородями; то там то здесь виднеются шесты, на которых трепещут алые флажки, служащие для обозначения дистанции.

На одном из холмов, обеспечивающем отличный обзор, скопилось около тридцати машин, возле них суетятся взволнованные букмекеры, переговариваются и что-то невнятно выкрикивают. За их спинами находится крытое соломой строение, слева от него белеет шатер, в котором производится взвешивание участников соревнования; напротив, за ограждением расположился паддок.

И вот она, та самая «провинция».

Галерея лиц — как на Пикадилли. Тут и пожилые джентльмены с моноклями, своими морщинистыми, помятыми лицами напоминающие бладхаундов. Они носят бежевые котелки и желтые замшевые перчатки, как правило, все курят тонкие манильские сигары. Отдельного упоминания заслуживают их костюмы — клетчатые, кричащих расцветок, в городе они смотрелись бы просто убийственно, здесь же зелень молодой травы скрадывает и приглушает неприятное впечатление. На скачках присутствуют и откровенные старцы — согбенные едва ли не пополам, они вынуждены прикладывать ладонь к уху, чтобы расслышать собеседника; речь их то и дело прерывается астматическим кашлем. Зато апломба не занимать:

— О да, сэр... это чертовски хорошая лошадь! Вы только ко взгляните на ее бабки!

Есть, конечно, и молодые люди — гибкие, подвижные. Кажется, будто они рождены не обычными женщинами, а специально выведены для верховой езды. Их фигуры, и в особенности ноги, идеально подходят для этих целей. Ключицы почти у всех ломались, и не единожды. Если говорить об их мыслях, то лошади царствуют там безраздельно, по сути, ни о чем другом эти юноши думать не могут. Полагаю, после смерти они превратятся в кентавров.

Несколько слов о девушках. Уверяю вас, нигде в мире вы не увидите таких опрятных и элегантных девушек. Сидят они обычно на складных стульчиках. Свои твидовые костюмы носят с таким же непринужденным изяществом, как и их братья — бриджи для верховой езды. У самых молодых особ на носиках обнаруживаются премиленькие веснушки. Вообще же, в основе их очарования лежат здоровье и простота. Они неотразимы, когда широким непринужденным шагом прогуливаются по полю, обсуждая со своими избранниками «щетку», «холку» и прочие стати лошади. Эти девицы из той породы, что не станут медлить и мяться перед препятствием. Прелестные и ловкие создания...

Мгновенный переполох в паддоке! Трое молодых людей в розовых курточках верхом пересекают поле, направляясь к исходному рубежу.

— Удачи вам, сэр, — произносит вслед грум.

— Спасибо, Том.

— Он обязательно выиграет! — сообщает Том стоящему рядом шоферу.

Еще одна группа участников крупной рысью направляется к старту, толпа зрителей хлынула вслед за ними...

И вот началось! Цепочка наездников дружно взлетает над первым барьером, представляющим собой живую изгородь, и направляется ко второму... Вскоре они скрываются из виду. Потянулись минуты ожидания: пять... десять... пятнадцать... двадцать... А затем:

— Вот они идут! Страйк-ми-Пинк лидирует... Нет, нет, это Харкэвэй! Вперед, сэр, давай, Харкэвэй! Гони, гони. О, черт, вот *невезуха*! Он упал!.. Вперед, Страйк-ми-Пинк!

Вот над водным препятствием взметнулась голова лошади, раздался треск живой изгороди, затем всплеск, промелькнул цилиндр, наездник перехватывает поводья. Появляется еще одна лошадь: она берет в полете препятствие и несется к финишному столбу.

И вот наконец время ланча!

Под руководством полковника на траве расстилается промасленная бумага.

— Ну, вперед, девочки, не стесняйтесь. Первоклассные скачки, а? Так, парни, а как у нас обстоят дела с пивом и джином? Кто-нибудь позаботился о выпивке? Отлично! Где бутылка, Джон? А кто эта очаровательная дама, с которой беседует старина Барроудейл? Ну ладно, давайте пропустим по стаканчику, а? Клянусь Юпитером, что за мерзкое пойло!

«Девочки» расселись, пир начался. По кругу пустили жестяную коробку с бутербродами.

— Анчоусы внизу, цыпленок наверху!

Показалась лошадь.

Трапеза мгновенно прервалась, все замерли, словно на горизонте появилось божество. Появилось и исчезло.

Полковник снова ожил:

— Так вот, симпатичная дама рядом со стариной Би... Кстати, дети мои, у меня есть для вас кое-что вкусненькое!

Он направляется к машине и через пару минут возвращается с бутылкой сливовой наливки и куском пирога.

— Чертовски симпатичная женщина! — продолжает он бурчать себе под нос. — Эй, ребята, у кого-нибудь есть штопор?

Гигантские золотые облака медленно перевалили через холм, по пути неуловимо меняя форму и растворяясь за линией горизонта. Поля, четко очерченные солнечными лучами, уютно раскинулись меж живых изгородей...

Мимо проковылял, опираясь на костыли, старый сэр Тимоти Хэви. Проклятые костыли! Из-за них он пропустил два лучших забега в этом сезоне, и врачи говорят, что он никогда больше не сможет охотиться. Пропади оно все пропадом!

С таким же успехом он мог бы и умереть...

Бедный старина Тим.

Глава третья
Древние города

Я попадаю в западню в Крайстчерче, любуюсь восходом солнца в Стоунхендже и ванной Георга III в саду Уэймута; я посещаю место, по праву считающееся колыбелью Лондона. Кроме того, в этой главе я встречаюсь с американцем в Эксетере, провожу незабываемые часы на Плимут-Хо и наблюдаю за строительством военных кораблей в Девонпорте.

1

Борнмут привел меня в замешательство. Странное дело: вышел на набережную, бросил взгляд на безмятежное, залитое солнцем море — и вдруг ощутил непонятное беспокойство, которое затем не покидало меня целый день. В том же самом смятенном состоянии духа я осматривал сады и пирс, где группа рыбаков, попыхивающих трубками, застыла возле своих удочек, на которые раз в три часа клевала крохотная камбала размером с почтовый конверт. К черту все! Да что же это за Борнмут, непонятным образом ускользающий от меня?

Я окинул взором современные магазины; аккуратные пассажи; отставных полковников в их пенсионных садиках; тюльпаны и тюльпаны без конца — да будет вам известно, что в Борнмуте всем заправляют садовники, — девушек, которые поднимались на утесы и спускались с них; стариков в инвалидных колясках, в которые были запряжены пони... и продолжал не понимать, да что же, во имя всего святого, меня так раздражает? Что-то, чего я не могу постичь.

Я исколесил на автомобиле окрестные холмы — ездил в Боском и Брэнксом — и повсюду наблюдал поразительный рост Борнмута, который предполагал массовое уничтожение сосен. Один за другим великолепные смолистые леса превращались в маркированные участки под строительство. У меня сложилось впечатление, что если только Борнмут не хочет лишиться одной из своих важнейших достопримечательностей, предмета своей гордости, то ему скоро придется ввести особую статью в уголовный кодекс — за убийство деревьев.

Но что же это за неопределенная душевная боль, которая точит меня изнутри?

Я сидел на скамейке и смотрел, как маленький мальчик запускал игрушечный кораблик в речушке, почти ручейке под названием Борн, весело журчавшем посреди парка развлечений. На нем была серая рубашка, короткие серые штанишки и серая детская панамка с полями, в руке он держал палку. Мальчишке до смерти хотелось скинуть башмаки и от души вымокнуть, но неподалеку сидела нянька, занятая рукоделием (она подрубала наволочку), и строго поглядывала на своего воспитанника.

Всякий раз, когда я вижу мальчика, запускающего кораблик, меня так и подмывает к нему присоединиться. Мне ужасно хочется выяснить, получают ли сегодняшние мальчишки такое же удовольствие от этой забавы, как я в свое время. Вот и сейчас, наблюдая за ребенком, я вспомнил, как в детстве соорудил маленький остров посреди бака для дождевой воды, установленного на крыше конюшни. На этом самодельном острове я поселил двух славных мышат, спасенных от рук кровожадного садовника.

Каждое утро к острову причаливала свинцово-серая заводная канонерка, нагруженная хлебом и сыром. Зверькам требовалось только подойти к берегу и принять угощение. Иногда — расплескивая воду и нагоняя волны — мне удавалось спихнуть лодочку с суши и отправить ее вместе с пассажирами в короткое кругосветное плавание, которое всегда завершалось благополучным возвращением домой. На этом самодельном острове (основой для которого служила коробка из-под сахара) произрастали настоящие травяные джунгли, а замечательный лабиринт из глины и грязи — с пещерами и запутанными переходами — позволял организовывать для моих подопечных миллион захватывающих приключений. Как же мне хотелось уменьшиться до размеров оловянного солдатика и лично отправиться на борту своей лодочки на Мышиный остров! Я живо представлял себе, как мы все вместе исследуем непроходимые чащи, а затем сидим, греясь на солнышке, и делимся впечатлениями. Я сделал попытку расширить количество действующих лиц и подсадил на остров лягушку — ей отводилась роль охотника (или охотничьей собаки, теперь уж не вспомнить), — но у нее, похоже, имелись более честолюбивые замыслы: на следующее утро я обнаружил, что лягуха преодолела оцинкованную преграду и ускакала в большой мир.

Я думал: если маленький мальчик в какой-то момент обратит на меня внимание и подтолкнет ко мне свой кораблик, то я толкну тот обратно, и мы непременно подружимся. Я научу его, как построить гавань из камней, — ему это непременно понравится.

Вот оно!

В памяти всплыл эпизод из далекого детства.

Это было все в том же Борнмуте, двадцать четыре года назад. Там тоже присутствовала нянька, и она сердито втолковывала маленькому чумазому мальчугану: «О, мастер Генри, ради Бога! Если вы воткнете в свою лодку еще хоть одну свечку, то она потонет!» Я помню, как мальчишка — я сам — приклеивал витые рождественские свечки, красные и зеленые, к палубе большого эсминца, которому предстояло участвовать в иллюминированной детской регате, устраивавшейся на этом самом ручье.

И я ушел с большим серым кораблем под мышкой. А затем был жаркий августовский вечер в этом самом парке — такой тихий и безветренный, что ни единый листок не шелохнулся на ветвях высоких черных деревьев. Еще помню множество китайских фонариков и волшебных лампочек, которые отбрасывали красноватые блики на разрумянившиеся лица других детей, склонившихся над своими светящимися лодками в мерцающих водах ручья. Мне достался первый приз в этом соревновании благодаря остроумному инженерному решению: я выстроил для своего корабля каменную гавань и водрузил на ее вершине макет Эддистонского маяка. У меня и сейчас перед глазами та картинка: изящные и гордые очертания эсминца, тихо покачивающегося на якоре в освещенной гавани. Это была моя первая награда в жизни. Уже не помню, что она из себя представляла, но навсегда врезалось в память чувство законной гордости, которое я испытал... А также некая ужасная вещь, которую я сделал позже той же ночью. Помню, как я протянул руку в темноте и нащупал серый корабль, стоявший на стуле рядом с кроватью. Приподнявшись, я взял горевший ночник и подпалил последнюю свечку. Затем сидел и в непонятном экстазе смотрел, как полыхает зеленый воск, растекаясь по палубе.

Внезапно я ощутил прилив нежности к Борнмуту: ко всем его старикам в инвалидных креслах, к аккуратным садам и подстриженным лужайкам, к его бесконечным тюльпанам, к секретарю городского совета, к господину мэру и самому совету, даже к старым полковникам с больной печенью в мешковатых клетчатых костюмах... И к тем унылым семейным парам, которыми напрочь забиты все гостиницы.

Затем, когда маленький мальчик в своей панамке с обвислыми полями пробегал мимо меня, я подумал: вот бы остановить ребенка и обнять его хрупкие костлявые плечики. И когда я уже был готов — преодолев свою природную застенчивость и долгие двадцать четыре года — встретиться с самим собой в лице этого мальчика и сказать что-то искреннее и хорошее, типа: «У тебя просто замечательная лодка»... — в тот самый миг нянька (ужасная женщина!) воткнула иголку в недошитую наволочку, сняла очки и произнесла: «Пойдемте, мастер Джон, время обедать». Решительно поднялась и зашагала по дорожке. Мальчишка послушно побрел за нею со своим серым кораблем под мышкой...

Вот так в Борнмутском парке развлечений, где вроде бы и не могло произойти ничего экстраординарного, взрослый мужчина повстречался с маленьким серым призраком — настолько маленьким, что тот мог пройти у него под протянутой рукой, но достаточно большим, чтобы целиком заполнить ему душу.

2

Сколько бы я ни старался, мне так и не удалось искоренить в себе иррациональную веру в безусловную честность женского пола. Ко всем мужчинам я отношусь с изначальным подозрением, всем женщинам безоглядно доверяю, ибо — как сказал классик: «Живите опасно!»[1].

В Крайстчерче неподалеку от монастыря есть узкая и короткая улочка, почти целиком состоящая из чайных мага-

---

[1] Высказывание Ф. Ницше.

зинчиков. Конкуренция настолько велика, что некоторые официантки или хозяйки предприятия — а, надо заметить, на этой улице царит сугубо женский бизнес — вынуждены выставлять пикеты прямо у дверей. Стоит слегка замешкаться, как вас тут же берут в плен очаровательной улыбкой: «Не желаете ли чаю, сэр?» И вы думаете: «Определенно желаю», — и безнадежно отклоняетесь от курса на монастырь. Одному Богу известно, сколько набожных паломников пало жертвой местных сирен.

Я шел по улице, лелея в душе образы величественных норманнских трансептов, когда на моем пути возникла прелестная дева с самыми прекрасными в мире серыми глазами.

— Не желаете ли омара, сэр? — спросила она.

Я внимательно присмотрелся и обнаружил, что она не шутит. За спиной девушки на фоне розовых кустов стоял стол, на котором в художественном беспорядке красовались дюжины омаров. Я бросил взгляд на часы: они показывали половину пятого. Вот уж никак не подозревал, что можно есть омаров на полдник. Скажу больше: по-моему, в этом ощущается нечто непристойное. От неожиданности я совсем растерялся и ответил: «Да, пожалуй». Девушка тут же, не оставив мне времени на размышления — сугубо женская черта, — подхватила одну из этих тварей (большую, красную!) и скрылась за дверями своего заведения. Я обречено последовал за нею, шлепнулся в обтянутое коленкором кресло и приготовился к худшему — меня терзали ужасные предчувствия.

— Чаю? — раздался мелодичный голосок.

На моем лице отразился слабый протест, но девушка уверила меня, что китайский чай «прекрасно подходит к омару». Я собирался было поинтересоваться: а проделывал ли кто-либо прежде подобный эксперимент, но мне не оставили на это времени. Когда панцирь лобстера опустел, в меня словно вселился бес, который заставлял отвечать «да» на все, что предлагала девушка (а она была чертовски разговорчивой). В результате на столе передо мной скопились плошки с дорсетскими сливками, горшочки с джемом, пышные кексы, источающие умопомрачительные ароматы, и целые бастионы из булочек и хрустящих рогаликов. Единственное, чего не хватало моему чаепитию, — так это Безумного Шляпника.

Лондонцы любят рассказывать истории об излишествах Западной страны[1], о сливочных рассветах и джемовых закатах. Может быть, размышлял я, таково неофициальное гостеприимство Дорсета и Девона? Я хотел получить подтверждение своим догадкам у любезной хозяйки, но она уже снова была на своем посту — искушала проходившего мимо викария *лангустом*.

Тяжело поднявшись из-за стола, я медленно зашагал по зеленой улочке, ведущей к древнему монастырю. Сказать по правде, я стыдился самого себя.

Омары и дорсетские сливки — не слишком подходящая еда для пилигримов. По моему глубокому убеждению, крестовым походам пришел бы конец, если бы крестоносцев подвергли испытанию дорсетширским чаепитием. Некоторое время я бесцельно бродил по монастырю аббатства, гадая про себя, почему его норманнский неф удостоился звания «богатейшего» — ну что за нелепое слово — в Англии.

В одном из трансептов — на мой взгляд, беднейшей части этого прелестного здания — я столкнулся с престарелым мистером Хайдом, который уже на протяжении три-

---

[1] Западная страна — неофициальное название области на юго-западе Великобритании, включающей графства Глостер, Корнуолл, Девон, Дорсет и Сомерсет.

дцати семи лет исполнял функции смотрителя Крайстчерча.
Общение с ним позволило мне освободиться от гнетущих
воспоминаний о постыдной оргии на подступах к монастырю. Во время совместной прогулки мистер Хайд (дай Бог
ему здоровья) вернул мне вкус к жизни. Он поведал, что
долгие годы своей службы при церкви посвятил составле-
нию, так сказать, своеобразной коллекции из знаменитостей и коронованных особ. Дело в том, что половина представителей правящих фамилий Европы перебывала в этом
отдаленном уголке Гемпшира. В доказательство мне была
продемонстрирована старая книга отзывов для посетителей
монастыря, где подпись кайзера Вильгельма II, выполненная двухдюймовыми буквами, фигурирует рядом с именем
карикатуриста Луиса Рэймэйкерса. Интересное соседство.
Как, во имя всего святого на земле, могло такое случиться — чтобы воинстенный император и человек, который изо
всех сил старался ему навредить своими язвительными ка-
рикатурами, расписались на одной и той же странице?

— Дело было так, — начал рассказывать мистер
Хайд. — В 1907 году экс-кайзер, который находился неподалеку отсюда, в замке Хайклифф, явился со свитой на
экскурсию. Разгуливая по монастырю, он время от времени
отпускал какие-то замечания и всякий раз интересовался
мнением кого-нибудь из сопровождающих лиц — согласен
тот или нет. Естественно, никто не смел ему перечить, ответ
был один: "Так точно, ваше величество". В какой-то момент кайзер заинтересовался необычным резным орнамен-
том, красовавшимся на хорах церкви под строками мизере-
ре[1]. В одной части орнамента изображен Ричард III в короне, а в другой — дьявол, причем на традиционном мешке с
шерстью в палате лордов. Я объяснил ему, что это сатира
на тогдашнего английского лорда-канцлера. Кайзер обер-

---

[1] Имеется в виду 51-й псалом английской Библии.

нулся к принцу фон Бюлову (на ту пору занимавшему пост канцлера Германии), перевел ему мои слова и что-то добавил от себя. После чего они оба громко, от души рассмеялись. Перед уходом кайзер расписался в книге посетителей и сказал, что надеется снова вернуться сюда.

(В этом месте мистер Хайд сделал паузу и добавил с лукавой усмешкой: «Очень интересно, в каком качестве он собирался это сделать. Принимая во внимание, что расписался-то он по-английски!»)

— Ну так вот, произошло это в 1907 году, — продолжал он. — А во время войны сюда зашел один человек и увидел подпись кайзера. Он тут же вынул ручку со словами: «Если можно, я хотел бы расписаться рядом. Ведь кайзер меня хорошо знает, мы, можно сказать, с ним близкие друзья!» Честно говоря, я был заинтригован. В то время не многие люди претендовали на дружбу с немецким кайзером. Так что я не стал возражать. Он усмехнулся и написал «Луис Рэймэйкерс», именно эту подпись вы и видите...

Затем мы осмотрели в маленькой часовне «глазок прокаженных»: в Средние века такие небольшие отверстия специально проделывали в стене церкви, чтобы дать возможность несчастным отверженным снаружи наблюдать за службой (в том числе за причащением), не подвергая риску остальных прихожан.

— Король и королева Норвегии очень заинтересовались этим приспособлением, — сообщил мистер Хайд, — во время посещения монастыря в 1887 году. Король предположил, что, возможно, проказа была вовсе и не проказа. Он рассказал, что в его стране существует заболевание с похожими симптомами. Ни для кого не секрет, что Крайстчерч славится своим лососем, и наверняка в Средние века люди активно употребляли его в пищу. А переизбыток рыбы в рационе вызывает кожное заболевание, внешне смахивающее на проказу...

Выйдя из монастыря, я решил немного прогуляться в окрестностях. Направляясь к реке Стаур, я наткнулся на один из самых очаровательных переулочков, какие только видел в Гемпшире. Представьте себе серые, истертые от времени камни, густую высокую траву и зеленую арку, образованную ветвями деревьев...

На обратном пути я снова был вынужден пройти по улочке, где давеча предавался позорному обжорству. Продавщица с самыми прекрасными в мире глазами стояла перед своим магазинчиком. При виде меня она любезно предложила:

— Не желаете ли омара, сэр?

Выглядела она по-прежнему абсолютно серьезной. Но и мне на сей раз было не до шуток... Поэтому я молча прошел по улице, оставив без внимания и сливки, и соблазнительный джем.

3

Холодным неприветливым утром я поднялся незадолго до восхода солнца и выехал из Солсбери в Стоунхендж. Вскоре на горизонте выросло древнее сооружение. Таинственные колоссальные камни громоздились в тусклом полумраке, который нельзя было назвать светом ни солнца, ни луны. Скорее, это было то призрачное свечение, что всегда предваряет рассвет. Мне живо припомнился Египет. В этом доисторическом каменном круге чувствовалось то же пренебрежение к человеческому труду, которое отличает монументальные египетские изваяния. Мы до сих пор не знаем, ни каким образом, ни с какой целью наши далекие предки возвели Стоунхендж. Точно так же достоверно не установлено, откуда они привозили гигантские валуны — из Уэльса или из Бретани. Но все эти вопросы и загадки ни в коей мере не умаляют величия их трудов; вдумайтесь: все это было построено буквально голыми руками.

Однако вот что удивляет. Стоунхендж, в отличие от египетских пирамид, производит впечатление безжизненного. Лично я не побоялся бы остаться ночевать у главного престола, но, по слухам, в любом фиванском храме ощущается присутствие потусторонних сил. В то же время совершенно не возникает чувства единения с древними строителями Стоунхенджа. Это мрачный и непостижимый храм. Некоторые полагают, что здесь проводились зловещие ритуалы, куда более страшные, чем сожжение хорошеньких женщин с Беркли-сквер в плетеных клетках (как это изображалось в викторианскую эпоху). Для меня Стоунхендж является символом всех темных верований, лежащих в основе древней теологии. Здесь располагается святая святых «Золотой ветви» Фрэзера.

Но, как бы то ни было, ныне Стоунхендж выглядит безжизненным. Призрак короля-жреца давным-давно удалился с этого места. Ветер жалобно завывает среди покинутых монолитов, а овцы мирно щиплют траву в тени мертвого храма.

Пока я стоял, предаваясь подобным размышлениям, взошло солнце. На востоке вдоль горизонта залегла тонкая полоска розового света. Огромные камни казались иссиня-черными на фоне неба. Тусклые облака, которые еще недавно закрывали звезды, превратились в золотистые перья на сером полотне. С каждой секундой рассвет разгорался все ярче: розовый цвет перешел в бледно-красный, затем в розовато-лиловый — настоящее горнило, посреди которого торжественно выплывало солнце, чтобы согреть своими лучами Солсберийскую равнину.

Обратно я возвращался через Ларкхилл — городок, хранящий множество воспоминаний. Остановив машину, я вышел и замер в ожидании. Ждать пришлось недолго: вскоре утреннюю тишину нарушил чистый, серебристо-звенящий звук — утренняя побудка! Как странно было снова стоять на равнине (но уже свободным, штатским человеком) и прислушиваться к армейскому горну, выводившему до боли знакомый рефрен... там, в Булфорде, горнист играл эту же мелодию (собственно говоря, в годы войны вся равнина звенела одним и тем же мотивом — сигнал утренней побудки был унифицирован). Сначала мне показалось, что звук доносится из кавалерийской части в Нетеравоне. Но по зрелому размышлению я понял, что подобное невозможно — даже в такое безветренное утро. Скорее всего, это мое воображение играло со мной шутки.

Блуждая взглядом по плоской однообразной равнине, я ударился в воспоминания. Сколько таких утренних побудок осталось в прошлом — добрые товарищи, скверные времена. Каким чистым и пронзительным казался воздух в ранние часы перед завтраком... грохот тяжелых солдатских башмаков по булыжной мостовой, запах конюшни, утренняя выездка без седла...

Всю обратную дорогу до Солсбери я продолжал разматывать нить воспоминаний и мыслей о былом.

4

Я полагаю, Солсбери — это уникальный пример в английской истории, когда город, расположенный на вершине холма, вдруг собрался и весь целиком спустился на равнину, чтобы начать там новую жизнь. Захватившие Британские острова римляне любили селиться на холмах. Среди прочих они облюбовали холм под названием Олд-Сарум, выстроили там укрепленный форт и дали ему имя Сорбиодун. Пришедшие вслед за ними бритты укоротили название крепости до Сарума. Далее город перешел в руки саксов,

которые именовали его Сиресбург — то есть крепость (по-
саксонски «бург»), заложенная Сиром. Норманны преоб-
разовали это название в Сиресбериг, от которого уже рукой
подать до современного Солсбери. Вот какие превращения
переживают слова в результате череды иноземных завое-
ваний!

Я бродил по развалинам того, первого Солсбери и ковы-
рял землю палкой в надежде найти обломок сияющей самосской керамики. Подобная находка — где бы она ни случилась, пусть хоть в самой последней навозной куче — при-
звана свидетельствовать о давнем присутствии Рима. Увы,
ничего стоящего не попадалось. Интересно, почему население Солсбери покинуло это место? Официальная версия
историков гласит: в какой-то момент между гарнизоном
крепости и церковными властями возникли разногласия,
которые вылились в странную, я бы даже сказал, дикую
ситуацию. Однажды холодной ветреной ночью, накануне
праздника Вознесения, монахи вернулись с процессии и
обнаружили, что в церковь им не попасть — двери наглухо
заперты. И тогда один из каноников сказал: «Братья, давайте, во имя Господа нашего, спустимся вниз. Там простираются богатые равнины и плодородные долины, изоби-
лующие земными плодами и обильно орошаемые животвор-
ными водами. Я верю, там найдется место и для нашей
церкви, и для ее покровительницы — Святой Девы, которой нет равной в целом мире».

Особенно мне нравится история о том, как епископ Пур, в
1219 году руководивший переездом на равнину, выбирал место для будущего храма. Якобы он велел пустить стрелу с
высот Олд-Сарум и заметить место, куда она упала. Именно
здесь и был выстроен Солсберийский кафедральный собор.

Исследуя курган, оставшийся на месте старого Солсбери, невольно приходишь к мысли, что легенды легендами, а
не последнюю роль в описываемом событии сыграли такие

факторы, как перенаселенность города и недостаточное снабжение водой. Территории на вершине холма вполне хватало для маленькой саксонской крепости, но здание собора и сопутствующие постройки съели фактически все пространство.

Нынешний Солсбери, несомненно, является одним из самых мирных соборных городов Англии. Такое впечатление, что все трагические события выпали на долю Олд-Сарум, а с переездом города на равнину для него наступил период сладостного бездействия. Отсюда, с расстояния в несколько миль, я с удовольствием любовался панорамой лежащего внизу Солсбери: тонкий шпиль, по праву считающийся прекраснейшим во всей стране, гордо вздымается в небеса; дым от множества растопленных каминов порождает легкую голубоватую дымку, как бы окутывающую дремлющий городок. Все вместе создает один из самых прелестных английских пейзажей, какие мне доводилось наблюдать. Хотелось бы также отметить, что при строительстве нового города епископ Пур отошел от традиционной планировки и в каком-то смысле предвосхитил американские принципы градостроения. Улицы Солсбери (и в этом его отличие от большинства средневековых городов) никто не упрекнет в пресловутой «живописной извилистости и запутанности», которые более пристали глухой деревушке, нежели городу с кафедральным собором. Интересно, в чем тут дело: был ли епископ таким оригиналом, или же здесь возродился строгий план римского лагеря, который использовался при строительстве Олд-Сарум?

С поездкой в Солсбери у меня связано два ярких воспоминания. Во-первых, это базарный день. Рынок был забит выставленным на продажу скотом, отовсюду доносилось мычание и блеяние. В центре площади скопились деревенские двуколки, в которых сидели дородные и краснолицые мужики — типичные уилтширские фермеры. Они поджидали своих хозяек (представляете этакую Тэсс, описанную

Томасом Гарди, с корзинкой наперевес), в то время как те рыскали по рядам — полагаю, в поисках фильдеперсовых чулок и прочих жизненно необходимых вещей! Я во все глаза смотрел на пеструю толпу, слушал ее говор — разговоры в основном сводились к торговле, но какая же сочная и живая речь отличала этих людей! Я наблюдал за ними в бычьих и свиных рядах, у прилавков, где торгуют овсяной мукой, — вот уж где местного колорита в избытке! Глядя, как эти английские крестьяне — такие простые и основательные, такие настоящие — выходят из пивной, на ходу утираясь тыльной стороной своих больших натруженных рук, я, грешным делом, подумал: такое впечатление, будто железная дорога так и не дошла до Солсбери.

Второе замечательное переживание случилось вечером, когда я наблюдал заход солнца прямо за зданием собора. В этом уединенном, обнесенном стенами месте, казалось, ничего плохого не может произойти. Мягкая зеленая трава, массивная церковь, устремившая свой шпиль, как тонкий палец, прямо в небеса, серые монастырские постройки, которые уже века пребывают в мире и покое. Я прошел внутрь. Я бы не назвал этот собор самым красивым из наших соборов, но наверняка он в наиболее полной мере обладает какой-то целомудренно-горделивой грацией. И звучит он на той же ноте. Мне кажется, наш знаменитый собор Святого Павла в Лондоне, Трурский собор и этот, в Солсбери, — все они стоят особняком, являя собой великолепные творения одного поколения...

Под серыми арками раздавались едва слышные звуки органа. Когда стемнело, я посетил старый постоялый двор в Солсбери и прошелся по тихим городским улочкам, с которых были списаны улицы Барчестера[1].

---

[1] Барчестер — вымышленный городок, в котором происходит действие многих романов Э. Троллопа.

5

В Уэймуте есть нечто располагающее к историческим воспоминаниям. Легко представить себе огромный дорожный шарабан, трясущийся среди прибрежных песчаных холмов: форейторы с запыленными бровями и съехавшими набок париками, лошади в мыле, а внутри раскинулся на подушках его величество король Георг III — чрезвычайно больной и до смерти уставший от всех этих вигов и мечтающий о дорсетских клецках на обед.

Мне кажется, Уэймут все еще не оправился от удивления после того, как Георг III объявил его модным курортом. Местами он выглядит подчеркнуто георгианским — словно бы пытаясь оправдать уродливую статую этого монарха, вынесенную на «витрину» города. Вам не удастся и десяти минут провести в Уэймуте, чтоб кто-нибудь не помянул имени Георга III. Многих это раздражает, а по мне, так подобная тенденция может только радовать в нашем чересчур забывчивом мире. Местная гостиница некогда служила королевской резиденцией, а ее вестибюль, как две капли воды похожий на вестибюли других приморских отелей — многочисленная компания морских офицеров, среди которых, как обычно, солирует один, особо громогласный, оратор, — исполнял роль приемной Глостер-хауса. По слухам, именно здесь проводились многие важные заседания кабинета министров и принимались судьбоносные решения. В саду гостиницы я разглядел некое сооружение, отдаленно смахивающее на каменный гроб. Мне объяснили, что это не что иное, как ванна Георга III. Поскольку в Уэймуте нет музея, то королевскую ванну поставили прямо в саду, и теперь ею наслаждается племя местных воробьев.

Окрестности Уэймута весьма живописны, и — если бы не специфическая атмосфера исторических реминисценций — он, скорее всего, превратился бы в стандартный приморский городок, двойник Маргейта и Борнмута. На мой взгляд, Уэймут только выигрывает от своего нынешнего неопределенного статуса. Вид на море в ясную погоду здорово напоминает панораму Неаполитанского залива, и мне никогда не наскучит любоваться бронированными линкорами, стоящими на якоре в здешней бухте. А далее, в призрачной голубоватой дымке вздымается, блестя на солнце, каменная громада, любезная сердцу всех патриотов Лондона. Это остров Портленд — наиболее интересное место из всех, что мне довелось посетить, и, кстати сказать, наименее описанное.

Однако вернемся к Георгу III.

Фанни Берни, чьи «Дневники» я с удовольствием перечитываю на сон грядущий, состояла фрейлиной при королеве Шарлотте — как раз в тот период, когда несчастный король в поисках покоя и забвения уединился в Уэймуте. Хорошенький же выдался у него отпуск! Мне кажется, все, чего хотелось Георгу III, — так это немного отдохнуть: тихо побездельничать в кругу своего унылого семейства, погулять по берегу, покидать камешки в море и, между прочим, выяснить рецепт дорсетского пудинга.

И что же из этого вышло? Вся придворная знать, которая до того усиленно закрывала глаза на фарс под названием «Ганноверская династия», вдруг нагрянула в Уэймут, свалившись на голову местным жителям. Наверное, ужасно быть королем. Всякий раз, когда бедняга Георг выползал из своего убежища, он оказывался во власти любопытной и беспощадной толпы. Уж они-то дали себе волю! Повсюду, куда бы ни направился король, его преследовал национальный гимн. Даже на пляже! Страницы из дневника Фанни Берни, посвященные первому морскому купанию Георга, вызывают грустную улыбку:

«Все улицы города были увешаны лозунгами "Боже, храни короля". Те же самые слова можно было видеть поверх окошек передвижных купален. Даже члены команды королевских ныряльщиков включили сакраментальный девиз в свой костюм: он красовался на узких ленточках плавательных шапочек и на поясах — начертанный более крупными буквами. Представьте себе удивление его величества во время первого купания в море: не успела его венценосная голова показаться над волнами, как мини-оркестр, сокрытый в ближайшей из купален, грянул во всю мощь: "Боже, храни короля нашего, великого Георга!"»

Еще один курьезный случай произошел во время приема, на котором лорд-мэру Уэймута предстояло приветствовать высокопоставленного гостя. Его предупредили, что, обращаясь к королю, следует опуститься на колени. Каково же было удивление окружающих, когда в торжественный момент мэр остался стоять на ногах и приложился к королевской руке «обычным образом».

— Потрудитесь преклонить колени, сэр! — прошипел разъяренный конюший.

— Я не могу, сэр, — услышал он в ответ.

— Но так делают все, сэр!

— Простите, сэр, — в голосе мэра слышалось откровенное отчаяние, — но у меня деревянная нога!

Я считаю, что один из красивейших пейзажей Англии — это вид на косу Чезил-Бэнк с западного высокого берега Портленда. Коса Чезил-Бэнк сама по себе уникальна. Если не брать в расчет Балтийское побережье, то это самый протяженный галечный пляж в Европе. Целых семнадцать миль тянется полоса, на которой галька перемежается с валунами от пятидесяти до шестидесяти футов в высоту. По мере продвижения на запад камни, подвергаясь воздействию морских течений, становятся все мельче и круглее. По словам местных рыбаков, даже высаживаясь на Чезил-Бэнк в полном тумане, они легко ориентируются по форме и величине гальки на пляже. Во время шторма нередко случается, что волны подхватывают корабли и переносят поверх косы.

В солнечный день я стоял на крутом берегу Портленда и разглядывал лежавший на западе Бридпорт. Коса напоминала узкий золотой серп, оброненный в ярко-голубое море. Желтую кромку окаймляла белая полоса пены, а затем открывалось широкая водная гладь, испещренная бледно-зелеными участками течений. И, как бы завершая эту захватывающую перспективу, на фоне неба вырисовывались пологие зеленые холмы. Золотые облака медленно проплывали над ними и скрывались за горизонтом.

Неподалеку от Уэймута, в деревушке под названием Апвей, находится источник, исполняющий желания. Он прячется за воротами фермы у самого края леса. Я смотрел на ледяную воду, которая била ключом внутри замшелой от времени каменной кладки, и представлял, как сюда приходили англичане времен короля Георга. Эти страстные поклонники (и открыватели) курортов наверняка приписывали здешнему источнику целебные свойства. Девушка, по всей видимости, заведовавшая волшебным колодцем, зачерпнула для меня воды и протараторила на одном дыхании:

— Повернитесь спиной к источнику, загадайте желание, выпейте воду, а остаток выплесните в источник через левое плечо. Тогда ваше желание обязательно исполнится!

— Вы уверены? — спросил я.

Девушка посмотрела на меня с некоторой тревогой, как если бы я потребовал гарантий. Наконец она нашла аргумент:

— Сам Георг III приходил сюда пить воду.

— И что, его желания исполнялись?

— Не знаю, — призналась она, сильно смутившись и покраснев.

Я не стал усугублять ситуацию. Сделал все, как мне велели: загадал желание, выпил воду, остаток выплеснул в источник. Вокруг собралось несколько местных жителей. Все они хранили молчание, за исключением одной старухи.

— Как-то раз сюда пришел король, — сообщила она. — В ту пору, когда еще был принцем Уэльским.

— И что же он загадал?

— Так он нам и сказал! Помню, один старик, который жил внизу, в деревне, набрался храбрости и крикнул: «Чего вы пожелали? Наверное, прекрасную принцессу?» Но король так и не ответил!

Все громко рассмеялись — видно, смелость земляка пришлась им по душе. Миновав ворота фермы, я вышел на главную дорогу и направился обратно в город короля Георга.

6

— Вот, — произнес подрядчик карьера, обводя широким жестом открывающийся ландшафт, — можете полюбоваться, откуда брали камень для Святого Павла!

Я стоял лицом к морю на высоком утесе в восточной части острова Портленд. Подо мной среди холмов лежала укромная долина — дикая, безлюдная местность. Склон представлял собой крутой искореженный срез геологического пласта — будто здесь порезвилась некая мифическая раса великанов, выворотив огромные валуны из их древнего ложа и обнажив зазубренные корни скалы, которые теперь постепенно зарастали травой и полевыми цветами.

Подрядчик обернулся, указывая на притаившуюся внизу уютную бухту, где волны набегали и разбивались о галечный пляж.

— Многие церкви, ныне украшающие Сити, вышли из той огромной дыры! Вот эти старые карьеры на восточной стороне хорошо послужили сэру Кристоферу Рену, когда он перестраивал Лондон. Мы часто находим камни того времени: он их выбрал и пометил своим клеймом. Но потом ему что-то разонравилось, и он оставил их здесь, так и не отправив в столицу. Взгляните! Говорят, вот эту колонну вырезали для собора Святого Павла, но, видать, не судьба!

Я тоже повернулся посмотреть на старую серую колонну, которая могла бы стоять на Ладгейт-Хилл, а вместо этого валялась в зарослях ежевики. Колючие ветви подбирались все ближе к несостоявшейся колонне, ласково оплетали ее, как бы утешая за прошлую неудачу. Мы стали спускаться по крутой дороге, покрытой таким толстым слоем известняковой пыли, что она, подобно муке, оседала на нашей одежде и образовывала серую пленку на руках. По пути мастер указал на длинную вертикальную выемку в скале.

— Кенотаф! — хладнокровно пояснил он, будто речь шла о самых обыденных вещах.

Мы пошли дальше.

— Я помогал выбирать некоторые камни для Кенотафа, — продолжал мой провожатый, — верхние части с завитками. Приходилось отыскивать самый чистый, самый белый мрамор на острове.

Внизу, на побережье, показался карьер, в котором велась добыча белого строительного известняка. Мы остановились на некотором расстоянии и стали наблюдать. В настоящий момент рабочие, стоя на каменных приступочках, загоняли плоский железный брус под слой породы (еще благодарение богу, что портлендский известняк так удобно располагается). Стрела подъемного крана развернулась, опустив в карьер прочную цепь, которую прикрепили к железному брусу. После этого кран заработал на подъем и тянул до тех пор, пока от породы не отломался изрядный пласт приблизительно прямоугольной формы.

Наверху тоже трудились рабочие: они обтесывали вынутую ранее породу — огромные плиты кремового цвета. Свою сияющую белизну здешний известняк приобретает только со временем, под действием природных факторов, а изначально он вот такого, серовато-кремового цвета. Вы и сами можете в этом убедиться, если прогуляетесь по Стрэнду и сравните вновь построенный Буш-хаус с древним Сомерсет-хаусом. Когда-нибудь, прокалившись на солнышке, Буш-хаус потеряет свой нынешний вид и сольется с серебряным одноцветьем Лондона.

— И куда пойдет весь этот камень? — спросил я у подрядчика, указывая на вздымавшиеся глыбы.

— Этот? На Риджент-стрит!

Портлендские карьеры — помимо того сентиментального интереса, который они порождают у каждого лондонца, — вообще интересное место для экскурсии. Вы смотрите на склон холма и видите четкий разрез геологической плиты, формирующей остров, прямо как на архитектурном плане. Вначале идет тонкий поверхностный слой почвы, под ней располагается более глубокий пласт непригодного камня, который не используется в строительстве — его, как правило, вынимают и выкидывают в море. В результате возле западной оконечности острова вырос еще один маленький островок из бесполезного известняка — высотой около четырехсот футов.

Непосредственно за порожней породой идет то, что горные мастера называют «прослоем пустой породы» — странного вида серая бугристая масса, слегка напоминающая бетон. Здесь сплошь и рядом попадаются окаменелости — деревья и рыбы. Я выковырял множество великолепных каменных мидий, отличный экземпляр устрицы размером с чайное блюдце и каменную ветку от дерева, которое росло на Портленде миллионы лет назад. Последняя выглядела настолько убедительно (если не учитывать, конечно, ее веса), что страдающий близорукостью человек вполне мог обмануться и принять ее за настоящую древесину.

Что интересно, корни большинства таких деревьев находятся в означенном «прослое», а ветви и сучья проросли в слой пустой породы. И наконец, за «прослоем» идет та самая ценная порода, использующаяся в строительстве, — она залегает правильными пластами.

Если вы видели вкрапления окаменелых мидий в портлендском известняке, то легко их узнаете в цоколе статуи короля Карла на Чаринг-Кросс, — в ней полным-полно морских ракушек.

— Не срежем ли мы весь остров до уровня моря? — со смехом повторил мой вопрос мастер. — Не при нашей жизни, сэр! Здесь столько камня, что хватит всему миру еще лет на пятьсот!

Раньше я ничтоже сумняшеся полагал, будто знаю свой город.

Теперь же я осознал, что никто не в состоянии понять Лондон, не исследовав древние расселины этого белого острова, который является праматерью нашей столицы. Как вы сможете постичь красоту Лондона? Только через извечную переменчивость портлендского камня. Он годами собирает и впитывает в себя продымленные городские тени — так же, как деревья срастаются с паразитирующим на них лишайником. Поэтому в пасмурные дни камень выглядит серым, мрачным и непостижимым в своей задумчивости. Вы так привыкаете к этому зрелищу, что останавливаетесь, потрясенные, когда он внезапно начинает сверкать на солнце яркой белизной. У Лондона сотня настроений, он капризен и многогранен, как хорошенькая женщина.

Собор Святого Павла, Сомерсет-хаус, банк Англии и Королевская биржа, Мэншн-хаус и Судебные инны, Британский музей и церкви Кристофера Рена — список можно продолжать хоть до конца главы — все эти бессмертные здания вышли из пещер, оврагов и расщелин острова Портленд. И, уж вы мне поверьте, это незабываемое ощущение — пройтись по мощной геологической породе, из которой по воле сэра Рена был воздвигнут собор Святого Павла, чтобы занять свое место на Ладгейт-Хилл!

Шагая по пыльным дорогам острова, слепившим глаза не хуже снега на солнце, я размышлял не только о шедеврах, которые Портленд уже подарил столице, но и о будущем Лондоне. О том городе, по которому нам с вами вряд ли доведется прогуляться. О прекрасных строениях, которые еще только ждут своего часа — неоформившимися зародышами они лежат в темной утробе щедрого острова. Эти недра уже порадовали нас новым зданием банка Англии, а на очереди целые улицы, которые будут высечены из портлендских скал. Меня посетила причудливая фантазия: а что, если звук моих шагов как-то отзовется в глубине острова, нарушив безмятежный сон будущих зданий и навязав им беспокойные кошмары, так или иначе связанные с их историческим предназначением?

И вот еще о чем мне подумалось: никогда уже не буду я смотреть на Лондон прежними глазами. Теперь, куда бы я ни пошел, меня будет преследовать образ белого острова, плавающего, подобно огромному киту, в синих водах. Впредь, когда я увижу в Лондоне белый портлендский известняк, мне непременно вспомнится пенный прибой у высоких скал, пронзительные крики чаек, блестящая мокрая — будто обсосанная — галька на каменистом пляже и белая пыль на дорогах. Все вместе — это таинственный маленький остров, под названием Портленд.

7

Мы встретились в монастырском переулке Эксетера. Он стоял с путеводителем в руках — типичный добропорядочный американец, который уже заготовил дружелюбную улыбку на случай любой, самой незначительной, провокации со стороны англичан...

Я в тот момент предавался размышлениям о том, что, если не вникать в детали, все английские города с соборами обнаруживают восхитительное сходство. Удивляться тут нечему — ведь они выросли на одних и тех же корнях одного и того же прошлого. В этих городках мне нравится буквально все: неизменно узкий вход в храм; зеленые деревья — чистенькие, аккуратные, будто причесанные под одну гребенку; коротко подстриженные лужайки; звонкий воробьиный щебет и низкий звон колоколов; скромные георгианские двери с медными молоточками, воздвигающие надежный заслон между собором и остальным миром. Каждая соборная площадь пропитана схожим духом многовекового мира и покоя; а над ней возвышаются серые стены и башни, где любой кирпич несет отпечаток безграничной веры...

Американец вошел в Эксетерский собор, я последовал за ним.

Нашим взорам предстал образец идеально уравновешенной архитектуры — прекрасный, но, на мой взгляд, чересчур бесстрастный. Все арки здесь безупречны, и каждая является точным повторением предыдущей, любая из колонн — копия той, что напротив. Напоминает музыку, переложенную на язык математики! В какой-то миг начинает казаться, что все это совершенство, того и гляди, вознесется на небеса или растворится в звуках холодного парадного гимна. Единственное, что привязывает Эксетерский храм к земле, — орган, установленный в заведомо неудачном месте (а именно, над хорами), так что он закрывает большое восточное окно. Просчет архитектора служит спасительным якорем для Эксетера.

Мне известно, что это великолепный орган, и уникальная конструкция храма (а он является единственным собором в Англии, где башни выстроены на торцах трансепта) просто не оставила для него другого места. Но, увы, шок от этого не меньше.

— Простите, — обратился ко мне американец, — вы не подскажете, что означает слово «рекордер»?

— Полагаю, это такой чиновник.

— Нет, это, должно быть, какой-то музыкальный инструмент[1]. Вот, смотрите, в моем путеводителе описывается скульптурное изображение ангелов на галерее менестрелей. Там сказано, что они играют на скрипке, арфе, волынке, трубе, органе, цимбалах и — на «рекордере»!

Мы вместе поднялись на означенную галерею и осмотрели оркестр в камне — самый первый из известных мне в Англии.

— Может, вот это «рекордер», — предположил я, — то, на чем играет третий слева ангел?

— А, так это старинный английский саксофон! — обрадовался американец.

— Ну, скорее, нечто, *похожее* на саксофон!

— Хорошенькое дельце — саксофоны на небесах!

Мы вышли на улицу, продолжая беседовать. Выяснилось, что мой новый знакомый «тормознул» в Плимуте и приехал осмотреть Экзетер, который «пробрал его до самых печенок» (именно так он и выразился).

— Я еще не все понял в вашей чертовой стране, — признался американец, — но кое-что уже успел разузнать. И вот что я вам скажу, дружище... если она вся такая, как то, что я успел посмотреть, то я не жалею, что притащился в такую даль!

Я поинтересовался, чем же Экзетер «пробрал его до печенок»?

Он немного подумал, затем спросил в свою очередь:

— Вы знаете Америку?

---

[1] Английское слово «recorder» имеет два значения: 1) «рекордер» — чиновник, председательствующий на сессии коронного суда; 2) блок-флейта.

— С сожалением вынужден признать, что ни разу там не был.

— Ну, мы, в общем, издеваемся над всякими там традициями... но в душе, уж вы мне поверьте, мы ими восхищаемся и сами хотели бы иметь что-нибудь подобное. Хотя нам, американцам, непонятно, что значит иметь корни. Сегодня утром я отправился в одно местечко, ну, вроде муниципалитета (здесь его называют ратушей) — на самом деле, очень старое место... знаете, там еще верхний этаж нависает над главной улицей. Так вот, там был парень, одетый, как полицейский. Как же он назывался... «сержант при жезле»[1] или что-то вроде того. Так этот сержант столько мне наговорил про свой городок, что у меня голова пошла кругом. Оказывается, у вас в Англии была чертова прорва королей! Этот малый просто заморочил мне голову со своим Вильгельмом Завоевателем, королем Карлом и королевой — как там ее... сейчас загляну в свои записи — ага, Генриеттой. А потом он повел меня наверх и продемонстрировал цепь мэра[2] и прочие причиндалы. Парень ужасно гордился всей этой ерундой. Прямо светился, если удавалось доказать, что они в чем-то обскакали Лондон по части древности! Там еще лежал меч, завернутый в какую-то старую черную тряпку. Я и говорю ему, наполовину в шутку: «Почему бы вам не развернуть эту штуковину? В чем тут фокус?» Бедняга чуть в обморок не грохнулся от моего вопроса. В глазах у него читалось: «Ты, несчастный янки! Темный, как лягушка с болота!» Помолчал немного, а затем и выдал: «Этот символ траура по Карлу I, сэр. Вечного трау-

---

[1] Жезлоносец — историческое название должности чиновника, который в городском совете совмещает обязанности смотрителя ратуши, помощника, камердинера и шофера мэра.

[2] Имеется в виду золотая цепь с овальными медальонами, непременный атрибут костюма мэра.

ра!» Представляете? Ну что тут скажешь... я просто взял
да ушел...

— Не забывайте: девиз этого города — «Преданные
навеки»!

— То-то и оно! Я же понимаю: для вас история — не
шутки. Могу себе представить, что значит иметь за спиной
такой город, как Эксетер. Я сам, знаете ли, из Новой Англии, и, полагаю, в моих жилах течет частица английской
крови. Вот почему тот меч так на меня подействовал. Эй,
посмотрите-ка на этот странный магазин.

Мы зашли в книжную лавку, где я приобрел карту Корнуолла.

Пожилой продавец застенчиво спросил:

— Может быть, джентльменам будет угодно подняться
наверх и осмотреть мою старую комнату?

— Еще бы не угодно! — с энтузиазмом откликнулся мой
попутчик.

Мы поднялись по темной лестнице и вошли в низенькую
комнату, нависавшую над Хай-стрит. Полы в ней были не-
ровные, окна маленькие, в свинцовом переплете, стены об-
шиты дубовыми панелями, а потолок явно относился к эпохе Стюартов.

— В те времена, когда Эксетер поддерживал короля, в
этой комнате жил сам принц Руперт!

— Да? Ну, надо же...— отреагировал американец.

— Понятия не имею, кто такой принц Руперт, — прошептал он, когда мы снова спустились в торговый зал, —
но выглядело все здорово! Очень рад был с вами познакомиться. До свидания! И все-таки, что меня поразило больше всего, — так это тот меч в ратуше! Скажите сами, может быть что-нибудь круче?

По зрелом размышлении я вынужден был признать, что
нет, не может.

Ах, эти наши маленькие старые городки, эти Эксетеры... такие спокойные, такие непоколебимые. Они существуют уже много веков и всегда знали, чего хотят. Они доблестно сражались и выигрывали или же — с равным величием — проигрывали свои битвы. За этими городками тянется такой длинный шлейф исторических событий, что никто не в состоянии остаться равнодушным к их силе и величию.

Сегодня в Эксетере и ему подобных местах царит тишь да гладь, и вы можете подумать, что они безвозвратно удалились от жизни, погрузившись в старческий, немощный сон. Но не торопитесь делать выводы! Припомните, в 1914 году наши маленькие древние города убедительно доказали, что их старые глаза не потеряли своей зоркости, а опытные, натренированные руки все так же крепко сжимают рукоять меча.

8

Каждого английского мальчишку следует хотя бы однажды свозить на экскурсию в Плимут. Даже самых маленьких стоит оторвать от мамушек и нянюшек и отправить на одну ночь в рыболовецкий рейд. Он получит незабываемые впечатления от пребывания на палубе посыльного судна и встречи с трансатлантическим лайнером. Любого мальчика заинтересуют судостроительные верфи Девонпорта и старинный порт Барбикан, где его познакомят с легендарным «Мэйфлауэром» и историей основания Новой Англии. Но главное — это отвести ребенка в Плимут-Хо — на самый знаменитый и живописный променад Европы, — дабы разбудить его воображение рассказами о Хоукинсе и Дрейке.

Я добрался до парка вечером, когда вокруг уже начинали сгущаться промозглые сумерки. В каждом маленьком городке существует такое место, куда в потемках стекается местная молодежь — прогуляться, посмотреть друг на друга, — движимая неясным зовом природы. Юные красотки чинно ходят парами, парни сбиваются в шумные, неустойчивые группы. С давних пор и до наших времен бытует некая форма общения, которую в молодежной среде определяют словечком «кадрить». Если юноша три часа кряду ходит кругами вокруг какой-нибудь девушки, затем — намотав не менее десяти миль — решается с ней поздороваться, а она останавливается и милостиво ему отвечает, то говорят, что он ее «закадрил». Подобный ритуал взаимного приглядывания ежедневно происходит на всех главных улицах больших городов. В Плимуте же для этих целей служит площадка на берегу, где Фрэнсис Дрейк, по слухам, играл в шары в тот самый момент, когда ему донесли о появлении испанской эскадры.

Далеко внизу лежали спокойные, гладкие воды залива Саунд между обрамляющих их скал. Волнолом выглядел едва различимой серой полоской на фоне моря. В сгущающейся темноте уже обозначились огнями остров Дрейка и Маунт-Эджкам, сигнальные огоньки на эсминце перемещались в направлении верфей Девонпорта. Откуда-то справа доносился явно производственный шум — там колотили молотками по металлу. Этот резкий энергичный звук, нарушавший вечернюю тишину, служил живым напоминанием о том, что Плимут — это Плимут, и сегодня больше, чем когда-либо...

Дальше в открытом море, на расстоянии примерно пятнадцати миль, над серыми волнами включался и выключался с равными интервалами еще один огонь — работал самый знаменитый светоч Британского побережья, Эддистонский маяк.

Мне откровенно жаль того человека, который, впервые попав в Плимут-Хо, не ощутил бурления в крови.

Я любовался пейзажем, быстро исчезающим в наступавшей тьме, и думал о Саутуорке. Дело в том, что существует прочная невидимая связь между этим живописным девонширским холмом и мрачным районом доков и складских помещений на южном берегу Темзы. Если один напоминает нам о Шекспире, Марло и Бене Джонсе, то другой ассоциируется с именами Дрейка, Хоукинса, Кука и сэра Хамфри Гилберта. Саутуорк является центром елизаветинского возрождения в литературе, в то время как Плимут навеки связан с елизаветинской эпохой географических открытий.

Пока я вот так сидел в сгущающейся тьме над Плимут-Саунд, воображение мое работало: я представлял себе мрачных головорезов, которые рыскали в Мексиканском заливе, полагаясь на помощь Господа Бога в своей противозаконной торговле рабами. Как ни крути, а эти ребята завоевали для нас кусочек мира! В моей памяти всплыли разрозненные легенды, связанные с теми временами: как Кокрейн приплыл в Саунд с тремя золотыми подсвечниками на топе мачты — он снял их с испанского галеона; как примерно в 1573 году три корабля возвращались домой из Номбре-де-Диос, оставив за собой обломки испанского флота; на палубе одного из них стоял человек (конечно же, Дрейк), который первым увидел Тихий океан с верхушки дерева и торжественно поклялся, что когда-нибудь он будет плавать в этих водах на английском корабле.

У меня за спиной возвышалась статуя Фрэнсиса Дрейка, выделяясь черным контуром на фоне неба. Прославленный пират стоял, опустив одну руку на глобус, а в другой сжимая рукоять меча.

— Считается, что Дрейк играл в шары на берегу, — обратился я к человеку, сидевшему рядом со мной. — Хотелось бы знать, где именно он это делал: наверху или у подножия холма?

— Мне кажется, — ответил незнакомец с дружелюбной улыбкой, столь характерной для жителей Девоншира, — что в те времена холм был куда ровнее и удобнее. Полагаю, Дрейк играл на той самой лужайке, где сейчас стоит статуя. Вот бросил он свою игру при появлении армады или нет, этого я не скажу. Знаете, во время войны мне довелось служить в армии — кое-что повидал... Так вот, я думаю, Дрейк тогда здорово перетрусил. Вы со мной не согласны?

— Неужели вы, коренной девонширец, считаете, что Фрэнсис Дрейк мог когда-нибудь струсить? — ужаснулся я.

— Лично я не был бы удивлен.

Мой собеседник, подобно многим жителям Плимута, живо интересовался историей своего города. Поэтому мы долго еще просидели на утесе, вспоминая события далекого 1588 года.

Тем временем вечерняя прогулка незаметно окончилась, последний паренек, насвистывая, скрылся за поворотом.

С моря подул свежий ветер, а мы все рисовали картины прошлого. Представляли, как сотня английских парусников вышли из Плимута, чтобы встретиться с армадой дона Алонсо Переса де Гусмана, герцога Медина-Сидония, который твердо решил после завоевания Англии захватить плимутский Маунт-Эджкам и устроить там свою резиденцию. Это, наверное, был великий момент — когда испанские галеоны медленно и тяжело выплывали из-за мыса Лизард и двигались через пролив... а им навстречу спешила горстка английских кораблей.

— Будь у меня был выбор, я хотел бы жить именно в ту эпоху, — протянул мой собеседник, хрупкий мужчина, который тщедушностью сложения мог поспорить со знаменитым адмиралом Нельсоном. — Мир тогда казался чрезвычайно большим. Представляете, 1577 год... Эх, вот бы отправиться в плавание вместе с Дрейком на «Золотой лани»!

— Ага! Но тогда вам пришлось бы согласиться и на «Мавританию»!

— Что поделать, — вздохнул он.

— Как! — возмутился я. — А сожжение Веракруса и разграбление церквей? Неужели вы бы согласились загрузить полный трюм рабов, а потом устроить торжественный молебен?

— С превеликой радостью, — прошептал мой собеседник. — Поймите, тогда было такое время... Впрочем, мне пора идти.

Мы попрощались, и я долго смотрел ему вслед — пока его тощая, болезненного вида фигура не растаяла в темноте. Господи, в чем только душа держится, а какая кровожадность!

Вдалеке, за волноломом я разглядел лайнер. Он отправлялся в плавание и, покидая порт, просигналил низким гудком. Цепочка его светящихся иллюминаторов напоминала нитку жемчуга на воде...

В пятнадцати милях к югу снова блеснул Эддистонский маяк — крошечный огонек, адресованный всем путешественникам. Ежеминутно мигая, он словно бы говорил: «Дети мои, скоро уже конец пути — Плимут близко. Но, ради Бога, будьте осторожнее, не налетите на *меня*!»

9

Я отправился в старый порт Барбикан, чтобы лично увидеть место, откуда когда-то начал свое плавание знаменитый «Мэйфлауэр». По правде сказать, я ожидал застать здесь всех американцев, которых в это время года занесло в Западную Англию. В моем понимании, они должны были стоять в торжественных и почтительных позах вокруг мемориальной таблички. Вместо того я обнаружил одного толь-

ко старого и хромого моряка, который сидел на скамье и
покуривал грубо вырезанную трубку.

— Доброго вам утра, — поздоровался я.

— И вам того же, сэр, — произнес он, тягуче растягивая слова; затем вынул трубку изо рта и метко сплюнул в
воды гавани Саттон-Пул.

— Солнечный выдался денек сегодня!

— Так точно, сэр!

Мы молча наблюдали, как у Саттонского причала разгружается рыболовецкая флотилия. Целую неделю траулеры провели в штормовом море и теперь наслаждались
мягким приливом в защищенной гавани. Толстый слой соли выступил на закопченных трубах; та самая же соль блестела на усах и бакенбардах рыбаков, неизбежно отрастающих за время плавания. Поверхность причала была
скользкой от рыбьей чешуи и осколков льда. Громогласный мужчина (по виду — из местных) стоял над бесформенной кучей мертвой рыбы — там был гигантский скат
размером с карточный столик, налим, палтус, камбала,
крабы и лиловые омары. Рыбаки в своих грубых башмаках
гулко топали по каменной набережной, их лица приобрели
красновато-коричневый оттенок — чисто красное дерево.
Я залюбовался их ловкими движениями, сильными телами
в синих вязаных фуфайках и коричневых штанах. Чудесная живописная картинка в ярких лучах предобеденного
солнца...

— Так значит, «Мэйфлауэр» отплывал отсюда?

— Именно так, сэр, в 1620 году, — старый моряк небрежно ткнул трубкой в дальний конец мола. — Да вы и
сами можете прочитать на том камне.

Он поднялся и захромал к небольшому каменному обелиску, установленному посреди дороги.

«"Мэйфлауэр", 1620 год» — гласила надпись на обелиске.

— Будь вы американцем, наверняка попросили бы сфотографировать вас рядом, — сказал старик. — И, хочу заметить, были бы совершенно правы. Интересно, где бы сегодня была их Америка без нашего «Мэйфлауэра»! Благодарю вас, сэр.

Он заметно повеселел.

— Видите вон тот дом — номер девять в Барбикане, — в этом самом доме отцы-пилигримы провели последнюю ночь перед отплытием.

— Что, все сто двадцать человек?

— Ну... я думаю, столько, сколько поместилось, сэр.

Заинтересованный, я направился к дому номер девять. Возможно, здесь скрыто одно из величайших сокровищ Англии. В Барбикане сохранилось совсем немного построек елизаветинской поры. Если пятого сентября 1620 года сто двадцать человек из числа отцов-пилигримов вынуждены были искать себе кров и ночлег в непосредственной близости от причала, то кажется весьма вероятным, что некоторые из них ночевали в доме номер девять. В любом случае, это будет нетрудно выяснить. Первый этаж здания ныне занимала контора, торгующая углем.

— Боюсь, пока они ищут доказательства того, что отцы-пилигримы действительно здесь ночевали, — заговорил человек за прилавком, — дом благополучно снесут в соответствии с программой улучшения жилого фонда.

Да, это серьезная проблема, которую руководство Плимута обязано решить в ближайшее время.

— Странно, что не многие американцы знают этот дом — наверное, он не отмечен в их путеводителях. Мы называем его Мэйфлауэр-хаус, и в Барбикане все уверены, что пилигримы жили в нем (так же, как и в других домах — ныне уже снесенных), пока их корабль готовился к отплытию.

Я попросил разрешения осмотреть старинное здание.

— Наверху живет пожилая леди, — ответил клерк, — спросите у нее.

Я поднялся по темной лестнице. В маленькой полутемной комнатке старуха чистила картошку. Я объяснил ей, что интересуюсь «Мэйфлауэром». Она бесстрастно окунула картофелину в воду и объявила:

— Я занята.

Я окинул оценивающим взглядом огромную кучу картошки, которая отделяла меня от моего исторического исследования.

— Сейчас я не могу показать вам дом, — принялась брюзжать старуха, — мне нужно готовить обед для своих мужчин. Иначе что я им скажу вечером?

— Вы совершенно правы, — вздохнул я.

Что поделать, повседневная работа не терпит отлагательств.

— Но вы уж мне поверьте, — продолжала она с той маниакальной уверенностью, против которой бесполезно возражать, — это и есть Мэйфлауэр-хаус. Я знаю это точно!

— Теперь я тоже начинаю в это верить, — сказал я.

— Правда? — оживилась старуха. — Ну, знаете, вы можете зайти в другой день. Я, может, буду не так занята и покажу вам дом. Оно того стоит — дом-то необычный, такое не каждый день увидишь.

Она вымыла еще одну картофелину и накинулась на нее со своим ножом.

Я тихо спустился по старым скрипучим ступенькам и вышел на освещенную солнцем улицу Барбикана...

На Плимут-Хо вела узкая каменная лестница, которую я преодолел в глубокой задумчивости. По-моему, история с «Мэйфлауэром» — один из самых драматических эпизодов за последние триста лет. Вдумайтесь только, какую неоценимую услугу оказал он человечеству. Сколько важного и ценного сохранилось для мира благодаря этому маленькому кораблику, триста лет назад ушедшему в неизвестность!

Стоя на вершине Плимут-Хо, я имел случай наблюдать незабываемую и, по-моему, глубоко символичную картину. В назначенное время — минута в минуту — в воды Саунда вошло величественное судно трансатлантической линии «Кьюнард» и встало на якорь позади волнолома. Тотчас же к нему устремились маленькие верткие посыльные катера. Они казались совсем крошечными рядом с гигантским, похожим на гору «Кьюнардом». На палубе развернулась лихорадочная деятельность —выгружали и спускали на тросах почту из-за океана. Приняв ценный груз, катера заторопились обратно к Плимуту...

Тем временем огромный красавец-лайнер развернулся и направился в сторону Саутгемптона.

Добравшись до своего отеля, я обнаружил, что тот полон новоявленными отцами-пилигримами.

— Эй, официант, принеси-ка воды со льдом. И еще, дружище... три сухих мартини, пожалуйста! Нет, ты только посмотри на это! Что за мизер такой! Да это и гроша ломаного не стоит.

Меня посетило мгновенное видение: первые отцы-пилигримы преклоняют колени на берегах Массачусетса, возносят благодарность Всевышнему за свое благополучное прибытие. Всем знакома эта картина, не правда ли? Холодный ветер треплет волосы... они стоят, сжимая в руках широкополые фетровые шляпы, за спиной темнеют негостеприимные холмы. И чем же все обернулось через какую-нибудь сотню лет? Безопасными бритвами, подтяжками для носок и прочими благами цивилизации.

— Ну, будем здоровы! — воскликнул один из современных пилигримов и залпом осушил бокал с мартини.

В жизни не всегда есть место романтике.

10

Мне рассказывали, что, когда женщины шьют одежду, они используют специальные бумажные выкройки: кладут их на материю, обрисовывают по контуру и затем вырезают. Так вот, линейные корабли делаются примерно так же. Кажется невероятным, но весь Королевский флот был отштампован, как какие-нибудь распашонки (прошу прощения за подобное сравнение).

На Девонпортские верфи я отправился исключительно из чувства долга, потому что нельзя же побывать в Плимуте и не посетить Девонпорт. Честно приготовился скучать. Однако, к моему удивлению, выяснилось, что я жестоко ошибался. Не успел автомобиль миновать серые ворота, как перед моими глазами развернулось зрелище, совершенно меня захватившее. Я ожидал увидеть верфь, а вместо того очутился на территории старинного собора или не менее старинной частной школы. Верфи Его величества в Девонпорте могли дать сто очков вперед любому из этих заведений. Зрелище во всяком случае великолепное. Старые серые здания, вдоль которых протянулась уютная аллея. Мощеные дорожки плавно спускаются к водам Хамоаза. Возле ворот верфей располагается небольшая часовня. Это место чем-то неуловимо напоминает кладбище для шлюпов и фрегатов. То там, то здесь из заросшего газона выступают носовые украшения кораблей — запрокинутые раскрашенные лица смотрят в высокие небеса, а вездесущая трава пробивается сквозь их растрескавшиеся подбородки.

— Вот это наш музей, — пояснил мой гид.

Он провел меня в здание, заставленное деревянными гигантами — все теми же фигурами, которые некогда устанавливались на носу парусников. Эти суда бороздили воды различных океанов задолго до эпохи парового двигателя, сегодня же они находятся на заслуженном отдыхе. Музей можно рассматривать как самый привилегированный и, я бы даже сказал, самый профессиональный военно-морской клуб королевства. Его члены — ростры с прославленных судов — стоят вдоль стен, облаченные в парадные мундиры. Среди них герцоги, генералы, адмиралы, высокопоставленные чиновники Ост-Индской компании — достойное собрание великанов с мужественными, волевыми, будто высеченными из камня лицами... Интересно, о чем они думают, о чем беседуют между собой, когда ворота дока запираются на ночь?

— Ах, сир, — вздыхает, наверное, герцог Мальборо, обращаясь к Георгу I, — неужели вам не хотелось бы снова по пояс окунуться в теплые воды Бенгальского залива?

— Или почувствовать, как бодрящая бортовая качка сотрясает до самого носа? — добавляет герцог Веллингтон.

— А свежий пассат, — шепчет из своего угла Нельсон, — заставляет петь брам-стеньги и бросает клочья пены на щеки!

— Если вы хотите осмотреть верфи, то нам пора двигаться дальше, — раздался голос моего экскурсовода.

И он потянул меня к выходу.

Оказывается, в Девонпорте строился новый крейсер.

Любая девушка, которой доводилось шить костюм — жакет и юбку, — в мгновение ока поняла бы весь технологический процесс. Вначале проектировщики создают план. Они рисуют отдельные фрагменты на стальных листах. Затем маленькие составы с королевскими гербами на бортах перевозят те по узкоколейке в высокие шумные ангары. Там рабочие устанавливают пластины на станки, которые режут их — так же, как нож режет хлеб. В результате получаются заготовки для будущего крейсера, но их еще предстоит обработать.

В одном ангаре машины подготавливают отверстия под заклепки; в другом сгибают дюймовые стальные листы с той же легкостью, с какой мы гнем обычный картон.

И снова появляются трудяги-локомотивы: пыхтя, они везут заготовки на верфь.

На данном этапе крейсер выглядит как гигантская клетка для кур. Ржавый каркас корабля возвышается над доком, по нему ползают люди с пневматическими заклепочниками.

На земле лежат кусочки головоломки, каждый из них пронумерован белой краской. Один за другим строители прикрепляют их к каркасу. Каждый такой кусок — это несколько ярдов обшивки. Вот понадобилась секция S310, они сообщают об этом вниз.

— Готово, поднимается! — кричит работающий там Билл, и большой кран тянет вверх затребованную секцию.

Рабочие прикрепляют S310 рядом с S309 и запрашивают следующую, 311-ю секцию.

Их крики и звон стальных листов, сгружаемых на землю, перекрывает пронзительный визг компрессорных молотков.

Здесь никто не прохлаждается, люди работают с энтузиазмом. Время от времени кто-нибудь из рабочих бросает взгляд на табло, где указывается, сколько тонн металла они уже установили и сколько еще предстоит сделать за эту неделю.

— А куда они так торопятся, — с подозрением спросил я. — Разве мировая война — последняя из войн на земле — не закончилась?

— Дело не в этом, — пояснил мой провожатый. — Просто у нас своего рода соревнование с Портсмутом, где строится такой же крейсер. И мы во что бы то ни стало намереваемся выиграть!

Представьте себе мои чувства, когда в доке я обнаружил небольшой кусочек металла с четырьмя отверстиями. Он просто лежал на земле — маленький изогнутый кусочек стальной обшивки корабля, но я инстинктивно понял: в нем присутствует и мой вклад, мой подоходный налог!

Вдоволь налюбовавшись, как из фрагментов сложной головоломки вырастает огромный современный корабль, мы направились в сухой док, и вот здесь-то, в месте, которое одновременно служило и яслями, и госпиталем для королевских броненосцев, я увидел старое, потрепанное судно — ровесника героической Трафальгарской битвы. По бокам зияли пустотой непривычной формы квадратные иллюминаторы, корму украшал полукруглый фонарь.

— А это гордость и краса Королевского флота, линкор «Имплакебл», — пояснил мой экскурсовод. — Мы отбили его у французов при Трафальгаре, после чего он надолго застрял в Фалмуте. Вот теперь мы решили почистить его и подремонтировать, прежде чем перевести в разряд учебных судов.

Старый добрый «Имплакебл»!

Целая команда художников и декораторов трудилась над кораблем. Все их усилия, каждый взмах кисточки, каждый мазок были направлены на то, чтобы придать линкору энергичный, задорный вид — как у бойцовского петуха-чемпиона. Думаю, когда обновленный «Имплакебл» — залатанный корпус, застекленные иллюминаторы, свежая покраска — сойдет наконец со стапелей, то строящийся крейсер (если он к тому времени будет готов) отсалютует ветерану Королевского флота; во всяком случае мне хочется на это надеяться...

Раздается сигнал, и кораблестроители останавливают работу. Шумной толпой они покидают мастерские и направляются к воротам дока.

Там стоят трое полицейских и внимательно вглядываются в непрерывный поток рабочих, покидающих верфи. Время от времени они кого-то останавливают и отводят в тесный офис возле ворот. Там еще один полицейский подвергает проштрафившегося тщательному обыску — очевидно, чтобы тот не смог вынести боевой корабль с собой на ланч.

На ближайший час на Девонпортской верфи воцарилась гробовая тишина, и в этом безмолвии в док проскользнул длинный серый эсминец. Возможно, у него возникли какие-то проблемы в машинном отделении или неполадки с боевыми орудиями... или, может, повредилась обшивка, или просто бедняга растянул лодыжку во время морского плавания.

И вот корабль явился в док в полной уверенности, что доктор Девонпорт померит ему давление, посчитает пульс и успокоит:

— Все в порядке, дружочек, мы скоро тебя поставим на ноги!

Девонпорт является одновременно и доктором, и нянькой, и матерью для всего английского флота — в первую очередь любящей матерью. И трудам Девонпортской верфи (как и любой хорошей матери) не видно ни конца ни края. Круглый год ее огромные стальные сыновья возвращаются домой — отдохнуть, подлечиться. И каждый год новое потомство рождается в Девонпорте и покидает его, чтобы разбрестись по всем уголкам света.

Глава четвертая
Край земли по-корнуолльски

Я влюбляюсь в Корнуолл и в некое имя. Еще в этой главе описывается затерянный рай и приход радио в этот идиллический уголок. Я попадаю под дождь у Края земли, а позже вечером поднимаюсь на холм, сжимая в руке ключ от Тинтагеля.

1

В Корнуолле есть нечто странное. Вы ощущаете это сразу же, как только минуете переправу Тор-Ферри.

Первое, что я увидел, — коротко остриженная девушка гнала корову с кривым рогом. Я тут же понял, что попал в Волшебную страну! Затем на глаза мне попалась деревенька, пытавшаяся вскарабкаться на холм. Один беленый домик достиг вершины, остальные застряли на полпути, да так там и остались: стоят в окружении своих садиков и удивленно таращатся на мир поверх колпаков дымовых труб. В этих очаровательных заросших садиках я обнаружил популяцию самых древних стариков, какие мне только встречались, — похоже, они обрели смысл жизни у бобовых грядок.

Когда я попросил воды, чтобы залить в радиатор, то женщина вынесла мне ее в кувшине! И речь у нее была такая же протяжная и напевная, какая обычно бывает у жителей Уэльса. Подобно валлийцам, эти люди говорят с той характерной кельтской плавностью, которая обволакивает и усыпляет бдительность — так что травящий байки корнуоллец выглядит куда более убедительным, чем говорящий правду сакс.

А чего стоят корнуолльские имена! Вы только загляните в карту, как это сделал я. Святых здесь — что белых маргариток в поле. Создается впечатление, будто это самая безгрешная страна на земле. Вот краткий перечень географических названий: Сент-Остелл, Сент-Энтони, Сент-Мьюэс и Сент-Ивз; Сент-Агнес, Сент-Неот, Сент-Пиннок и Сент-Меллион; Сент-Джерманс, Сент-Бреок, Сент-Эвал и Сент-Колем — будто колокольный перезвон разливается над лугом. И что за странные святые! Корнуолл был обращен в христианство кельтской церковью, а Англия — римлянами. Так что имена, сохранившиеся на карте Корнуолла, принадлежат святым из числа ирландцев и валлийцев, тем самым, что бережно хранили имя Христа у себя в горах — в то время как Англия усилиями возвратившихся легионов превратилась в поле боя, где воевали и люди, и боги.

Проезжая мимо поля, я увидел женщин, копавших картошку: юбки подоткнуты, рядом с каждой маленький деревянный бочонок, куда кидают клубни. Такую картинку запросто можно наблюдать в Бретани.

Дорога взбегала на холм, и с самой вершины я бросил взгляд на устье реки. Приливная волна плескалась прямо среди деревьев! Удивительное зрелище — деревья, подступающие к самой кромке воды. Там же были разбросаны маленькие белые домики. Выглядели они робкими и застенчивыми, словно пугливые феи, которые неожиданно вышли на опушку леса. И все вокруг, даже сама местность, свидетельствовало о том, как быстро жизнь возвращается к старому укладу. Рыба в сетях, фрукты на деревьях — все, как в далеком золотом веке. Хотелось бы знать, насколько счастливы люди в таком месте? Наверное, здорово наблюдать, как прилив подступает и просачивается сквозь живую изгородь из роз. Мне кажется, человек, раз увидевший такое, вряд ли прельстится блестящей перспективой жить в Лондоне и еженедельно зарабатывать сорок два шиллинга в скучном офисе.

Честно говоря, я понятия не имел, куда мне ехать в Корнуолле. Все дороги были одинаково хороши. Я снова обратился к карте, и одно название сразу же привлекло мое внимание. Не думаю, что во всей Англии можно найти более красивое имя. Однако здравый смысл подсказывал: влюбиться в имя — все равно что влюбиться в голос по телефону. Есть риск сильно разочароваться при очной встрече. Может, отказаться и не рисковать? Нет, невозможно противиться соблазну... Я дважды прошептал заветное название, затем решительно свернул на нужную дорогу, которая, если верить карте, вела в Сент-Энтони-ин-Роузленд![1]

2

И вот я пишу в крошечной спаленке домика в той самой деревушке с названием Сент-Энтони-ин-Роузленд. Соломенная крыша нависает так низко, что изнутри кажется, будто верхняя оконная рама снабжена неровной бахромой, на манер грубой щетинистой бороды. Выглянув в окошко, я могу рассмотреть группу деревьев и зеленое куполообразное поле; за ним простирается пустое безбрежное небо. Это означает, что внизу плещется такое же безбрежное море. Отсюда мне его не видно, но я могу слышать мерный шум волн, накатывающихся на скалистый берег. Этот шелестящий шум да пение птиц — единственные звуки в Сент-Энтони-ин-Роузленд.

---

[1] Дословно «Святой Антоний в краю роз».

Я уже говорил, что приехал сюда исключительно из-за понравившегося названия. При этом был готов к самому худшему: что очаровавшее меня имя окажется обманкой, за которой прячется, скажем, грязная шахта или унылая улочка с однообразными магазинами. Возле Трегони я свернул с центрального шоссе и углубился в лабиринт проселочных дорог и тропинок, порой таких узких, что машина на ходу задевала дверцами живые изгороди, которые плотной стеной стояли вдоль обочины. Зеленые ветки растений, казалось, хватали меня за руки и нашептывали: «Остановись, не езди дальше! Безумец, который надеется, что Сент-Энтони-ин-Роузленд оправдает свое сладостное название, рискует сильно разочароваться».

Однако я не послушался и продолжил путь. В конце концов я подъехал к улочке, которая выглядела темным туннелем, — это был самый странный туннель из всех, какие я видел. По бокам дорожки сплошной стеной рос кустарник; ветви соединялись поверху, образовывая живую арку. Плавно понижаясь, дорога уходила в глубь зеленого полумрака — все дальше и глубже, а затем круто забирала вверх и влево. Я уже наблюдал такой фокус в корнуолльских деревушках: там тоже тропинки резко изгибаются и совершенно неожиданно приводят на высокий утес, откуда открывается потрясающий вид на море (оно, оказывается, совсем рядом, бьется о каменистый берег) и вырастающую за морем череду холмов с аккуратно возделанными полями. Итак, я миновал неожиданный поворот и очутился в Сент-Энтони-ин-Роузленд.

А теперь, мой читатель, вспомните: случалось ли с вами такое, чтобы самые смелые надежды не обманулись; чтобы ваша мечта сбылась — вы получили то, о чем грезили, и объект ваших вожделений в полной мере оправдал ожидания? Если вам знакомо подобное счастье, то вы сможете понять, что я пережил, увидев Сент-Энтони.

Два десятка крошечных беленых домиков прятались за высокими цветущими изгородями. Во многих садиках торчали пресловутые корнуолльские ивы — деревья, которые вырастают на двенадцать футов в высоту и выбрасывают пучки листьев, по виду напоминающие зеленые штыки. В поле зрения не было ни почты, ни гостиницы, а ближайший магазин, как выяснилось позже, находился пятью милями дальше, в поселке под названием Герранс. Маленький Сент-Энтони-ин-Роузленд, казалось, навечно затерялся среди здешних холмов, но выглядел при этом абсолютно счастливым и довольным — так старая кошка, которую все оставили в покое, дремлет на солнышке и видит сладкие сны.

Я подождал некоторое время и убедился, что деревушка не подает признаков жизни. Белые домики, увитые плющом и шиповником, стояли с распахнутыми дверьми (будто хозяева вышли на минуточку), но вокруг не было видно ни единой души — ни мужчины, ни женщины, ни ребенка. Похоже, никто не слышал, как я подъехал. Во всяком случае деревня не отозвалась на это событие ни единым звуком. Я заглушил мотор, вышел из машины и огляделся. Поляну пересекала узкая тропинка, она убегала вниз, к заливу, притаившемуся меж суровых утесов. Там тоже никого не было. Волны с глухим шумом накатывали на прибрежные скалы, в небе носились чайки, издававшие пронзительные, тоскливые крики. Я простоял довольно долго, наблюдая за этой дикой и по-своему безмятежной картиной. Тем временем начало смеркаться. Наконец я стряхнул с себя странные чары этого места и задался весьма прагматичным вопросом: а где, собственно, я буду сегодня ночевать? Ведь, если верить карте, то, чтобы добраться до близлежащего Фалмута, сначала надо одолеть десять миль по тенистым аллеям, которые здесь заменяют дороги, затем воспользоваться паромной переправой и снова проделать десять миль на колесах. Я чувствовал себя уставшим. Хорошо бы заночевать в Сент-Энтони и заодно выяснить, что за люди тут живут. Каким наслаждением будет провести пару деньков в этой тишине вдали от цивилизации!

Я решительно направился к коттеджам и тут увидел ее.

Пожилая румяная женщина в ситцевом переднике стояла на пороге розового домика и смотрела на мою машину так, будто перед ней внезапно возникло привидение.

— Простите за беспокойство, — обратился я к ней, — не подскажете ли, где можно остановиться на ночь?

Весь садик утопал в цветах. Прямо посреди двора высился цветущий куст вероники, крыльцо было заставлено горшками с геранью, под окнами росли кентерберийские колокольчики, а вдоль дорожки тянулись «подушечки» камнеломки тенистой, которую в народе называют «Гордостью Лондона».

— Видите ли, сэр, — нерешительно произнесла женщина, — я бы с радостью предложила вам свободную комнату... Но дело в том, что у меня к ужину ничего не осталось кроме яиц и сливок. Понимаете, у нас тут нет магазинов, и всю провизию привозят из Герранса на машине...

Я поспешил заверить ее, что яйца и сливки — именно тот ужин, о котором я мечтал всю жизнь.

— Ну, тогда ладно... Проходите, взгляните на комнату. Если она вам подойдет, то машину можно будет поставить у мистера Трагонны в коровнике — это немного дальше по дороге.

Сельские спальни... Вот уж о чем стоило бы написать отдельно — это самое трогательное и целомудренное зрелище на земле. Над широкой белой кроватью начертано серебряными буквами: «Направь стопы мои по слову Твоему». Слева другая надпись: «Слово Твое дарует свет» и, наконец, справа можно прочитать: «Пребудь с Господом твоим каждый миг». Рядом с постелью на бамбуковом столике лежит непременная Библия; над изголовьем книжная полка, на ней с десяток томиков, среди которых — «Хижина дяди Тома», «Расплата матери», «Торные пути и кривые тропы», «Порок Оуэна» и тому подобная сентиментально-богословская литература.

Маленькая, белая, будто девичья спальня — в этой комнате вполне могла бы ночевать королева мая[1]. На противоположной стороне над рукомойником висит портрет девушки ангельской красоты с длинными, струящимися волосами. Когда на следующее утро я брился перед умывальником, меня поразил один факт: где бы я ни стоял, в каких бы ракурсах ни рассматривал портрет, мне никак не удавалось поймать взгляд девушки. Поразмыслив, я понял — это не живописный фокус, просто ее взор устремлен к более высоким материям. Картинка носила символическое название «Отречение» и была вырезана из «Рождественского приложения» за 1895 год. А рядом с кроватью висела еще одна картина в дубовой раме, воплощавшая прямо противоположный дух — я бы сказал, дух дьявольского искушения. На ней тоже была изображена девушка, но совсем другого типа. Красотка в турецком наряде стояла у зарешеченного окна гарема и с наигранной скромностью принимала любовное послание, которое ей протягивала рука невидимого мужчины — крайне подозрительная рука. Не слишком подходящее соседство для «Отречения».

— Не могли бы вы объяснить мне кое-что, — обратился я к хозяйке, стоя у окна. — Я обратил внимание, что вокруг никого не видно. Такое впечатление, будто вся деревня спит.

— Видите ли, сэр, у нас здесь совсем нет детей. Остались одни старики. Школа закрылась много лет назад. В ре-

---

[1] Королева мая — самая красивая девушка города или деревни, избираемая королевой красоты традиционного майского праздника в Англии.

зультате, когда наши детишки подрастают, им приходится уезжать из Сент-Энтони и искать счастья в другом месте. Мой сын... он был на войне... и две мои девочки — они-то, слава богу, хорошо устроились. А некоторые дети вынуждены возвращаться на ферму после смерти родителей.

Так вот в чем секрет Сет-Энтони-ин-Роузленд: деревня лишилась своих детей. Все они разлетелись, навсегда покинув родное гнездо. И в этих райских кущах живут лишь пожилые люди. Выглянув в окно, я заметил полуразрушенную лачугу — то ли коровник, то ли часовню. Бревенчатые стены догнивали, балки провалились внутрь.

— Это и есть наша школа, — пояснила женщина. — А я еще помню времена, когда она заполнялась по утрам учениками. Шум, смех, болтовня...

Теперь здесь царство крапивы и наперстянки: зеленым пологом они пытаются затянуть все воспоминания, оставшиеся от молодежи Сент-Энтони.

Вечерело. Солнце клонилось к горизонту, и в мое окно вместе с теплым ароматом цветов просачивался покой пустынных полей и широкого безоблачного неба. С залива доносился неумолчный шум набегающих волн, он напоминал шелест ветра в дубраве. День угасал, и вместе с ним стихали все дневные звуки, пока не осталась одна лишь малиновка, которая упорно повторяла свою трогательно-пронзительную песню.

Нет на свете печальнее звуков. Будто сама матушка-природа выводит «Ангелус»[1] — без начала, без конца. Песня внезапно, на середине фразы прервалась, словно певец умолк в ожидании ответа, который никогда не придет. А быть может, ответ пришел, но неслышный, неразличимый для человеческого уха. С каждой минутой небо все силь-

---

[1] «Ангелус» — молитва Богородице, исполняется трижды в день под аккомпанемент специального колокола.

нее темнело, теряя свои краски; и лишь душевная боль, бьющаяся в горле у маленького пернатого певца, продолжала звучать в сгущавшейся темноте...

— Я зажгла лампу, сэр, и подам ужин, как только вы будете готовы.

— Я выйду через секунду.

В наступившей темноте я услышал неторопливые шаги по переулку, затем все стихло. Беспредельная тишина, казалось, сомкнула свои объятия, написанные слова потеряли смысл и исчезли с бумаги.

3

Дождь начался еще засветло, с моря подул штормовой ветер, и было слышно, как волны равномерно и гулко бьются о каменистый берег.

Я сидел со своими хозяевами на их маленькой кухоньке, покуривая и наслаждаясь безмятежным покоем. Нам было хорошо и уютно рядом. Я думал о том, что образование, утонченность — те качества, которым мы придаем непомерно большое значение, — на деле не столь уж важны. Мы все — и утонченные, образованные люди, и совсем простые — отлично ладим... более того, бессознательно тянемся друг к другу, ибо являемся разными полюсами единой человеческой сути. Парафиновая лампа образовывала на столе маленькое озерцо желтого света, в котором лежали забытые от ужина ломти хлеба и двигались две пары загорелых натруженных рук. Мужские руки неспешно разминали и набивали в трубку дешевый, грубый табак; женские — неслышно сновали над шитьем.

Пока руки хозяев занимались привычным делом, их глаза неотрывно смотрели мне в лицо. Тихими голосами, с улыбкой они пересказывали немудрящую историю своей жизни.

Как сорок лет тому назад они переехали в Сент-Энтони и поселились в этом самом домике. Как на протяжении долгих лет обрабатывали одно и то же поле. Как он — своими большими, мозолистыми руками — сорок раз засевал поле и снимал урожай, а она вынашивала и рожала троих детей. Как благодаря неустанным трудам этой женщины крошечный домик превратился в семейное гнездо, где протекала совместная жизнь пятерых человек. И вот теперь дом состарился, а они состарились вместе с ним. Их дети выросли и живут в чужом, непонятном мире, они же остались здесь — в тех же самых стенах, под той же соломенной крышей. Он по-прежнему — как делал это на протяжении последних сорока лет — встает на рассвете и идет к маленькому колодцу в дальнем конце сада. Возвращается с ведром чистой, холодной (аж зубы ломит!) воды и ставит чайник. Ежедневная чашка чая для жены, прежде чем отправиться привычным маршрутом — медленно и тяжело (годы-то берут свое) на все те же, извечные поля...

Самая простая и прекрасная в мире история. Своей красотой и естественностью эти двое стариков напомнили мне цветы. Штормовые ветры, изрядно потрепавшие других мужчин и женщин, казалось, промчались мимо, не коснувшись этой пары. Невзгоды не сумели разрушить их тихий заброшенный рай.

Сухой лист герани скребся об оконное стекло. Дождь припустил сильнее, я слышал его ровный, мерный шум в саду. Темнота снаружи лишь подчеркивала и углубляла тепло и уют, царившие в этой комнате.

Вдруг все мы насторожились. Старики в удивлении переглянулись: с дороги доносился звук шагов. Кого принесла нелегкая? В этой деревне состарившихся отцов и матерей нечасто ходят в гости после наступления темноты. Мы невольно бросили взгляд на будильник над камином — стрелки приближались к десяти.

Незнакомец, кем бы он ни был, остановился перед садовой калиткой, затем тяжело заскрипел гравием на дорожке, ведущей к крыльцу.

— Добрый вечер, — раздался голос соседа, фермера, живущего на холме. — Не хочу заходить, чтоб не наследить. Сегодня льет как из ведра, и у меня все ботинки в грязи.

Он бросил взгляд на меня и продолжал:

— Я подумал... может, вам захочется вечерком послушать с нами радио?

Мои хозяева радостно заулыбались.

— Сходите, сходите, сэр, обязательно послушайте! — проговорил муж. — Радио вообще редкая вещь, а у мистера Т. оно просто великолепно — лучшее в нашей округе. Вы знаете, сэр, приемник у него такой мощный, что запросто ловит Лондон. Речь звучит громко и четко — что твой колокол!

В результате я накинул макинтош и побрел вслед за фермером. Попутно взглянул на свою машину в коровнике — она была совершенно сухой. Рядом посапывал и похрюкивал во сне целый выводок поросят. В отгороженном углу тяжело и неловко возились коровы, а впереди, на вершине холма, гостеприимно светились окна фермерского дома.

— Радио здорово изменило нашу жизнь, — проговорил хозяин, как был — в грязных башмаках и гетрах — усаживаясь возле стола. Он нажал на кнопку и начал крутить ручку настройки.

В свете настольной лампы я разглядел, что в комнате собрались еще трое соседей — две пожилые дамы и один старик. На стенах гостиной висели картины в рамах: «Освобождение Мафекинга», большой портрет лорда Китченера в малиновом плаще и изображение королевы Виктории в парадном облачении — в короне, со скипетром и державой.

— Какая красота... просто чудо! — восторженно заявил старик, указывая трубкой на приемник. — Благодаря ему мы следили за ходом стачки у вас в Лондоне[1], сэр. Причем слышали все, что происходило, — так явственно, словно сами при этом присутствовали

— О да, — поддержала его одна из старушек. — Нам понравился мистер Болдуин, он очень четко выговаривает слова. Прямо кажется, будто он находится в этой самой комнате. Не то что мистер Черчилль — тот мямлит и запинается... просто всю душу вынет, пока выскажется. Порой так и хочется подойти и дать ему хорошего пинка... чтобы помочь.

Все присутствующие рассмеялись.

— Это точно, — вмешался старичок. — А я вам вот что скажу: им всем следовало бы поучиться у того славного джентльмена. Было бы здорово, если б все разговаривали, как он.

— И кто такой этот «славный джентльмен»? — поинтересовался я.

— А-а, так мы зовем парня, который ведет передачу, сэр, — пояснил тот, кто привел меня сюда, — Уж больно у него голос приятный, очень нам нравится, сэр. И я просто уверен, что он отличный малый... Ага, вот и наша волна! Вы только послушайте, сэр. «Лондон для Британских островов...» О боже, уходит... только морзянка слышна! Похоже, батарея садится... Вот, слушайте! Сейчас хорошо слышно...

И я действительно услышал. Через десятки миль пустоты до меня донеслись звуки из отеля «Савой». Дверь отворилась, в комнату неслышно вошла кошка. А я отчетливо различал звон хрусталя (там, в Лондоне, какие-то люди выпили и поставили ликерные рюмки на стол), позвякива-

---

[1] Речь о всеобщей стачке 1926 г.

ние кофейных чашечек и нескончаемый шум светской беседы, перекрывающий ритмичное звучание танцевального оркестра.

— Вот, вот оно! — вскричал фермер, отбивая такт по столешнице. — Слышите, «Голубой Дунай»! Какая чудесная мелодия, обожаю ее! Сегодня отличная слышимость! Это из-за дождя...

Музыка смолкла. Гул голосов в танцевальном зале стал громче. Внезапно — неожиданно четко — прорезался чей-то голос «...я больше не могу!» и тут же потонул в общем шуме. Я словно воочию увидел то, что сейчас происходило в роскошном интерьере «Савоя»: блестящие туалеты дам, белоснежные крахмальные манишки, позолоченные банкетки, оркестр на эстраде готовится к исполнению нового номера... Китченер смотрел на меня со стены суровым взглядом, кошка мирно дремала в углу комнаты. Старичок курил свою трубку, а обе пожилые дамы праздно сидели, скрестив руки на груди. За окном сгустилась уже по-настоящему ночная тьма, шум дождя смешивался с шумом морских волн.

Мы заговорили о Лондоне. Одна из старушек все допытывалась, что это за место такое — «Савой»? Как он выглядит? Какие люди туда ходят? Я по мере своих возможностей постарался удовлетворить ее любопытство. Мои собеседники пришли в неописуемое волнение, услышав, что я бывал в Бродкастинг-хаусе[1] и, более того, лично знаком со «славным джентльменом».

— Ну и ну! Нет, вы только подумайте... Ей-богу!

Кое-как успокоившись, они снова прильнули к радиоприемнику.

А я еще немного послушал танго со Стрэнда и почувствовал, что меня одолевает усталость. Я передал старику

---

[1] Бродкастинг-хаус — Дом радиовещания, центральное здание Би-Би-Си в Лондоне.

свои наушники, пожелал всем спокойной ночи и откланялся. Спускаясь в темноте по узкой тропинке, я остановился и бросил прощальный взгляд на маленький домик на вершине холма. Там в желтом прямоугольнике освещенного окна виднелись седые головы, склонившиеся над радиоприемником. И мне подумалось: вот он, новый образ сельской Англии с ее жителями. Лондон пришел к ним, материализовавшись из пустоты, и они внимают его звукам, невзирая на поздний час и неодобрительные взгляды лорда Китченера и королевы Виктории...

Как свеж и сладок воздух после дождя! Небо расчистилось от туч, и на нем появились звездочки. Проходя мимо коровника, я решил снова взглянуть на свою машину и спугнул двух колли, которые подняли лай на всю округу. Сочтя за благо с ними не связываться, я продолжил путь по мокрой темной тропинке — туда, где меня дожидалась зажженная свеча в голубом эмалевом подсвечнике.

4

Совершенно случайно я набрел на райский уголок, который не поддавался описанию ни литературными, ни живописными средствами. Существуют на свете образцы столь высокой красоты, что ее невозможно накрыть сетью слов или поймать в тенета красок. Деревушка Сент-Джаст-ин-Роузленд, соседствующая с Сент-Энтони, являла собой именно такой пример.

Несколько крохотных домиков, затерянных среди деревьев; жилище приходского священника с двумя ржавыми пушечными ядрами, подпирающими калитку, да старая церковь — вот и весь Сент-Джаст-ин-Роузленд. Маленькая серая церквушка не заслуживала бы и упоминания, если бы не окружавший ее дворик — безвестное корнуолльское чудо. Уверен, что во всей Англии не сыщется другого столь же прелестного церковного дворика. В нем едва ли найдется хоть ярд ровной поверхности. Внутрь ведет крытый проход, как на кладбище. Так вот, если встать под аркой этого входа, то взору откроется зеленая чаша, заполненная цветами и затененная ветвями могучих деревьев. В глубине стоит сама церквушка, чья низенькая башня едва возвышается над вашей головой. Среди папоротников и цветов раскиданы белые надгробия.

За зданием церкви поднимается стена деревьев, сквозь их зеленый ажур вы можете разглядеть крутой склон, убегающий к узкой бухточке (которая дальше, расширяясь, переходит в мощный Каррик-Роудс) — ее голубая лента ослепительно блестит на солнце за церковной крышей. На противоположном берегу открывается великолепная панорама: зеленые поля снова карабкаются в гору и теряются за горизонтом. Церковный дворик наполнен монотонным, усыпляющим жужжанием пчел и экзотическим букетом запахов — тут и пальмы, и еще какие-то заморские деревья.

Возле стены возился с садовыми ножницами престарелый священник, он старательно что-то поправлял в живой цветущей изгороди. Заметив меня, он улыбнулся.

— Да, я местный священник... Какие рододендроны вы предпочитаете — розовые или темно-красные? А как вам вот этот оттенок? По-моему, он просто великолепен...

— Простите, сэр. Я хотел бы узнать, что означает Сент-Джаст... Кем, собственно, был святой Джастин?

— О, Сент-Джаст — это...

Священник снял свою черную широкополую шляпу и пригладил седые (я бы даже сказал, серебристо-белые) волосы.

— Сент-Джаст... — продолжил он, но тут же снова отвлекся: — Вы только посмотрите на эти анютины глазки! Разве не чудо?

Он низко склонился и, взяв двумя пальцами бархатистый венчик цветка, осторожно повернул — так, чтобы я мог им полюбоваться.

— Вы говорили о святом Джастине... — напомнил я.

— Ах да, конечно... Прошу прощения! Святой Джастин... ну, что за беда мне с этими камелиями.

И он сокрушенно покачал головой.

— Итак, святой Джастин... — с надеждой подсказал я.

— Вон то высокое дерево родом из Австралии, — с гордостью сообщил старик. — Между прочим, у меня за церковью устроен настоящий тропический сад. Вы непременно должны его увидеть!

Я окончательно распростился с мечтой узнать историю святого.

— Вы, наверное, сами разбили этот сад?

— Именно так, молодой человек. Своими собственными руками, — с улыбкой подтвердил священник. — На это потребовалось немало времени...

Он расправил тощие плечи и с гордостью огляделся вокруг. Во взгляде его сквозила непередаваемая нежность и теплота.

— ...но оно того стоило.

И все с той же благостной улыбкой он процитировал Исаию:

— Вместо терновника вырастет кипарис; вместо крапивы возрастет мирт; и это будет во славу Господа, в знамение вечное, несокрушимое[1].

Мне нечего было сказать. Я стоял и смотрел, как солнечный свет пробивается сквозь зеленую листву, отбрасывая переменчивые тени на каменные надгробия; я прислушивался к пению птиц в ветвях деревьев и гудению пчелиного роя. Я заглянул в спокойные, мудрые глаза сво-

---

[1] Ис 55:13.

его собеседника, затем перевел взгляд на его худые загорелые руки садовника, и почувствовал, что мое изначальное
раздражение куда-то улетучилось. Мне открылась истина,
которой владел этот старик: церковный сад и был его религией. Ухаживая за ним, он творил красоту; и каждый новый росток, поднимавшийся под его руками из этой щед-
рой, плодородной почвы, заменял молитву или псалом.
Так постепенно, год за годом, священник добавлял красоты и святости Божьему дому.

Неоднократно мы с ним направлялись к зданию церкви,
чтобы осмотреть ее изнутри, но всякий раз сворачивали в
сторону, привлеченные каким-нибудь кустом валерианы.
Мы ходили кругами, поднимались и спускались узкими тро-
пинками, останавливались передохнуть на тенистых терра-
сах и говорили, говорили... Обсуждали местные новости,
пускались в исторические экскурсы, время от времени вновь
сворачивая на тему садоводства.

— Происхождение самого названия «Роузленд» — вы
только взгляните на мой шиповник! — является весьма спор-
ным. Согласно легенде, король Генрих VIII заглянул сюда
с Анной Болейн во время их медового месяца. Вообще-то
они остановились в замке в Сент-Мьюэсе, а здесь приключилась такая история... Понюхайте этот листок — он из
Новой Зеландии. Я все думаю, правильно ли сделал, так
высоко посадив куст очитка. Как вы считаете, молодой человек? Ах да, история... Так вот, рассказывают, что, попав
сюда, Анна Болейн поинтересовалась, как называется это
место. Никто не смог ей ответить, и тогда королева, обер-
нувшись к розовым кустам, воскликнула: «Роузленд! Ну
конечно же, лучшего имени не придумать!» А наперстянка-
то у меня оказалась в тени...

Я попытался удержать его на месте, но старик уже оза-
боченно семенил к наперстянке, а затем к клумбе львиного
зева... Пришлось все начинать сначала.

— История, конечно, прелестная, — вздохнул он, — но, скорее всего, выдумана от начала до конца. Серьезные историки связывают это название со словом «Розинис», которое буквально означает «поросший вереском остров». Кстати, вы слышали кукушку? Она живет в рощице за моим домом.

Миновав церквушку, мы вышли на обрыв и залюбовались безмятежной прелестью узкой бухточки, полным достоинства покоем высоких деревьев и темнеющими вдалеке водами Каррик-Роудс (там как раз начинался прилив).

— Потрясающая, нетронутая красота!

— Вы знаете, — встрепенулся священник, — сейчас существует проект по превращению этого места в крупный порт для трансатлантических лайнеров. Если парламент примет билль, то здесь построят океанские верфи, ремонтные доки, проложат железнодорожные пути. Ведь Сент-Джаст Пул представляет собой естественную глубоководную бухту.

О Боже! Ремонтные доки и железная дорога в раю!

— Правда, в последнее время они что-то замолчали... Может, и откажутся от своей затеи.

Мы оба окинули взглядом церковный дворик. Я представил себе, как нелепо бы он выглядел в центре Портсмута. Молча, с тяжелым сердцем мы двинулись дальше. В одном из тихих, прелестных уголков сада остановились перед надгробным камнем.

— Здесь лежит мой старший сын, — прошептал старик и продолжил свой путь среди цветов.

— Простите, — сказал я, — но мне кажется, что вы счастливейший священник на земле. Вас окружают цветы, а не грехи.

Он вскинул на меня удивленные глаза.

— Мой дорогой сэр, боюсь, вы не представляете, о чем толкуете. Здесь тоже присутствует грех.

— Да что вы говорите! Какой может быть грех среди такой красоты? В месте, где тихо и мирно живет горстка стариков!

— На самом деле у меня довольно большой приход. По воскресеньям мой помощник берет лодку и посещает остальные наши церкви. У меня на попечении около тысячи человек, разбросанных по всей округе. И уж поверьте, мой дорогой сэр, грехов хватает.

У меня на языке вертелась тысяча вопросов — так хотелось узнать о грехах в этом тихом райском уголке, — но священник с улыбкой покачал головой.

— Я ведь так и не поведал вам о нашем святом. Представьте себе, речь идет о Джастине, сыне легендарного Герайнта.

Я затаил дыхание.

— Тот самый Герайнт, из рыцарей Круглого стола? Который женился на прекрасной Инид и «получил в награду счастливую жизнь и доблестную смерть»?

— Именно так, — подтвердил старик. — Легенда гласит, что после смерти его перевезли через залив на золотом корабле с серебряными веслами и доставили в Герранс. Похоронен он под холмом Карн-Бикон. Вот так-то... Очень вам советую перед уходом полюбоваться моими фуксиями.

— Время от времени такое происходит, — размышлял я вслух на обратном пути из Роузленда. — Нечасто, но бывает, что удается приобщиться к истинной романтике. Как правило, это краткие мгновения, подобные вспышке света. Быстротечное счастье, которое невозможно удержать надолго. Только ощутил, и его уже нет: упорхнуло в вечность — туда, куда уходят все прочие наши прекрасные мечты... и наша глупость, от которой мы — опять-таки время от времени — избавляемся.

5

Чтобы выбраться из Роузленда, мне пришлось воспользоваться королевской переправой — Кинг-Харриз-Ферри. Там же мне рассказали, что якобы в свое время Веселый Хэл, то есть Генрих VIII, преодолел этот глубоководный участок, не слезая с коня. Видно, уж больно хотелось новоявленному супругу пустить пыль в глаза своей возлюбленной Анне Болейн.

В Хелстон — раскинувшийся на холмах корнуолльский городок — я прибыл как раз вовремя: там царил предпраздничный переполох. На главной улице развешивали флаги; одна за другой подъезжали сельские повозки, груженные свежеспиленными сучьями. Местные жители мастерили из них зеленые арки перед дверями собственных домов и магазинов. Был канун праздника Ферри-Данс, или Хелстон-Флорал, как его здесь называют.

По мнению некоторых археологов, этот ежегодный майский танец относится к древнейшим обычаям Англии. Они увязывают его с древнеримскими флоралиями и утверждают, что ферри-данс танцевали еще в ту пору, когда Хелстон (ныне вполне сухопутный город) являлся главным портом, через который велась торговля корнуолльским оловом.

— Лично я считаю, — заявил местный историк, — что этот танец зародился во времена Лондонской чумы. Жители Хелстона тогда тоже серьезно пострадали. Люди в страхе бежали из города и селились в хижинах, построенных из веток и сучьев. И мне кажется, что ферри-данс отплясывали те, кому посчастливилось уцелеть и вернуться в родной город по окончании эпидемии. А известная традиция — в процессе танца проходить через дома, то есть входить и выходить — это воспоминание о радости, которую испытывали люди, вновь открывая двери родного жилища.

Однако в вопросе происхождения танца существуют и другие точки зрения. Некоторые старики отстаивают более мрачную версию. По их словам, когда-то в далеком прошлом над Хелстоном объявился злобный змей. Люди в страхе попрятались в своих домах, но змей пролетел мимо. Так вот, в благодарность за то, что страшная беда миновала город, жители стали срывать зеленые ветви с деревьев и водить хороводы вокруг своих домов — соответственно входя и выходя из них.

Я прогуливался по улицам Хелстона, когда впервые услышал мелодию, которой предстояло стать для меня сущим наказанием в ближайшие двадцать четыре часа — городской оркестр наяривал мелодию ферри-данс в здании хлебной биржи. Я заглянул внутрь и стал свидетелем примечательной картины. Там шла репетиция: группа мужчин и женщин — видные граждане Хелстона, — взявшись за руки и смущенно пересмеиваясь, разучивали танец. Все это время оркестр с одуряющей монотонностью повторял одну и ту же традиционную мелодию, изобилующую громогласным «пам-пам-пам» в исполнении большого барабана.

Я сел в кровати. Было раннее утро, время, должно быть, едва перевалило за шесть. Оркестр уже снова завел свое:

Пам-пам-пам, пам-пам-пам,
Пам-пам-пам, пара-пам, пара-пам, пам-пам!

О боже! Ферри-Данс начался! Я наспех оделся и выскочил на залитую солнечным светом улицу. Этим воскресным майским утром городок выглядел так, будто принарядился для языческого празднества. За ночь импровизированные арки из платановых и дубовых ветвей слегка поникли, но общего впечатления это нисколько не портило. На улицах было полным-полно народу. Первая партия танцоров уже стояла наготове, а оркестранты старались вовсю, чтобы разбудить самых ленивых горожан. Программа предусматривала три главных танца: первый исполнялся рано утром, еще до завтрака; после завтрака по улицам проходил детский хоровод; а днем, в обеденное время, должно было состояться главное действо — массовый костюмированный танец, который возглавляли руководящие лица Хелстона вместе со своими женами и дочерьми.

В былые времена этот первый, самый ранний проход носил название «танца слуг», поскольку все слуги в городе (и только они!) начинали свой день с веселого хоровода по городским улицам. Сегодня подобные ограничения сняты, и к танцующим может присоединиться любой, кто найдет для этого силы в столь ранний час. Я увидел группу молодежи (примерно сорок-пятьдесят человек): молодые люди и девушки стояли парами в ожидании начала мероприятия. У всех парней в петлицах красовались букетики из ландышей, на девушках были легкие цветастые платья из муслина или нинона. Очаровательное зрелище!

Грянула музыка, и танец начался. Пары выстроились в колонну одна за другой и, держась за руки, двинулись вперед: несколько быстрых скользящих шагов, разворот и смена партнеров по цепочке. Затем следовало быстрое кружение на месте, девушки возвращались к своим первоначальным кавалерам и двигались дальше.

Я от души наслаждался этим простым, непринужденным танцем. Теперь никакой сдержанности и смущения не было и в помине. Двигаясь в такт несмолкаемой мелодии, молодые люди смеялись, перебрасывались шуточками с друзьями и между собой. Горожане выходили из домов, улыбались и приветственно махали танцорам.

Отличительной особенностью Флорал-Данса является тот факт, что участникам процессии по ходу действия разрешается и даже предписывается заходить в дома через парадную дверь и выходить через заднюю (если, конечно, позволяет планировка жилища). Некоторые дома и магазины были намечены заранее, и именно туда музыканты вели танцующих. Мне рассказывали, что многие домовладельцы и лавочники расценивали посещение своих домов как добрый знак, обещавший удачу в будущем.

Живописная цепочка из приплясывающих, кружащихся и подпрыгивающих пар двигалась по мостовой, а я — в числе прочих зрителей — перемещался по обочине улицы, уже изрядно оглушенный громкой монотонной музыкой. Мне казалось, что мотив ферри-данс навечно врезался в мою память. Краем глаза я уловил в толпе славное девичье личико и, поддавшись импульсу, протянул руку. После секундного колебания девушка шагнула мне навстречу. Мы взялись за руки и присоединились к колонне танцующих. После нескольких грубейших промахов и ошибок (естественно, с моей стороны) мы наконец поймали ритм и вскоре выглядели не хуже других.

Вместе со всеми мы спускались по ступенькам, проскальзывали в зеленые воротца перед дверями, входили в тесные прихожие, где невозможно было танцевать — так что оставалось лишь держаться за руки и смеяться, — потихоньку, полегоньку передвигались по узкому коридору, пока не оказывались на заднем дворике. А там, у садовой калитки, нас уже ждал оркестр — несколько расстроенный подобным испытанием, но доблестно продолжающий долбить свое «пам-пам-пам»...

Все было так мило, так невинно и — совсем несовременно. В наше время нечасто встретишь девицу, которая способна покраснеть, делая вам безобидный комплимент («а вы совсем неплохо танцуете!»). Я тоже отвечал в тон: как очаровательно она выглядит и как мне нравится ее зеленая

шляпка. Девушка рассказала, что работает в магазине ма-
нуфактурных товаров — и все это на ходу, пока мы шагали, поворачивались, меняли партнеров и снова возвращались друг к другу.

Танец завершился перед зданием хлебной биржи — там
же, где и начался. Мы все раскраснелись и запыхались. Моя
прелестная незнакомка обожгла меня на прощание взглядом, пробормотала «всего доброго» и удалилась к своему
завтраку и мануфактурным товарам.

Незадолго до полудня, когда должна была начаться главная, кульминационная часть празднества, Хелстон напоминал город Безумного Шляпника. Огромные толпы со всех
уголков Западной страны заполонили улицы, а автобусы
привозили все новых и новых зрителей. Местной полиции
пришлось выставить оцепление, чтобы расчистить проход к
хлебной бирже основному составу исполнителей — почтен-
ным гражданам Хелстона (в визитках и шелковых шляпах),
а также их женам (в элегантных туалетах для приемов на
свежем воздухе).

Ровно в двенадцать оркестр заиграл ферри-данс, и в ос-
лепительном солнечном свете по ступенькам двинулись отцы
города — импозантные мужчины в тех самых визитках и
шелковых шляпах. Они торжественно, едва касаясь кончи-
ками пальцев, вели дам. Мистер Хит Робинсон, увекове-
чивший на своих гравюрах цилиндры, оценил бы по достоинству то серьезное и солидное веселье, которое сочли для
себя возможным эти господа. Тем не менее они танцевали.

Танцевал известный в городе адвокат. Рядом с ним двигались врач, священник, агент по продаже недвижимости,
управляющий банка со своей женой — по сути, вся вер-
хушка Хелстона важно выступала, построившись в пары,
поворачивалась, обменивалась партнерами и изящно, цере-
монно кружилась на месте.

В окружении любопытной толпы высокопоставленные танцоры прошествовали по главной улице и скрылись в здании обувного склада. Музыка несколько потеряла в звучании, поскольку наиболее громоздкие инструменты (в частности, большой барабан) не последовали внутрь за танцующими, а остались снаружи. Барабанщик и вовсе вскоре удалился в ближайший бар. Хорошо хоть тромбон остался...

В какой-то момент показалось, что мелодия ферри-данс, доносившаяся из-за закрытой двери, воспарила под самую крышу. Я ожидал, что вот-вот увижу в чердачном окне начищенные башмаки и изящные дамские туфельки, исполняющие несложные па танца.

Однако ничего подобного не случилось. Танцоры, как и полагалось, вышли на улицу из другой двери — все такие же чопорные, серьезные, даже мрачные, будто принимали участие не в весеннем празднике, а в некой религиозной церемонии. Они вошли еще в один магазин, танцуя, прошли сквозь жилой дом, затем по крутому переулку спустились на главную улицу, закоулками обошли Боулинг-Грин и вернулись к хлебной бирже.

Целый час выдающиеся граждане Хелстона танцевали под однообразную, но увлекающую за собой мелодию ферри-данс. Они проходили сквозь строй зрителей, и тысячи людей двигались за ними вслед. Они шлепали по ржаво-рыжим ручьям, которые вытекали из неисправного водопровода, и бежали по улочкам этого «эксцентричного корнуолльского городка».

Такова была кульминация дня.

Однако сейчас, оглядываясь назад, я должен признать: лучшим моментом праздника все-таки стал утренний «танец слуг». Тогда зрители еще не нахлынули в Хелстон, и глаза всего мира не были прикованы к танцорам. Так что именно в течение того часа в Корнуолле вновь царил дух доброй старой Англии.

6

Лендз-Энд, Край земли! Из Страны роз на Край земли — трудно придумать более резкий контраст! Резкий ветер задувал с моря, принося с собой тот молочно-белый туман, который нагоняет страх на самых отважных мореходов. Их легко понять: в этом месте острые гранитные утесы выдаются далеко в море, а скрытые под пологом из морской пыли, они вдвойне опасны. Каждые две минуты из тумана доносится «бум, бум!» — это стреляет сигнальная пушка на маяке Лонгшипс. Если не считать трех престарелых леди в очках, вокруг не было видно ни души. Дамы — кутавшиеся в свои тюлевые накидки и сжимающие в руках стандартные наборы почтовых открыток — представляли собой легкую добычу для злобного ветра, который явно вознамерился унести их бог знает куда. А что? Это же Край земли, в таком волшебном месте все возможно! Фантазия моя разыгралась, я представил, как несчастных старушек забрасывает на берег заколдованной реки, где они превращаются в пятнистую форель и навсегда растворяются в мире легенд. Наверное, их неравная борьба со стихией произвела впечатление не только на меня, но и на молодого человека, местного гида, потому что он подошел к бабушкам и, неопределенно махнув в сторону извечного пейзажа — бушующее море и гранитные скалы — произнес:

— Кажется, будто вы трое — последние дамы в Англии!

Скорее всего, он хотел сделать комплимент, но старушки отреагировали весьма холодно:

— Вот как? Очень странно!

— Бум! Бум! — прогремело в белом тумане, и волны с новой силой обрушились на мыс.

Ежась на пронизывающем ветру, я тем не менее порадовался, что очутился на Лендз-Энд в такую непогоду, а не погожим солнечным деньком. Ибо тогда здешняя местность выглядела бы обычным участком скалистого побережья, каких немало в Корнуолле. Белый же туман, обернувшийся мелким устойчивым дождиком, пропитывал тело влагой, а душу — меланхолией: начинало казаться, что здесь не просто Край земли, а конец всего на свете. Избавившись от назойливого «пирата из Пензанса» (который во что бы то ни стало хотел показать мне две знаменитые скалы — «Голова доктора Джонсона» и «Доктор Синтаксис»), я остался наслаждаться своим одиночеством и печалью. Причем настолько проникся этим болезненно-сладостным состоянием, что, появись сейчас какой-нибудь весельчак на горизонте, я бы, не задумываясь, столкнул его с утеса.

Именно таким мне всегда представлялся Стикс. Я стоял там, окутанный морским туманом, прислушивался к жалобным крикам чаек и наблюдал за одиноким бакланом, который сидел на мокрой скале и выглядел не менее несчастным, чем я сам. Потрясающее место! Сколько в нем пафоса и мрачного очарования! Я бы, наверное, не удивился, если б среди прибрежных утесов появилась призрачная лодка с роковым перевозчиком на корме. Он медленно обернулся бы и поманил меня к себе... Край земли!

Как, скажите на милость, финикийцы умудрялись добираться сюда на своих галерах от солнечных берегов Тира? Не удивительно, что в древности это место считалось границей обитаемого мира!..

— Бум! Бум! — вновь заговорила невидимая в тумане пушка, и переполошенные чайки в очередной раз подняли страшный крик.

В здешних краях существует своеобразное соревнование за звание «последнего дома Англии», «последнего магазина Англии», «последнего отеля Англии». Каждый дом, каждый магазин и отель на этом клочке скалы претендуют на сие почетное место, нимало не смущаясь тем, что его сосед с пеной у рта доказывает свои права. На мой взгляд, подоб-

ная мышиная возня губительно сказывается на романтическом образе Лендз-Энда.

В результате собственных тщательных изысканий я пришел к выводу, что последняя гостиница Англии все-таки
стоит на Лендз-Энде; последним трактиром Англии является укромное заведение под названием «Первый и последний» в Шеннене; а последней церковью — опять же шен-
ненская церковь. Шенненский трактир много раз слышал
фразу: «...Ты, детка, спи, покуда джентльмены не прой-
дут»[1] и до сих пор выглядит так, будто старательно закрывает на все глаза. Хозяин сообщил мне, что под трактиром
якобы располагается огромное хранилище, где в свое время
контрабандисты прятали ящики с бренди. Он клялся и бо-
жился, что это чистая правда, вот только руки у него не до-
ходят поднять полы и убедиться во всем самому. Лично я
верю в эту историю и считаю, что старый трактир хранит
свою тайну.

Но что меня действительно потрясло, так это «последняя
церковь Англии». Маленькая серая церковь Святого Шен-
нена расположена так, что все проезжают мимо, и ни один
автомобилист даже не подумает заглянуть внутрь.

А оно того стоит. Ибо в дождливую погоду, когда сигнальная пушка грохочет в тумане, так и кажется, будто вся
печаль Лендз-Энда сконцентрирована в этом церковном
дворике. Существует легенда, согласно которой в незапамятные времена произошла ужасная битва — настолько
страшная, что воды здешней речушки покраснели от крови,
и вместе с ними покраснели мельничные жернова местной
мельницы (чувствуете кельтский колорит?) Так вот, рассказывают, будто после битвы король Артур и его изранен-
ные рыцари собрались в шенненской церкви, дабы возбла-

---

[1] Строчка из стихотворения Р. Киплинга «Песня контрабандиста»
в переводе С. Я. Маршака.

годарить Господа за одержанную победу. Я вспомнил эту легенду, пока бродил по церковному дворику и читал «последние в Англии» эпитафии. Многим она покажется далекой и неправдоподобной, но мне хочется верить, что и эта история истинная.

«Посвящается памяти, — прочитал я, — Мэри, возлюбленной жены капитана Ч. Сандерсона и четвертой дочери преподобного Томаса Вуда из Ньюкасла-на-Тайне, которая попала в кораблекрушение под Брезоном и погибла, так и не успев добраться до спасательной лодки. Двенадцатого января 185... (последняя цифра оказалась затертой), Смерть настигает нас в середине жизненного пути».

Со стороны Лонгшипса снова донесся знакомый гром.

Я решил обойти весь церковный дворик в надежде, что последние памятники в этой стране памятников окажутся достойными внимания.

Увы, меня ждало разочарование. На могиле Томаса Смита, скончавшегося 29 сентября 1825 года, я прочитал всего-навсего:

> Здесь упокоен славный прах;
> Пусть тело тут, но дух — на небесах,
> И за заслуги будет он
> Блаженством вечным наделен.

Такие же простодушные слова прощания украшали могилу Ричарда и Грейс Пендер, двух юных созданий, умерших в 1870 году:

> По нам не надо слезы лить:
> Всем суждено сюда прибыть,
> И тут — храни вас Господа любовь! —
> С родными мы сойдемся вновь.

Ближе всего к настоящей поэзии оказалась эпитафия, посвященная Дионисию Уильямсу, ушедшему из жизни 15 мая 1799 года:

> Жизнь мчится прочь,
> Беглец беспечный, и ее стремленье
> Нас за собой бестрепетно влечет.
> А в миг, когда урочный срок приходит,
> Мы были — и уже нас нет.

Поверите ли, меня пробрала холодная дрожь, пока я стоял под дождем и аккуратно переносил в размокшую тетрадь эти слова. Что это? Возможно, цитата? Но тогда кто автор этих бессмертных строк? Я знал, что отныне, если мне в будущем придется вспоминать Лендз-Энд, на память придут не бушующие волны и не зазубренные скалы, а вот этот замшелый камень, лежащий над останками Дионисия (кстати, ему было бы сейчас сто восемьдесят лет). Это мои самые ценные воспоминания от Края земли — серый могильный камень, невероятное имя и грохот сигнальной пушки в морском тумане...

Мы были — и уже нас нет...

Я направился обратно в Пензанс, где люди — без особой на то причины — всегда улыбаются.

7

Мы повстречались с ним на дороге. Он стоял на обочине — старый человек с тяжелой поклажей, объемистая корзина притулилась у его ног. В подобной ситуации я не мог проехать мимо. Остановился и спросил, не могу ли я его куда-нибудь подбросить. Старик поблагодарил, но решительно отказался. Объяснил: туда, куда ему надо, на нем не добраться — и кивнул в сторону моей машины.

— На ней, — поправил я.

— На этом, — легко согласился на компромисс мой собеседник.

Начало было положено, и скоро мы болтали, как старые друзья. В Англии и помыслить о таком невозможно (я имею в виду другие районы Англии, не Корнуолл): англосаксы — народ сдержанный и малоразговорчивый, они не торопятся идти на контакт. Кельты — другое дело, они настолько любят сам процесс беседы, что готовы часами толковать с незнакомым человеком. Старик достал пустую трубку и бросил на меня просительный взгляд. Опять же, где-нибудь в Эссексе человек напрямик попросил бы табачку, но мой новый знакомый продемонстрировал более тонкий и виртуозный подход.

Через пару минут мы уже сидели рядком на камне и курили мой табак. Я выяснил, что в былые времена старик являл собой Гордона Селфриджа и лорда Нортклиффа[1] в одном лице — он был одновременно и первым торговцем во всей округе и вел, так сказать, устный отдел светской хроники. Короче, передо мной сидел один из немногих сохранившихся представителей племени корнуолльских коробейников. С разнообразным ассортиментом товаров в его корзине мог соперничать лишь богатый набор слухов и скандалов у него в голове.

— А как давно вы работаете коробейником? — поинтересовался я.

---

[1] Гордон Селфридж — основатель универмага «Селфридж» в Лондоне в 1909 г., позднее владелец сети магазинов. Лорд Альфред Нортклифф — основатель газетного концерна «Нортклифф пресс», издатель таких газет, как «Дейли миррор» и «Дейли мейл».

И сразу же осознал абсурдность своего вопроса. Я бы не удивился, если б услышал в ответ нечто вроде: «Ну, я начинал работать еще на Эли из Наблуса, главного сидонского торговца, который прибыл в Британию где-то в 60 году до нашей эры с грузом речного жемчуга. Я помогал ему менять жемчуг на олово. Позже, уже когда римляне ушли, я сделал неплохой бизнес на торговле ремнями для правки лезвия мечей...»

— Тому уж будет пятьдесят годков, сэр, — протяжно растягивая слова, ответил старик.

— Так, значит, вам сейчас около семидесяти?

— Ну, в точности не скажу... но, если повспоминать, то выходит, что так, сэр, — ответил он.

— И вы все еще таскаете такую тяжесть?

— А то как же, сэр... Нам без этого нельзя. На самом деле вы не смотрите на мой возраст — я с легкостью поднимаю свой короб.

До того как железнодорожные пути протянулись в Корнуолл и положили конец сельским ярмаркам (и еще некоторое время после), фигура навьюченного коробейника, медленно бредущего по безрадостным здешним холмам, была привычной деталью пейзажа. В своих путешествиях они покрывали многие мили, переходя с одной отдаленной фермы на другую. Для неизбалованных местных женщин и девушек появление коробейника становилось целым событием; можно представить, как загорались их глаза при виде ярких тканей и разнообразных безделушек из далекого и недоступного города. Появление автомобилей и автобусов дальнего следования нанесло тяжелый удар по профессии коробейника. Теперь в погоне за заказами представители торговых фирм прочесывают местность на своих «фордах»; а обитатели отдаленных ферм, расположенных в радиусе двадцати пяти миль, запросто садятся на автобус и отправляются в ближайшую деревню, откуда возвращаются с покупками в пакетах из оберточной бумаги.

Старые коробейники стали не нужны: теперь никто не поджидает их на крылечке, никто не разглядывает с радостным нетерпением разложенные товары. Чаще всего ныне они наталкиваются на холодный безразличный взгляд и сообщение, что «хозяйка уехала на 11-часовом автобусе, чтобы прикупить себе отрез на блузку». Так и получилось, что бродячие торговцы постепенно вымерли как класс. Бедный старый Автолик![1] Он выпустил бразды правления коммерцией из своих утомленных рук. Только несколько представителей древнего братства коробейников осталось в Корнуолле (в основном они бродят в районе мыса Лизард) — мой собеседник как раз и принадлежал к их числу.

Он скинул непромокаемый плащ и раскрыл свою корзину, продемонстрировав целую кучу разрозненных предметов: тут были дешевые помазки для бритья, лезвия, булавки, подтяжки, корсеты, запонки, рамки для фотографий, сборники религиозных текстов и пятнистые черно-белые передники. Присутствовали также расчески, щетки и ленты. Все — по ценам маленьких деревенских магазинчиков.

— Вам, наверное, приходится год от года менять ассортимент в соответствии с требованиями моды? — спросил я.

— Ну да, это правда, сэр. Например, когда я только начинал торговать, в продаже не было безопасных бритв, а сельские парни не пользовались помадой для волос. А теперь они все такие яркие, нарядные... в городских одеждах.

— И что же в последнее время вам пришлось добавить в свой ассортимент?

Старик — как мне показалось, с легкой гримасой отвращения — достал из корзины машинку для стрижки волос и всевозможные заколки и зажимы, которые обычно исполь-

---

[1] Автолик — в греческой мифологии сын Гермеса и Хионы, дед Одиссея, плут и торговец.

зуются для того, чтобы зачесывать назад коротко стриженые волосы.

— В старые времена таких причесок не видывали, это я вам точно говорю, сэр. Девушки носили длинные волосы... и, ей-богу, было приятно на них посмотреть. А что сейчас? Все как одна стриженые! И если вас интересует мое мнение, то я скажу: они выглядят, как кочаны на грядке... вот так-то! Да, сэр, нынче все гонятся за модой... Не то что в былые деньки, когда каждая уважающая себя женщина покупала по две упаковки шпилек.

Зажав в зубах трубку, он с оскорбленным видом принялся запихивать обратно в корзину приспособления для стриженых барышень.

Мы поговорили еще о плюсах и минусах профессии коробейника. Как и любая работа, она имеет — или, вернее, имела — свои секреты.

— Если я вам еще не надоел, сэр, могу много чего порассказать о нашем житье-бытье. Тут ведь какое дело: хочешь зарабатывать денежку, умей держать язык за зубами. Это уж вы мне поверьте. Вот послушайте, какая история приключилась с молодым Тревисеем (я, помнится, тогда совсем мальчишкой был). Так вот, не успел он у нас появиться, как половина всего мужского населения — от Пензанса до бухты Кайненс — уже гонялась за ним с дубинами. Видите ли, сэр, этот парень впитывал слухи, как губка воду, но совсем не умел держать их при себе. Он ходил с фермы на ферму и повсюду рассказывал, как взбесилась Дженнифер Пенли, узнав, что молодой Йен Трелар крутит роман с Мэри Тейлор из Мевагасси. Кому ж такое понравится? И добро, если б такое случилось разок-другой. Так нет же, этот придурок бродил со своими шнурками для ботинок и повсюду сеял раздоры и обиды. В жизни не встречал такого сплетника! В общем, не успел он дважды обойти округу, как уже все — буквально от мала до велика — знали, какого цвета подштанники носят их соседи. Ей-богу, сэр, не вру: это был не коробейник, а сущая беда.

— И что же с ним приключилось дальше?

— А дальше, известно, люди стали бояться его, как чумы. Только покажется на дороге, а все уже орут: «Скорее закрывайте двери, Джо идет!» Какая там торговля — парень не мог продать даже наперстка. Ну и пришлось ему по-быстрому сматывать удочки. Больше его в наших краях не видывали.

Мы еще немного посидели, размышляя над судьбой неудачника Джо, изгнанного из родных мест. Затем старик выбил трубку и объявил, что пора двигаться дальше. От помощи он отказался и, взвалив на плечи свою объемистую корзину, побрел по старой узкоколейке, петляющей среди развалин заброшенного оловянного рудника. Рассказывают, будто шурфы этого рудника, уходящие глубоко под воды Атлантики, существуют со времен Христа.

Я провожал взглядом удалявшуюся фигуру старого коробейника — он шел, огибая рытвины и воронки, осторожно зондируя почву своим посохом, — и мне вдруг подумалось: они с этим древним рудником старые друзья, практически ровесники (ибо можете смеяться, но я верю, что старик жил здесь еще в доримские времена). И судьба у них удивительно схожая: один — выработанный и мертвый, всеми забытый; другой — старый, бедный и одинокий — медленно бредет все той же печальной дорогой.

8

В Тинтагель я прибыл, как водится, под вечер — уставший и полный благоговения...

Всю свою жизнь я считал, что Тинтагель — одно из тех мест, которые простому человеку видеть не положено. За восемь столетий сознание среднего англичанина буквально пропиталось образом легендарного короля, воспетого в десятках баллад и поэм. У Франции есть Карл Великий, у Англии — король Артур. И сейчас я стоял в месте, где зарождалась эта история. На этой самой серой скале, нависшей над морем, Утер Пендрагон познал свою возлюбленную королеву Игерну. Таковы истоки замечательной легенды, которая покорила всю средневековую Европу. Эта история веками будоражила воображение писателей и поэтов, набирая в силе и красоте, прежде чем вылиться в великолепную кульминацию музыки...

Тин-та-гель!

Для тысяч англичан эти три слога обладают невероятной магической силой, потому что существуют два Тинтагеля: один в Корнуолле, а второй на небесах. Один нанесен на карту, другой соткан из музыки и стихов. И по моему твердому убеждению, именно он, а не эта мертвая скала посреди серого моря, является истинным Тинтагелем. Да, так бывает, дорогой читатель, что страна грез оказывается более реальной, чем сама реальность. Та страна, где и по сию пору царят музыка, рыцарские поединки и благородная любовь.

Солнце медленно садилось, пока я по узкому каменистому ущелью пробирался в самую уединенную долину во всей Западной стране. Склоны утеса были испещрены серыми прожилками сланца; на полпути скалы сближались друг с другом, образуя некое подобие арки. В самом конце долина упиралась в небольшой заливчик. Морские волны набегали на серый галечный пляж и закатывались в грот под названием «Пещера Мерлина».

Со стороны казалось, что огромный меч рассек долину надвое. Слева на высоком берегу приютилась крошечная деревушка Тинтагель; на правом же склоне, заросшем травой и покореженном оползнем, сохранились фрагменты стены, которая, если верить легенде, некогда принадлежала замку короля Артура с тем же названием — Тинтагель. Ключ хранился в маленьком коттедже среди бутылок с лимонадом.

— О нет, прошу вас, сэр, — проговорила маленькая старушка, которая употребляла слово «пожалуйста» к месту и не к месту. — Пожалуйста... уже очень поздно подниматься в замок. Не стоит это делать сегодня вечером, пожалуйста. Хотя, если бы вы пообещали не задерживаться там надолго, пожалуйста... я, наверное, могла бы дать вам ключ.

Вскоре я уже карабкался по крутой извилистой лестнице, ступени которой были вырублены прямо в скале. Снизу до меня доносился ритмичный плеск волн в «Пещере Мерлина» и пронзительные жалобные крики чаек. В руке я сжимал ключ от легендарного Тинтагеля.

Вы только вдумайтесь. Какой знаменательный момент! У меня в руке ключ от Тинтагеля.

Сами по себе развалины замка разочаровали. На мой взгляд, в Англии есть сотни более впечатляющих руин. Стена, которая тянется по краю крутого обрыва, была построена значительно позже (через несколько столетий), чем существовал предполагаемый замок короля Артура. Несмотря на это, она выглядит чрезвычайно древней. Кажется, будто стена вырастает прямо из моря и рвется в небеса. Под ней располагаются скалы меньшего масштаба; их зазубренные вершины напоминают остроконечные шпили. И все это — на фоне непрерывного шепота и шелеста набегающих волн. Птицы вспархивали из травы при моем приближении; кролики улепетывали и прятались в норах, в которых — страшно подумать! — возможно, завалялись обломки легендарного меча.

Как я уже сказал, выглядят развалины так себе, но масштаб эмоционального переживания превзошел все мои ожидания. За то время, что я карабкался по скалам и разглядывал мрачные утесы, я странным образом сблизился... нет, не с теми благородными рыцарями, которых описывал Теннисон, и не с суровыми паладинами в изображении Мэлори, а именно с грубыми вождями местных племен того давнего времени (можно даже сказать, я проникся их духом). Мне явственно представилось, как Артур сбрасывает с себя заклятие и поднимается... но не с Эскалибуром в руке, а с простым мечом. То была историческая эпоха, когда слава Древнего Рима клонилась к закату. Ее светило уже скатилось в море бед и поражений, что позволило юной Англии распустить паруса своей удачи. Однако как сложно представить короля Артура в образе мелкого вождя времен упадка Римской империи!

И еще в серых сумерках у меня перед глазами встала совсем другая картина. Я представил себе мальчишку над книгой. Интересно, нынешнее поколение так же зачитывается Мэлори, как это делали мы? Возможно ли, чтобы сегодняшний мальчишка лежал в саду с книжкой, позабыв обо всем на свете? Чтобы он пропустил обед и читал до тех пор, пока спустившиеся сумерки не помешали бы ему впитывать историю далекого рыцарства? Бывает ли так, что этот самый мальчишка, спохватившись, бежит домой через темнеющий лес и слышит в окружающей тишине звон стального клинка о кольца двойной кольчуги; видит в колыхании ветвей трепетание боевых вымпелов, а в стене остроконечных сосновых вершин на фоне неба — строй боевых копий? Ах, кто бы мне ответил...

Несомненно, Тинтагель имеет своих призраков. Но тревожат его не души Артура и рыцарей Круглого стола. Нет, он оживает благодаря тем самым моментам духовного подъема, когда наше воображение воспламеняется давними событиями. Призраки, приходящие на эту скалу, принадлежат огромной армии английских мальчиков и девочек, которые искренне верят в Эскалибур и вместе с тремя королевами — чьи лица скрыты под вуалью и чьи рыдания «пробирают до дрожи» — поднимаются на палубу траурной ладьи, чтобы оплакать смерть великого короля Авалона.

Когда ветер нагоняет туман с моря, над древними развалинами нависает серая пелена — сырой туман, заслоняющий собой далекую землю. Он, подобно призрачному облаку, наползает на долину и так же внезапно исчезает. Не удивительно, что местные жители убеждены: король время от времени возвращается в свой разрушенный замок. Во всяком случае здесь, по их мнению, происходят странные вещи.

Я осторожно спустился по каменным ступеням и вернул ключ от Тинтагеля его хозяйке — маленькой старой леди, которая проговорила нечто вроде: «О, прошу вас... спасибо». У нее в комнате сидела за чаем американка, молодая девушка откуда-то из южных штатов. В ее речи навечно запечатлелся необычный акцент ее чернокожей «мамушки» — неуловимые, но приятные уху интонации, которые я затрудняюсь передать на письме.

— Скажите, пожалуйста, — обратилась она ко мне, пока мы пробирались вдоль долины, — как правильно произносить: «Тинтагель» или «Тинтаджель»? Видите ли, наше литературное общество командировало меня сюда специально с этой целью. Если «Тинтаджель», то мы собираемся ввести штраф в пять центов с каждого, кто будет говорить неверно... О боже, не могу передать вам, какие чувства будит во мне это место!

Мы сошлись в том, что это действительно непередаваемые ощущения... И что посещение здешних мест как-то сближает человека с Круглым столом.

— Этот бедный старый Ланселот, — продолжала девица, — он такой душка, прямо сущий младенец. Просто безобразие, что после всех схваток и злоключений ему так и не довелось увидеть Грааль! О боже, я понимаю: это и впрямь тяжело! Галахад тоже милый, но он какой-то туповатый, да что там, откровенный болван! А Мерлин наворотил кучу

глупостей, чтобы показать, какой он умник... Артур, по-
моему, немножко скучный. Я бы не согласилась жить с ним
рядом... но вся их компания — о Господи! — они мне так
нравятся! Я просто влюблена в них до смерти...

Мы остановились и бросили прощальный взгляд на скалу, на которую медленно наползал ночной туман.

— Подумать только... просто не верится, что я здесь, —
прошептала эта простая девочка из американской глубинки, — здесь... Тин-тагель!.. Тин-тагель!..

Ночью, в лунном свете древние стены Тинтагеля выглядят еще более безжизненными, чем обычно. И это странно.
Египетские руины, к примеру, в ночную пору, наоборот,
пробуждаются к жизни; то же самое можно сказать о большинстве наших старых замков и аббатств. Тинтагель же —
тот, что стоит в глухом уголке Корнуолла — умер навсегда.
Он существует лишь в нашей памяти и на страницах книг.

Вспоминаю, как я стоял на противоположном конце долины и смотрел на тонкую полоску света, медленно переме-
щавшуюся вдоль полуразрушенных стен: здесь она выхва-
тывала остатки ворот, там завалившийся фрагмент угловой
башни. И в тот миг я подумал: несмотря ни на что, мы, англичане (во всяком случае большая часть) по-прежнему
принадлежим к легендарному Круглому столу. Нас много —
столько, что, если бы король Артур вернулся и, даровав нам
молодость и былые силы, вновь позвал с собой в поход, за
его спиной встала бы огромная армия. Это воинство могло
бы вновь возродить Камелот и завоевать весь мир под зна-
менами нашего любимого короля.

Глава пятая
Зеленые холмы Англии

Я исследую город «широкой стрелы»; Дартмур повергает меня в священный трепет, а Уайдкум-ин-зе-Мур веселит дух. Кловелли демонстрирует мне свою «причудливость», а Барнстэпл-Маркет поражает дружелюбной приветливостью. В Сомерсете я безуспешно пытаюсь понять рассказ старика, а на Порлок-Хилл нахожу шелковую ночную сорочку.

1

Всякий раз, покидая Корнуолл, начинаешь задумываться о некоторых вещах. Например, корнуолльские мужчины много плавают по всему миру. Они возвращаются домой на кораблях, получив отпуск на канадских и австралийских шахтах или же после службы на флоте. Половину всего мужского населения вполне можно рассматривать как военно-морских резервистов. В то же время большинство женщин, особенно из маленьких городков, никуда не выезжают, даже в ближайший Труро. Вообще, мне кажется, что Корнуолл в этом отношении уникален: в отличие от остальной страны, здесь практически все братья разъезжают по белу свету, а их сестры постоянно сидят дома.

Или вот еще интересный факт: тысячи стариков в Корнуолле продолжают втайне верить в эльфов и фей, в то время как их внуки вполне открыто веруют в кинематограф.

Английский ландшафт обладает любопытной способностью резко меняться на протяжении считанных миль. Так, по дороге в Девон я в какой-то момент вдруг заметил, что суровые корнуолльские скалы исчезли, уступив место более ровному и мягкому пейзажу. Сельская местность стала как-то приветливее и уютнее, глаз отдыхал на веренице зеленых и красных полей.

— Снова в Англии! — прошептал я, наблюдая за мужчиной, который шел с плугом по настоящему девонширскому полю. Я узнаю эту землю — цвета красной охры на свежевспаханной борозде и принимающую шоколадный оттенок там, где солнечные лучи успели ее подсушить. Совсем другая страна. Мне припомнился недавний разговор в Трегони: один старик сообщил мне, что «на следующей неделе собирается в Англию». Немного подумав, поправился: «Вернее, в Плимут».

Я миновал Тэвисток и приблизился к широкой гладкой равнине, за которой до самого неба громоздились, налезая один на другой, холмы.

Дартмур! Не успел я восхититься, как увидел зловещую широкую стрелку на дороге и услышал металлическое лязганье лопат о землю. Двое вооруженных мужчин проводили меня внимательным взглядом, когда я проезжал мимо унылого здания тюрьмы, расположенного посредине пустоши.

Принстаун, несомненно, один из самых странных городов в Англии — это город «широкой стрелы»[1]. Серое тюремное здание стоит немного поодаль, в небольшой лощин-

---

[1] «Широкая стрела» — английское правительственное клеймо, знак в виде стрелки обозначает государственную собственность; раньше ставился на одежде арестантов.

ке. Оно окружено высокой неприступной стеной, способной охладить пыл самого дерзкого скалолаза. У ворот, естественно, вооруженная охрана. Главная улица городка представляет собой однообразный ряд серых домов — под стать самой тюрьме. Такое впечатление, что строители в своей работе вдохновлялись именно этим образцом пенитенциарной архитектуры (я почти уверен: так оно и было). Более того, стиль жизни горожан в известной мере копирует тюремные порядки. Таким образом, можно утверждать, что тюрьма — начало всех начал в Принстауне.

Скрипнула садовая калитка одного из домиков, и на улицу вышел охранник в синей форме — винтовка зажата под мышкой, на боку болтаются наручники. Прежде чем уйти, он задержался и помахал женщине, стоявшей у окна. Та держала на руках младенца и в ответ на приветственный жест мужа помахала детской ручкой, после чего охранник зашагал к тюрьме. Все трое — мужчина, женщина и ребенок — оказались здесь, в унылом дартмурском городке благодаря преступлениям, которые совершили другие люди, их соотечественники.

Услышав тяжелый топот, я обернулся и увидел группу крепких, загоревших дочерна мужчин с мотыгами на плечах, которые маршировали по дороге в сопровождении вооруженных людей в синей форме. Все они были одеты в полосатые рубахи и штаны цвета хаки; на круглых, коротко остриженных головах — легкие голубые кепи.

В Принстаун с утра до вечера прибывали междугородные автобусы и разгружались на центральной городской площади. Нездоровое любопытство притягивало тысячи людей в этот печальный город «широкой стрелы». Мелкие лавочники, пожилые женщины и совсем юные девушки сбивались в кучки и шли разыскивать какую-нибудь рабочую команду. Встав в сторонке, они часами разглядывали — с серьезным видом и затаенным ужасом в глазах — изгоев, которых общество в целях собственной безопасности сочло необходимым изолировать.

— Кто эти люди и что они сделали? — вот вопросы, которыми, несомненно, задавались зрители.

Охранники в разговоры с публикой не вступали. Они стояли с оружием наизготовку и следили за своими подопечными, лишь изредка перекидываясь друг с другом парой слов. Я хорошо понимал, что чувствовали заключенные под любопытными взглядами толпы. Не слишком приятно, когда тебя разглядывают, как в зверинце, так и хочется отреагировать непечатным словцом.

— Это довольно странный город, — вещал мужчина, судя по всему, хорошо знакомый с тюремной жизнью. — Мы всегда знаем, кто и за что сидит. Вот, например, сейчас там некий А и Б... а еще Ш, который, как вы помните, отрубил руки собственным детям, чтобы позлить жену. Забавные вещи тут происходят. Только на днях выпустили одного шестидесятилетнего старика после двадцати двух лет отсидки. Так, представляете, когда день освобождения настал, он дрожал как осиновый лист. Все умолял, чтоб его оставили в тюрьме. Надеюсь, кто-нибудь возьмет его на должность садовника.

— А я не могу себе представить, чтобы человек — не важно, сколько ему лет и сколько он просидел взаперти — мечтал остаться за этими стенами!

— Неужели, сэр?! Ну так я вам многое мог бы порассказать. Знаете, некоторые «сидельцы» просто счастливы вернуться обратно.

— «Сидельцы»?

— Ну да, мы их так называем: «сидельцы» или рецидивисты — это одно и то же... Вот скажите, вы любите музыку? Ага... Тогда вы обязательно должны послушать, какие концерты дают наши арестанты. Они, кстати, очень гордятся своим хором. Можно сказать, привязаны к нему. Есть тут такой органист — плотник по профессии, — так он просто влюблен в свой орган. Я точно знаю, что его пару раз выпускали досрочно, и каждый раз он изыскивал возможность вернуться к своему органу. А взять баса — дважды выпускали... а альта и вовсе трижды. Нет, сэр, они не могут без своего хора! Все снова в тюрьме... думаю, года на два, не меньше.

— Вы хотите сказать: они снова совершали преступления, чтобы попасть обратно?

— Именно так, сэр. Ну, не слишком опасные... там, заночевать в церкви или вскрыть ящик для пожертвований. И вот пожалуйста — снова в тюрьме!

Я молча переваривал эту информацию.

— А на Рождество тоже вышла забавная история, — продолжал мужчина. — Они назначили большой концерт, а в ноябре у тенора закончился срок. И месяца не прошло, как он вернулся в тюрьму. За ним присылал сам губернатор. Джонс, сказал он (хотя это не настоящее его имя)... Джонс, я всегда считал вас хорошим спортсменом. Мы даем вам еще один шанс и ждем обратно! И что, вы думаете, ответил Джонс губернатору? Сказал, что предпочитает идти своим путем... к тому же боится, как бы его отсутствие не привнесло путаницу в программу концерта. Короче, он остался в тюрьме... вот так-то, сэр.

— Надеюсь, осужденные не контактируют с внешним миром?

— Нет, но они всегда в курсе всех дел. Когда кто-нибудь из рецидивистов возвращается обратно, об этом в течение часа узнает вся тюрьма.

— Но каким образом?

— Они передают новости по водопроводным трубам, которые проходят по всему зданию. Сидят себе в камерах и по определенному коду выстукивают друг другу сообщения. А как же, сэр! Ведь те, кто возвращаются, приносят новости с воли — от родственников, от друзей. Вот они их и передают и отвечают на вопросы до умопомрачения...

Как ни странно, но Принстаун отмечен на картах американских туристов. Он ведь основан в 1808 году как тюрьма для французских и американских военнопленных. Они и здешнюю церковь построили. В ней, между прочим, до сих пор висит американский флаг. А восточное окно подарило Американское общество дочерей 1812 года[1].

Для обычных преступников тюрьму начали использовать с 1850 года. В войну она служила убежищем для лиц, по каким-либо соображениям отказывавшихся от несения военной службы.

Как бы то ни было, но я вздохнул с облегчением, распростившись с городом «широкой стрелы». Я уже отъехал на некоторое расстояние, когда натолкнулся на очередную команду заключенных, занятых дорожными работами. Проезжая мимо, я сбавил газ и невольно обратил внимание на одного из арестантов, стоявшего на высокой насыпи. У него было простое, мягкое лицо и необыкновенно голубые, честные глаза. Если бы не отвратительная полосатая роба, я бы ни за что не принял его за обитателя тюрьмы. Парень проводил меня заинтересованным взглядом, а мне вдруг подумалось: не тот ли это садист, что отрубил руки детям?

Возможно, на эту мысль меня натолкнул вид кривого тесака, которым в поте лица орудовал заключенный. Перед ним открывалась безграничная, уходящая вдаль перспектива — громоздящиеся друг на друга холмы Дартмура; над холмами гулял свободный ветер, на горизонте скапливались тучи — тоже абсолютно свободные; и меня внезапно обуяло острое любопытство: а ощущает ли этот парень горький

---

[1] Женская общественная организация США, объединяющая потомков тех американцев, кто в период 1784—1815 гг. служил в американской армии или флоте или же оказывал им помощь.

контраст между окружающей его свободой и собственным зависимым положением. Или же он — один из преданных участников тюремного хора?

2

О Дартмуре столько уже сказано, что, как бы мне ни хотелось внести свою лепту в описание его облачных пейзажей и бесконечных холмов, я предвижу бесплодность своих попыток. Повторяться не хочется, а добавить что-то новое вряд ли удастся. Вот разве что задаться вопросом: а приходило ли в голову кому-нибудь из певцов Дартмура сравнить эти зловещие двести миль девонширского плато с африканской пустыней?

Дартмур — это зеленая Сахара Англии. Представьте себе грандиозное нагромождение поросших вереском холмов и плывущие над ними огромные причудливые облака. Но сильнее всего впечатление от специфической атмосферы, присущей этому месту: здесь, как и в пустыне, возникает тревожное чувство, будто за вами наблюдают. На мой взгляд, нет более достойной задачи для писателя, как попытаться проникнуть в душу Дартмура, разгадать душераздирающую тайну, которую тот, несомненно, хранит. Только по силам ли это кому-нибудь из пишущей братии? Неукротимая, отчужденная пустыня никого к себе не подпускает! Уютный Дорсет обожает Томаса Гарди, дружелюбный Эксмур любит Блэкмора, Камберленд восхищается Вордсвортом; что же касается Дартмура, то ему, кажется, и дела нет до Идена Филлпотса[1].

Если подняться на одну из вершин Дартмура, то увидишь, как мир будто падает за далекий горизонт, а облака

---

[1] И. Филлпотс (1862–1960) — английский писатель и драматург, живший и творивший в Дартмуре.

плывут над самой твоей головой. Подобная картина вызывает странное чувство, похожее на приступ паники — сродни нашему инстинктивному страху перед раскатами грома. В таком месте, как Дартмур, человек мгновенно утрачивает всю претенциозность, кажется себе маленьким и беззащитным. Тонкая оболочка — по сути, маска цивилизованности — слезает с нас, как шелуха, ощущение обнаженности делает нас напуганными и приниженными. Но чего мы боимся? Не объяснить... Это безотчетный животный страх — как у кролика, который бежит по открытому пространству на виду у незримого охотника.

Иногда облако наползает на вершину холма и обволакивает его тонкой пленкой. Оно задерживается на какое-то время — слегка курится, испаряясь на острых гранях, заполняя белым туманом все впадины и канавки, — а затем вновь обретает прежнюю форму и как ни в чем не бывало плывет дальше. Плывет целенаправленно, спешит, словно несет важное послание. Куда, кому? В самом сердце пустоши встречаются болота. О, это непростые болота... На их зеленых лужайках бьют ключи, из которых рождаются главные реки Девоншира. До чего странно накрыть ладонью такой ключ и своей рукой остановить движение реки, которая где-то далеко-далеко, в нижнем течении, несет огромные корабли к морю! В этих зеленых лощинах Дартмура... но стоп! Я лучше остановлюсь, чтобы не угодить в ловушку. Я и так уже сказал слишком много.

В тени одной из дартмурских вершин под названием Уоррен-Тор проходит дорога, которая упирается в одно из таких болот. На обочине дороги стоит маленькая гостиница.

Кажется, будто низкое белое здание припало к земле, ища защиту от суровых ветров, которые зимой завывают в печных трубах. Как и большинство обитаемых мест в подобной дикой местности, гостиница напоминает убежище. Вид этой гостиницы — даже в ярких лучах солнца и с толстой полосатой кошкой, дремлющей на коврике, — невольно

вызывает в памяти тревожные картины: снег, ветер, одинокий путник на пороге... Он отчаянно колотит в дверь, будто
спасаясь от грозных духов пустыни, которые гонятся за ним
по пятам.

Все приличные гостиницы имеют свой пунктик, так сказать, предмет гордости. У этой гостиницы, «Уоррен Инн»,
самый странный повод для гордости из всех, какие можно
представить: она кичится тем, что огонь в ее очаге не гаснет
уже сотню лет.

Естественно, я не мог пропустить такое чудо. Первое,
что бросилось мне в глаза внутри, — это лисья морда, которая скалилась с металлического кронштейна над очагом.
Комната была темной, на окне алела герань в горшках, воздух в гостиной был пропитан по-домашнему уютным запахом торфа. Столетний огонь оказался самым бледным пламенем, которое мне доводилось видеть. Едва заметная тонкая струйка дыма лениво тянулась от солидного брикета
торфа в очаге. И ни малейшего намека на тепло.

— Кто зажег этот огонь и для чего его поддерживают? — спросил я у хозяина гостиницы, пока мы потягивали
пиво из кружек.

— Понятия не имею, — ответил он с обескуражива-
щей честностью, которая отличает истинного англичанина
(будь на его месте корнуоллец, он бы непременно соорудил
великолепную легенду). — Такова традиция гостиницы, и
она поддерживается последние сто лет.

Мне тут же припомнилась история про одного американца в Италии. Ему показали свечу, которая, по слухам,
горела несколько столетий. И что же сделал наш американский друг? Он немедленно затушил свечу со словами: «По-
моему, сейчас ей самое время погаснуть!»

— Полагаю, кто-то мог и недосмотреть за пламенем? —
предположил я.

Хозяин метнул в меня гневный взгляд, дружелюбную
улыбку как ветром сдуло с его лица.

— Только не я, сэр! — с достоинством воскликнул он и в сердцах брякнул кулаком по столешнице.

Вот почему, подумал я, Англия никогда не станет республикой.

За второй кружкой пива он завел беседу о путешественниках, которые зимой заглядывают в гостиницу, привлеченные ее огнями.

— Давным-давно, — начал он, — задолго до меня приключилась такая история. В самый разгар зимы сюда забрел один путник. Было уже поздно, и его оставили ночевать в гостиной. Мужчина жаловался на усталость и сразу же намеревался лечь спать. Но тут его внимание привлек большой старый сундук в углу комнаты. Наверное, постоялец был чрезвычайно любопытным человеком, и к тому же весьма настойчивым, так как бо́льшую часть ночи он потратил на то, чтобы открыть злополучный сундук. И что же, по-вашему, он там обнаружил?

Хозяин сделал изрядный глоток из своей кружки, затем поставил ее на стол и устремил на меня торжествующий взгляд.

— Не знаю, — признался я.

— Там была куча льда, а под ней труп.

— Какой ужас.

— Очевидно, то же самое пришло и ему в голову, поскольку постоялец своими криками перебудил всю гостиницу. «О! — сказали ему, — не переживайте вы так! Этот человек умер своей смертью, а мы храним его до тех пор, пока не появится возможность отвезти в Уайдкумскую церковь и похоронить как полагается!»

Позже я удостоверился в подлинности этой ужасной истории. Правда, говорят, она произошла в другой одноименной гостинице, которая в былые времена стояла на противоположной стороне дороги.

Я наблюдал, как солнце садилось над Дартмуром.

Раньше мне доводилось видеть закат над Сахарой, и, припомнив свои старые впечатления, я понял, в чем источник тоски, охватившей меня в этот дартмурский вечер. Это был совершенно бесчеловечный закат! Здесь, в Дартмуре, не найти и акра удобной земли — куда ни кинь взгляд, на многие мили тянется почва, никогда не знавшая плуга. Мили земли, никогда не дававшей крова или пищи ни одному человеку — будь то мужчина, женщина или ребенок. Мили, столь же несовместимые с человечностью, как лунные кратеры. Земля, кажется, говорит: «Мне нет никакого дела до человека — жив он или мертв. Можете стараться хоть до скончания веков, все равно вам не приручить меня!» Жестокость пустыни или океана ощущается в Дартмуре...

Среди этого абсолютного покоя и одиночества солнце медленно опускалось к неровной, изломанной холмами линии горизонта на западе, ветер жалобно завывал в зарослях вереска. Я стоял на высокой пустоши в центре дольмена, сложенного в доисторические времена неизвестной расой людей. Что это был за странный народ? Для чего они покинули уютные долины с рощами, которые служили им убежищем, и пришли жить сюда — в пугающей наготе здешней земли, где сами казались беззащитными, как муха на стене?

Солнце коснулось кромки холмов, окутанной тревожной дымкой — будто там, внутри облака, тлел огонь, — и медленно в ней утонуло. Вокруг царило полное безмолвие: ни птичьей трели, ни скрипа колес, ни человеческого голоса, только ветер выводил свою невнятную унылую песню. В эту минуту мне подумалось: подобное сочетание гробовой тишины и абсолютного уединения среди бесконечных просторов пустоши, переходящей в столь же бесконечное небо, способно пронять даже законченного атеиста — так и кажется, что вот сейчас облачная пелена разверзнется и раздастся Глас свыше...

Тем временем на небе зажглась первая звездочка, ночь вступала в свои права, и волнение вереска у меня под ногами напоминало движение темной воды.

3

Я бросил взгляд на карту и громко (хотя и не слишком музыкально) пропел:

> Том Пирс, Том Пирс, одолжи мне лошадку —
> Холи-хей, хей, холи-хей! —
> На лошадке в Уайдкум сегодня поеду,
> С подружкой веселой моей.

И вот он передо мной на карте, Уайдкум-ин-зе-Мур (хотя в песне этот городок назывался просто Уайдкум). Он лежал в стороне от моего маршрута, но какой же человек — если только он не абсолютно безразличен к атмосфере всеобщего праздника — пренебрежет возможностью посетить Уайдкумскую ярмарку и посмотреть, что она из себя представляет? Только не я! Теперь уже и не вспомнить, сколько раз, находясь в самых различных уголках Земли, я принимал участие в этом путешествии серой кобылы Тома Пирса на легендарную ярмарку. И я не одинок. Думаю, повсюду в мире, где собираются не совсем безголосые англичане (а особенно если среди них есть уроженцы Девоншира), звон бокалов сопровождается этой бессмертной песней: из последних сил тащится серая кобыла Тома Пирса, везет на ярмарку Билла Бруэра, Йена Стуэра, Питера Герни, Питера Дэви, Дэниэла Уиддона, Гарри Хоки, старого дядюшку Тома Коблея и прочих!

Хотя эта песня, обладающая богатым, сочным звучанием, обычно нравится всем, в глазах целого мира это прежде всего неофициальный гимн Девоншира.

Чтобы попасть в Уайдкум, мне следовало двигаться прямо на восток, пересекая Дартмур. Ранее я охарактеризовал Дартмур как пустыню. Если продолжить сравнение, то такие «вересковые» — то есть разбросанные по вересковым пустошам — деревни, как Уайдкум, служат оазисами в этой пустыне. Они представляют собой маленькие островки зелени, забившиеся в глубокие лощины между холмами, защищенные (насколько это возможно) от наиболее жестоких атак непогоды. Эти деревушки видятся мне крохотными центрами человеческой цивилизации на огромных безлюдных просторах пустыни. И думается, что пиво здесь вкуснее, чем в любой другой части Дартмура; огонь в камине горит ярче, а освещенные окна выглядят дружелюбнее и призывнее — именно благодаря той мрачной дикости, которая окружает Уайдкум...

Всю дорогу до Уайдкума я распевал вышеназванную песню, причем так увлекся этим процессом, что, когда въехал на очередной холм (тот самый, на который, как вы помните, поднялся Том Пирс и «увидел свою старую кобылу, испускающую последний дух»), то очень удивился, едва не наткнувшись на кузню.

А затем я увидел Уайдкум! Цепочка крохотных домиков — беленых, крытых соломой и окруженных живыми изгородями — растянулась вдоль небольшой долины, засаженной пышными деревьями. Там же я разглядел высокую серую башню местной церквушки, зеленую лужайку посреди деревни и стоявший неподалеку трактир. Над крышами домов — куда ни посмотри — высились гладкие, голые вершины холмов, образующие волнистую линию горизонта.

Я никогда не осознавал, какой властью может обладать простая песня, пока не попал в Уайдкум!

К лужайке, исполнявшей роль деревенской площади, подъехали сразу четыре больших междугородных автобуса. В сторонке стоял старый, скрюченный ревматизмом старик, вылитый дядюшка Том Коблей, и, опершись на ясеневый посох, наблюдал за энергичной высадкой туристического десанта. Увешанные фотоаппаратами молодые мужчины, подхватив под ручку своих дам, разбредались по деревенским переулочкам, весело или томно — в соответствии со своим темпераментом. Женщины постарше толпились вокруг церкви; мужчины в праздничном настроении сразу же направились в паб. Посреди этого переполоха пестрая хохлатка пересекала дорогу — осторожно, как бы остерегаясь вспышек фотоаппаратов.

— Так это и есть Уайдкум? — заговорил я с Дядюшкой Коблеем.

— Ну да, сэр... так оно и есть, — откликнулся он.

— Судя по здешнему столпотворению, вы, верно, жалеете, что эта песня вообще была написана.

Дядюшка Коблей схватывал все на лету. Он понимающе улыбнулся и возразил:

— Для торговли это неплохо.

— А здесь, в Уайдкуме, когда-нибудь поют эту песню?

— А как же, сэр, — серьезно проговорил он. — Мы обязательно исполняем ее после спевки... иногда перед «Боже, храни короля!» Ясное дело, сэр!

Я оглянулся и увидел, что один из водителей автобуса покупает бензин у местного кузнеца — человека, по виду скорее смахивавшего на нашего старого доброго друга Билла Бруэра.

Веселый дружелюбный гвалт стоял над Уайдкумом. Несколько энергичных молодых людей нажимали на клаксоны автобусов, причем делали это с превеликим энтузиазмом.

Туристы группками по двое, трое, а то и четверо возвращались к своим транспортным средствам. Вскоре все расселись и, весело помахав на прощание старому Дядюшке Тому Коблею, шумно стартовали в направлении пустоши, видневшейся за плетнями.

По ветру разнеслось знакомое:

Старый дядюшка Том Коблей, и прочие все с ним!
Старый дядюшка Том Коблей, и прочие все с ним!

На Уайдкум опустилась почти сверхъестественная тишина.

— Похоже, ярмарка закончилась! — сказал я.

А знаете ли вы, что некогда, в незапамятные времена Уайдкум посещал сам дьявол?

Вот как это было. Эту историю рассказал мне в церкви один замечательный моряк, вернее, бывший моряк, присутствовавший еще при бомбардировке Александрии. Если верить его словам, это самое волнующее событие, когда-либо приключавшееся в Уайдкуме, — если не считать, конечно, появления автомобиля.

Как-то раз давным-давно в деревне объявился незнакомый всадник. Он прискакал поздним вечером и потребовал чего-нибудь выпить. За окном бушевала непогода, и просьба его показалась вполне естественной. Никто бы ничего и не заподозрил, если б выпивка не зашипела в глотке у незнакомца, как на раскаленной сковороде. Тут уж все поняли, что это дьявол! Затем жители деревни увидели, как всадник направил своего коня прямо на колокольню местной церкви, которая с оглушительным грохотом обвалилась.

Такова легенда, а вот что гласит официальная история. Воскресным днем двадцать первого октября 1638 года в церковную башню ударила молния. Она действительно обвалилась, убив четырех человек на месте и поранив многих, которые скончались позднее. Это несчастье увековечено в стихах — пожалуй, самых странных из всех, что можно увидеть высеченными в церкви. Принадлежат они Ричарду Хиллу, который в то время был школьным учителем в Уайдкуме. Начинаются стихи следующим образом:

Хвалу мы Господу торжественно возносим
И ниспослать нам снисхожденье просим,
Как в оный день, когда беда случилась
И с храмом сим злодейство приключилось.

Затем автор рассказывает, как прихожане пели псалом и внезапно услышали ужасный раскат грома у себя над головой:

От страха лица вчуже исказились.
Застыли все сперва, пред тою силой
В испуге, что моленье поразила.
Упал один, другие застонали,
И опрометью прочие бежали,
Не разбирая — сын ли, дочь ли рядом,
Объяты ужасом пред каменным сим градом...
Снаружи многих тоже покалечил
Огонь небесный...

Далее следует длинное описание в той же красочной манере, а заканчивается все набожным выводом:

Все в руце Божьей! Всякого мужчину,
И женщину, и чадо ждет кончина.

После того как последний автобус из Илфракума благополучно отбыл, Уайдкум снова превратился в типичную английскую деревушку — с зеленой лужайкой, с ее церквушкой и легендой о дьяволе, с ее старенькой 97-летней бабушкой, которая никогда в жизни не видела ни моря, ни железной дороги (и ничуть этим не огорчена), с ее философским спокойствием перед лицом рекламной шумихи.

Веселая мужская компания, надеюсь, сохранила ее образ в своем сердце, а водитель автобуса поставил галочку на маршрутной карте.

4

Я всегда мечтал повидать Кловелли. Ведь много лет, путешествуя по железной дороге, я рассматривал в вагонах рекламные проспекты этого городка с изображением его необычной Хай-стрит. Это действительно уникальное зрелище, такого вы не увидите больше нигде в Англии: главная улица в городе настолько крутая, что автомобильное движение по ней невозможно. И первое, что мне бросилось в глаза, — мальчик-посыльный из бакалейной лавки, который развозил товары клиентам при помощи объемистых санок. Его самодельный тобогган нещадно грохотал, перескакивая с одной террасы на другую, и я от души понадеялся, что яйца здесь упаковывают как следует.

Кловелли трудно описать, потому что это с давних времен королева красоты Англии, которая прекрасно осознает свой статус. Проехать мимо Кловелли невозможно — настолько уникален этот город: представьте себе английский Амальфи, во всей своей красе поднимающийся из вод залива. Однако под его кажущейся простотой и естественностью скрывается известная доля расчета: городу строго-настрого предписано сохранять свою живописность. В точно определенные дни Кловелли старательно моют и чистят. Достопримечательности и просто мало-мальски ценные постройки тщательно оберегают от всего, что могло бы их обезобразить: машинам запрещено приближаться к священным местам ближе чем на полмили; как только какой-нибудь старинный особняк обнаруживает какие-либо признаки разрушения, тут же появляется целая армия реставраторов. Их стараниями особняк восстанавливается в своем прежнем виде — чудо, подобное возрождению легендарной птицы Феникс. Что интересно, отреставрированные здания сохраняют свой возраст — выглядят по меньшей мере лет на пятьсот, только на стене появляется аккуратная пометка «К. Х., 1923 г.».

Эти две скромные буковки составляют тайну Кловелли.
За ними скрывается местный самодержец, хозяйка здешних мест — миссис Кристина Хэмлин, которой, собственно, и принадлежит город. Время от времени (и довольно часто) на улице раздается характерное постукивание тросточки по булыжной мостовой — это миссис Хэмлин обходит свои владения. И тут уж жители Кловелли со всех ног бросаются наводить порядок: снимают с бельевой веревки выходные штаны Уилли и вообще убирают с глаз долой все, что может так или иначе испортить давно устоявшийся «очаровательный» облик города.

Девиз Кловелли звучит (или мог бы звучать) так: «С каждым днем и во всех отношениях я становлюсь — пусть даже вопреки моему желанию — все очаровательнее и очаровательнее».

И это действительно очаровательный город! Кловелли настолько прекрасен и уже так давно пребывает в этом качестве, что может себе позволить с королевским спокойствием принимать мои упреки в некоей искусственности своей красоты — и, кстати сказать, местная полиграфическая индустрия, сотнями штампующая открытки со стандартно прелестными видами города, лишний раз это доказывает.

А чего стоит Хай-стрит, круто — вопреки всем законам градостроения — уходящая в гору! Эта главная улица города представляет собой незабываемое зрелище: маленькие домики с остроконечными крышами буквально утопают в цветах, растущих прямо из булыжников; балкончики нависают над узким проходом, едва не касаясь друг друга. Маленькие ослики со свешивающимися по бокам корзинками звонко цокают по мостовой (на задних подковах у них специальные крючочки). Это так «очаровательно»! Порой кажется, что даже обычные рыбаки в своих синих фуфайках не просто стоят на набережной и всматриваются в морские дали, а инстинктивно принимают «очаровательные» позы, предписанные законами жанра.

За один день пребывания в Кловелли я увидел больше «очаровательных» людей, чем мог когда-либо надеяться. Такое впечатление, что они появляются в городе тоже по расписанию — во всяком случае наплыв начался сразу после завтрака и продолжался в течение всего дня. С прибытием утреннего междугороднего автобуса у меня под окнами объявилась целая толпа людей весьма необычного вида. И все они озирались по сторонам, щелкали фотоаппаратами и приговаривали:

— О, ну разве это не *очаровательно?*

Там были девушки в велосипедных бриджах, вполне взрослые юноши с волосатыми ногами, но одетые на манер бойскаутов, тощие молодые люди в очках и рубашках с открытым воротом, за спиной у них болтались пугающего размера рюкзаки. Знаете, как-то невольно теряешься, когда подходишь к открытому окну в Кловелли и видишь сразу троих священников, которые открыто, без малейшего смущения вас фотографируют. А еще там были американцы. Как раз напротив меня жили шесть студенток из Алабамы. Они сразу же объявили, что «здесь все так клево, просто не выразить словами!» Всего лишь после часового пребывания в Кловелли (или около того) они научились пользоваться словом «очаровательный» вместо «клевый».

Время от времени вверх по Хай-стрит проходил ослик: он упорно карабкался в гору, на спине у него, как правило, сидела девушка, которая отчаянно пыталась спрятать под юбкой свои шелковые коленки. Это было действительно «очаровательно». Тут я был полностью согласен с моими американскими соседками.

Когда вам наскучит покупать открытки или «очаровательные» медные ложки с фигурками осликов вместо ручек, вы можете походить под парусом с местными рыбаками — лодки дожидаются вас в «очаровательной» гавани Кловелли — или же порыбачить на заливе. Во время одного из этих занятий вы поймете, каким образом строился город. Окружающие залив скалы сплошь состоят из мягкого красного песчаника. Исключение составляет лишь утес, на котором стоит Кловелли. Трудно было пренебречь таким поощрением со стороны природы. Очевидно, в давнюю эпоху контрабандистов эта скала представлялась первым кловеллийцам идеальным убежищем, и они — не убоявшись трудностей возведения поселения на практически отвесном склоне — приступили к строительству порта и главной улицы.

С моря открывается прекрасный вид на Кловелли — на мой взгляд, один из чудеснейших во всем Северном Девоншире. Город кажется цветущей веткой на живой изгороди. Ряд старых однотипных домов — белых, с балкончиками — тянется на уровне моря, а на переднем плане вздымаются мачты рыбацких судов.

— И чем вы здесь занимаетесь в зимнее время? — спросил я у рыбака.

— Готовимся к ловле сельди. Наша сельдь самая лучшая в мире.

— А летом рыбачите с туристами?

— Да.

— Правда ли, что соседняя деревня Бакс-Кросс целиком заселена потомками испанцев из Непобедимой армады, корабль которых потерпел здесь кораблекрушение?

— Не знаю, сэр, врать не буду. Но они и впрямь отличаются от нас!

Лучшее время в Кловелли — раннее утро и поздний вечер, когда на Хай-стрит нет толп туристов.

По утрам вы просыпаетесь от страшного грохота под окнами. Вам кажется, что внизу целое стадо осликов сошло с ума. Выглянув в окно, вы видите всего одно животное — вполне уравновешенное, которое спокойно следует вниз по улице бок о бок с местным почтальоном. На спине у ослика закреплены сумки с корреспонденцией.

Вечером же воздух наполняется запахом цветов. Белые стены зданий подсвечиваются лучами угасающего солнца, в окнах зажигается свет, и вас посещает странное ощущение, будто вы находитесь на театральных подмостках. Кловелли чересчур красив, чтобы быть настоящим! Если подняться на маленький бастион, выходящий на залив, то слева увидите вы вдалеке одинокий остров Лэнди-Айленд, напоминающий кита на мелководье. Загорелые девушки в сандалиях стоят в полном молчании и задумчиво потягивают вечерний «коктейль красоты»; мужчины, подозрительно похожие на киноактеров, снуют вокруг них в сгущающихся сумерках; вверх по холму непременно поднимается влюбленная парочка — сотни молодоженов приезжают в Кловелли провести медовый месяц — и вся эта сцена постепенно погружается во тьму, с каждой минутой становясь все более прекрасной и насыщенной цветочными ароматами...

И тут начинается борьба с самим собой. Вы отчаянно сопротивляетесь вселившемуся в вас дьяволу. Вы скрипите зубами! Не сдавайтесь! Вы должны быть стойкими! Сколь бы ни был прекрасен вид, вы все равно этого не скажете... Сопротивляйтесь, сопротивляйтесь, держите себя в руках! Вы не...

— О, ну разве это не *очаровательно?* — произносите вы.

Неужели вы это сказали? Или же — благодарение небесам! — это сорвалось с губ девушки с милыми веснушками, которая страшно покраснела, расписываясь в гостиничной карточке?

— Это именно то, что я хотел сказать, — с чувством шепчет ее муж. — Ты всегда находишь нужные слова, дорогая!

Издалека доносится переливчатый крик ослика. Вы медленно начинаете подниматься на холм.

5

Каждую пятницу рано поутру мистер и миссис Билл Бруэр, мистер и миссис Гарри Хоки, мистер и миссис Йен Стуэр, мистер и миссис Питер Герни, мистер и миссис Питер Дэви, мистер и миссис Дэниэл Уиддон, с ними вместе мистер и миссис Т. Коблей и еще добрая половина сельского населения графства запрягают своих старых серых кобыл в повозку и выезжает в Барнстэпл.

Как правило, основное пространство в повозке занимает рыжий теленок, для надежности спеленутый сетью, или же пара-тройка бурно протестующих поросят. Рядом с фермерской женой стоят две большие плетеные корзины, которые здесь издавна называют «паньерами». Сверху они заботливо накрыты слоем марли. В одной корзине — самая крупная, спелая и сочная клубника, какую вы только видели в своей жизни; большой кувшин коричневых девонширских сливок, несколько фунтов отливающего золотом масла и сыр; в другой — две-три ощипанных курицы и утка, скрученные шпагатом (внутренности вымыты и аккуратно пришпилены к крылышкам).

Итак, фермер с женой — после недели тяжелой работы в хлеву и на маслобойне — неспешно едут по сельским тропинкам, чтобы реализовать на рынке продукты своего труда. Флегматичное «цок-цок-цок» старой серой кобылы составляет привычный аккомпанемент их думам, о чем бы те ни были.

Они держат путь в Барнстэпл.

Здесь пара расстается. Жена, подхватив свои корзинки, отбывает в одном направлении; фермер после волнующей процедуры выгрузки отправляется со своим теленком или поросятами в другом. Они встретятся лишь в конце дня, когда в пустой повозке поедут обратно домой и в пути займутся подсчетом выручки.

Паньерс-маркет, то есть «Корзиночный рынок», куда засеменила миссис фермерша со своей поклажей, является одним из самых замечательных зрелищ в Девоншире. Огромная крыша на железных колоннах служит прибежищем для пяти сотен фермерских жен и дочерей, которые расположились за прилавками. Перед ними разложены продукты — результаты упорного недельного труда. Вообще говоря, это сугубо женский рынок: на каждого торговца-мужчину, который держит здесь прилавок, приходится по меньшей мере пятьдесят женщин.

Ассортимент продукции у всех более или менее одинаковый, поскольку все эти женщины круглый год занимаются примерно одним и тем же. Для меня всегда оставалось загадкой, как здесь можно что-либо выбирать. Любая утка на прилавке, честно говоря, ничем не лучше своей соседки; клубника в одной корзинке такая же крупная и душистая, как и в другой; а что касается коричневых сливок, то тут уж мне и вовсе непонятно, какими критериями для выбора следует руководствоваться.

И тем не менее на протяжении целого дня все проходы между прилавками забиты толпой тонких ценителей: они ходят туда-сюда, рассматривают, нюхают и даже пробуют на вкус клубнику, масло и сливки. Воздух на рынке кажется сладким от запаха трав, цветов и фруктов.

Короткие стрижки не слишком популярны среди дочерей сельского Девона, количество стриженых головок здесь составляет примерно одну из двадцати. Также на ферме не приветствуется использование пудры и губной помады. Фермерские жены — основательные, деловые и, как все жители западных графств, достаточно приятные особы, всегда готовые посмеяться с вами за компанию.

— А вот цыпленок, сэр, свежий цыпленок! — пропела одна из них, воодушевившись моей похвалой (я сделал комплимент ее утке). — Не то что у вас в Лондоне! Там у вас люди даже не знают, как выглядит настоящий цыпленок, уж вы мне поверьте! Как вспомню, какую старую несъедобную птицу подавали нам с мужем, когда мы прошлый год ездили в Уэмбли! Э-эх, и что за народ эти лондонцы...

Пронзительный шум и гвалт стоит над прилавками, разговоры не стихают весь день. Похоже, Паньерс-маркет служит не только пунктом реализации мясных и молочных продуктов, но и местом, где решаются деловые и семейные проблемы. Если дать себе труд прислушаться, то можно стать свидетелем подобных монологов:

— Ну да, я и говорю, она надеялась на этого парня... пожалуйста, мэм, фунт девяносто центов, все свежее, даже не сомневайтесь... но Нелл-то рассказала мне, что этот ее Том крутит любовь с той рыжеволосой оторвой из Чаллакума... да, мэм, все свежее, только вечером сорвали... да, ну так вот, а миссис Хоукинс повезла своего Джека на выставку «Кредитон» покупать одну из тех пианол... а он возьми да и купи. Нет, вещь хорошая, ничего не скажу, знатно играет... полфунта? Очень хорошо, мэм!

На скотном рынке, что располагается через дорогу, совсем другая картина. Здесь Билл Бруэр, Гарри Хоки, Йен Стуэр, Питер Герни, Питер Дэви, Дэниэл Уиддон и Том Коблей встречаются со своими приятелями в солидной, мужественной атмосфере сельской фермы.

Плотной толпой они окружают загоны для скота или же давятся возле зарешеченных вагончиков, где поросята тычутся своими пятачками им чуть ли не в лица. Склонившись, мужчины внимательно рассматривают корову с теленком — иногда на это уходит не менее получаса.

— Плодовитая! — изрекает наконец Билл Бруэр, задумчиво набивая трубку. Проходит еще полчаса, во время которых тишина нарушается лишь жалобным мычанием маленьких тупоносых телят.

— Да, — соглашается с другом Гарри Хоки, доставая собственную трубку, — неплохая корова.

Возле дверей закрытых вагончиков ведутся обстоятельные торги, причем на языке, который я долго пытался идентифицировать, но по зрелом размышлении посчитал все-таки иностранным. А внутри вагончиков бродят жирные свиноматки — они покорно ожидают, когда цену «собьют» и их наконец-то купят. Я, как завороженный, наблюдал за толпой на ярмарке. Какие яркие характеры, какие неповторимые лица! Теперь, в эпоху прогрессивной стоматологии и безопасных бритв, в городе уже не встретишь подобных людей. Лично я бы посоветовал всем нашим актерам поездить по сельским ярмаркам, чтобы сделать бесценные зарисовки с представителей старшего поколения. О, эти удивительные пучки седых волос, которые произрастают в самых неожиданных местах у них на щеках и подбородках; сколько кротости прячется в их водянисто-голубых глазах! А какие профили — сам Фальстаф бы позавидовал! Увы, молодые англичане явно уступают в оригинальности своим отцам и дедам. Современная тенденция к всеобщей стандартизации подгоняет всех под одну мерку, и это очень грустно, друзья мои.

Страна многое потеряет, когда старые девонширские фермеры отживут свое и исчезнут из нашего мира.

— Ну что, мать, как прошел день?

— Да грех жаловаться, Джордж... А тебе удалось продать нашу старую свинью?

— А то как же! Продал и очень неплохо. А что это у тебя в пакете, мать?

— Да шляпа же, Джордж!

— А-а... ну да, ну да. Я мог бы и сам догадаться...

Старая серая кобыла неспешно трусит по проселочной дороге — с одного холма на другой, затем вниз, в долину и снова вверх, на пригорок, где среди плодовых деревьев прячется ферма. Одна трудовая неделя завершилась, завтра с зарей начнется другая. У фермеров, как известно, работа никогда не кончается.

6

Изрядно устав, я собирался пораньше лечь спать, но тут снизу, из бара гостиницы, до меня донесся взрыв поистине гомерического хохота. Интересно, что там у них происходит?.. Хотя еще не стемнело, в небе над Эксмуром висела круглая желтая луна. Окрестные холмы с разноцветными квадратами полей — серовато-зелеными и салатными — были окутаны нежной сумеречной дымкой. Над разогретой землей то там, то здесь зависали небольшие стайки мошкары, которые издалека казались неподвижными облачками. Над ними с резкими криками пролетали стрижи, на фоне неба напоминавшие черные дротики...

— Ха-ха-ха-ха-ха! Ха! — новый всплеск веселья заставил меня вздрогнуть.

Через открытое окно доносился стук глиняных кружек о деревянные столешницы. Запах крепкого табака боролся с обычными ночными ароматами и в конце концов их победил. Решено: спущусь вниз и выясню, по какому поводу такое веселье. Может, мне удастся побеседовать с каким-нибудь местным стариком. За кружечкой пивка он наверняка расскажет массу любопытных историй...

Гостиная напоминала полутемную прокуренную пещеру. В дверях мне пришлось наклониться, чтобы не удариться о низкую притолоку. Клубы сизого табачного дыма висели в воздухе и медленно поднимались к потолку в лучах тусклой парафиновой лампы. В комнате пахло пивом, мокрой одеждой, пылью, псиной, ламповым маслом, а еще витал тот неопределенный, неуловимый запах, который часто окружает старых людей. Над камином красовались оленьи рога, а по стенам были развешаны яркие картинки из календаря. За стойкой бара стоял сам хозяин — в рубашке с короткими рукавами, но при этом в фетровой шляпе, очевидно, чтобы обозначить должностное положение. Он ловко подливал клиентам эль и сидр, а в промежутках прикладывался к своему стаканчику с разбавленным джином. Весь зал был заполнен толпой рабочих, поденщиков с ферм, егерей, молодых фермеров и еще бог знает кого.

Оглядевшись, я заприметил чудесного старичка, который сидел в углу на деревянной скамье, курил трубку и лучезарными глазами посматривал на окружающих. Жестокий ревматизм согнул его чуть ли не пополам, так что в гробу старику предстояло лежать в той же позе, в какой он и жил — в позе пахаря, склонившегося над плугом. Подобно многим своим землякам, он принципиально не тратил деньги на дантистов. По этой причине зубы давным-давно распростились с его челюстью, рот запал, и оттого лицо старика приобрело неповторимо-благостное, почти младенческое выражение.

«Какая удача, — думал я, пробираясь в тесный угол. — Передо мной типичный местный старик, которого я разыскиваю с тех пор, как приехал в Эксмур!»

Я прихватил для него большую кружку эля, которую старик принял с озорным подмигиванием. Все складывалось идеальным образом. Я уселся рядом и приготовился выслушать незатейливую историю его житья-бытья.

— Вы, наверное, прожили здесь всю свою жизнь? — спросил я как бы между прочим.

Старик вынул трубку изо рта и заговорил невероятно громким и резким голосом:

— Ну да, само собой... Я-ко от яблони нетко па-ат.

— Вот как? — удивился я.

— Да, — подтвердил он. — Вур вишь, само собой!

После чего разразился кудахчущим смехом и хлопнул кружкой о край стола. Я внимательно посмотрел на своего собеседника, решая чисто академический вопрос: насколько бы присутствие зубов улучшило положение. Старик неверно истолковал мой взгляд (очевидно, приняв внимание за понимание) и чрезвычайно воодушевился. Он придвинулся поближе и, тыча в меня трубкой, принялся генерировать серию невероятных звуков. Время от времени он останавливался или придавал своей речи вопросительные интонации. Это служило для меня сигналом: я кивал и говорил наугад то «да», то «нет». Удовлетворенный старик с новым пылом продолжал свой монолог.

Со стороны, наверное, казалось, что беседует парочка старинных приятелей.

Прошло пятнадцать минут, и я начал жалеть, что вообще встретил этого человека. К моему сожалению примешивалось острое раздражение, так как у меня сложилось впечатление: старик рассказывает мне нечто весьма интересное. Несмотря на почтенный возраст, в нем обнаружился талант прирожденного рассказчика. Проникшись ко мне доверием, он говорил уже без остановок и, судя по всему, все больше и больше наслаждался собственной историей. Я же, со своей стороны, довольно скоро пришел к выводу, что мои попытки понять речь старика обречены на провал, поэтому и вовсе перестал слушать, а просто сидел и разглядывал своего собеседника. Занимался этим довольно долго — до тех пор пока каждая морщинка и каждый пучок волос на его старом лице не врезались навечно в мою память.

В какой-то момент старик выколотил трубку о ножку стола и, обратив на меня взгляд своих водянисто-голубых глаз, выдал тираду, которую я, судя по интонации, истолковал как вопрос.

— Да, очень интересно! В самом деле! — сказал я и тут же испугался, что совсем не к месту.

Однако, как выяснилось, старик нуждался не в подтверждении, а в поощрении, поэтому мое глупое замечание его вполне удовлетворило.

Он с упоением вернулся к своему повествованию, а мне ничего не оставалось делать, кроме как молча изумляться тем разнообразным звукам и шумам, которые извлекал из себя старик. Очевидно, он был большой юморист (по крайней мере, в собственном понимании), потому что время от времени речь его прерывалась уже знакомым мне кудахчущим смехом — для меня это был сигнал тоже рассмеяться, — затем старик продолжал говорить. Он казался абсолютно неутомимым. Мне подумалось: вот если б удалось заманить его на лондонские подмостки! Наверняка он стал бы открытием сезона. И тут мой собеседник внезапно замолчал. Я при этом испытал такое глубокое облегчение, что довольно глупо заметил:

— Ага... полагаю, это все — больше ничего здесь не случалось?

Если мое предыдущее замечание не пробило брешь в самообладании старика, то уж это полностью преуспело. Похоже, оно стимулировало взрыв местного патриотизма. Старик схватил меня за руку и что-то горячо зашептал. Затем отстранился, чтобы полюбоваться произведенным впечатлением. Я же — вконец измотанный навязанным мне лицедейством — безмолвствовал. У меня просто не осталось в запасе свободных выражений. Старик, не удовлетворенный моей реакцией, снова придвинулся поближе и жарко зашептал мне на ухо. Увы, результат был немногим лучше: я по-прежнему не понимал ни слова. Ситуация выглядела безнадежной.

Должно быть, он рассказывал о каком-то леденящем душу событии, потому что — неверно истолковав мое тупое молчание (ему-то, очевидно, казалось, будто я сражен услышанным наповал) — старик быстро-быстро закивал и

уверил меня, что все это истинная правда. Затем он снова
зашептал! Я чувствовал: мы оказались в тупике, из которого не существует разумного выхода. Этот бред мог продол-
жаться вечно.

— Я не вполне понимаю, что он говорит, — пожаловался я мужчине, сидевшему поблизости.

Мой старик жадно ухватился за новую возможность, он
обернулся к нежданному переводчику и повторил для него
свое непостижимое сообщение.

— А-а... ну, ясно, сэр, — произнес тот. — Вы вот говорите, что у нас тут ничего не происходит, так вы ошибае-
тесь, сэр. Как бы не так! Старик рассказывает, что у нас
тут пять лет назад случилось убийство... вот так-то!

В этот критический момент раздался голос хозяина заведения:

— Время, джентльмены, мы закрываемся!

В зале возникло легкое смятение: посетители поспешно
допивали свои напитки и прощались друг с другом. Из одного угла доносились громкие, возбужденные голоса — там
заканчивался жаркий спор, который длился уже некоторое
время.

— Да пошли вы со своим Лондоном! — горячился мужчина в вельветовых штанах. — Посмотрел я на него — ничего там нет хорошего! Сто лет мне ваш Лондон не нужен!
Сами там и сидите, а мне дайте вернуться в Поллок-Хилл...

На глазах у большой желтой луны подвыпившая компания высыпала на дорогу из «Белого оленя», постояла немного и маленькими группками побрела к деревне.

Я подошел к окну задернуть занавеску и увидел своего
старичка, который по-прежнему стоял на улице, опершись
на палочку, — будто ему вовсе не хотелось возвращаться
домой. Господи, кто бы мне объяснил, о чем мы беседовали
на протяжении последнего получаса? У меня сложилось
впечатление, что я прослушал интереснейший рассказ, ко-

торый любой современник Симона де Монфора[1] понял бы с легкостью. Любой филолог согласился бы проехать тысячи миль, чтобы выслушать нечто подобное. Возможно, он отнес бы речь старика к местному диалекту, но я-то абсолютно уверен: мне довелось соприкоснуться с неискаженным, чистейшим английским языком.

— Спокойной ночи! — выкрикнул я в окно, поддавшись внезапному порыву. Но прежде чем старик успел расслышать последнее слово, я малодушно задернул занавеску.

7

Всякий раз, когда заходит разговор о холмах, я с гордостью вспоминаю холмы Северного Сомерсета. Лесистые девонширские холмы весьма живописны, дикие и скалистые корнуолльские холмы производят сильное впечатление, но только холмы Сомерсета вздымаются до самого неба, одетые в облачные одежды. О, это холмы с характером! Они стоят, затаившись, и ждут, пока вы появитесь из-за очередного поворота; они всегда — до последней четверти мили — готовы удивить вас каким-нибудь сюрпризом. Надо видеть, как они возвышаются— группами по шесть-семь холмов, каждый из которых напоминает купол собора Святого Павла.

На их склонах, невероятно высоко, почти на заоблачной высоте раскинулись красивейшие в Англии сельскохозяйственные угодья. Издалека эти поля напоминают живописное лоскутное одеяло, на котором красуются золотые, серовато-зеленые, салатные и красные краски. Золотые лоскуты — посевы горчицы, нежно-салатный — пшеница, серовато-зеленый — ячмень, а насыщенный красно-корич-

---

[1] Симон де Монфор (1208—1265) — один из лидеров баронской оппозиции английскому королю Генриху III.

невый цвет — это сама перепаханная почва. Днем, когда солнце стоит высоко над горизонтом, по земле, подобно дыму, движутся тени от проплывающих облаков, воздух наполнен сладким запахом нагретого сена, а неутомимые жаворонки поддерживают небо трепетанием своих крошечных крыльев. От вида всей этой красоты в душе рождается желание помолиться и возблагодарить Господа за саму жизнь...

Благодаря своей неутомимой машинке я одним махом перевалил через Каунтисбери-Хилл и начал спускаться, заранее восхищаясь голубизной показавшегося внизу моря. Справа от меня раскинулись не менее прекрасные просторы Эксмура. Мне удалось подсмотреть, как олень выскочил из зарослей папоротника и вскачь понесся в долину. Я видел диких пони, щиплющих траву на обочине дороги (надо сказать, они выглядят куда более прирученными, чем «дикие пони» из Нью-Фореста и Дартмура). Наконец-то я подъехал к знаменитому Порлок-Хилл и остановился в сомнении. Следовало сделать выбор: спускаться в долину традиционным способом — по склону, напоминающему саночную колею, или же воспользоваться вновь построенной автомобильной дорогой, плата за которую составляла один фунт и шесть пенсов. Поразмыслив, я выбрал последнее. И правда, если учесть, сколько мы платим за удовольствие прокатиться на «американских горках» на ярмарке, потеря фунта и шести пенсов начинала казаться почти выгодной сделкой.

Про себя я отметил, что владельцы новой дороги благоразумно взимают плату до начала спуска, а не в его конце.

Итак, я покрепче ухватился за руль и начал свой путь по довольно крутому серпантину (угол составлял примерно 25 градусов): капот плотно прижат к земле, задние колеса почти парят в воздухе. В тот миг, когда я лихо преодолевал опасный поворот (успев еще умилиться на того юмориста, который установил на обочине ярко-красный знак «Опасно»), навстречу мне вырулил мотоцикл с коляской. Он ехал осторожно, с оглядкой, но при этом производил такой невообразимый стрекот, будто целая команда пулеметчиков решила покрасоваться перед генералом на стрельбах. За рулем сидел серьезного вида молодой человек, в коляске разместилась его подружка.

«Любовь, — подумал я, — преодолевает все преграды».

Следующие полмили я проделал в сентиментальном настроении. Меня восхищало все, что я видел: красный гравий на дороге, темно-красный песчаник вдоль обочины, солнечные лучи, просвечивавшие сквозь кружево листвы. И вдруг...

Мне пришлось резко затормозить перед чемоданом, который преспокойно — несмотря на всю неуместность ситуации — валялся посередине дороги.

Н-да, подумал я, очевидно, Порлок-Хилл является чемпионом среди всех остальных холмов по выкидыванию ненужного багажа. Чемодан лежал вверх днищем, и когда я его поднял, застежки отскочили, все содержимое, к моему ужасу, полезло в образовавшийся зазор. Я кое-как постарался запихнуть вещи обратно и в ходе этого нелегкого процесса не мог не обратить внимания на шелковую розовую ночную сорочку, которая эффектно расположилась между мужским твидовым жилетом и таким же пиджаком. И еще одна деталь бросилась мне в глаза — крошечные разноцветные конфетти, подобно репейнику прилипшие к грубому твиду.

Ну, и как, по-вашему, должен был поступить в подобной ситуации здравомыслящий человек?

Я стоял на полпути к подножию Порлок-Хилл. Над моей головой радостно щебетали птички — подобные трели, в моем понимании, раздавались в заоблачных высях Эдема; листва беззаботно трепетала и шелестела на ветру, как ей и положено в райских садах. Современные Адам и Ева удалялись от меня по крутой горной дороге, они ехали навстречу своему медовому месяцу, а у меня на руках оказалось их приданое.

С чемоданом в обнимку я уселся на обочине — в надежде, что молодожены спохватятся и вернутся за своим имуществом.

В том, что эти бедняги именно сегодня поженились, у меня не было никаких сомнений. Доказательством тому — цветные конфетти на пиджаке. Ведь обычно все новобрачные первым делом перетряхивают свой багаж — каждый ботинок, носок, рубашку, пижаму и непромокаемый мешочек для туалетных принадлежностей — в попытке избавиться от этих маленьких (розовых, красных, белых и голубых) доказательств своей вины.

Странное дело: все молодожены (которые почему-то предпочитают сочетаться браком именно в июле) наивно полагают, что если они тщательно соберут и сожгут этот праздничный мусор, то ни одна живая душа в мире не догадается об их тайне. Смешные люди! Они, верно, не знают, что у служащих отелей, хозяек пансионов и горничных глаз наметан: они безошибочно выделяют счастливые парочки среди прочих постояльцев. Но мои-то каковы! Представляете себе, начинать семейную жизнь, имея в наличии мотоцикл, юную жену в коляске... и без зубной щетки. Да, не повезло парню!

Я нимало не сомневался, что он похитил девушку у семьи, которая в ней души не чаяла. Домочадцы, конечно же, все уши прожужжали невесте о том, что ее избранник гроша ломаного не стоит, что он не сможет должным образом о ней позаботиться... И на́ тебе: первое, что делает несчастный недотепа, — теряет все ее вещи. Ага, вот и они!

Однако я ошибся. По дороге, ведущей с Порлок-Хилл, катилась красная итальянская машина. За рулем сидел обливающийся потом толстяк, рядом с ним — такая же толстая, раскрасневшаяся женщина. Они с нескрываемым любопытством посмотрели на явно ненормального человека, который сидел под деревом и баюкал на коленях неопрятного вида чемодан.

Спустившись в прелестную тенистую долину Порлока, я сразу же разыскал сержанта полиции. Он, похоже, совсем не удивился, когда я вручил ему утерянный багаж.

— Должно быть, новобрачные! — проницательно заметил он, и мы оба понимающе улыбнулись.

— Я позвоню в Линтон, — любезно пообещал полицейский.

Если только мои молодожены психически здоровые люди, то они, конечно же, знают, с какой симпатией весь мир относится к чужому счастью (а особенно к радостям медового месяца). Так что ежедневно обнаруживать на своей одежде цветные конфетти — это наименьшее из зол, которые им следует ожидать...

После обеда в гостинице «Старый корабль» я пересказал эту трагическую историю молодой парочке — своим соседям по столику. В разговоре случилась неловкая пауза, после чего я услышал, как мужчина прошептал своей спутнице:

— Слава богу, это случилось не с нами!

Женщина покраснела и трогательно потупилась (а я в очередной раз убедился, что молодоженов в июле больше, чем ежевики в сентябре). Поскольку все мы — так или иначе — оказались втянуты в эту историю с чемоданом, то решили вместе прогуляться до полицейского участка и поинтересоваться судьбой вещей.

— Все в порядке, — успокоил нас сержант, — и получаса не прошло, как они вернулись. Новобрачные, как я и предполагал!

Все дружно рассмеялись. После этого мы с новоявленными мистером и миссис решили прогуляться к маленькой церкви Святого Дубриция, где, по слухам, имелось нечто, представляющее интерес для всех молодоженов. Когда мы по узкой тропинке подошли к церкви, уже совсем стемнело. Парочка молча стояла у меня за спиной, я зажег спичку и в ее неверном свете увидел фрагмент мраморного памятника — мужчина в рыцарских доспехах лежал бок о бок с прекрасной дамой. Надпись гласила: «Барон Харингтон, умерший в 1417 году, и его супруга». От памятника веяло таким миром и покоем, что любой циник почувствовал бы себя посрамленным перед ликом истинной любви.

— Пока смерть не разлучит нас, — прошептал я, роняя обгоревшую спичку.

В последнем проблеске света я успел заметить, что мои влюбленные стоят, тесно прижавшись друг к другу, пальцы рук переплетены, и смотрят они не на барона и его жену, а друг на друга...

Я почувствовал себя совершенно лишним в этом месте — кому нужен тысячелетний старец, одинокий и печальный? Наспех пожелав молодоженам спокойной ночи, я побрел в гостиницу. Там, упиваясь своей грустью, выпил большую кружку эля. Из тени в углу медленно материализовался ретривер. Он приблизился и доверчиво положил свою бархатную голову мне на колени.

Глава шестая
Люди и камни

В этой главе описываются Гластонбери и Священный терновник. Я с головой погружаюсь в Бат, принимаю ванны, охочусь за мистером Пиквиком и вижу корабли, стоящие на якоре на улицах Бристоля.

1

Наиболее приметным объектом долины Авалон является высокий округлый холм с одинокой башней над руинами Гластонбери. Сам холм известен под названием Гластонбери-Тор, а здание — все, что осталось от чрезвычайно почитаемой паломниками часовни Святого Михаила.

Если подняться на холм ранним летним утром, еще до того, как взойдет солнце, и посмотреть сверху вниз, то вы увидите не просто плоскую долину, ныне занятую под пастбища, а давно исчезнувший Авалон — легендарный остров посреди зыбкого туманного моря. Лично мне утренний туман, поднимающийся над полями и лугами, видится призраком того моря, которое, если верить легендам, в достопамятные времена покрывало всю долину. Резкие порывы ветра, который иногда поднимается в предрассветные часы, колеблют и перемещают эту призрачную пелену. В результате глазам предстает совершенно фантастическая картина: клубы тумана скручиваются и переплетаются над землей, на возвышенностях они испаряются, обнажая таинственные темные контуры, за которыми зачарованному наблюдателю видятся то останки давно погибших мифических героев, то кили древних кораблей, затонувших в легендарном море.

На ум приходит старинная поэма, где описывается «сумеречная ладья, вся — от носа до кормы — черная, как траурная повязка», которая тихо плывет по морским волнам. На борту ее три королевы в низко надвинутых капюшонах везут умирающего Артура на остров вечного счастья Авалон. Жизнь капля за каплей покидает короля — так же, как Эскалибур покинул его ножны. Порой в предрассветном тумане раздается громкое блеяние или мычание пасущегося скота, и тогда кажется, будто траурный плач поднимается над клубящимся морем — это остров Авалон оплакивает короля Артура.

С восходом солнца туман рассеивается, и изумрудные поля снова улыбаются небесам.

2

Я пишу, сидя на развалинах Гластонберийского аббатства. Жаркий день клонится к закату. В воздухе стоит особая летняя тишина, наводящая на мысли о монастырском покое. По словам местных жителей, в такие дни порой происходят удивительные вещи: над древними стенами поднимается чудодейственный запах ладана, которая распространяется по всей округе и приводит в изумление работающих в саду крестьян. У меня нет основания не верить слухам, но сам я ощущаю только аромат свежескошенной травы.

Час назад я стоял на вершине Гластонбери-Тор в тени башни, прежде являвшейся частью знаменитой часовни Святого Михаила, а сейчас превратившейся в кое-как подреставрированные развалины. Бросив оттуда взгляд на восток, я наблюдал остров Авалон, на западе в знойном мареве вырисовывался остров Этельни. Эти «острова» ныне представляют собой холмы над плоскими равнинами, некогда — широкими лагунами. В тот миг мне подумалось: вот место, откуда вышла вся Англия. Корни нашей церкви уходят в Авалон, тогда как на Этельни были заложены основы британского государства.

Всё это дела давно минувших дней, а сегодня я сижу на развалинах Гластонбери. Неподалеку, возле восточного крыла часовни Святой Марии, ведут раскопки археологи. Они только что извлекли из земли пожелтевшую кость человеческой руки — теперь она лежит на мягкой куче темного грунта и четко вырисовывается в ярких лучах полуденного солнца. Интересно, кому принадлежала эта рука — королю, святому или аббату? Впрочем, какая теперь разница... Ученый очкарик с важным видом изучает находку, а над краем канавы маячит красное, потное лицо рабочего, на котором написано простодушное нетерпение: ну, что там такое — бесценное сокровище или просто мусор?

Здесь так тихо. Старые тисы отбрасывают на ровную лужайку длинные, прямые, как карандаши, тени. Впрочем, погодите... не такая уж она и гладкая, эта лужайка. Под травой просматриваются какие-то уступы и углубления — раньше здесь были ступени алтаря. Между деревьями протянулись невидимые цепочки птичьих трелей, а прямо посреди поляны поднимается высокая арка центральной башни Гластонберийского аббатства — она производит устрашающее впечатление в своем нынешнем состоянии векового окоченения. Два каменных столба устремляются ввысь, но соединиться им не удается: в разрыве арки голубеет небо, а из щелей между камнями растет молодая трава. Эта полуразрушенная арка вместе с развалинами стен и великолепной часовни Святой Марии — все, что осталось от некогда могущественного аббатства, старшего брата Вестминстера. Именно здесь начиналось английское христианство.

Нет ничего странного в том, что такие места — сыгравшие ключевую роль в развитии человечества — окружает особая, жутковатая аура. Так и кажется, будто там по-прежнему что-то происходит, словно эти места наполнены некоей скрытой от чужих глаз жизнью. Все сказанное в полной мере относится к Гластонбери. Многочисленные туристы, прибывающие сюда с шуточками и смехом, внезапно умолкают и бродят по развалинам с озадаченным и испуганным видом. Гластонбери вмиг умеряет их веселье. Я сидел, прислушиваясь к стуку лопат археологов, и мне казалось, будто каждая горстка выброшенной земли — гластонберийской земли — падает на курган английской истории. В этой коричневой земле, перелетавшей через край канавы, мне виделись лица ушедших священников, анахоретов, святых и королей. Плодородная почва Авалона породила два главных мифа, являющихся основополагающими для английского сознания, — миф о Святом Граале и миф о раненом короле.

С 1907 года Гластонбери принадлежит англиканской церкви, и та худо-бедно следит за своей собственностью. Как минимум подстригает траву на лужайках. Что ж, это, конечно, достижение! Но я до сих пор не могу понять, как такое возможно — чтобы за девятнадцать прошедших лет церковь не позаботилась отреставрировать часовню Святой Марии? Ведь это первая церковь, построенная британскими христианами! А возможно, и вообще первая наземная церковь в мире. Потребовалось бы всего несколько месяцев, чтобы превратить эти великолепные руины — с четырьмя сохранившимися стенами, с близким к совершенству сводчатым проходом в норманнском стиле — в место христианского культа. Что за странный недостаток воображения мешает этому случиться?

Пусть мне объяснят, почему здесь нет ни единого квалифицированного экскурсовода, который бы смог ответить на вопросы людей, что ежедневно приезжают, привлеченные всемирной славой Гластонбери, и бродят как потерянные по развалинам аббатства? Церковь наверняка смогла бы обеспечить хотя бы одного гида. Благодаря ему тысячи приезжих узнали бы, что эта тихая заброшенная поляна — по сути, единственное место в Англии, связанное с современником Иисуса Христа, причем знавшим его лично. Согласно традиции, в 61 году святой Филипп прислал в Англию Иосифа Аримафейского — человека, который удостоился чести снять с креста распятого Христа и захоронить в склепе, — проповедовать Священное Писание местным жителям. Если верить более поздней легенде, то Иосиф прибыл в сопровождении толпы миссионеров и привез с собой кубок Тайной Вечери, который он якобы выпросил у Понтия Пилата. В этом кубке находилась кровь Спасителя, страдавшего на кресте. Здесь, на английском лугу, Иосиф Аримафейский построил из ивовых веток первую в Англии церковь.

Когда проповедники перевалили через Утомивший-всех-Холм (имеется в виду — утомивший путешествием), Иосиф воткнул в землю свой посох, который прижился, пустил побеги и со временем вырос в Священный терновник. Так во всяком случае утверждает старинная легенда.

Именно этот факт заложил основу всемирной славы Гластонбери — на долгие столетия он превратился в английский Иерусалим, одно из самых святых мест на Земле. Со всех концов света стекались сюда толпы паломников — каждый надеялся отломить веточку от Священного терновника с тем, чтобы потом ее положили с ним в могилу. Многие святые искали последнего приюта в Гластонбери. Рассказывают, будто под главным престолом был захоронен сам король Артур с его возлюбленной Гиневрой. За разрушенным аббатством у самого подножия Тора бьет минеральный источник, который в свое время считался одним из чудес света. Его воды, сильно насыщенные железом, окрашивают в ржаво-красный цвет и землю, и все, чего касаются. В это место приходили средневековые паломники. В благоговейном трепете, со слезами на глазах они преклоняли колени — точно так же, как это делали паломники в Иерусалиме. Они свято верили в то, что именно здесь спрятан Священный Грааль.

Пройдя по траве, выросшей на месте бывших церковных хоров, я наткнулся на торфяной участок, обозначающий месторасположение алтаря Гластонбери. По нему деловито прохаживался человек с тарахтящей газонокосилкой! Он рассказал мне, как в 1921 году на территории бывшего аббатства начались раскопки (на то было специальное распоряжение, в котором точно указывался участок проведения работ), и ему посчастливилось оказаться в бригаде рабочих. Представьте себе, мой собеседник лично обнаружил новые, неизвестные прежде фрагменты здания на означенном участке.

— Многие люди утверждают, будто видели здесь привидения, — поведал мне рабочий. — Может, оно, конечно, и так, но я сам ничего не видел, врать не буду.

Дойдя до конца участка, он развернулся и покатил свою машинку в обратном направлении.

— Видите тот куст? — продолжал он. — Это и есть Священный терновник! С самым первым кустом вышла накладка — его срубил фанатик-пуританин. Но Бог покарал его за это преступление: щепка отскочила и попала святотатцу прямо в глаз, он помер, не сходя с места. Вот так-то, сэр... А куст дал новые побеги, они проросли в нескольких местах Гластонбери. Вы даже не поверите, сколько желающих получить саженцы. Недавно мы отправили один в Нью-Йорк, они там строят новую церковь. А перед этим послали отросток тоже в Америку, для могилы президента Вильсона.

Бывший алтарь Гластонбери разрушен и ныне зарос травой, но Священный терновник продолжает жить!

Солнце садилось, и археологи заканчивали работу. Кость куда-то унесли...

— Я побывал в Гластонбери!

Шестьсот лет назад некий человек написал, что посещение Гластонбери станет главным событием его жизни. Он навсегда запомнит эту величайшую церковь за пределами Рима, звон ее колоколов, запах ладана, слова непрерывной молитвы, позолоченную усыпальницу, толпу пилигримов у дверей — святые в экстазе, грешники в слезах; и у каждого в душе непоколебимая вера в чудесную историю, возникшую здесь, на месте тростниковой хижины на острове Авалон.

— Я побывал в Гластонбери!

Сегодняшние посетители приходят на пустую лужайку. Они сидят на опрокинутых камнях, слушают вечернюю песню птиц и наблюдают, как дрозды пируют в траве, выросшей на месте алтаря. Те же дрозды с тревожным чириканьем взлетают с места, где некогда стояли часовня и главный придел, а по бывшему алтарю ходит человек с газонокосилкой...

Из раскопа вылез рабочий. Он вскинул лопату на плечо и тяжелой походкой трудового человека направился в поселок. Он равнодушно прошел мимо развалин, сиротливо стоящих в том месте, где Англия впервые услыхала величайшую в мире историю.

3

В Уэллский кафедральный собор я попал около полудня. Сначала он показался мне пустым, но, пройдя в северный трансепт, я обнаружил целую толпу. Люди стояли, прислонившись к колоннам и надгробным плитам, сидели на каменных скамьях, тихо перешептывались и все до единого с волнением поглядывали на западную стену. Здесь были экскурсанты с междугородных автобусов, американские семьи, торговки с рынка, фермеры с женами, а также девушки и молодые люди в костюмах для велосипедной езды.

— Что они делают? — поинтересовался я у церковного служителя.

— Ждут, когда часы пробьют полдень! — отвечал он

И тут я вспомнил. Ну конечно же, в Уэллском соборе находятся одни из самых удивительных часов во всей Англии, а возможно даже, и во всем мире — если не считать часы в Страсбурском кафедральном соборе. Их придумал шестьсот лет назад гластонберийский монах по имени Питер Лайтфут. Больше всего эти часы напоминают первую попытку человека изобрести автоматическую счетную машинку. На круглом диске диаметром шесть футов и шесть дюймов нанесено множество линий и цифр. Большой внешний круг поделен на двадцать четыре сектора в соответствии с часами суток; на внутреннем круге отмечены минуты. По внешнему кругу движется большая медленная стрелка, по внутреннему — стрелка поменьше и порезвее. Непосредственно над диском имеется темная ниша, в которой каждый час — в тот момент, когда часы бьют, — происходят интересные вещи, но об этом я расскажу в свое время.

Помимо своей основной функции чудесные часы брата Лайтфута показывают фазы луны и положение планет на небосклоне. Под золотой луной — надпись на латыни: «Вечная странница Феба». Пока я пытался разобраться во всем, что Питер напихал в свои часы, в голову мне пришла любопытная мысль: может, говоря о луне, он имел в виду вполне конкретную женщину? Кто знает? Я вполне допускаю, что какая-то неизвестная Фиби покинула мастера и отправилась в странствия, тем самым подтолкнув его к уходу в монастырь и в конечном счете к изобретению знаменитых часов. А что? Ведь влияние женского коварства на искусство и изобретательство — неизученная область. А впрочем, возможно, все это мои глупые фантазии, и Питер был старым серьезным профессором, который сосредоточенно изучал карты и рисовал диаграммы на столе в трапезной, вызывая негодование аббата и насмешки со стороны своих менее продвинутых товарищей...

А-ах! По толпе пробежал шумок. Минутная стрелка приближалась к двенадцати.

Слева и сверху от часового диска на западной стене была укреплена маленькая деревянная фигурка человека в костюме эпохи Карла I. Если не ошибаюсь, имя ему Джек Блэндайвер. Он сидит, упираясь каблуками в два колокола...

Полдень!

Джек Блэндайвер дернул деревянной ногой и ударил по одному колоколу, затем проделал то же самое с другим. И так восемь раз. Тем временем на часовом диске тоже происходило нечто интересное. Послышался жужжащий звук, и из ниши над диском появились четыре конных рыцаря: два из них поскакали налево, двое оставшихся — в противоположном направлении. Каждый раз, совершив полный оборот, они сталкивались, и один из рыцарей поражал копьем своего противника. Этот крутящийся турнир продолжался некоторое время, затем все остановилось. Сражение, которое ежечасно происходит в Уэллском соборе, завершилось. Я огляделся: на лицах всех собравшихся играла по-детски восторженная улыбка — наверное, точно так же улыбались зрители шестьсот лет назад.

Если положить, что английский театр возник из церковного действа, то родоначальником кабаре уж точно являются эти церковные часы. Браво, Питер Лайтфут!

Надо было чувствовать это нервное возбуждение, которое царило в Уэллском соборе! Как описать журчание воды, движущейся где-то в недрах старого здания, ее мелодичные переливы на истертых ступенях? И пусть по лондонским дорогам давно уже ходят большие междугородные автобусы, я по-прежнему слышу цоканье копыт и дребезжание старых рессор. Уэллс — само совершенство. Он абсолютно искренне, без всякой рисовки сохраняет средневековый дух, который не могут истребить никакие туристические нашествия. За массивной стеной кафедрального собора вас ждет зрелище, которого вы не увидите больше нигде в Англии. Здесь стоит настоящий средневековый замок — с фортификационными укреплениями и крепостным рвом. В этом невероятном месте живет епископ Уэллса!

Устроившись на зеленой травке на берегу рва, я стал наблюдать за лебедями и утками его преосвященства. Совершенно очаровательные создания! Вдруг один из лебедей подплыл к воротам и дернул за колокольчик. Ничего себе! Я не поверил собственным глазам. Неужели я попал в сказку? Затаив дыхание, я глядел на белую птицу и почти верил, что вот сейчас она встряхнется и превратится в прекрасного принца в белой бархатной мантии. Лебедь повторил свой трюк! Он подхватил клювом веревочку, плававшую на воде и потянул за нее — колокольчик в воротах звякнул. Окно привратной сторожки тут же растворилось, из него полетели хлебные корки (одна из них угодила лебедю прямо в голову). Он ловко подхватил угощение, потрепал хлеб под водой и заклекотал, созывая свое семейство. Далее процедура повторилась: колокольчик снова зазвонил, показалась новая порция еды!

Я прошел по подъемному мосту к сторожке и взялся за медный молоточек. На мой стук выглянула миловидная девушка.

— Лебеди звонят всякий раз, как проголодаются, — пояснила она. — И мы стараемся их не разочаровывать. Здесь специально стоит поднос с едой, и мы выдаем ее по первому требованию. Лебеди и молодняк свой обучили этому фокусу! Утки тоже иногда проделывают подобное, но не так часто, как лебеди...

Я вернулся на свое место на берегу рва и посидел еще некоторое время, наблюдая за феноменальными птицами. Тем временем соборный колокол пробил четверть. Солнце — медово-желтое, щедрое — висело над крепостными стенами. Я смотрел на фортификационные укрепления, которые шли вокруг епископского дворца и загибались к угловым бастионам. Настоящие средневековые башни — с проходом для часовых и бойницами для лучников. Боже, и в таком месте живут наши современники!

— Баранина сегодня была жестковата, — послышался чей-то голос; я поднял взгляд и увидел, что в окне рядом с девушкой появился мужчина.

— Ну да, — согласилась девушка. — Зато горошек просто объеденье!

Они постояли немного, рассматривая крепостной ров, подъемный мост и плавающих лебедей. Затем обернулись в другую сторону — теперь их взору предстала главная башня Уэллса, возвышавшаяся над стеной и старинными вязами, а также белое облако, подобно нимбу, висевшее над башней.

— Я никогда особо не любил чеддер, — заявил мужчина.

— А я обожаю грюйер, — мягко сказала девушка.

В воздухе мелькнул еще один кусочек хлеба и приземлился на серую пушистую спинку молодого лебедя.

Уэллс — вот такой, когда солнце просвечивает сквозь ветви деревьев и золотит замшелые стены замка — выглядел просто сказочным местом. Достаточно поглядеть на круглое здание капитула, на ведущий к нему изящный лестничный пролет, и становится ясно, что привлекает сюда многочисленных паломников...

— Чернослив, который нам подавали в Бате, просто великолепен! Никогда ничего вкуснее не ел...

Еще одна парочка — мужчина со своей спутницей — подошла и встала у меня за спиной.

— О, — воскликнула девушка, — какой чудесный вид! Ты только посмотри на эти маленькие оконца надо рвом! Дорогой, неужели тебе никогда не хотелось быть Пеллеасом? А я была бы Мелизандой у окна и сбросила тебе вниз свой локон!

— Не говори ерунды — отмахнулся мужчина. — Как такое возможно?

Девица встряхнула стриженой головкой.

— Ах, какой ты неромантичный, — вздохнула она.

Взявшись за руки, они медленно прошлись под деревьями...

Церковные часы пробили очередную четверть часа... затем полчаса... три четверти... и наконец час. Я все сидел на берегу рва, наслаждаясь красотой и покоем... и мне казалось, что самочка серой камышницы с выводком черных птенцов (они пришли для первого, пробного плавания) являются самыми важными существами на всем белом свете.

4

Я уже решил, что когда состарюсь — будут у меня подагра, ишиас, ревматизм и люмбаго или нет, — все равно удалюсь на покой в Бат и буду прогуливаться с моноклем и тросточкой черного дерева. Мне нравится Бат: в нем чувствуется класс. Я люблю батские булочки и печенье «оливер», батские свиные щечки, батский кирпич и камень (который на мой лондонский взгляд является родным братом портлендского известняка). По мне, самое лучшее средство для успокоения нервов — сидеть на веранде местного отеля напротив Насосного зала и наблюдать за больными в креслах на колесиках, которые катятся мимо.

Когда я служил в армии, то часто слышал, что скорость кавалерийского эскадрона определяется резвостью его самой медленной лошади. Так и здесь: скорость Бата определяется скоростью самого медленного в городе кресла. В одной из батских газет я прочитал о происшествии трехмесячной давности: женщина попала под колеса этого местного средства передвижения. Я слишком устал и слишком ленив, чтобы перелопатить кипу газет с целью выяснения подробностей, но в этом и нет нужды. Моих скудных познаний о Бате достаточно, чтобы с уверенностью утверждать: и несчастная жертва, и толкавший кресло рикша попросту заснули и не заметили друг друга. В том-то и состоит главная опасность Бата: здесь, чтобы выжить, необходимо бодрствовать. А это совсем непросто. Стоит кому-нибудь зевнуть на вершине Кум-Дауна, как зевота охватывает весь Бат.

Если вам, как и мне, случалось мучаться бессонницей, то вы по достоинству оцените этот город. Сладостное оцепенение сковывает ваши члены, и милосердная сонливость окутывает вас, как пуховое одеяло. Лично я засыпаю в десять вечера, не досчитав и до двух. Когда же просыпаюсь в семь утра, то чувствую себя таким утомленным, что еще двадцать минут не могу встать с постели — плаваю в некоей субстанции наподобие теплого горохового супа, только гораздо приятнее на вкус. Среди моих знакомых есть несколько пожилых, но еще весьма энергичных джентльменов. Так вот, они твердо убеждены: своей живостью и способностью ежевечерне выпивать по полбутылки портвейна они обязаны именно тому факту, что в молодости регулярно приезжали в Бат и принимали оздоровительные ванны — из местных радоновых вод, которые щедрая матушка-природа посылает через глубокую трещину в земной коре в батский источник.

А-а-а-х! Извините, господа... но как сладко зевается здесь, в Бате! А ведь еще только самое начало десятого!

Как-то раз на вечеринке мне довелось услышать высказывание одного молодого человека: он сравнивал жизнь в Бате с сидением на коленях у старой милой тетушки. Заметьте, никто из гостей не рассмеялся, потому что это весьма меткое замечание. Мне тоже Бат напоминает любезную старую леди из Сомерсета — благообразную седовласую даму в митенках, распространяющую вокруг себя облако тонкого аромата лаванды. Одну из тех бывших красавиц, которые пережили свое шумное прошлое и превратились в респектабельных почтенных леди (насколько это вообще возможно для дамы с богатой биографией). Она опекает вас с тем затаенным огоньком во взоре, который изобличает в ней искушенность, лишь отчасти смягченную возрастом. Вы смотрите на старушку ласково, с уважением, а в душе тихо дивитесь ее былым похождениям и мечтаете, чтобы в один прекрасный день она снова стала молодой и задала всем жару! Может, тогда и вам бы удалось проснуться?

Толпа в Бате движется медленно, а любой шум звучит громче, чем где бы то ни было в мире. Мотоцикл, промчавшийся по Столл-стрит, производит такое впечатление, будто сказочный великан с грохотом протащил «Иглу Клеопатры» по гигантским шпалам. Бат создан для носилок типа «седан», кресел-каталок, представляющих, по сути, местный вариант рикши, и тому подобного транспорта. Все остальное, что имеет наглость двигаться на колесах по тихим улочкам Бата, воспринимается как грубое и неуместное вторжение прогресса. Один из самых умиротворяющих пейзажей в Англии — это вид на батскую Столл-стрит. Если встать между черными георгианскими колоннами, то справа от вас будет Насосный зал; за спиной маячит прелестное здание аббатства, а впереди — уходящая вдаль улица, по которой неспешно двигаются или стоят в живописных позах батские рикши.

В дождливые дни рикши обычно дремлют, запершись внутри своих кабинок; их неподвижные силуэты за стеклянными дверцами поразительно напоминают фигуры мумий в саркофагах. В хорошую погоду они дремлют снаружи, на свежем воздухе.

— У вас, наверное, не слишком увлекательная профессия? — поинтересовался я у рикши-ветерана.

— Пожалуй, — согласился тот после минутного размышления.

— Неужели можно зарабатывать на жизнь подобным делом? Не представляю себе...

— Конечно нет, сэр... этим не прокормишься. Приходится крутиться: там ковер выбьешь, здесь еще что-нибудь поделаешь. Эх, да разве это жизнь! Вот в былые времена... да вы сходите в Насосный зал, сами посмотрите на картинках. Раньше люди вообще пешком не ходили, все больше на «седанах»... И ведь не скупились — оплачивали сразу двоих носильщиков, а теперь... о, простите, сэр!.. Да, мэм, я свободен! Вокруг Виктория-парк? Как скажете, мэм... Садитесь, пожалуйста, ступенька низкая, и я буду идти аккуратно! Благодарю вас, мэм... Сегодня это у меня первая пассажирка... вот так-то, сэр.

О, добрая старая леди Сомерсета, как приятно прикорнуть на твоих — некогда столь проказливых — коленях!..

Стоило мне слегка смежить веки... Кто эти два пожилых господина, ведущих неспешную беседу над бледно-зелеными водами Римских терм? Один из них генерал, другой судья, это понятно. Но почему они одеты в тоги? А на ногах у них — белые сандалии со шнурками до колен? Наверное, мне это мерещится... Тут, в Бате, ведь как: только прикроешь глаза, и тебя со всех сторон обступают призраки. Вы только поглядите! Древние обвалившиеся колонны вокруг купальни вдруг восстановили свой прежний горделивый вид, пыльная потускневшая мозаика вновь заиграла всеми

красками на солнце. Римские термы ожили! Старый генерал М. и сэр Арчибальд Н. стоят на блестящих полирован-
ных плитах, на которых изображена Диана со сворой гончих псов на поводке. Интересно, джентльмены в курсе, что
на них римские тоги? Может, следует им сказать?

Постойте, да разве это генерал М.? Нет, это легат Гай
Ишиасус из легиона Валенс Виктрикс. А рядом с ним сэр
Арчибальд Н.? Тоже нет, это Марк Ревматик из Лонди-
ния. (Ну и кошмары снятся в Бате!)

— Что за погода! — говорит легат Ишиасус. — Клянусь Юпитером, сэр, здесь отвратительный климат! Он гу-
бит мои колени... Между прочим, это правда, что праправнук
Боадицеи сильно «покраснел» за последнее время?

— Он настоящий смутьян. Вы же знаете, это у них
семейное. Мне следовало распять его дядюшку еще в
прошлом году в Камулодуне. Вы, наверное, в курсе той
истории?

— Ужасная страна, но мы постепенно ее цивилизуем.
Как ваш ревматизм в этом году? Вам никогда не приходило
в голову, что волею Провидения этот горячий источник специально помещен здесь, дабы помочь в объединении нашей
империи? Если б в Британии не было такого места, где можно хоть чуть-чуть согреться, что бы мы все делали? Ого,
клянусь Юпитером, славная штучка! Вон та красотка со
светлыми волосами.

— Да, это жена Диона Неврастеника, греческого фи-
нансиста. Только что приехала. А вы слышали, как она говорит? Забавный акцент. Послушайте...

— И неужели вы посмеете утверждать, что вся эта горячая вода просто так бьет из-под земли! Вы меня удивля-
ете, мой друг. Да это единственное нормальное место на всем
чертовом острове... О, какое блаженство! Мне не удавалось согреться с тех самых пор, как я покинул Афины. С другой стороны, здесь такие ужасные сквозняки. Аквы Сули-
вы наверняка самое продуваемое место на земле...

Я открыл глаза и увидел, что костюмы у генерала М. и сэра Арчибальда вполне традиционные, а мисс Бостон действительно очаровательная блондинка.

По вечерам вы можете насладиться прогулкой по старинным улицам Бата, вдоль которых выстроились торжественные дома в георгианском стиле. Подобно хорошо вышколенным лакеям, они стоят навытяжку за своими портиками с колоннами — элегантные, торжественные. Здесь есть чем полюбоваться: это и площадь Серкус, и Ройял-Кресент, конечно же, мост Палтни — наш английский Понте-Веккьо, а также множество великолепных георгианских арок и маленьких улочек, которые причудливо изгибаются (так и кажется, будто за очередным поворотом скрылась прелестная незнакомка — мелькнули красные каблучки, взметнувшиеся парчовые юбки приоткрыли изящные щиколотки, донесся удаляющийся дерзкий смех).

Если вы поздним вечером отправитесь прогуляться по Бату, то почти неминуемо столкнетесь с мужчиной, который обдаст вас холодным презрительным взглядом. Крупный нос, двойной подбородок, шляпа-треуголка затеняет верхнюю часть лица с тяжелыми мешками под глазами. Ба, да это же Красавчик Нэш![1]

— Сэр, — в голосе призрака слышна высокомерная насмешка, — вы, видимо, не знаете, что приличные джентльмены ходят с тросточками. Хорошо хоть шпагу отцепили от пояса... Но ваша шляпа, сэр, не выдерживает никакой критики! Вам говорили, что в ней вы похожи на кухаркиного мужа? И что это за две безобразных трубы, в которые вы упаковали свои ноги? Этому уродству я даже затрудняюсь подобрать название. Вы, должно быть, иностранец?

---

[1] Ричард Нэш (по прозвищу Красавчик) — церемониймейстер королевы Анны и двух первых Георгов, многое сделал для превращения Бата в модный спа-курорт. Нэш одевался очень элегантно и считался в Англии законодателем мод.

— Нет, Красавчик, я приехал из Лондона.

Ваш ответ вызывает такую бурю чувств у призрака Нэша, что он с возмущенными воплями исчезает. Последнее, что вы видите, — его укоризненный взгляд, по-прежнему прикованный к вашим ужасным брюкам.

А вы не спеша возвращаетесь в свой отель, где в гостиной застаете парочку пожилых джентльменов — мужественных борцов с люмбаго. Весь день они послушно следовали предписаниям докторов. Но сейчас часы пробили десять, и в старичков словно бес вселился! Жены уже благополучно отошли ко сну, так что никто не узнает... Они подзывают официанта и шепотом — обмирая от собственной порочности — делают заказ:

— Два двойных виски!

Милый, добродетельный Бат! Два двойных виски — это самый страшный грех, который здесь доступен. Спустившаяся на город ночь милосердно скрывает в темноте пиндарический лозунг, начертанный греческими буквами над входом в Насосный зал: «Вода — лучшая жизненная политика».

А-а-а-х! Как же я устал!

Если завтра поутру мне суждено проснуться, то обязательно запишусь на лечение. Буду принимать лечебные ванны и пить минеральную водичку.

А-а-а-х! Прошу прощения, господа...

Спокойной ночи!

5

Вот уже второй час я сидел за чтением медицинских брошюр, которые в Бате раздают бесплатно, и чувствовал, что мои артерии с каждой минутой делаются все более жесткими. И, кстати, интересно: не является ли боль в левом колене симптомом параплегии? Понятия не имею, что это такое, но стоило мне произнести вслух зловещее слово, как передо мною в воздухе материализовался жуткий призрак с когтистыми лапами. Сомнительно также, чтобы мне удалось избежать оксалурии (слава богу, ожирением я не страдаю). Кишечный застой? Что ж, пожалуй. Хроническое воспаление мочевого пузыря? Почему бы и нет? Пока я просматривал длинный список болезней, которые лечатся местными водами (ощутив при этом внезапный приступ боли в нервных окончаниях, мгновенное образование камней в почках и тревожные симптомы начинающегося ринита), мне окончательно стало ясно: любой среднестатистический человек, однажды попав в Бат, имеет стопроцентные шансы сюда вернуться.

Посему на следующее утро я облачился в халат и сел в лифт, который должен был меня доставить к целебным ваннам — туда, где ежедневно осуществляется процесс лечения. Мне хотелось ознакомиться с арсеналом средств, которые припасены для нас, болезных. Лечение грязью я отверг сразу — мне не понравилась картинка в брошюре, где медсестра воздвигала большой черный пирожок из грязи на ноге пациента. В качестве возможных вариантов я рассматривал вихревые ванны, гидроэлектрические и тепловые ванны, горячевоздушные и паровые ванны, не исключал также и аэрационные. Однако по зрелом размышлении я решил, что для человека с невыраженными симптомами заболевания (а именно к такому типу я себя относил) лучше всего подойдет глубинная ванна — это конек Бата, так сказать, средство с массой исторических и литературных ассоциаций. Подобная ванна представляла собой просто современную, научную версию курса лечения, который практиковался древними римлянами и теми нашими предками, кто еще в восемнадцатом столетии начал извлекать из подагры дивиденды — прежде чем инвестировать их для нас под тридцать процентов.

Мужчина в белом халате отвел меня в помещение, отделанное кафелем. В центре комнаты располагалась огромная ванна с булькающей и перемещающейся водой зеленого цвета; вниз вели шесть ступенек. Как я выяснил в результате своего научно-познавательного чтения, горячая вода в эту ванну извергалась источником, причем температура ее составляла сто двадцать градусов — именно такой она поступала из расположенных ниже слоев земной коры. В задачи персонала входило добавлять холодную воду, пока общая температура ванны не снижалась до приемлемых ста градусов.

Я спустился по ступенькам и сразу почувствовал натиск горячих волн. Человек в белом халате велел мне усаживаться, и я решил подчиниться, поскольку отступать было некуда. Меня немного смущал тот факт, что я не видел в зеленой воде никакого сидения, но, как выяснилось, все опасения были напрасными: не успел мой подбородок коснуться воды, как я и впрямь ощутил под собой достаточно удобный выступ. Тем не менее чувство дискомфорта не проходило: помимо жары, меня начали одолевать дурные предчувствия. Мужчина посоветовал расслабиться, и это мне не понравилось. Меня, несомненно, рассматривали здесь как полноценного пациента, и я немедленно почувствовал себя больным.

— Где именно у вас болит? — спросил мой мучитель.

— Везде, — честно ответил я.

— Все ясно, общий массаж! — бодро воскликнул мужчина и, достав откуда-то большой шланг, поместил его конец под воду — так что струя воды, на несколько градусов горячее, чем сама ванна, прошлась вверх-вниз по моему позвоночнику. Позвоночнику это понравилось — он заурчал, как довольный кот.

Через десять минут процедура закончилась.

Стоя на верхней ступеньке, ассистент принял меня в объятия нагретой простыни. И в этот самый момент я впервые ощутил серьезный симптом болезни — острую боль в колене.

Удрученный я поплелся в свой отель, где и позавтракал в грустном молчании.

После завтрака нас, инвалидов, ждало очередное мероприятие в Насосном зале.

Около одиннадцати, преодолев извечную усталость, мы подтянулись к этому величественному зданию в георгианском стиле, которое с 1796 года гостеприимно распахивало свои двери перед всеми страдальцами, одержимыми подагрой, ревматизмом и пояснично-крестцовым радикулитом, то есть, попросту говоря, ишиасом. Насосный зал воздвигнут над тремя горячими источниками — единственными в своем роде в Британии, — которые ежедневно извергают около полумиллиона галлонов горячей минеральной воды.

Девушка в фартуке и фирменной кепочке ждала нас возле фонтана с бурлящей теплой водой. Когда мы, опираясь на свои тросточки, приблизились, она протянула каждому по полному стакану этой самой воды. Кряхтя, мы уселись в чиппендейловские кресла и начали прихлебывать из своих емкостей. Помнится, Сэм Уэллер утверждал, что батская вода имеет странный привкус — «будто в нее опустили разогретый чугунный утюг». Не знаю, не знаю... Может, кто-нибудь уронил в источник гантель как раз перед тем, как мистер Диккенс снимал пробу? Я, во всяком случае, не уловил ничего такого, что наводило бы на мысль о разогретом утюге. Сказать по правде, батская вода похожа на любую другую теплую водичку. Если вы человек с богатым воображением, то не исключено, вы ощутите легкое послевкусие — может, это и есть вкус разогретого утюга? Хотя его уж никак не назовешь «сильным».

Вода оказывает на нас различное воздействие. Некоторые берутся писать письма, другие предпочитают поспать, третьи — почувствовав неожиданный прилив сил — от-

правляются прогуляться и в который уж раз поглядеть на
батский пейзаж: все те же кресла-каталки, статуя толстяка
Нэша и старинный бассейн с дымящейся водой консистен-
ции горохового супа, известный под названием Королевская ванна. Ныне это приспособление уже забыто, но в восемнадцатом веке оно пользовалось заслуженной популярностью. Как писал Кристофер Энсти, «здесь собирался весь
прекрасный пол — полюбоваться на местных джентльменов, вернее, на их головы, поскольку все остальное было
скрыто клубами пара». Вокруг Королевской ванны разме-
щены железные кольца, которые посетители курорта пре-
зентовали городу в знак признательности за чудесное исце-
ление. Одно из них носит имя прекрасной Барбары, герцо-
гини Кливлендской; другое является подарком от Томаса
Делвеса, на которого «благодаря Божьей милости и здешним водам снизошло огромное облегчение».

Батскую воду пьют все. Мы, инвалиды, делаем это со
всей серьезностью, заезжие экскурсанты опрокидывают
стаканчики лихо и, я бы сказал, с дерзкой непочтительно-
стью. Как правило, мы протягиваем свои емкости и, рисуя
ногтем невидимую метку (где-то на середине стакана), деликатно шепчем: «Сегодня утром только восемь унций, пожалуйста». Случайный же турист лихо, по-гусарски подскакивает и громко восклицает: «Пинту самой лучшей,
мисс!» Обслуживающая источник дева страдальчески вздыхает и устремляет взгляд поверх макушки невежи — на небеса, где она, несомненно, прозревает самого великого бога
Неврита с пучком молний в руке!

Выпив свою порцию, мы, если позволяет состояние су-
ставов, осторожно спускаемся по ступенькам в самое сердце Бата — к «источнику».

Служитель нижних уровней отпирает бронзовую двер-
цу, и мы вступаем в плотное облако пара. Глаза постепенно
привыкают к полутьме. В помещении очень жарко; пар,

конденсируясь, выступает на лице и руках противными каплями, после их высыхания остаются ржаво-красные пятна. Мы видим римскую арку и ступеньки, уходящие вниз, к источникам. В этом месте земля уже многие столетия (насколько свидетельствуют сохранившиеся записи) выбрасывает наружу каждый день по полмиллиона галлонов горячей воды.

Почему сие происходит именно в Бате? Согласно последней научной теории, земная кора в этом месте имеет глубокий разлом, через который поднимаются вулканические испарения. Достигая земной поверхности в Бате, они превращаются в горячую воду, напитанную минеральными веществами. Прежняя точка зрения, заключавшаяся в том, что батские источники якобы питаются морской водой, нагретой в глубине земли до точки кипения, была признана негодной и отвергнута — деликатно, но со всей твердостью.

Как бы там ни было, вид самих источников очень впечатляет. Стоя в полумраке турецкой бани и вглядываясь сквозь пар в горячую воду, мы чувствуем: здесь происходит нечто уникальное, непостижимое и, пожалуй, даже вселяющее ужас. Здравый смысл подсказывает, что данное природное явление служит к пользе человека, и к немалой пользе. Батские источники прошли проверку временем: ведь они функционируют уже две тысячи лет.

Вволю наглядевшись на это чудо природы, мы возвращаемся в гостиничный ресторан, где тщательно изучаем обеденное меню. Медицинский совет Бата рекомендует пациентам выбирать блюда, помеченные звездочкой. Так, посмотрим... Закуска вполне безопасна для нашего здоровья; палтус а-ля Кольбер тоже; телятину можно, а вот жареную утку — нет; бараньи отбивные небезопасны, ростбиф тоже; копченые свиные щечки по-батски годятся, а вот омар отвергнут... ага, пожалуйста: компот и сладкий девонширский сыр со сливками горячо рекомендуются (аж две звездоч-ки!) — так что есть где душеньку отвести.

Если наш доктор посоветовал спать после обеда, то мы послушно поднимаемся к себе в номера, чтобы вздремнуть часок-другой (слава богу, с этим-то в Бате нет проблем). Если он настаивал на физических упражнениях, то мы тащимся через весь город в Сидней-Гарденс послушать, как военный оркестр играет мелодии из оперетт Гилберта и Салливана. Если сидеть на солнышке под деревом, музыка звучит так успокаивающе. Хорошенькая няня катает коляску — дюйм вперед, дюйм назад, — сидя в холщовом кресле и глядя на малиновые мундиры, которые возвышаются над кустами герани в точности такого же цвета.

> Цветы, что расцветают по весне,
> Нам служат лишь помехой...[1]

Ах, как хорошо! Наши старые хрупкие кости жаждут вскочить и пуститься в пляс. Мы притоптываем ботинком по траве, и это безобидное движение тут же отзывается малиновым стилетом боли, который прокалывает все тело. Кажется, он напоминает: «Уймись, старый дурак!» Мы смотрим на часы. Четыре пополудни! Время снова пить водичку. Мы тяжело поднимаемся и ковыляем в направлении Насосного зала...

Спускаются сумерки... и я больше не могу писать. Боль в колене стала заметно сильнее. Похоже, я здорово сглупил, согласившись на эту ванну.

Интересно, может ли курс лечения спровоцировать ревматизм?

---

[1] Строки из либретто оперетты «Микадо» У. С. Гилберта и А. Салливана.

6

Одним из величайших открытий Чарльза Диккенса стало имя Пиквика. Общеизвестно, что этим приобретением писатель обязан Бату. Я знал, что у самой границы Сомерсета и Уилтшира существует деревня с таким названием и отправился посмотреть на нее. Деревушка оказалась совсем крошечной с единственной улицей — вдоль дороги Бат — Лондон выстроилась цепочка каменных домов, выкрашенных в приятный цвет хаки (как выяснилось, сделано это на средства местного землевладельца). На въезде в деревню стоит большой щит, на котором крупными зелеными буквами выведено название населенного пункта. Все рассчитано на то, что любой из проезжающих мимо заметит надпись и вслух умилится: «О! Смотри, как забавно, — Пиквик!»

По крайней мере, мне так кажется, поскольку я исхожу из того, что каждому англичанину мило это имя.

— Скажите, — спросил я у местного жителя, — а есть ли здесь семейство с такой фамилией?

— Нет.

— Ну, может, раньше когда-нибудь было... и подарило свое имя деревне?

— Вот уж не знаю!

— Тогда, может, знаете, откуда Чарльз Диккенс взял это имя — от вашей деревни или от какого-то человека по имени Пиквик?

— Нет, не знаю, — похоже, этот человек отдавал предпочтение негативным предложениям. — Но я слышал, будто свою историю он написал в трактире «Заяц и гончие», который стоит дальше по дороге.

— Какую историю? — злорадно поинтересовался я.

— Ну как же?! Историю Пиквика, конечно, — убежденно ответил мой собеседник.

Конечно, а как же иначе! Мне давно следовало уяснить: комнат в окрестностях Бата, где, по слухам, творил Диккенс, не меньше, чем гостиниц во всех уголках Англии, где якобы ночевала королева Елизавета.

Вряд ли в английской литературе найдется еще одно имя, которое по известности и популярности могло бы сравниться с именем мистера Пиквика. Два бессмертных героя — Пиквик и Фальстаф. Поэтому я решил взять на себя труд выяснить, каким именно образом это имя вошло в литературу, и вот что обнаружилось в результате моих изысканий.

В те времена, когда Диккенс посетил Бат, на месте нынешнего Насосного зала и отеля при нем стояла скромная гостиница «Белый олень», принадлежавшая некоему Мозесу Пиквику. Мало того, имя его (как с подозрением подметил Сэм Уэллер) красовалось на дверцах всех экипажей, поскольку помимо гостиницы Мозес содержал весьма прибыльные конюшни и заведовал всеми перевозками в Бате. Так что имя Пиквика показалось Диккенсу вездесущим, как солнечный свет.

«Ах, какое имя!» — подумал писатель, хватаясь за свою записную книжку.

Так был сделан первый шаг к бессмертию Пиквика! Теперь это имя получило такую известность, что французские студенты, изучающие нашу литературу, могут часами рассуждать о «месье Пиквике».

Но кем был Мозес Пиквик и откуда произошло его имя? На сей счет существует любопытная история. По слухам, Мозес являлся праправнуком основателя рода Пиквиков. Как-то в давние времена одна женщина проезжала мимо деревни Вик, что располагается неподалеку от Бата. На обочине дороги она заметила какую-то бесформенную кучу, которая при ближайшем рассмотрении оказалась безвестным мужчиной. Добросердечная женщина привезла бедолагу к себе домой и выходила его. Незнакомца окрестили

Элиизером, а фамилию дали «Пиквик» — поскольку по-добрали[1] его возле деревни Вик!

От того самого первого Пиквика и пошла батская семья, которая со временем разрослась и стала процветать. В тот момент, когда Чарльз Диккенс появился на сцене, прапра-внук Элиизера уже имел достаточное состояние и вес в об-ществе. Писатель подарил ему славу...

Батский архив находился от меня буквально в двух ша-гах. Там я выяснил, что в городе проживали пять человек с такой фамилией. Один из них был органистом, двое других занимались торговлей бакалейными товарами, профессия еще двоих Пиквиков не указывалась. Разжившись этими сведениями, я надел свою шляпу и, сгорая от нетерпения, отправился навестить ближайшего мистера Пиквика.

— Простите, мистер Пиквик дома?

— Да, входите.

На пороге стоял седой мужчина средних лет и задумчиво разглядывал меня серыми глазами. Я успел подумать, что никогда еще не встречал человека со столь неподходящим именем. Каюсь, подспудно я ожидал увидеть пожилого лы-сого господина с приятными манерами. Мне казалось, что у мистера Пиквика обязательно будет привычка склонять го-лову набок и помаргивать подслеповатыми глазами. Увы, настоящий мистер Пиквик был бесконечно далек от нари-сованного мною портрета: больше всего он походил на про-фессора геологии или преуспевающего адвоката.

— Так вы... э-э... и есть мистер Пиквик? — спросил я.

— Да. Чем могу служить?

Так началась наша беседа. Познакомившись поближе с этим человеком, я узнал, что носить фамилию Пиквик — весьма сомнительное удовольствие. Сплошь и рядом это

---

[1] Pick (*англ.*) — подобрать.

осложняет вам жизнь. Стоит только вслух назвать свое имя в гостинице, и все вокруг оглядываются на вас: им кажется, что вы их дурачите. Время от времени в ваш дом вламываются бесцеремонные американцы и вопят: «Эй, послушайте! Я просто зашел пожать вам руку, сэр. Все мои знакомые обзавидуются, когда узнают, что я разговаривал с самим мистером Пиквиком — человеком, чьим предком я безмерно восхища-аюсь!»

— А мне казалось, тысячи людей были бы счастливы носить такое имя.

— Вы полагаете? — мрачно усмехнулся мистер Пиквик. — Поверьте, нет ничего приятного в том, что одна только ваша фамилия вызывает у людей улыбку. По мне, так Пиквик был просто старым придурком. Имя само по себе неплохое — тут я спорить не буду — и знаменитое к тому же... но для меня оно чересчур обременительно. Куда бы я ни пошел, оно привлекает ко мне внимание. Наверное, я слишком скромен для такой фамилии.

Слушая жалобы своего собеседника, я, напротив, задумался над тем, какую службу фамилия Пиквик может сослужить человеку. Сколько на свете существует профессий и ремесел, где та самая невольная улыбка, о которой мы сейчас говорили, может стать залогом успеха. Вы только представьте себе коммивояжера по фамилии Пиквик! Каждый потенциальный клиент — помимо своей воли — увидит и услышит такого человека. Оно и понятно: кому под силу сопротивляться магии имени? Да любой мистер Пиквик может организовать практически любое дело, и люди — тут я нимало не сомневаюсь — с радостью за ним последуют. В этот момент меня посетила новая мысль:

— А вы, очевидно, все являетесь родственниками, пусть и далекими?

— Весьма вероятно. Не исключено, конечно, что кое-кто из прямых потомков Мозеса Пиквика впоследствии по личным мотивам сменил фамилию. Но все они продолжают жить в нашем городе.

— Мне достоверно известно, — продолжал мой собеседник, — что Пиквики есть и в Америке. Например, двое моих братьев выехали туда. Американцы проявляют большой интерес к нашей фамилии, что же касается меня, то я не нахожу в ней ничего хорошего... На мой взгляд, имя Пиквик чересчур уж эффектное. Лично я могу припомнить всего единственный раз, когда оно принесло какую-то пользу нашей семье. Во время войны мой сын возвращался после ранения домой из Франции. Так вот, доктор, узнав его имя, так заинтересовался, что просидел с ним рядом всю ночь, пока они пересекали Канал.

Однако самый интересный факт мистер Пиквик приберег до моего ухода.

— Знаете ли вы, — сказал он, — что на моих водительских правах имеются две фамилии — Пиквик и Уордл! Скорее всего, это случайное совпадение... но секретаря городской корпорации зовут именно так — Уордл![1]

7

Я пересек границу Сомерсета и въехал на территорию Уилтшира. Почти сразу же на моем пути встретился маленький городок, расположенный на берегу вездесущего Эйвона. Надо сказать, его внешний вид меня поразил.

С первого взгляда он показался мне похожим на небольшие голландские города, затем я разглядел в нем что-то итальянское. Да-да, именно так: в равнинной части это была Голландия, которая, взбираясь на холм, превращалась в Италию.

Узкие мощеные улочки начинались у подножия холма и, причудливо изгибаясь, поднимались по склону. Стены ма-

---

[1] В классическом русском переводе «Уордль».

леньких домов из белого камня, как и стволы деревьев, были
сплошь увиты желтофиолем. Цветущие плети свешивались
над дорогой, тянулись по фонарным столбам. Все это настолько напоминало Средиземноморье, что взгляд невольно перебегал с места на место, выискивая стройные стволы
кипарисов. Очень непривычный пейзаж для Англии! Увидев на улице старика, я приостановился и поинтересовался
названием города.

— Брэдфорд-на-Эйвоне! — доложил мне тот.

— И чем вы здесь занимаетесь, кроме того, что изобра-
жаете из себя Перуджу?

— Мы производим автомобильные покрышки, — с гордостью сообщил старик.

— И многие о вас знают?

— Ну, к нам обычно заезжают, чтобы посмотреть на
саксонскую церковь. Она здесь недалеко, за углом.

Что это была за церковь! Если вам, дорогой читатель,
доведется отвечать на вопрос о самой старой английской
церкви, никогда не подвергавшейся перестройке, не забудьте
назвать Брэдфорд-на-Эйвоне. Здешняя церковь на протяжении вот уже тысячи лет сохраняет свой первоначальный
облик: крошечное строение из желтого камня прячется за
стеной в три фута толщиной; неф ее имеет в длину всего
двадцать шесть футов. Церковь уцелела благодаря счастливой случайности. Хотя легенда о ее существовании со-
хранялась в веках, само здание с течением времени спрята-
лось и фактически перестало существовать за плотно окру-
жавшими его домами. Такое положение вещей сохранялось
до 1857 года, когда местный викарий (большой любитель
старины), стоя на вершине холма, разглядел внизу каменную крышу в форме креста. По его инициативе соседние
постройки были снесены, и взорам горожан открылась чудесная старинная церковь.

Войдя внутрь, я столкнулся с городским архитектором.

— Это одно из самых замечательных зданий в Англии, — сказал он, любовно поглаживая древние камни. — У меня есть собственная теория на сей счет. Всем известно, что древние римляне были большими мастерами по части работы с камнем; они веками добывали его в батских каменоломнях. Так вот, я считаю, что после их ухода из Англии римские традиции добычи и обработки камня (в частности придания ему кубической формы) не умерли. Они сохранились, переходя от отца к сыну в этой заброшенной саксонской деревушке. Доказательством тому служит наша церковь. Посмотрите, она построена по римскому методу — квадратные блоки, тонкая прослойка известкового раствора. И это в то время, когда во всей остальной Европе искусство римлян было безнадежно утрачено! Воистину уникальное строение!

В старой брэдфордской гостинице я пил чай в комнате, где некогда строил свои кровавые планы судья Джеффрис[1]. Зловещая память об этом человеке не скоро изгладится на западе Англии: здесь и по сию пору, говоря о нем, невольно понижают голос. В холле гостиницы я увидел развешанные по стенам камзолы и береты, изготовленные из тонкого сукна с шелковистой отделкой. Эту знаменитую ткань начали производить в Брэдфорде-на-Эйвоне задолго до того, как в йоркширском Брэдфорде появились первые суконщики. Хозяин гостиницы рассказал, что обнаружил камзолы в старом дубовом сундуке, хранившемся на чердаке.

— Когда я приехал сюда девятнадцать лет назад, — продолжал он, — меня поразило, насколько непривычно, по-иностранному выглядит город — ну чисто Испания.

— Или Голландия, — вставил я.

---

[1] Джордж Джеффрис (1640–1689) — английский политический деятель, главный судья при Карле II; прославился особой жестокостью во время подавления восстания герцога Монмута.

— Ну да, или, может, даже Италия... по крайней мере, кое-где. Я стал интересоваться местной историей и вскоре выяснил, что в XVI—XVII веках Брэдфорд неоднократно перестраивался усилиями фламандских ткачей-иммигрантов. Известно ли вам, что определенная часть города до сих пор носит название Датч-Бартон?[1] Это они принесли с собой и воплотили в жизнь чуждые Англии архитектурные принципы. Ну а сходство с Италией возникает, наверное, благодаря холмам. И знаете, сэр, я не верю в теорию, что наш Брэдфорд является прародителем йоркширского Брэдфорда. Просто они оба торговали шерстью. А название «Брэдфорд» произошло от «Бродфорда», что означает «брод на реке». Между прочим, сэр, прежде чем уедете, обязательно взгляните на наш мост — на нем стоит старая часовня.

— Часовня на мосту! — вскричал я. — О боже! Немедленно подайте мне счет! Я всю жизнь мечтал увидеть такую часовню.

И я ее увидел. А, увидев, захотел узнать, кому принадлежит строение. И кто несет ответственность за ремонт часовни на мосту Брэдфорда-на-Эйвоне? Кого следует благодарить за это — город или местного землевладельца? Власти Брэдфорда-на-Эйвоне, похоже, и сами толком не знают. Такое впечатление, что никто не хочет взваливать эту непосильную ношу на свои плечи.

Маленькая средневековая часовня стоит, сильно накренившись, на специальной платформе, пристроенной к мосту. Того и гляди упадет! Насколько мне известно, подобных часовен в Англии всего четыре: в Уэйкфилде, в Ротерхеме, в Дерби и в Сент-Ивзе, что в Хантингдоне. Значит, получается, что эта часовня на мосту, рядом с деревней Вик (прямо за Батом), пятая по счету. Вдумайтесь: пятая на целую страну! И как же так могло случиться, что город — окруживший

---

[1] Дословно «голландская усадьба».

столь трогательной заботой свою саксонскую церковь — одновременно демонстрирует недопустимую халатность в отношении уникального здания, находящегося в его собственности? Похоже, никого не волнует, что часовня не сегодня завтра рухнет в реку! Ее каменная кладка нуждается в срочной реставрации, железные стяжки ржавеют, и вся конструкция представляет собой жалкое зрелище.

О, сколь медлительны и неповоротливы чиновники в Бате! Ведь если бы часовню восстановили и открыли для широкой публики, то в городскую казну мощной струей потекли бы средства: каждый день сюда приезжали бы люди, желающие осмотреть изнутри неповторимое строение (напомню, их всего пять во всей Англии!)

Вместо того помещение используется совершенно не по назначению. За последние столетия часовня служила инструментальной кладовой, складом боеприпасов для солдат добровольческой территориальной армии и даже тюрьмой. Установленный на крыше старый флюгер в форме рыбки породил местное присловье: если человека отправляли в тюрьму, то говорили: «Сидеть ему над рекой под рыбой».

8

Первым, что бросилось в глаза по прибытии в Бристоль, был корабль, странным образом совмещенный с системой трамвайного движения.

Дело в том, что суда заходят непосредственно в город Бристоль. Они устраиваются прямо напротив Трамвайного центра и преспокойно дремлют, пока местные работяги сгружают с них бананы. Иногда можно видеть, как посреди улицы стоит корабль в полном снаряжении, а под его бушпритом разгуливает постовой. Городские трамвайчики бегают себе в тени корабельных мачт, а бристольцы не находят в этом ничего странного! За последние девять столетий горо-

жане успели привыкнуть к подобному зрелищу. Зато ино-
земец, впервые наблюдающий такое странное гостеприимство — когда морские суда хозяйничают в самом центре
города, — наверняка придет к выводу, что город грезит о
великом будущем на морских просторах.

Должно быть, в Средние века этот порт (а вместе с ним
и все графство) являл собой впечатляющее зрелище — одно
из самых волнующих во всей Англии. Вы только представьте: корабельные мачты с трех сторон обступают город, подобно густому сосняку, среди них то там, то здесь вздымаются церковные шпили...

Один из тех горе-путешественников, что не в состоянии
разглядеть за любым английским городом длинную процессию живых людей и событий, как-то раз заявил мне (причем после долгого и беспредметного разговора, до крайно-
сти меня утомившего): «Вам нет никакого смысла ездить в
Бристоль! Это глухая, задымленная дыра, в которой абсолютно не на что смотреть».

Не на что смотреть в Бристоле?! Да там выше головы
вещей, на которые стоит посмотреть! Лично я мог бы прожить в Бристоле целый месяц и ежедневно выдавать по
интереснейшей истории. Я мог бы написать о медных таб-
личках, которые, подобно грибам, вырастают из тротуара
напротив здания биржи; а также о «бочках», на которых
расплачивались торговцы в былые времена (отсюда возникло выражение «деньги на бочку»). Особое внимание я бы
уделил современному университету Бристоля — пожалуй,
лучшему во всей Англии. Не забыл бы и Датч-хаус — фах-
верковый особняк на главной улице города, напоминающий
великолепный галеон в порту. Я долго мог бы распростра-
няться о бристольских домах призрения, коих в городе шестнадцать штук. Прежде всего я назвал бы больницы Сент-
Питерс и Фостерс с ее замечательной часовней, посвященной Трем волхвам.

Если вести повествование в более грустном ключе, то я бы описал упадок и разрушение, в котором сейчас находится северный портик церкви Сент-Мэри-Рэдклифф (церковь знаменита еще и тем, что, по утверждению Чаттертона, именно здесь были обнаружены стихи Роули[1]). Этот чудесный резной портик тринадцатого века является единственным в своем роде, другого такого вы не встретите во всей Англии. Увы, сегодня изящный каменный ажур потемнел от сажи, но его по-прежнему окружают гротескные резные фигуры, изображающие людей с телами рыб и диковинных зверей. В этом творении средневековый мастер дал волю фантазии: странные, наполовину человеческие существа прячутся в нишах, выглядывают из-за углов здания. Каждая такая фигура — жемчужина чистой воды. И представьте себе, что подобное произведение искусства разрушается на наших глазах в городе, который тратит миллионы на добрые дела!

К сожалению, я никак не мог расстаться с маленькими второстепенными улочками и выбраться в центр. Этот город завоевывает человека своей особой — простой и естественной — манерой существовать. Он словно бы ничего не делает для того, чтобы расположить к себе приезжего, и в этом его сходство с Лондоном. Как и английская столица, Бристоль прячет свое неповторимое лицо в узких переулочках и глухих тупичках. Город ничего не дает тем, кто ничего не ищет. Но к пытливым исследователям Бристоль проявляет неожиданную щедрость, он буквально задаривает посланиями из далекого прошлого: это могут быть причудливые старинные здания, стертые каменные ступеньки, заманчивые дверные проходы и — характерное

---

[1] Томас Чаттертон (1752—1770) — английский поэт, автор литературной мистификации, приписывал свои стихи вымышленному священнику Томасу Роули, якобы жившему в XV в.

только для этого города — зрелище корабля, много лет назад застрявшего на пересечении двух улиц.

На Марш-стрит, в самом центре лабиринта из георгианских построек, я наткнулся на Дом морского купечества. Противиться искушению я не мог. Да и какой верный поклонник Джона Кабота и его сына Себастьяна — величайших первооткрывателей из племени отважных английских купцов — смог бы спокойно пройти мимо этого здания?

И что же, по-вашему, я увидел внутри? Оказывается, сегодня эта средневековая торговая гильдия — одна из последних сохранившихся в наши дни — живет еще более насыщенной жизнью, чем когда-либо. Меня провели через просторные помещения, стены которых были увешаны величественными портретами восемнадцатого столетия. Миновав вереницу кабинетов, я попал в роскошный банкетный зал, где с высокого потолка свешивалась огромная хрустальная люстра, отражавшаяся в полированной столешнице массивного стола, как в озерце со стоячей водой. Зрелище подобного великолепия подавляло неподготовленного зрителя: мне даже показалось (и я с трудом преодолел свое заблуждение), будто снова нахожусь рядом с Мэншн-хаус, в здании одной из старинных ливрейных гильдий Лондона.

— Мы можем проследить нашу историю вплоть до эпохи Генриха II, — с гордостью сообщил мне хранитель. — О да, сэр, у нас и сегодня полно дел! Мы курируем Технический колледж морской торговли. Неподалеку за углом находится дом призрения для бывших моряков и вдов моряков — мы учредили его еще в 1554 году. Так что, сами видите: мы заботимся и молодежи, и о стариках.

Я решил заглянуть в упомянутый дом призрения, население которого на тот момент составляли девятнадцать мужчин и двенадцать женщин. Все они проживали в аккуратных желтых домиках, с трех сторон окружавших небольшой мощеный дворик. В центре его стояла высокая белая мачта, на которой по торжественным случаям поднимались флаги. Обитатели приюта выползали из своих жилищ и, щурясь (глаза-то уже не те), привычно поглядывали на небо — не грядет ли шторм? В такие моменты дом призрения напоминал заштиленное судно. Оно плыло почти четыре сотни лет — со своей престарелой командой, которая менялась каждые пять-шесть лет, но все равно оставалась неизменной. Над входом в центральное здание были высечены строчки из стихотворения:

> Шторма и ураганы, ярость волн
> Уж не грозят наш опрокинуть челн;
> Побитый морем, он нашел приют
> И гавань безопаснейшую тут
> Заботами купцов и в свой черед
> Уйдет в последний, к Вечности поход.

Пониже красовалась надпись: «Старший брат» — здесь жил капитан Эндрюс, командир этого видавшего виды корабля.

— Единственная наша беда — постоянные ссоры между жильцами, — сообщил мне капитан. — Я стараюсь по возможности улаживать споры, но вы же знаете: старики — такой скандальный народ... Особенно когда годами живут рядом и рассказывают друг другу одни и те же истории.

Мимо проходил один из таких стариков — бывалый моряк с седой бородкой а-ля У. У. Джейкобс и с короткой трубкой, которая, казалось, навечно угнездилась в уголке рта. В знак приветствия он прикоснулся пальцами к козырьку своей фуражки.

— Утро доброе, кэптен! Чудесный денек!

— И то правда, — ответил Эндрюс, и оба старика посмотрели на небо, а затем на нос своего «судна» — ворота, в которых как раз нарисовался мальчишка-посыльный из мясной лавки с грузом баранины в плетеной корзинке.

Хотите знать, о чем обычно беседуют эти старые моряки? Вот вам типичный разговор.

— Тоже мне моряки! — эта реплика сопровождается презрительным плевком. — Разве ж это моряки! Вот когда я в шестьдесят девятом завербовался на службу, тогда флот действительно был *флотом*... а сейчас это просто любительская команда из яхт-клуба! Нынешняя молодежь не знает, что такое море... с таким же успехом они могли бы служить в одном из здешних отелей. Да, сэр... в шестьдесят девятом я пересек всю Атлантику под парусом. Помнится, мы везли груз соли для рыбаков с Ньюфаундленда. Крысы... те совсем обезумели от жажды — сами понимаете, соль. Так вот, они грызли свинцовые трубы, чтобы добраться до баков с водой. И через пару дней, когда мы решили дозаправиться водой, всей команде пришлось с утра до вечера трудиться с насосами. Да... вот это было времечко, сэр! Зимой паруса замерзали и становились хуже досок — ногти до крови срывали. Приходилось попотеть... не то что сейчас! Нынешние моряки пересекают Атлантику на плавучих отелях и с океаном сталкиваются лишь случайно — если по ошибке лягут не на тот галс...

— Кто этот древний старик? — спросил я.

— О-о, это настоящий поэт, сэр! Писать-то он не умеет, зато котелок у него варит хоть куда. Он все свои стихи декламирует на память.

— А не согласится ли он почитать для меня?

— Да он будет только рад! Ему уж сколько месяцев такой возможности не представлялось. Мы-то все его стихи наизусть знаем!

Поэта звали Хук, и было ему около девяноста.

Усевшись возле своего маленького и абсолютно чистого стола, он некоторое время молчал, настраиваясь на соответствующий лад. Затем, обратив ко мне седобородое лицо (я подумал, что такое лицо больше пристало святому, а не моряку), он начал читать длиннющую поэму. Надо сказать, недостатки в размере и слоге с лихвой окупались искренностью исполнителя. Действие начиналось в порту, где автор наблюдал за разгрузкой судна, и заканчивалось падением кайзера.

Наконец сморщенная старческая рука упала на стол, суровое выражение лица сменилось улыбкой — поэма окончилась.

— А теперь я вам почитаю про наш камин, — сказал он.

— Сначала расскажите мне, как вы начали сочинять.

Выяснилось, что на творчество старика вдохновила война, и с тех пор он никак не мог остановиться. Писать он действительно не умел, но нашел выход из положения. Он копил деньги и, когда набиралась достаточная сумма, отправлялся в город к переписчику. Тот со слуха записывал стихи приютского поэта. В памяти старик держал двадцать пять длинных эпических поэм.

Я распростился со старым Гомером от моря, оставив его сидеть за маленьким чисто убранным столом, а сам вернулся в Бристоль — процветающий современный город с богатым прошлым, энергичным, деловым настоящим и великим будущим. Город, где за ближайшим углом скрывается столько славных деяний.

9

Из всех устройств и изобретений, которые безоговорочно покоряют мое сердце (и, подозреваю, сердца всех простых, бесхитростных людей), следует прежде всего назвать часы с кукушкой, затем металлические грелки с углями, хрустальные шары, в которых — если их потрясти — начинает падать искусственный снег, засыпая сказочный пейзаж, и, конечно же, камеру-обскуру[1].

Мне посчастливилось найти действительно хорошую камеру: изображение там достаточно большое — по меньшей мере шесть дюймов высотой. Она установлена на вершине холма Клифтон-Даунс, неподалеку от знаменитого висячего моста. Полагаю, это место известно (и даже успело наскучить) каждому жителю Бристоля. Лично я дважды платил свой шестипенсовик и поднимался по винтовой лестнице наверх. И всякий раз для меня отпирали так называемую Обсерваторию, я проходил внутрь... Впрочем, что происходит дальше — знает каждый бристолец.

— Обсерватория? Ну конечно, знаю... Я не был там уже много лет. Но до свадьбы мы с моей женой часто туда захаживали и смотрели в камеру-обскуру!

Так говорят почти все. Похоже, в Бристоле посещение клифтонской камеры-обскуры служит непременной прелюдией к женитьбе!

На вершине Клифтон-Даунса (получившего известность как место стоянки британского первобытного человека) располагается обычная с виду башня, которая, по сути, является глазом холма — ни больше, ни меньше. Это то, что осталось от ветряной мельницы под названием «Табакерка», сильно пострадавшей во время пожара 1777 года. Почти полстолетия полуразрушенная мельница стояла, не привлекая ничьего внимания и имея хорошие шансы в конце концов превратиться в груду развалин. Но в 1828 году некий мистер Вест выкупил строение, посчитав его, очевидно, идеальным жилищем для алхимика, астронома и поклонника камеры-обскуры. Во всяком случае, он установил в древ-

---

[1] Камера-обскура — устройство, позволяющееся получить движущееся изображение объекта.

ней башне телескоп и ту самую камеру, о которой я рассказывал. Так «Табакерка» превратилась в Обсерваторию.

Сегодня телескопы мистера Веста находятся уже на заслуженном отдыхе, но камера-обскура — одна из самых
больших в стране — по-прежнему функционирует, и весьма успешно...

Поднявшись на вершину башни, я прошел в маленькую
круглую комнатку. Дверь плотно затворили, чтобы обеспечить полную темноту — снаружи проникал лишь тонкий
лучик света, предварительно пропущенный через установ-
ленную на крыше систему линз. Этот луч падал на поверхность большого круглого стола с выпуклой столешницей.
В результате на ней воспроизводилось отчетливое цветное
изображение объектов, находившихся в непосредственной
близости от установки.

Стол медленно поворачивался и с каждым поворотом
выдавал все новые фрагменты изображения...

Лично мне это старинное изобретение видится куда более интересным и волнующим, чем, скажем, кинематограф. Камера-обскура дает возможность наблюдать за
жизнью, а не за игрой актеров. Пейзажи сохраняют свои
истинные краски, а люди, которые в темноте прохаживаются по этому таинственному столу Мерлина, даже не подозревают о ведущемся за ними наблюдении. Поэтому все
их движения сохраняют изумительную непосредствен-
ность, не имеющую ничего общего с насквозь фальшивой
пластикой киноактеров. Они выглядят такими естествен-
ными, такими настоящими, что порой наблюдатели — из
числа особо впечатлительных — не в силах бороться с ис-
кушением протянуть руку и схватить движущуюся фигур-
ку. Наверное, они чувствуют себя Гулливерами, попавши-
ми в страну лилипутов: любопытство одолевает, хочется
подержать на ладони диковинное существо и как следует
его рассмотреть.

Вот по склону холма медленно поднимается пожилая леди, в обтянутой белой перчаткой руке она сжимает кружевной зонтик. А здесь по зеленой лужайке бредут два клифтонских школьника, что-то оживленно обсуждая на ходу. Мужчина на скамейке углубился в чтение газеты. Все эти люди занимаются своими делами и даже не подозревают, что каждое их движение с точностью копируется на медленно крутящемся столе в темной комнате башни. Попутно мне удается рассмотреть противоположный склон ущелья, заросший густым лесом. Я вижу, как ветер гнет верхушки деревьев и гонит по небу легкое облачко дыма от топящегося камина. Клифтонский висячий мост выглядит на экране даже более эффектно, чем в действительности. Наверное, именно такой видится изящная металлическая конструкция птицам, летающим над ущельем. Камера-обскура позволяет бросить взгляд сверху на воздушную линию, связавшую каменистые склоны; полюбоваться сказочными башенками моста, меж которых двигаются маленькие, словно бы игрушечные автомобильчики и совсем уж крошечные пешеходы; заглянуть в 245-футовую пропасть, по дну которой несет свои воды Эйвон.

Стоя в темной комнате над вращающимся столом, я подумал: несколько столетий назад обладание таким сокровищем, как камера-обскура, привело бы человека либо на костер, либо в кресло лорд-канцлера.

Наблюдение за жизнью с помощью этого хитрого приспособления создает у вас иллюзию всемогущества. Втайне от всего остального мира вы возвели себя в позицию недосягаемого наблюдателя и теперь, не боясь разоблачения, следите за маленькими деяниями жалких людишек. Вот мужчина, ни о чем не подозревая, сморкается в малиновый носовой платок — на секунду он занял свое место во вращающейся вселенной. Ну, кто следующий? Аспект неожиданности придает вашему наблюдению дополнительную прелесть. Никогда не знаешь, что ждет за очередным поворотом стола. Так что ваше положение скорее сопоставимо с положением некоего второстепенного божества, которое зависит от воли более могущественного высшего разума. Смотрите! Вот молодой отец вывез свое семейство на загородный пикник: пока умаявшаяся супруга спит в тенечке под деревом, папаша пытается ублажить капризного отпрыска шоколадкой...

Следующий поворот... апоплексического вида толстяк преодолевает подъем на холм: лицо раскраснелось, лысина покрылась испариной, так что приходится промокать ее платком. Столкнувшись с ним лицом к лицу, вы, возможно, посочувствовали бы бедняге, но сейчас он кажется вам смешным — маленький нелепый клоун в движущемся театре теней.

И снова поворот... На сцене возникает тенистая лощинка, юная парочка сидит на скамейке. Юноша оглядывается по сторонам, чтобы убедиться в отсутствии свидетелей. Он, очевидно, собирается поцеловать свою подружку и сильно нервничает. Наблюдая за влюбленными с помощью камеры-обскуры, вы впервые задумываетесь о моральной стороне этого изобретения. С какой стати вы... ну вот, наконец-то решился, но лучше бы он этого не делал! Парень от волнения все только испортил: торопливый поцелуй угодил девушке прямо в ухо, и ответом стала звонкая пощечина... слава богу, стол снова повернулся!

В задумчивости вы покидаете темную комнату с ее нехитрым волшебством. Спускаясь по лестнице, выглядываете в окошко башни. Как странно! Вон там, под деревом, действительно сидит молодая парочка; папаша кормит свое чадо шоколадом, а толстяк отдувается перед живой изгородью. И совсем уж вдалеке бредет старушка, чей зонтик напоминает маленький желтый гриб на фоне зеленой травы.

Удивительно, думаете вы, как это никто из авторов детективных историй не догадался использовать в своем сюжете камеру-обскуру. Ведь всевидящее око холма — настоящая находка для киносценария!

Вы не спеша спускаетесь по склону холма и на очередном повороте в свою очередь превращаетесь в маленькую раскрашенную тень, которая движется по столу для чьей-то потехи. Все, вам пришлось распрощаться с ролью надзирающего божества! Вы испытываете непреодолимое желание обернуться к башне и показать язык. Зачем? Да просто так — чтобы показать Любопытному Тому, занявшему ваше место перед камерой-обскурой, что вы знаете о его присутствии.

Глава седьмая
Три славных города

Три славных города Англии — Херефорд, Вустер и Глостер — приводят меня в восхищение. Я пересекаю пограничную Марку и вижу замок, как встарь, несущий дозор на валлийской границе. В поле я размышляю над развалинами Вирикония, а в Шрусбери меня посещает ночной кошмар.

1

Первое, что бросилось мне в глаза в Глостере, — обилие хорошеньких миниатюрных девушек в счастливом возрасте от пятнадцати до двадцати пяти лет. По вечерам, обрядившись в цветастые муслиновые платья — мода, появившаяся благодаря более высоким, но столь же очаровательным девам с картин Боттичелли — они парочками прогуливаются под аккомпанемент колокольного звона взад и вперед между Нортгейт- и Саутгейт-стрит. Некоторые из этих маленьких подружек — подлинные красавицы, другим мудрая мать-природа (которая старается распределять свои блага более или менее поровну) даровала роскошные волосы или прелестные ножки.

Будь у меня время основательно заняться этими изысканиями, я наверняка бы обнаружил, что за последние двадцать-тридцать лет девочек в Глостере рождается гораздо больше, чем мальчиков: я бы сказал, на каждого родившегося мальчика приходится по шесть будущих невест. Городские власти, к которым я обратился за подтверждением своих догадок, подошли к делу формально и объяснили подобный демографический перекос влиянием местной спичечной фабрики.

Большинство соборных городов, которые встретились на моем пути (я говорю, например, о Винчестере, Эксетере, Уэллсе), являются в некотором смысле придатком к знаменитым историческим зданиям — они ютятся в тени кафедральных соборов, как старые леди под своими зонтиками. Глостер представляет собой счастливое исключение из этого списка. В отличие от других старинных городов, чьи улицы на протяжении столетий служили подмостками для исторических событий, Глостер не торопится в отставку. Этот город — в силу географических и иных причин (которые не подлежат рассмотрению в рамках данного повествования) — никогда не испытывал недостатка в жизненной силе и энергии. Собственно, подобное положение вещей сохранялось с тех самых пор, как в 47 году воины римского Второго легиона основали Глостер. Он представляет собой нечто большее, чем просто великий собор, дремлющий в тени вековых вязов. Глостер — это сочетание древнеримского, саксонского и средневекового города, некий конгломерат, который умудрился проложить себе дорогу в промышленную эру и не растерять вклада предыдущих эпох.

Глостер — помимо того, что это соборный центр, — является также фабричным городом; столицей графства, в которой никого не удивишь возом с капустными кочанами; курортом (ведь при желании вы можете попить лечебную глостерскую водичку) и в конце концов городом-портом. Многим ли известно, что Глостер вполне преуспевает в последней ипостаси? А ведь это действительно портовый город, причем самый «сухопутный», то есть наиболее удаленный от морских просторов.

Это открытие приходит к вам удивительным и весьма неожиданным путем.

Представьте, что вы стоите возле собора и видите проходящего мимо человека в форменных синих брюках и моряцкой шапочке. Первая ваша мысль: наверное, его корабль потерпел крушение на Северне, или же моряк проводит отпуск в родных краях. Но тут из-за угла появляются еще трое или четверо мужчин в морской форме! И как поступит в такой ситуации человек, при условии, что он впервые приехал в Глостер и к тому же, как и все путешественники, не лишен любознательности? Правильно, вы последуете за моряками... И они приведут вас совсем в другую часть города — в Глостерский порт, где за высокими мельницами и элеваторами для подачи зерна стоят на якоре грузовые суда.

К вашему огромному удивлению вдруг выяснится, что Глостер — это самый настоящий маленький Ливерпуль, каким-то чудом перенесшийся в Центральную Англию. Вы обнаружите непременные составляющие морского порта: ремонтный док, плавучие элеваторы, склады с лесом и вагонетки с углем — и все аккуратно спрятано в просторном эстуарии Северна.

От верфей убегает железнодорожная ветка, и не одна... а пронзительный скрип подъемного крана странным образом смешивается с перезвоном соборных колоколов...

Чем меня больше всего порадовал Глостер, так это своей гостиницей — по сути, я остановился на средневековом постоялом дворе. Проживание в таком месте оказалось для меня (да, полагаю, и не только для меня) совершенно новым и неожиданным жизненным опытом. В 1327 году Эдуард II был убит в Глостере. Похоронили его тут же, в местном соборе, и немедленно к гробнице бывшего короля потянулся неиссякаемый поток пилигримов. Трагедия английского монарха обернулась источником благоденствия для города: здесь выросли новые постоялые дворы, некоторые из них и до сих пор обслуживают путешественников.

Гостиница, в которой я пишу эти строки, представляет собой двухэтажную постройку с мощеным двориком. Вход во двор выполнен в виде огромной арки — ее гигантские размеры позволяли пропускать не только крытые носилки, в которых раньше разъезжали благочестивые дамы, но и большие кареты и даже целые кавалькады. Каменная лестница ведет на дубовую галерею, которая тянется вкруговую вдоль всего второго этажа. Двери гостиничных номеров выходят на эту галерею, что создает дополнительные удобства. Проснувшись поутру, я мог выглянуть на галерею и, перегнувшись через перила, наблюдать за всем, что делается в гостинице. Это так интересно. Вы и не представляете, сколько всего можно увидеть, заняв место на таком наблюдательном посту.

На моих глазах вновь прибывшие постояльцы въезжают во двор и заказывают себе номера. Озабоченные горничные снуют по всей галерее, а внизу во дворе выстроилась целая батарея башмаков, ожидающих очереди на чистку. Я вижу официантов с подносами; они вынуждены бегать туда-сюда, и все потому, что при строительстве гостиницы хозяева поместили кухню в одном конце двора, а столовую — в другом. За минувшие шестьсот лет ничего не изменилось, и по сей день даже в самые лютые морозы каждое яйцо, каждый ломтик ветчины к завтраку приходится нести по снегу через весь двор. Да, официантам не позавидуешь! Но они не жалуются, ведь англичане так консервативны. Да здравствуют традиции! Полагаю, все шесть столетий жильцы этого постоялого двора вот так же стояли, свесившись через перила, и наблюдали одну и ту же картину — прибытия, отъезды, чистка, выколачивание пыли и, конечно же, еда.

Любопытно, когда была установлена взаимосвязь между опрятностью человека и его благочестием — уж, наверное, не в Средние века! Во всяком случае, на всю нашу гостиницу имелось всего две ванны, и каждое утро горничная взывала ко мне строгим голосом старшины:

— Джентльмен желает принять ванну *прямо сейчас*?

И приходилось бежать через всю галерею, чтобы занять свое место в конце очереди.

Посещение Глостерского собора повергает любого человека в трепетное состояние, которое запоминается надолго. Притихший, я стоял под сводами собора и взирал на уходящие ввысь колонны нефа. Да, наши предки умели строить: высота, пропорции — все идеально выверено и порождает непередаваемое ощущение естественной силы.

Здесь, на хорах собора, покоится прах Эдуарда II. Его гробница под расшитым пологом в Средние века стала местом паломничества многочисленных пилигримов. Их богатые пожертвования позволили монахам перестроить и церковь, и монастырь. Крытые аркады Глостера заслуживают отдельного упоминания как совершенно уникальное явление среди подобных сооружений в Англии. Их изящные веерные своды являют собой истинное чудо в камне.

Вечернее возвращение в гостиницу обернулось длительной прогулкой по улицам Глостера: я восхищался строгой римской планировкой города, в какой-то момент заблудился в Глеве[1], затем оказался в средневековом Глостере. Уже на подходе к гостинице я услышал звуки музыки, доносившиеся, как мне показалось, прямо из-под земли. Озадаченный, я свернул в знакомый двор и направился к уходящим вниз каменным ступенькам. Над ними светилась надпись «Пристанище монахов». Спустившись по лестнице, я очутился в холодном, пыльном подвале, который наверняка бы

---

[1] Глев — римское название Глостера.

понравился какому-нибудь предприимчивому жителю Монмартра.

Сначала мне показалось, что бар оборудовали в помещении бывшего церковного склепа. В полутемной длинной пещере со сводчатыми потолками стояли пивные бочки, возле них сидели люди с кружками. Вдоль всего подвала тянулась стойка бара, а в дальнем углу размещался неутомимый электрический орган, который одну за другой исторгал из себя модные мелодии. Все вместе представляло собой странное, даже с некоторым оттенком кощунства зрелище. Тем более неожиданное, что посетители бара были не какими-то легкомысленными французиками, а вполне серьезными и солидными глостерширскими фермерами. Нет, к подобному безобразию я оказался совершенно не готов!

Тем не менее я занял свободное место возле бочки и окинул любопытным взглядом мрачноватый зал. В одном углу я заметил кабинку исповедальни, в другом стояла чаша со святой водой! Да уж, думаю, в Англии немного подобных баров.

— Говорят, раньше этот подвал был частью подземного хода, построенного для удобства пилигримов, — сообщил мне бармен. — Чтобы облегчить им дорогу от постоялого двора до храма. Но некоторые утверждают, будто столетия назад это помещение находилось на уровне улицы...

— Мне полпинты, — потребовал один из посетителей. Музыкальный аппарат захрипел, застрекотал — похоже, собирался с силами, чтобы завести новую мелодию.

Гостиничный двор тонул в темноте. Свет горел только на галерее, отбрасывая тени на плитняк, которым был вымощен двор, и обрисовывая контур массивного бруса на каменных ступеньках. Я поднялся наверх и привычно склонился над перилами. Мне хотелось задержаться на мгновение и еще раз окинуть взором двор, являвшийся свидетелем шестисотлетней истории странствий.

Современный Глостер притих, стушевался и, казалось, уступил место воспоминаниям о седой старине. Над городом плыл колокольный звон, а в квадрате ночного неба над маленьким двориком начали проступать первые неяркие звезды.

2

Херефордшир — это стоящие среди высокой травы фруктовые деревья с выбеленными известью стволами; это воздух, напоенный острыми запахами нагретой летней земли; это сборщики фруктов, которые трудятся в садах; это мужчины и женщины, работающие в полях и на лугах за живыми изгородями. Они сгребают вилами и забрасывают на стога золотисто-желтое сено. Между делом они жадно осушают кружки с желтым элем и бледно-золотистым сидром, потому что работа, которой они занимаются, вышибает пот и порождает великую жажду. Долина реки Уай с ее сочной зеленью являет собой прелестные декорации для неповторимого, сугубо английского пейзажа: бархатно-черные коровы стоят по берегам ручьев и речушек и лениво обмахиваются хвостами...

Херефордшир, Глостершир и Вустершир — три брата, три прекрасных принца Англии, и я, право, не знаю, кто из них мне милее...

День был в самом разгаре, когда я остановился в Россе. Я поднялся наверх и там, укрывшись в тени вязов, посаженных «человеком из Росса», бросил взгляд вниз — на изгиб реки и зеленую равнину, которая начиналась за этой рекой и в своей спокойной и полной величия красоте простиралась до самых гор Уэльса. Вот оно, подумал я... Это одна из самых прекрасных панорам, какие мне довелось наблюдать. Веселая, раскрасневшаяся детвора шумно плескалась в водах реки Уай, а на мелководье, в тени раскидистых ив стояли все те же коровы, меланхолично пережевывавшие свою жвачку.

Херефорд...

Чистый, аккуратный, пахнущий фруктами городок, радующий взгляд безоблачным небом и своими фахверковыми домами. Я пересек реку по мосту Уайбридж и сразу же наткнулся на городской собор. Невозможно не залюбоваться этим сложенным из красного песчаника зданием, его центральной башней, окутанной золотым облачком. Если Глостерский собор поражает своим величием, то его херефордский собрат очаровывает какой-то особой — серьезной и торжественной — красотой. Глостерский неф отчасти подавляет, заставляя почувствовать собственную ничтожность перед лицом великого архитектурного чуда. В богато украшенном норманнском нефе Херефордского собора взгляд зрителя устремляется к великолепному восточному окну и там застывает в восхищении.

В тот миг, когда я зашел внутрь собора, прихожане исполняли гимн. В огромном здании было всего девятнадцать человек. Позже я узнал: они ежедневно приходят в пустую церковь и поют гимны. Слушая их, я позабыл о своих неотложных делах. Весь мир перестал для меня существовать — остались лишь эти высокие, бесполые голоса, которые доносились откуда-то сверху, как мне показалось, с точки над алтарем. Но трудно судить: я не видел ничего, кроме голубых и розовых пятен на каменном полу — они рождались из солнечных лучей, пропущенных через оконные витражи. Надо сказать, что херефордский орган — лучший из всех, какие я когда-либо слышал (может быть, за исключением вестминстерского). Он является, так сказать, голосом собора, и в этом качестве воздействует непосредственно на душу. Стоя под высокими сводами и слушая, как звуки органа стелются по боковым приделам храма, я чувствовал, что весь мир с его проблемами оказался за пределами реальности.

Гимн закончился, и участники хора в белых одеждах покинули церковь...

Главным сокровищем Херефорда является «Маппа Мунди» — нарисованная на огромном куске пергамента карта мира, которая хранится в южном трансепте собора. Эта диковинная версия географической карты (насколько мне известно, одна из первых попыток зарисовать нашу Землю) была составлена монахом в тринадцатом веке и отражает средневековые представления об устройстве мира. Распахнув тяжелые дубовые двери, я прошел внутрь трансепта, чтобы собственными глазами взглянуть на знаменитую карту. Земля на ней изображалась как круглый плоский объект с Иерусалимом в центре. Это нормально: точно так же греки располагали в центре обитаемого мира Дельфы, персы — крепость Кангха, а арабы — Арин (Удджайн, «Купол Земли»). Вот что сказано в Книге пророка Иезекииля: «Так говорит Господь Бог: это Иерусалим! Я поставил его среди народов, и вокруг него — земли»[1]. А теперь заглянем в латинскую Библию. Стих двенадцатый семьдесят четвертого псалма гласит: «Спасение пребывает в центре земли». Англия изображена в левом нижнем углу — маленькая страна со множеством соборов. Должно быть, мир в Средние века казался огромной сказочной страной, полной всяческих чудес. Никогда не забуду фразу Г. К. Честертона — кажется, из «Краткой истории Англии» (между прочим, исторической книги без единой даты). «Средние века, — писал Честертон, — были полны того, что мир обожествляет в детях, поскольку позже, во взрослом состоянии, все это исчезает, выдавленное силой жизненных обстоятельств. Они были наполнены — подобно скромным останкам примитивных искусств — тем, что мы видим из окна своей детской».

---

[1] Иез 5:5.

Солнце уже садилось, когда я добрался до Вустерского собора.

Здесь на клиросе, ногами к алтарю, лежит король Иоанн — человек, которого едва ли кто в Англии помянет добрым словом. И тем не менее Судьба — капризная дама с весьма своеобразным чувством юмора. Странные шутки она порой играет с людьми, сохраняя в веках память о злодеях и заставляя начисто забыть праведников! Перед смертью король Иоанн повелел, чтобы его похоронили между двумя вустерскими святыми — Освальдом и Вульфстаном. И что же? Могилы этих двух великих мужей были разрушены, их прах исчез. А кости нечестивца Иоанна так и лежат в гробу с рельефным изображением короля на крышке. Этот скульптурный портрет, выполненный в 1216 году, представляет собой отменную работу: Иоанн изображен в парадном одеянии и с короной на голове. В первоначальном варианте изображение было раскрашенным, но в 1874 году ведомство, ответственное за содержание королевских гробниц, совершило ужасную ошибку: в ходе реставрации гроб Иоанна целиком позолотили, и, краски, соответственно, пропали.

Кстати, в 1797 году гробница была вскрыта, и тогда получила неожиданное подтверждение одна из любопытных легенд, связанных с именем короля Иоанна. История гласит, что, вполне осознавая свои призрачные шансы попасть на небеса, Иоанн велел похоронить его в монашеской рясе. Очевидно, таким нехитрым образом он намеревался ввести в заблуждение хранителя ключей от райских врат. Так вот, когда крышку гроба сдвинули, действительно обнаружили полусгнивший монашеский клобук, прикрывавший череп покойника.

Позже, посетив здание капитула, я получил возможность полюбоваться на гравюру с изображением этой мрачной процедуры.

В мои планы входил осмотр еще одной вустерской достопримечательности — часовни принца Артура, старшего брата Генриха VIII. По правде говоря, это место притягивало меня как магнит: ведь здесь скрывается одна из самых интригующих загадок английской истории, так сказать, ее величайший вопросительный знак. Как бы все сложилось, если бы этот принц выжил? Тогда бы он занял место на английском троне, а Генрих VIII, которого готовили к духовной карьере, стал бы архиепископом Кентерберийским. И по какому пути пошла бы тогда английская Реформация?

Я вернулся к своей машине, припаркованной в тени раскидистого вяза, и поехал на север, в Шропшир.

По дороге я размышлял о том, как было бы чудесно, если бы настоятели и смотрители прочих английских соборов равнялись на своих вустерских коллег в отношении к широкой публике. Вустерский собор приветствует посетителей еще у самых ворот и любезно предоставляет им места на клиросе, если те пожелают остаться и послушать службу. И куда бы ни пошел гость Вустерского собора, он встречает все то же внимательное и благожелательное отношение. Начать хотя бы с того, что каждый памятник и каждая гробница заботливо снабжены табличками с пояснительными надписями.

Судя по всему, вустерские священнослужители первыми осознали тот факт, которым я сам — с удивлением и радостью — поникся в ходе своего путешествия: а именно, что с некоторого времени английские соборы стали привлекать внимание широкой публики. Тысячи мужчин и женщин приезжают сюда, чтобы прикоснуться к английской истории или почерпнуть важные сведения, хранящиеся в наших соборах.

День клонился к вечеру — об этом можно было судить по удлинившимся теням, — когда я пересек границу графства Шропшир.

3

Пыль была повсюду: она набилась мне в глаза и горло, клубилась тучами за моей спиной, когда под вечер я наконец-то выехал из долины. Неприятное ощущение. Поэтому первое, что я сделал, войдя в обшитый дубовыми панелями зал, — устремился к большой пивной кружке, которая светилась подобно лунному отражению на тихой воде. Я поспешно залил с полпинты эля в свое пересохшее горло, опрокинув кружку так, что ее холодная, точно ледяная, кромка коснулась моего лба. Тем временем официантка — веснушчатая девица вполне опрятного вида, в накрахмаленной шапочке на рыжих волосах — принесла тарелку, на которой лежал ломоть аппетитного желтого сыра и солидный кирпич белого хлеба.

Просто удивительно, как так вышло, что, исписав столько страниц, я все еще не нашел случая, дабы вознести законную хвалу хлебу, сыру и элю — самой вкусной и романтической, самой важной и сытной еде, о какой только может мечтать истомленный странник! Толстые владельцы автомобилей-трейлеров могут сколько угодно рыскать по французским меню в поисках морского языка а-ля Кольбер или по-бордосски, равно как и других извращений (пусть и созданных нашими отечественными, порядочными во всех остальных отношениях поварами). Это их личное дело. Я же, когда проголодаюсь — особенно если за плечами у меня мили и мили белых от пыли дорог, — скажу прямо и честно: дайте мне хлеба, сыра и эля!

Эль в этой придорожной харчевне был глубокого коричневато-красного цвета и достаточно крепкий, чтобы, несмотря на всю мою усталость и брюзгливое настроение, слегка вознести меня над грешной землей. Так что, сидя в холодной комнате и наблюдая за догорающим закатом, я вдруг преисполнился романтического желания молиться или сражаться — собственно, двух главных устремлений, которые и составляют сущность средневековой философии.

Нахлобучив свою пыльную шляпу — словно это был рыцарский шлем с развевающимся плюмажем, я вышел из харчевни и зашагал по горбатым улочкам Ладлоу. Мне хотелось полюбоваться на здешних дерзких, драчливых жителей, уже много столетий обитающих на приграничных территориях. В прошлом эти крепкие шропширские парни — задиры и горлопаны — не раз отражали нападения валлийцев, и до сих пор с вызывающим видом прогуливаются по городским улицам — перед ровными рядами фахверковых домиков, мимо пасущихся рыжих коров и упитанных овец. (Полагаю, однако, что в наши дни скот принадлежит самим горожанам. Это лишний раз доказывает, что все со временем меняется!)

В воздухе пахло дымом от множества дровяных печек.

Путешествуя из Корнуолла в Девон, я уже убедился, что Англия обладает уникальным свойством кардинально менять свой облик буквально на протяжении пары миль. Исчезли, остались в прошлом зеленые долины Вустера, славные, опрятные херефордские сады и образцово-показательные поля Глостера, и я почти добрался до границ дикого уэльского края. Маленький городок Ладлоу расположился на вершине холма неподалеку от места слияния Тейма и Корва. Жители Ладлоу до сих пор увлекаются стрельбой из лука, они организовали у себя «Общество теймских лучников». Внизу, на излучине Тейма, можно увидеть впечатляющие руины замка Ладлоу, который является самым знаменитым замком на просторах от Честера до Херефорда, а также самой протяженной пограничной крепостью из всех, что пощадило время.

Миновав пересохший и заросший травой крепостной ров, я прошел к развалинам, чтобы побеседовать с хранителем памятника.

— Тут у нас такое место, — сказал он, — что, кажется, копни и обязательно наткнешься на сокровище. Однако должен вас разочаровать, сэр. Я пытался самостоятельно вести раскопки, но единственное, что мне удалось извлечь из-под травы, — три ржавых полпенни.

Мне вполне было понятно разочарование незадачливого археолога. Побеседовав еще немного на эту тему, я распрощался со служителем и направился во внутренний дворик крепости. Здесь было так тихо и спокойно, что впору было заснуть на послеполуденном солнышке. Там, где некогда располагался главный зал, росла густая трава, мелкие розовые цветочки пробивались на месте «Львиного логова», бывшая оружейная оказалась сплошь во власти папоротника. Я отыскал комнаты, в которых когда-то жил Эдуард IV со своим младшим братом — до того, как они попали в Тауэр и бесследно там сгинули. В сторожевой башне остановился возле узкой бойницы: из нее открывался великолепный вид — далеко внизу протекала река, а за ней на западном горизонте голубели холмы Уэльса.

На протяжении многих столетий обитатели замка Ладлоу жили как на линии фронта. Даже сидя за обеденным столом, они не убирали руки с рукояти меча, готовые броситься в бой по первому сигналу со сторожевой башни. Здесь жили те самые буйные лорды — правители приграничной Марки, которые ни днем, ни ночью не расставались с оружием и не спускали глаз с Уэльса. Когда в других областях Англии яростный звон мечей стал редкостью, здесь, на границе, он был все еще привычным звуком. В то время, когда на лондонской улице труп с перерезанным горлом вызывал всеобщий переполох, в Шропшире подобные случаи не считали нужным даже расследовать. В более спокойных районах страны люди давно уже строили изящные дворцы и удобные усадьбы, а приграничные бароны — первые стоявшие насмерть консерваторы — укрепляли бастионы и углубляли крепостные рвы.

Феодализм в этих краях не собирался сдаваться — и вправду стоял насмерть. По сути, цепочка старинных норманнских крепостей, протянувшаяся от Честера до Херефорда — передовая линия обороны от мятежных валлийцев, — оказалась последним оплотом феодализма в Англии. Каждый из таких замков охранялся маленьким, но крайне воинственным гарнизоном. Эти люди привыкли жить в состоянии войны. Они были готовы по первому сигналу тревоги ринуться в атаку, напряженно вслушивались — не пропоет ли боевой рожок на далеких холмах? Каждый день они привычно всматривались в степные просторы: а вдруг мелькнет вдалеке сигнальный огонь? Их опытный взор сразу различал лунный отблеск на чужих мечах или предательское колыхание высокой травы, выдающее тайное передвижение врага... Они всегда были настороже.

Я не мог не восхищаться этими людьми. Только здесь, в приграничных землях Шропшира, я осознал: тогдашние англичане сильно отличались от наших современников. Постоянная угроза со стороны враждебного Уэльса не оставляла времени на такие праздные развлечения, как охота на лис.

Жизнь в те времена напоминала смертельно опасную шахматную партию: сегодня ты отвоевал крепость-ладью у противника, а завтра удача окажется на его стороне. Приходилось держать ухо востро и постоянно следить за текущей политической ситуацией. В противном случае ты мог отправиться в гости к давнишнему другу и неожиданно найти в его лице злейшего врага. История сохранила воспоминание о Мод де Сент-Валери — мужественной женщине, которая целый год (пока ее супруг воевал где-то в других краях) обороняла свой замок от осаждавших валлийцев. В конце концов крепость пала, но ее хозяйка осталась в живых — лишь для того, чтобы некоторое время спустя умереть голодной смертью в замке Корф, куда заточил ее английский король Иоанн.

В центре внутреннего дворика Ладлоу возвышается прекрасная башня в норманнском стиле — это круглая церковь, одна из четырех сохранившихся в Англии. Правда, сегодня от церкви остались лишь стены: крышей ей служит небо, а полом трава. Заглянув внутрь, я обнаружил пасущихся коз — о, эти древние, как мир, животные! Очевидно, козы расценили мое появление как бесцеремонное вторжение: прекратили щипать траву и устремили на меня негодующие взоры.

И тут я подумал: постойте, а ведь Марион де Лабрюйер вполне могла молиться в этой самой церкви! Почти наверняка так оно и было. Судьба этой девушки описана в единственном дошедшем до нас рыцарском романе, посвященном английскому замку. Я имею в виду знаменитую жесту о Фульке Фицварине, едва ли знакомом посетителям замка Ладлоу. Эта драматическая история произошла во времена правления Генриха II. Юная Марион, воспитанница барона Ладлоу, на свою беду влюбилась в пленного рыцаря по имени Арнольд де Лиль. Любовь толкнула девушку на опасный поступок: как-то ночью она сумела передать своему возлюбленному веревку, и тот бежал. Бедняжка Марион! С того дня жизнь потеряла для нее всякий смысл. Достаточно прогуляться возле этих башен, чтобы понять, сколь невесела и опасна была жизнь молодой девушки в замке Ладлоу, постоянно осаждаемом валлийскими войсками. Почувствовав запах дыма в воздухе, нельзя было сказать наверняка, что это — костер, на котором жарят еду, или незваные гости, изготовившиеся к осаде. Я хорошо представляю себе Марион де Лабрюйер, запертую в своих покоях. Какая тоска снедала ее душу! Девушка чувствовала себя слишком несчастной, чтобы ткать гобелены или хотя бы вязать какую-нибудь безделицу для своего высокого покровителя. Она неотрывно смотрела на далекие холмы и вздыхала: «О, если б я могла еще раз увидеть возлюбленного! Его прекрасное лицо, его гордый прямой нос! О боже, лучше бы мне умереть...»

Как-то раз барону наскучило сидеть в замке Ладлоу, и он решил совершить вооруженную вылазку — в надежде пустить кому-нибудь кровь и хоть немного развлечься. Просто так... чтобы не нарушать заведенный в приграничье порядок вещей. Узнав об этом, Марион послала гонца к де Лилю: в письме она сообщала любимому, что тот может безбоязненно явится к ней на свидание. Арнольд получил послание и темной, безлунной ночью действительно прискакал в Ладлоу. Пока Марион наслаждалась в объятиях любимого, в замке поднялся страшный переполох, ибо коварный де Лиль пришел не один! Он привел с собой вооруженный отряд, который беспрепятственно проник в замок. Узнав о предательстве возлюбленного и будучи честной девушкой, Марион приняла единственно достойное решение: она выхватила меч Арнольда и вонзила его в сердце предателю. После чего сама выбросилась в окно и разбилась насмерть об острые скалы!

Такова была жизнь в эпоху рыцарства.

Пока я стоял в часовне, где несчастная Марион некогда молилась о любимом, и смотрел в сердитые глаза старой козы, в голове у меня зародилась любопытная теория — вполне в духе Пифагора! Почему бы не предположить, что за свое злодеяние Арнольд приговорен к возрождению в облике вон того молоденького и глупого козленка, что пасется под стенами башни? Ему суждено вечно бродить по здешним землям, которые он когда-то топтал сначала как пленник, затем как удачливый любовник, вероломный предатель и наконец как завоеватель!

— Арнольд, — строго молвил я, — я считаю, что ты получил по заслугам!

Клятвопреступник в козлином обличье ответил мне оскорбленным взглядом и тряхнул роскошной бородой. Тем временем молодая изящная козочка проворно выскочила в окошко и легкими прыжками помчалась к Арнольду. Ах, как доверчиво она приблизилась к подлому предателю, как нежно ткнулась своей белой пушистой мордочкой в его бороду!

— Не доверяй ему! — предостерег я бедняжку, но та — как истинная женщина — лишь возмущенно вскинула свою прелестную головку и так же легко ускакала обратно.

Замок Ладлоу — застывший над Теймом, обращенный в сторону валлийских холмов — все еще хранит дух галантности и средневековой жестокости. Кажется, он пристально и недоверчиво смотрит на Уэльс сквозь узкие окна-бойницы, не желая верить в то, что мир наконец-то воцарился и далекие холмы не представляют больше никакой опасности.

4

Там, где Северн ленивым рукавом опоясывает поля южнее Шрусбери, я наткнулся на группу людей, копавшихся в канаве неподалеку от проселочной дороги. Копание канав, как известно нашему поколению, является, возможно, наиболее значительным видом человеческой деятельности и в силу этого всегда привлекает внимание вдумчивого человека. Лично я заметил сразу несколько таких личностей — интеллигентного вида, в очках, — стоявших на парапете и с самым серьезным и заинтересованным видом наблюдавших за каждой порцией земли, появлявшейся из таинственных глубин.

— Ага! — сказал я себе, притормаживая машину. — Вот прелестная история для такого замечательного утра, как сегодняшнее! Если только моя карта не врет, то это должен быть Роксетер, или, как я его предпочитаю называть, Уриконий — Вириконий... А эти люди, насколько я понимаю, не кто иные, как профессора и студенты археологии, решившие пощекотать старый костяк Древнего Рима.

Земля здесь просто насыщена чудесами. Это картофельное поле, начинавшееся сразу за раскопом, скрывало под собой один из величайших провалившихся экспериментов древних римлян. Тысяча восемьсот пятьдесят шесть лет назад здесь был построен город, который простоял почти пятьсот лет и в конце концов умер страшной смертью; но за время своего существования он стал маленькой сценой, где разыгралась первая историческая драма в жизни Англии.

Это действительно был Вириконий — «Белый город в лесах». На бровке канавы я рассмотрел осколки красной самосской керамики со следами сургуча (такие сосуды обычно использовались для перевозки грузов из Галлии); желтые ручки амфоры; тонкую красную черепицу (римские легионеры умели придавать ей прочность стали). От центрального раскопа в разные стороны расходились другие канавы; то там, то здесь виднелись глубокие просторные ямы, на дне которых располагались остатки стен, фундамент и — самая впечатляющая находка — целый ряд оснований каменных колонн, которые некогда поддерживали портик над входом в одно из публичных зданий Вириконии.

Сегодня достаточно постоять на краю раскопа, вглядеться в эти крохотные осколки римской Британии — красная черепица, битые горшки, коричневые кости людей и животных, — и перед вашими глазами снова возникнет картина древнего города. Города, который насчитывает тысячи лет, но по-прежнему остается *живым*.

— Вириконий был основан приблизительно в 68 году нашей эры, — пояснил один из археологов, — солдатами Четвертого легиона, которые вскорости после этого вернулись обратно в Рим.

Подумать только, 68 год! Примерно в то же самое время Нерон устроил грандиозный пожар в Риме — поджег Большой цирк вместе с телами первых христианских святых; еще были живы люди, своими ушами слышавшие Нагорную проповедь. А с другой стороны Канала — наши английские поля! Британия той эпохи погружена в густой, непроницаемый туман седой древности. Время от времени туман рассеивается, и мы видим густые непролазные леса, дикие племена, которые с изумлением и опаской наблюдают, как под кирками римских легионеров миля за милей вырастают прекрасные мощеные дороги. Следующий просвет и следующая картина: прекрасный белый город, выросший посреди лесов — один из ключевых городов римской провинции Британия. Высокие стены, колоннада и портик — невиданное зрелище в здешних местах. По сути, это была маленькая копия Рима, факел прогресса, зажженный на диких британских холмах от того светоча далекой цивилизации, который не погиб окончательно под свирепым натиском гуннов, а сохранился в христианской церкви с тем, чтобы лечь в основу современного мира. Сквозь густой туман столетий до нас доносится скрип весел в уключинах — это римские галеры медленно передвигаются по английским рекам; низкие звуки боевых рожков легионеров — они возвещают всем, даже самому маленькому волчонку в стае, что в Британии наступило время перемен... тревожных перемен.

— Понимаете, — продолжал мой собеседник, — это был довольно большой город. Стены тянутся в поля, я сам проследил в прошлом году. А за ними канава!

На протяжении пяти столетий Вириконий стоял, отгородившись высокими стенами, на самой границе с Уэльсом. Город с красными черепичными крышами, спрятавшийся за красными кирпичными воротами, отличался четкой планировкой, чем напоминал военный лагерь. В самом центре красовался традиционный форум с белыми колоннами. По базарным дням улицы заполнялись козами, овцами и собаками, ибо Вириконий, в отличие от Честера или Йорка, был не просто военной крепостью — он представлял собой свое-

образный социальный эксперимент. Легионеры попытались
воссоздать здесь кусочек собственной цивилизации. Город
был организован по римскому образцу, заправляли всем,
естественно, римляне, но основное население составляли
одетые в тоги бритты. Вот фрагмент письма, которое вполне могло быть отправлено в Рим одним из молодых римских чиновников:

> Дражайшая матушка!
>
> Вы спрашивали, чем мы тут занимаемся... Так вот,
> отвечаю: мы пытаемся сделать нечто приличное из здешних аборигенов. Самых диких приходится держать в отдалении, на холмах; тех, что поддаются приручению, селим в городах. И уже кое-чего добились. Вы не поверите, но вся местная детвора говорит на латыни и знает
> историю Ромула и Рема. А помните ли Вы Марка, с которым я учился в школе в Риме? Он сейчас в Лондинии
> и, как я слышал, собирается жениться на одной из тамошних девиц. Не надо пугаться, дорогая матушка, они
> вовсе не такие раскрашенные дикари, как Вам представляется. Я и сам, возможно, женюсь на британской девушке! На самом деле они очень хорошенькие, да и одеваются весьма недурно. Кстати сказать, римские моды
> доходят сюда всего лишь с десятидневным опозданием. Не
> так давно здесь у нас объявился один маленький иудей,
> так представьте, он сделал целое состояние на торговле
> лентами — все женское население Вириконии целыми
> кипами скупает у него это добро. Некоторые из местных
> жителей — те, что побогаче и пообразованнее (разговаривают они, как настоящие сенаторы), — выстроили себе
> прекрасные загородные виллы и устраивают там роскошные приемы. Я часто обедаю у них и показываю, как нужно смешивать фалернское вино. Должен признаться, что
> живется нам здесь совсем недурно. Передайте мой по-

клон батюшке и поблагодарите за виноградную лозу, которую он прислал для моего сада. Увы, она не слишком хорошо принялась — все-таки климат здесь чересчур прохладный...

Целых пять столетий длилась эта размеренная римская жизнь за стенами Вирикония: ежегодно здесь торговали зерном, продавали скот и шкуры, и большинство считало, что так будет длиться вечно. Лишь окрестные холмы, глядящие в небо, знали, что это неправда. Лишь зеленая трава догадывалась о страшной истине. Лишь северный ветер, зимними ночами терзавший Вириконий, нашептывал о близком падении Рима и приходе диких племен, которые привыкли спать под открытым небом. Скоро, совсем скоро объявятся дикари — с огнем и мечом... И наступит конец всему.

— Конец всему? — переспросил археолог. — Да вот, смотрите сами.

Он нагнулся и указал на черный слой земли в разрезе раскопа.

— Огонь! — кратко пояснил он.

Туман забвения снова ненадолго рассеялся, и мы увидели вереницу римских галер, отплывающих на родину. После пятисотлетнего пребывания на острове римляне спешили домой, чтобы спасти умирающего исполина. А над Англией прозвучали слова самого трагического из всех посланий, какие только присылали римские цезари в провинцию. Речь идет о знаменитом послании Гонория, суть коего сводилась к следующему: «Вы сами должны себя защищать!» (Если б англичане еще знали, как это делается. Увы, это было единственное, чему римляне не научили Британию.) А затем далекие костры, которые раньше были видны на холмах, приблизились, преодолели стену и вовсю заполыхали на улицах Белого города. Настал час свирепых, полудиких захватчиков. Жители Вириконии, которые за пять столетий привыкли к спокойной жизни, оказались на краю пропасти.

— Взгляните! — произнес археолог. — В этой комнате мы обнаружили обгорелые скелеты мужчины и женщины; мужчина сжимал в руках кубышку с монетами. А вон там лежали двое сгоревших ребятишек. Таков был удел Вириконии.

И наконец, последняя картина в тумане веков: «Белый город в лесах» уже после своего краха — в лунном свете лежат безжизненные руины. Новые хозяева — саксы — не захотели здесь жить. Они сторонились этого места, опасаясь призраков. И были правы: призраки наверняка бродили по улицам Вириконии — несчастные люди в белых тогах. Лишь при свете дня захватчики отваживались посещать заброшенный город, выносили камни с римских развалин. Из этих камней они возвели себе новый город — всего в нескольких милях от старого, и дали ему название Шрусбери.

Все сокровища, которые рабочие извлекли из многострадальной роксетерской земли, хранятся в жестяном сарае. Здесь можно увидеть кучи красной самосской керамики (все вместе напоминает склад посудной лавки — стопки чаш, вложенных одна в другую). Все чаши украшены изображениями Пана, Геркулеса и Дианы; на внутренней стороне нацарапаны имена галльских мастеров.

Кроме посуды здесь кучи красной римской черепицы, на которой остались отпечатки ног вездесущих детишек и собак, из баловства или по неосторожности шлепавших по еще не остывшим изделиям. Эти отпечатки — детские, собачьи, равно как и следы взрослых римских сандалий — сохранились настолько хорошо, словно были оставлены только вчера. Я глядел на них и, хотя умом понимал, что эти люди погибли восемнадцать столетий назад, не мог отделаться от ощущения, будто вот-вот из руин выскочит какой-нибудь мальчонка в детской тоге и помчится домой пожаловаться матери на обожженную ногу.

Наиболее значительной находкой в Вириконии стала надпись, выполненная четкими, прекрасно сохранившимися буквами. Очевидно, в свое время она красовалась над входом в какое-нибудь публичное здание города, поскольку гласит: «Возведено в 130 году местным племенем в честь императора Адриана».

Можно только позавидовать городу Шрусбери, в чей музей поступят все эти сокровища. Зайдите туда в самое ближайшее время, и в застекленных витринах вы увидите снабженные сопроводительными надписями экспонаты — все, что осталось от «Белого города в лесах».

5

Во всем было виновато полнолуние и омар, неосмотрительно съеденный на ночь...

Когда я отодвинул занавески, лунный свет отпечатался зелеными пятнами на полу. Косые лучи легли поперек кровати и дотянулись до мрачного платяного шкафа, который прятался в темном углу под древней дубовой балкой. Ах, какая волшебная ночь! Все тот же колдовской зеленый свет заливал окрестные холмы и поля, порождая таинственные тени, создавая видимость необъяснимого, скрытого движения в темных чащах и молодом редколесье. В такую ночь кажется, что достаточно выйти за околицу — и услышишь эльфийские волынки, увидишь призрачные фигуры, отплясывающие посреди «ведьминых кругов». Где-то на соседней улице безостановочно воет пес — глупый маленький волчок сам не знает, почему не спит... просто древние инстинкты не дают ему покоя в полнолуние.

Я лежал в постели и размышлял о давних кровавых преступлениях, случившихся в этих местах. Шрусбери есть о чем вспомнить. Начиная с восьмого века, когда мерсийский король Оффа приплыл со своими войсками по Северну и вышиб правителя Поуиса из его замка, все пертурбации на валлийской границе — будь то в эпоху саксов, норманнов или во времена Средневековья — немедленно сказывались на судьбе Шрусбери. В 1283 году неподалеку отсюда, у подножия каменного кельтского креста, состоялась жестокая казнь святого Давида Уэльского, а в 1403 году там же произошло убийство герцога Вустерского. В том же году здесь было выставлено на всеобщее обозрение тело Сорвиголовы Гарри[1]. Его продержали целых три дня, чтобы все желающие могли убедиться: злейший враг короля действительно мертв. Как вы помните, Фальстаф похвалялся, что убил Сорвиголову Гарри после героической битвы, которая длилась «целый час по шрусберийским часам!» Это воспоминание вызвало у меня невольную улыбку. На ум пришли зеленые поля... госпожа Форд и госпожа Пейдж... корзина для грязного белья... Эллен Терри... Стратфорд-на-Эйвоне... как забавно выглядят мои шлепанцы, когда стоят вот так — сами по себе, без меня — в пятне лунного света. Это была последняя мысль; затем я, похоже, заснул.

Вам знакомо состояние, когда неизвестно почему внезапно пробуждаешься от глубокого сна? Такое впечатление, будто чья-то холодная костлявая рука прошлась над лицом и обожгла холодом. Ощущение было настолько сильным, что я лежал, не смея открыть глаз. Мне казалось: если только я это сделаю, то непременно увижу кошмарную руку — и существо, которому она принадлежит. Большинство повседневных звуков, которые днем кажутся совер-

---

[1] Прозвище сэра Генри Перси, старшего сына герцога Нортумберленда и союзника, а затем противника Генриха IV; в 1403 году Хотспер (это прозвище также употребительно в русской традиции) был убит в битве при Шрусбери.

шенно смехотворными, иногда (слава богу, это происходит достаточно редко) пугают нас до беспамятства. Какими же маленькими, одинокими и беспомощными кажемся мы себе в тишине лунной ночи! Снаружи не умолкая воет собака, а мы с замиранием сердца прислушиваемся к этому завыванию, который шотландцы называют «смертным воем».

Послушай, повторял я про себя, ты должен немедленно открыть глаза и вообще перестать вести себя как маленький неразумный ребенок. Иначе ни о каком самоуважении не может быть и речи. Итак, на счет «три» необходимо решиться и положить конец этому безумию! Раз... *но я же чувствую: в комнате находится какое-то ужасное чудовище... два... наверное, оно склонилось прямо надо мной, я ощущаю его леденящее присутствие совсем рядом... тр... а вдруг я увижу, как дверца гардероба медленно открывается, или (что еще страшнее) медленно закрывается* — черт побери! — ТРИ! С усилием я открыл глаза и увидел лунный луч, белой полосой падавший мне на лицо. Комната, естественно, была пуста.

Если вам доводилось когда-нибудь просыпаться в холодном поту от ночного кошмара, вы, конечно же, посочувствуете моим безуспешным попыткам снова заснуть. В ночные часы чужая, незнакомая комната наполняется необъяснимым напряжением — будто что-то вот-вот должно произойти. Стоит открыть глаза, и все знакомые вещи обретают дьявольскую способность мыслить и действовать самостоятельно. Такое впечатление, будто предметы обстановки ведут некий таинственный разговор. Если же смежить веки, получается еще хуже: по коже пробегают мурашки; вы лежите, забившись под одеяло, и чувствуете себя последним трусом. Вас не покидает ощущение, что в следующую секунду из тени в углу появится некая ужасная сущность — вы услышите ее приближение, почувствуете холодное прикосновение. Я никак не мог отделаться от мыслей о несчастном Сорвиголове Гарри. Перед глазами стояло его безжизненное тело, распростертое меж двух дорожных камней. Сколько я ни старался прогнать наваждение, этот образ не шел у меня из головы. В конце концов создалось четкое ощущение: бедняга Гарри сидит прямо у меня на постели и силится что-то сказать.

Думается, в такие минуты человек явно преувеличивает свою способность разумно оценивать окружающую обстановку. Ему только кажется, что он бодрствует, а на самом деле он лежит, одурманенный сном, весь во власти иррационального ужаса, и слабо надеется, что, если затаится, то, возможно, надвигающийся кошмар не реализуется. Увидеть привидение — несомненно, сильнейший шок для любого человека; но поверьте: ожидание этого момента, когда всеми порами ощущаешь разлитое в воздухе потустороннее присутствие, — еще худшее испытание. Впрочем, не исключено, что все подобные переживания являются следствием расстроенного пищеварения.

Насколько же глупыми кажутся ночные страхи поутру, когда лежишь в залитой солнцем комнате и прислушиваешься к громыханию почтового фургончика по мостовой...

Трудно придумать более неподходящее место для встречи с призраками, чем Шрусбери в утренние часы. Распекая себя на все лады, я пообещал никогда впредь не есть на ужин речного омара — особенно в полнолуние — и приготовился совершить ознакомительную прогулку по городу. Отказать себе в таком удовольствии совершенно невозможно, ведь Шрусбери обладает естественным, неподдельным обаянием, с которым не может сравниться ни один город Англии. Чего только стоят прелестные фахверковые дома — ни до, ни после мне не довелось видеть столько очаровательных старинных построек, собранных в одном месте. К тому же в городе начисто отсутствует трамвайное движение, но это преимущество осознается далеко не сразу. Лишь

к середине своей прогулки по Шрусбери я наконец разглядел, что его улицы не обезображены привычными рельсами
и линиями электропередач.

О географическом положении города следует поговорить
отдельно. Его строители знали толк в градостроении и обеспечении безопасности жителей. Шрусбери стоит на возвышенности, практически со всех сторон окруженной естественной водной преградой. Дело в том, что река Северн
описывает здесь петлю, опоясывая своими глубокими, пол-
новодными водами городские постройки. Лишь на крайнем
северо-востоке образуется сухопутный перешеек шириной
в триста ярдов, и именно здесь расположен Шрусберий-
ский замок. Выглядит он довольно живописно, но я все же
продолжаю настаивать, что основную прелесть города составляют старинные постройки. Полагаю, все американские
туристы должны непременно посетить Шрусбери, прежде
чем покинут нашу страну.

Не знаю, существует ли полный справочник по старым
домам Англии. Если нет, то должен найтись человек, обла-
дающий достаточным запасом времени и хорошим фотоап-
паратом, дабы составить такое издание. Потомки будут ему
благодарны. В одном только Шрусбери (не считая остального Шропшира) сохранилось множество интереснейших
строений — целые улицы, построенные в тюдоровскую эпоху и даже ранее. Дома по-прежнему обитаемы, каждые полвека они реставрируются и благодаря этому выглядят почти
как новые, под свежим слоем замазки и побелки.

Надо сказать, что Шрусбери и другие сельские города,
живущие кипучей деловой жизнью, обладают особым шармом. Они сильно отличаются от соборных городов, в которых собор занимает настолько господствующее положение,
что заслоняет все остальное: гости города приезжают и уез-
жают, так и не повидав ничего, кроме собора. В отличие от
этих городов Шрусбери на протяжении многих веков играл

роль маленькой столицы сельского графства и в таковом качестве представляет больший интерес для стороннего наблюдателя. На его древних улицах — с верхними этажами, нависающими над мощеными мостовыми (мне они напоминают старых утомленных профессоров истории, вышедших погреться на солнышке и раскланяться с коллегами) — течет неторопливая сельская жизнь, которая не меняется уже много столетий. Ее основные черты и законы сложились в елизаветинскую эпоху, а отдельные приметы восходят к еще более ранним временам саксов и норманнов.

Шрусбери хорош в любое время суток, но лично мне он больше всего нравится ранним вечером, когда магазины закрываются, а девушки, целый день просидевшие на своих рабочих местах, принаряжаются и выходят прогуляться. Городские щеголи кучкуются на углах центральных улиц, а местные забияки в хаки прохаживаются по главной улице в поисках приключений. С первого взгляда видны основные центры общественной жизни. Их всего три: городская площадь, дом приходского священника и контора местного адвоката. Эти двое — представители церкви и закона — воплощают собой местную аристократию. На каждой автобусной остановке стоят люди, дожидающиеся транспорта, чтобы отправиться в родную деревню. Корзинки, в которых поутру на рынок доставлялись яйца и сыр, сейчас забиты совсем другими товарами. В них продукты городского производства — граммофонные пластинки и электрические лампы, ленты и нарядные фильдеперсовые чулки, а также вязаный галстук «для папочки». Для этих людей Шрусбери — с его красивыми улицами, с его соблазнами — большой столичный город, куда они приезжают каждые выходные. Деревенские терпеливо дожидаются междугородного автобуса и благословляют это благо цивилизации, которое сыграло в их жизни роль большую, нежели железная дорога. Ведь от железнодорожной станции до фермы неближний путь, а автобус доставит их практически к родному дому.

С тех пор как я покинул Девоншир, мне нигде не доводилось видеть столько пышных полногрудых девиц и крепких, добронравных фермеров, как здесь, в Шрусбери.

Самой высокой оценки заслуживает и местный скот — здешние коровы и овцы радуют взгляд. Еще хочется сказать о памятнике уроженцу Шрусбери — Чарльзу Дарвину, водруженном на высокий постамент. Его голова, увы, служит безвинной мишенью пролетающим мимо птицам (кои, должно быть, сильно интересовали в свое время ученого), зато ноги Дарвина со всем пиететом облачены в превосходную пару бронзовых башмаков, даже снабженных шнурками (как мне удалось заметить).

Ночная прогулка по улицам Шрусбери — особенно при колдовском свете луны — позволяет окунуться в атмосферу старой Англии. Особенно великолепна улица под названием Бутчер-роу. И хотя здесь нет зданий старше пятнадцатого и начала шестнадцатого века, но по ночам, когда нависающие этажи и венчающие карнизы отбрасывают косые глубокие тени на белые стены каменно-кирпичных домов, кажется, будто спящие улочки города заполняются стародавними воспоминаниями. Перед вашими глазами проходит длинная процессия аббатов и королей, епископов и закованных в латы рыцарей — все они сыграли свою роль в положенный час, оставив после себя добрую или худую память...

Так что с призраками в Шрусбери можно столкнуться не только благодаря съеденному на ночь омару.

Глава восьмая

Черная страна и Озерная школа

Я прогуливаюсь по стенам Честера, объезжаю стороной Черную Англию, открываю для себя истинное лицо Уигана, восхищаюсь Озерным краем и принимаю внезапное решение посетить Гретна-Грин.

1

На языке древних бриттов Честер назывался Каэрлеон, что в переводе означало «Город легионов». Он и сегодня остается «городом легионов», только эти легионы прибывают из Луисвилля и Ошкоша, Нью-Йорка и Вашингтона.

За свою жизнь мне неоднократно приходилось выслушивать людей, описывающих свои впечатления от прогулки по крепостным стенам Честера. Поэтому первое, что я сделал по прибытии в Честер, — отправился на поиски стены. Найти ее не составило особого труда. Честер, как вы знаете, единственный английский город, который в целости сохранил свои средневековые стены — высокие, сложенные из красного песчаника, со сторожевыми башнями в стратегически важных точках. Все желающие могут прогуляться по пешеходной дорожке по верху стены. С одной стороны эта дорожка обнесена перилами (дабы зазевавшийся экскурсант не сверзился в раскинувшийся за стеной сад), а с другой проходит барьер высотой в половину человеческого роста, откуда в прежние времена было очень удобно, например, лить кипящее масло на головы неприятельских солдат, штурмующих крепость, или сбрасывать камни и другие тяжелые предметы, оказавшиеся под рукой. «Блажен тот, кто не ждет слишком многого» — эту мудрую мысль в меня пытались вбить с тех самых пор, как я подрос и обнаружил склонность к несбыточным мечтаниям; однако мои воспитатели так и не преуспели в своих благих намерениях. И в очередной раз я в этом убедился, поднявшись на стены Честера.

Полагаю, каждый человек, оказавшись на стенах средневекового города, вполне обоснованно ожидает увидеть нечто героическое или, по меньшей мере, необычное. Увы, я сам вынужден был удовольствоваться зрелищем газового завода, канала и стирающих в этом канале прачек. Честер, ограниченный крепостными стенами, производит вполне средневековое впечатление, однако часть города, лежащая за стенами, являет собой обычный индустриальный пейзаж. И это естественно. В нашу промышленную эпоху и при нынешних ценах на землю — сто тридцать фунтов за акр — нечего и надеяться, что администрация Честера сохранит неиспользованными обширные пустоши за чертой исторического города. Вот так и получилось, что крепостные стены стоят, бережно обнимая прекрасный старый Честер, а новый и уродливый Честер завистливо заглядывает за парапет с внешней стороны.

Я шел по стене уже около десяти минут, наслаждаясь видом укрывшегося среди деревьев маленького собора, когда наткнулся на сторожевую башню, к которой вели древние истершиеся ступени. Над входом в башню можно было разобрать следующую драматичную надпись:

ДВАДЦАТЬ ЧЕТВЕРТОГО СЕНТЯБРЯ 1645 ГОДА КОРОЛЬ КАРЛ СТОЯЛ НА ЭТОЙ БАШНЕ И НАБЛЮДАЛ, КАК ЕГО АРМИЯ ТЕРПИТ ПОРАЖЕНИЕ ПРИ РАУТОН-МУРЕ

Внутри башни устроен небольшой музей. Его смотритель с жаром принялся рассказывать мне — так, будто видел все собственными глазами, — как армия роялистов спешила на выручку честерскому гарнизону, как «круглоголовые» напали на нее и разбили в пух и прах. Что же до короля Карла, то монарх стоял на стене и наблюдал за каждым ходом смертоносной игры. В музее выставлены разнообразные предметы времен гражданской войны, кроме них — несколько античных экспонатов, относящихся к тем далеким дням, когда несравненный 20-й легион (Валерия Виктрикс) нес службу в древней крепости Дева.

Я пошел дальше и преодолел, по ощущениям, еще несколько миль. В душу мою закралось подозрение, что честерская стена образует полную окружность, и я хожу по кругу. Аттракцион, который я обнаружил возле ворот Бридж-гейт, ни в коей мере не улучшил моего настроения. Для экскурсанта, утомленного долгой прогулкой, он выглядел чистой насмешкой: к воротам поднималась длинная лестница, разбитая на три пролета. В народе ее называли «Лестницей желаний».

— Откуда такое название? — поинтересовался я у мужчины, стоявшего на ступеньках с видом крайнего разочарования (похоже, он не мог похвастать ни одним реализованным желанием).

— Э-э... понимаете, — проговорил он с характерным для местных жителей туповатым выражением, — если не переводя дыхания пробежать всю лестницу вверх, затем вниз и снова вверх, то, говорят, ваше желание исполнится.

Я заметил стоявшую наверху группу американских туристов, которые решили испытать свои силы и, судя по всему, безуспешно — они едва переводили дыхание, но победного блеска в глазах не наблюдалось. Я решил закончить осмотр честерской стены, а желание загадать как-нибудь в другой раз. Противиться вызову судьбы я никогда не умел, но сегодня был просто не готов к подобному подвигу: ведь требовалось сначала пройти несколько миль по стене, а затем пробежаться «вверх, вниз и снова вверх». Непростая задача! Пожалуй, я приду сюда как-нибудь поутру, когда буду полон сил и энергии... а еще лучше оставлю эту затею местным атлетам — и приезжим легионам!

На самом деле в Честере существует достопримечательность, которая, по моему мнению, стоит десяти стен. Речь идет о совершенно уникальном явлении, какого больше не увидишь ни в одном английском городе, — честерских Рядах, или галереях.

Вообще Честер представляет собой город балконов. С первого взгляда мне показалось, что практически все горожане проводят большую часть времени на старых дубовых галереях — стоят, перегнувшись через перила, покуривают, переговариваются с соседями и наблюдают за протекающей на улицах жизнью.

Пресловутые честерские Ряды — это длинные крытые галереи, которые проходят вдоль вторых этажей старых городских зданий. Попасть на них с мостовой можно по коротким лестничным пролетам. Вы поднимаетесь по каменным ступеням и оказываетесь на самых необычных торговых улицах, какие только существуют в Англии. Здесь, в темноте древних переходов, скрываются самые лучшие магазины, в которых можно отовариться, не замочив шляпы, даже в самую скверную погоду. Ряды обладают своеобразным шармом, который я бы определил как псевдосредневековый. «Псевдо-», поскольку данный тип построек не характерен собственно для Средних веков (по крайней мере, мне не удалось найти упоминания о подобных галереях на каких-нибудь иных улицах). И тем не менее Ряды производят впечатление чего-то сугубо средневекового. Представьте себе тяжелые дубовые балки, которые поддерживают полутемные, убегающие вдаль крытые галереи. Бросив взгляд за перила, вы видите напротив черно-белые фахверковые дома с точно такими же «рядами», протянувшимися на уровне второго этажа вдоль всей улицы. Там тоже стоят люди, которые поглядывают вниз и беседуют между собой.

Больше всего центральные улицы Честера напоминают гигантский стоящий на якоре галеон, на палубах которого собралась праздная отдыхающая публика.

Честерские Ряды на протяжении многих лет интригуют всех знатоков древности. Существует огромное количество теорий, но ни одна из них не в состоянии удовлетворительно объяснить происхождение этих своеобразных «торговых улиц».

— Кто знает, почему они возникли? — пожал плечами местный антиквар. — Некоторые считают, что их строители вдохновлялись архитектурой Древнего Рима, вернее, тем, что осталось от нее в Англии. Сторонники другой теории утверждают, будто галереи возникли в Средние века как оборонительное сооружение от набегов валлийцев. Есть и такие, которые полагают, будто все объясняется дороговизной земли в центре города. По их мнению, первые купцы возводили свои лавки на месте бывшего поселения древнеримских легионеров. Их конкуренты, также претендовавшие на дефицитное место в центре Честера, принялись надстраивать дома своих предшественников. Якобы это в конечном счете и привело к такому нетривиальному архитектурному решению. Гипотез много, но никто не берется с уверенностью объяснить возникновение честерских Рядов.

Это — одна из величайших архитектурных загадок Англии...

Честер можно с тем же основанием назвать «средневе-
ковым» городом, как и Кловелли — «очаровательным».
Спорное по сути, но вошедшее в традицию утверждение.
Ночная прогулка по Рядам производит зловещее впечатление. Все магазинчики закрыты, темные пустынные галереи
(ибо вечерами горожане предпочитают передвигаться традиционным образом — по мостовым) кажутся бесконечными. Ваши шаги гулко разносятся под уходящими вдаль колоннами... но что это? Вы слышите (или вам кажется, что
слышите) шорох за спиной: это наемный убийца идет за вами
по пятам, вы уже ощущаете острие кинжала у вашей шеи!
О боже, трудно представить себе более драматичную улицу, чем галереи Честера...

Местные жители настолько привыкли к своей многовековой истории (и ее материальным свидетельствам), что для
них выпить чашечку кофе в склепе двенадцатого века —
обычное дело. Я же чувствовал себя очень неуютно в великолепном сводчатом склепе, переоборудованном под ресторан!
Глаз невольно разыскивал в толпе фигуры средневековых
монахов в темных сутанах, но находил лишь жизнерадост-
ных девушек и молодых людей, которые с убийственным равнодушием — на мой взгляд, близким к святотатству — по-
глощали кремовые пирожные и запивали их чаем.

Перебирая свои путевые впечатления, должен признать,
что мои приятнейшие воспоминания связаны с тем сладост-
ными вечерними часами, когда я, выглянув в окно постоялого двора или гостиницы, впитывал в себя звуки отходя-
щего ко сну города или деревни, меня приютивших. Когда-
нибудь я непременно напишу об этом. Поздним вечером —
когда трамваи засыпают в своих парках, а толпы горожан
расходятся по домам, когда последние американцы уже допили вечерний «хайбол» в прокуренных барах и удалились

в гостиничные номера, — вот тогда древние города, подобные Честеру, возрождаются к жизни. В такие минуты я стою около окна, наслаждаясь ночной прохладой и видом полной луны на небе, и мне кажется, будто внизу на улице снова выстроился славный легион Валерия Виктрикс. Римские солдаты переминаются с ноги на ногу, сомкнув копья, и терпеливо ждут приказа, чтобы двинуться вперед и приступить к строительству одного из древнейших городов Англии.

Именно здесь, на огибающей Честер «священной Ди», в далеком 973 году Эдгар Миротворец продемонстрировал свое величие, повелев шести покоренным королям перевезти себя через широкую и полноводную реку. Именно здесь, в Честере... Я мог продолжать до бесконечности — реанимируя то одну, то другую картину из истории Честера. Однако уже поздно, луна поднялась высоко, заливая своим мертвенным светом притихший город с его старинными домами, выросшими на красной черепице Древнего Рима.

2

При пересечении границы Чешира и Ланкашира пейзаж кардинально меняется. Разница более существенная, чем, скажем, при переезде из Корнуолла в Девон или при смене южных равнинных графств дикими болотами Уэльса. Здесь путник вступает в пределы так называемой индустриальной Англии.

Я сверился с картой: мой путь пролегал между Ливерпулем (слева) и Манчестером (справа), примерно на расстоянии шестнадцати миль от каждого из них. Далеко на западе виднелась дельта Мерси, там над плоской равниной поднимались багровые клубы дыма. Справа же повисла огромная, в полнеба, серая туча, обозначающая месторасположение Манчестера. Эти зловещие приметы могли означать только одно: мое длительное путешествие по «зеленой» Англии —

той части страны, куда не дотянулась промышленная революция, подходит к концу. На протяжении нескольких месяцев мне удавалось избегать встреч с последствиями этой самой революции. В окрестностях Бристоля, правда, располагалось несколько фабрик, но я предпочел держаться от них подальше. Точно так же оставил в стороне Бирмингем с его промышленными комплексами и направил свои стопы в милую моему сердцу Старую Англию. И вот теперь, похоже, моему везению пришел конец: я неминуемо двигался в сторону Новой Англии — с ее переполненными городами и замусоренными окраинами, с ее мощными прокатными станами и дымящими заводскими трубами, с ее отравленными реками, в которых медленно течет черная вонючая вода, и бесконечными рядами одинаковых серых домишек. Это Англия угля и химикатов, Англия хлопка, стекла и железа.

И все же сколь неистребима английская глубинка! Невозможно уничтожить все ее поля, вытоптать зеленую английскую траву и срыть проселочные дороги. Даже здесь, на узкой полоске земли между двумя крупнейшими гигантами промышленного Севера, люди продолжали косить траву и ворошить сено — практически под сенью заводских труб.

Любовно перебирая в памяти образы доброй старой Англии, я заранее страшился этого путешествия по «Черному поясу». Тем удивительнее был странный трепет, который я ощутил в своем сердце при въезде в Уоррингтон. Расстилавшийся передо мной индустриальный пейзаж поражал своей мрачной мощью: темные громады фабричных зданий; заводские трубы, группами вздымавшиеся в различных частях города; огромные маховики, замершие на входе в шахты, а за ними — зияющие таинственной чернотой шурфы; и над всем этом медленно дрейфующее облако смога.

Здесь, в Уоррингтоне, я впервые услышал цоканье башмаков на деревянной подошве; увидел фабричных работниц, прятавших волосы под косынками, и почувствовал запах, который неизменно присутствовал во всех деревнях и промышленных городах Ланкашира — запах рыбы и жареной картошки.

Фабричный город может даже понравиться, если смотреть на него сверху, откуда-нибудь с холма. Но стоит спуститься на улицы с длинными, смахивающими на бараки домами (их строили без всяких изысков, на скорую руку — лишь бы было куда заселить заводских «рабов»), и сердце сожмется от боли за оскверненную английскую землю. Единственным утешением служит тот факт, что подобные города — достаточно редкое явление на фоне удивительной зелени сельской Англии. Соберите воедино обитателей какого-нибудь Уоррингтона и бросьте в гущу полей и лесов. Несколько минут — и они бесследно растворятся, затеряются на окрестных просторах. С Лондоном дело обстоит сложнее: он гораздо дальше от настоящего леса, чем уже упомянутый Уоррингтон.

По воскресеньям во всех серых деревушках Ланкашира собираются рабочие-горняки. Они сидят на корточках, привалившись к стенам, их натруженные руки бессильно свисают меж колен. Эти мужчины — единственные в Англии, кто позволяет себе, подобно арабам, сидеть на корточках. Как правило, в центре группы крутится белая гончая на поводке. Рабочие сидят, курят и с нескрываемой надеждой наблюдают за проходящим мимо шоссе.

На одном из поворотов я увидел табличку с надписью «Уиган» и решил заглянуть в городок. Кто же сможет противиться соблазну познакомиться с Уиганом?

3

Уиган — если бы в нем не проживали крепкие и решительные ланкаширские парни — наверняка имел шанс стать самым «затюканным» городом в Англии. На протяжении

многих лет он был жертвой неудачной шутки. Стоило какому-нибудь артисту мюзик-холла произнести со сцены слова «Уиган-пир»[1], и зал тут же покатывался со смеху. Та
легкость, с которой само имя воздействовало на чувства
аудитории, в известном смысле ответственна за неслыхан-
ный успех шутки.

Для миллионов людей, которые в глаза не видывали и
никогда не увидят Уигана, название этого города стало символом непролазного мрака и нищеты. Дело зашло настолько далеко, что исполненный патриотизма местный совет
предпринял ряд мер, дабы положить конец затянувшейся
шутке. Однако в борьбе со сложившейся традицией уиганцы потерпели поражение — старая острота продолжает
жить! По мнению некоторых представителей деловых кругов Уигана, такое положение вещей сильно мешает процветанию города, поскольку отталкивает возможных инвесто-
ров. Об этом остается лишь пожалеть, ведь Уиган не только предлагает удобные участки под возведение новых
фабрик и заводов, но и берется обеспечить необходимые
условия для их строительства. Здесь уже существует налаженная транспортная инфраструктура, достаточный рынок
труда и топливная база.

Мне достаточно было провести в городе десять минут,
чтобы понять: шутками здесь и не пахнет! Уиган представляет собой вполне преуспевающий город-курорт (сопоста-
вимый по значению, например, с Уэднисбери) в самом сердце Черной страны. Кроме того, он вполне может оспари-
вать славу некоторых стаффордширских центров гончарного

---

[1] Уиган-пир (пирс Уигана) — ставшее нарицательным обозначе-
ние промышленного Севера Англии и порожденных индустриали-
зацией социальных проблем; позднее это слово использовал в назва-
нии своей публицистической работы «Дорога к пирсу Уигана» (1937)
Дж. Оруэлл.

искусства. Признаюсь, я и сам до некоторой степени пребывал в плену у всеобщего мнения об этом городе. Прибыв сюда, я намеревался запечатлеть картину бесконечного мрака и уныния — грязные улицы, каналы с застоявшейся водой и бледные, худосочные жители, которые влачат нищенское существование в этом обреченном городе.

Господи, что за чепуха! Познакомившись с Уиганом лично, могу сказать: я бы не отказался провести отпуск в этом городе — по крайней мере короткий отпуск.

— Сдается мне, что ваш город бессовестно оклеветали, — сказал я мужчине, стоявшему посреди главной улицы.

— Рад слышать это, сэр! — весело воскликнул он. — Лично я прожил в Уигане всю свою жизнь и не променял бы его ни на какой другой город.

Мужчина одарил меня теплой улыбкой и предложил показать достопримечательности. Я ответил, что предпочел бы самостоятельно познакомиться с ними. Мой собеседник снова просиял. Я обратил внимание, что все уиганцы проявляют крайнюю доброжелательность, стоит им убедиться в вашей искренней симпатии к городу.

Подобная реакция тронула меня до глубины души.

Приезжая в Уиган, вы подспудно готовитесь к худшему и бываете сильно удивлены, обнаружив на месте предполагаемого упадка и запустения вполне преуспевающий (хоть и старомодный) сельский городок. Спускающаяся с холма главная улица производит исключительно приятное впечатление — благодаря большому количеству новеньких фахверковых домов. Дело в том, что городской совет принял постановление, согласно которому все дома на центральной улице должны перестраиваться не иначе как в тюдоровском стиле. Таким образом, полагаю, что в ближайшие двадцать лет Уиган превратится в самый привлекательный и оригинальный промышленный городок Северной Англии.

За время своей часовой прогулки по городу я сделал немало открытий. Как выяснилось, Уиган был построен еще римлянами. Они называли его Коккий, что, на мой взгляд, звучит куда забавнее, чем Уиган. Я не удивился бы, если б во времена римской Британии легионеры точно так же заходились в смехе при одном только упоминании о Коккии! К сожалению, все, что сохранилось с тех времен, — древнеримский алтарь, который сейчас встроен в северный эркер церковной башни. Сама церковь тоже заслуживает упоминания, поскольку датируется четырнадцатым веком (к несчастью, после фундаментальной реставрации от первоначальной постройки осталось немногое).

Следующим открытием для меня стала связь Уигана с королем Артуром! Оказывается, легендарный король бывал в городе, более того, совершил здесь некоторые из своих подвигов.

За рыночной площадью разбит обширный городской парк (не менее тридцати акров) с итальянскими садами и живописным озером посередине. Представьте себе, в этом осмеянном и оклеветанном городе я обнаружил один из лучших военных мемориалов, какие мне доводилось видеть в Англии. Я уж не говорю о большом открытом рынке Уигана, занимающем второе место в стране после Ноттингемского.

Удивительно, но никто так и не смог объяснить мне значение слова «Уиган». За консультацией я отправился к секретарю городского совета.

— Увы, происхождение названия неясно, — вздохнул он. — Понятно, что слово саксонского происхождения, поскольку город наш очень старый. Это подтверждает и девиз Уигана — «Древний и верный». В моем понимании слово «Уиган» с древнесаксонского переводится как «кусты рябины рядом с церковью».

— Вот название, которое воистину способно сокрушить тысячу анекдотов!

— Да уж, — согласился чиновник, — шутка насчет Уигана зашла слишком далеко и немало навредила нашему городу. Все эти байки послужили распространению совершенно ложного представления об Уигане. А теперь, если не возражаете, я хотел бы показать вам окрестности. Вы сами убедитесь, что редкий промышленный город имеет такое достойное сельское обрамление...

Итак, мы направились на окраины Уигана. Но еще по пути я отметил необычный для городских улиц сильный запах сена. Объясняется это тем, что Уиган со всех сторон окружен полями, которые на севере простираются до самого Даксбери-холла — кстати, единственного в этой части страны места паломничества американцев. Они приходят поклониться городу, в котором родился доблестный Майлз Стэндиш[1]. На главной дороге мы наткнулись на грубо вырубленный каменный крест. Как выяснилось, с ним связана одна из самых интересных местных легенд.

— Перед вами знаменитый Крест Мэйбл, — пояснил секретарь, — который упоминается в «Обрученной» Вальтера Скотта. Эта история приключилась в давние времена с уиганским рыцарем по имени Уильям Брэдшей. Так уж вышло, что сэр Уильям отбыл в крестовый поход, и долгое время от него не было никаких вестей. Его жена Мэйбл, посчитав супруга погибшим, вторично вышла замуж — на сей раз за валлийского рыцаря. Естественно, это сильно не понравилось сэру Уильяму, когда он наконец вернулся домой. В порыве гнева он убил валлийца и был вынужден целый год скрываться от закона. Его жене тоже пришлось несладко — в глазах всего общества она была опозорена. Духовник Мэйбл наложил на нее епитимью: раз в неделю она должна была босая и простоволосая приходить к этому

---

[1] М. Стэндиш (1584–1656) — один из отцов-пилигримов, командир сил самообороны пуританской колонии Новая Англия.

кресту и замаливать свои грехи... Думаю, в конце концов супруги помирились, и все закончилось благополучно.

Не успели мы выйти за пределы города — и пяти минут не прошло, — как оказались в самой настоящей сельской глубинке. Повсюду простирались луга, на которых люди убирали сено; через ручьи были перекинуты старые мостики; огороды обнесены высокими изгородями; вдали виднелись очаровательные рощицы и лощинки.

— И все это наш Уиган! — с горделивой улыбкой заявил секретарь.

На мой взгляд, Уиган интересен прежде всего как идеальный пример современного делового города, который сочетает энергичную и успешную деятельность в настоящем с богатой историей в прошлом. В отличие от городов, выросших буквально в одночасье на волне промышленной революции (а таких отыщется немало в каменноугольном бассейне Англии), Уиган опирается на уходящие в глубь веков традиции, главная из которых — лояльность по отношению к королевской власти.

Официальный статус города Уиган получил в 1100 году от Генриха I, и здесь до сих пор бережно хранят выданную в двенадцатом веке и скрепленную королевской печатью грамоту. В годы гражданской войны Уиган хранил верность короне. Известно, что на его улицах происходили бои между отступавшей роялистской армией и преследовавшим ее Кромвелем. В 1651 году отряд графа Дерби, спешивший на помощь королю, был разбит в бою под Уиганом; это поражение стоило графу головы. Во время торжественных выходов мэра Уигана перед ним несут величайшую городскую реликвию — меч, который Карл II даровал городу в знак особой признательности за лояльность, проявленную в период Реставрации.

Собственно, это было последнее значимое событие доиндустриальной эпохи. Вслед за тем наступил девятнадцатый век со своим собственным властелином — в Англии воцарился его величество уголь, и для Уигана началась новая жизнь.

4

В Ланкастере я решил положиться на удачу и присоединился к длинной очереди желающих попасть на озеро Уиндермир. У меня создалось впечатление, будто все, кому посчастливилось в этот день оказаться на севере Англии, решили непременно посетить местность, которую путеводители именуют не иначе как «краем поэтов Озерной школы».

Перед моей машиной застыл громоздкий туристский автомобиль мощностью в сорок пять лошадиных сил, за рулем которого скучал сурового вида старик в молодежной ковбойской шляпе. Перед ним стоял скоростной двухместный автомобиль с очаровательной дамой за рулем; он уткнулся носом в закрытый лимузин, битком набитый американцами. Дальше стоял семейный «форд»; перед ним маячил роскошный «роллс-ройс»; а возглавлял процессию молодой бунтарь с непокрытой головой, который практически возлежал в малиновой ванне мощностью в пятнадцать лошадиных сил, снабженной блестящими алюминиевыми деталями и выхлопной трубой в форме цилиндра.

Очередь за моей спиной росла с каждой минутой. Непосредственно за мной стоял ухоженный автомобиль с закрытым кузовом, за рулем которого сидела хорошенькая, но весьма нетерпеливая девица. Она подозрительно оглядывала мой багаж и вообще проявляла явные признаки недовольства вынужденной задержкой. Мне показалось, что она не задумываясь убила бы собственных родителей, лишь бы вырваться вперед. Скажу честно: будь на ее месте мужчина, я бы не стал церемониться в выборе выражений!

Так мы и двигались в сторону вожделенных озер. Лично меня грела мысль о том, что к вечеру я — так или иначе — вырвусь с запруженного шоссе и смогу наконец-то насладиться уединением. Весьма кстати на ум пришли строчки из стихотворения поэта — родоначальника Озерной школы:

> *Туристам этим, Господи прости,*
> *Должно быть, хорошо живется: бродят*
> *Без дела день-деньской — и горя мало,*
> *Как будто и земли под ними нет,*
> *А только воздух, и они порхают,*
> *Как мотыльки, все лето...* [1]

Да уж, Вордсворт как в воду глядел! Можно подумать, что поэту — творившему задолго до того, как на дорогах Англии появился первый автомобиль, — каким-то чудом удалось заглянуть в далекий 1926 год и увидеть отвратительную пробку на дороге к Уиндермиру!

И вот долгожданный вечер наступил. Казалось, будто Божья десница собрала всю красоту угасающего дня и поместила ее на запад — туда, где солнце не спеша опускалось за вершины холмов. Стоя у открытого окна, я смотрел на широкую полоску воды, которая на протяжении последних двадцати минут медленно теряла свои природные краски. По мере того как небо утрачивало синеву, воды Уиндермира тоже становились все более блеклыми, пока окончательно не превратились в серебристо-серые. Проплывающие лебеди выглядели на их фоне темными силуэтами. В небе описывали круги ласточки, а по поверхности озера скользила черная, как уголь, лодка, оставляя за собой две расширяющиеся серебряные полосы. Укрывшееся

---

[1] Перевод М. Фроловского.

за алеющими облаками солнце неотвратимо клонилось к закату. Звуки далеко разносились в вечерней тишине... и, боже мой, какие звуки!

Два междугородных автобуса готовились в этот момент к отправлению на Кендал, и на остановку подтягивались толпы нарядных и довольных жизнью ланкаширцев. По берегу озера брела большая группа молодежи: коротко стриженные девушки в ярких летних платьях шли, накрывшись вместо зонтиков голубыми плетеными корзинками, и весело пересмеивались; их кавалеры в легких рубашках с открытым воротом громко напевали, аккомпанируя себе на гармонике; кто-то энергично жал на автомобильный клаксон, поторапливая отстающих... Вдобавок ко всему в соседней комнате гремел граммофон, сообщая, что «проведем мы день вдвоем, вечерком мы чай попьем; никого — лишь ты да я, для меня и для тебя».

Тем временем природа — с поразительным равнодушием к человеческой суете — завершала свой серебристо-черный вечерний ноктюрн. Солнце садилось. В кронах деревьев сгущалась темнота, далекие рощи окутал густой лиловый туман. Время от времени на озере раздавался тихий всплеск, и на секунду серебряная гладь нарушалась крохотной черной воронкой.

— Ты только погляди, — раздался восторженный голос под самым моим окном, — разве это не романтично! Прямо в точности как в одном из его сонетов!

Только этого недоставало! Я стоял и прикидывал: а не запустить ли мне башмаком в громогласных «романтиков», но решил не поддаваться искушению.

Ночь вступала в свои права неторопливо и постепенно — так неторопливо, что человек, наблюдавший за великолепной игрой света, тени и полутени, мог и пропустить этот миг. Над темными холмами и тусклой водной гладью возникло странное потустороннее свечение, которое не имело отношения ни к солнцу, ни к луне, а скорее напоминало холодный свет над мертвыми лунными кратерами. В небе над озером зажглась маленькая первая звездочка...

Не важно, как вы относитесь к поэзии Вордсворта. Вы можете ни в грош его не ставить как поэта, но должны признать, что он, пусть и неосознанно, сделал великолепную рекламу Озерному краю. Благодаря ему здешние места — некогда дикие и пустынные — сегодня пользуются неслыханной популярностью. Нужно видеть толпы американцев, которые в благоговейном трепете стоят перед домом поэта в Грасмире. Более того, как-то раз я застал двоих из них возле бывшего жилища Гарриет Мартино — они пришли засвидетельствовать свое почтение писательнице, выпустившей в 1855 году собственный путеводитель по Озерному краю. Тут уж впору заподозрить некую национальную черту — похоже, что любовь к совершению различных паломничеств живет в душе каждого американца.

На мой взгляд, одним из самых любопытных зрелищ в Англии (можно сказать, ее достопримечательностью) является вид какого-нибудь бизнесмена из Нью-Йорка, который оплатил поездку в Англию и теперь пытается до последнего цента оправдать стоимость поездки — в частности, стоя в маленьком церковном дворике Грасмира, ощутить прилив энтузиазма по поводу стихов Вордсворта:

> Помедли, путник! Одинокий тис
> Здесь от жилья людского отдален.
> Как льнет пчела к нагим его ветвям!
> Как радостно блестит в траве ручей!
> Дохнет зефир — и ласковый прибой
> Сознанье убаюкает твое
> Движеньем нежным, чуждым пустоте...[1]

---

[1] Перевод И. Меламеда.

— Смотри-ка! — восклицает он. — Совсем неплохие стишки! А ну-ка, пока я буду их перечитывать, расскажите мне...

Грубо говоря, все население Озерного края можно разделить на две большие группы. К первой относятся те, кто предпочитает жить «на уровне воды»: ходят под парусом на собственных яхтах, совершают самоубийственные поездки на автомобилях по узким дорогам и, вырядившись в вечерние туалеты, пьют послеобеденный кофе на аккуратно подстриженных лужайках в прибрежных отелях. Вторая половина — те, кто поднимается еще затемно, натягивает на себя походные шорты цвета хаки и, вооружившись крепкой палкой, уходит в поход, то есть покидает равнины и поднимается в горы, пока их антиподы из первой группы еще только собираются приступить к утреннему чаепитию.

На мой взгляд, лишь эти энергичные представители второй группы способны извлечь пользу из проживания в столь уникальном месте, как Озерный край. Я и сам — будь у меня больше времени — приобрел бы комплект скаутской одежды и отправился с ними в поход. Ибо единственный способ проникнуться (и насладиться) прелестью этой земли заключается в том, чтобы уйти подальше от городской толпы и в одиночестве упиваться тишиной и покоем лесных дубрав и каменистых вершин. Я с удовольствием смотрю, как на исходе дня, когда ложатся первые вечерние тени, истинные жители Озерного края возвращаются из своих странствий — покрытые пылью дорог и с победным блеском в глазах. Среди них — бывалые мужчины, которых не удивишь швейцарскими курортами, а также загорелые, мускулистые девушки в бриджах, привычные к крепкому ясеневому посоху в руке и тяжелому рюкзаку за спиной. (Если у меня и есть претензии — так это к упомянутым бриджам. Вот бы кто-нибудь разработал такую модель дамских брюк, чтобы женщина выглядела в них красиво и естественно!) Да, чуть не забыл еще одну категорию походников — это энтомологи, неисправимые охотники за летающими и всякими прочими насекомыми. Днем они гоняются за бабочками, ночью за мотыльками; и делают это с неослабевающим энтузиазмом. Сюда же следует отнести геологов и неуемное племя тщеславных девиц, которые, прихватив с собой мольберт и складной стульчик, выезжают за город, чтобы запечатлеть на полотне фрагменты ландшафта. Позже их творения появляются на стенах светских гостиных в Манчестере, Ливерпуле, Бирмингеме и даже, как показывает практика, в Кенсингтоне.

Я бы не рискнул сравнивать мягкую прелесть Уиндермира с величием Дервен-Уотера, с прозрачной безмятежностью Тирлмира и Конистона или же дикой и своеобразной красотой Улс-Уотера. Что касается меня, я бы отдал свое сердце самому маленькому из озер — крохотному Райдал-Уотеру, имеющему всего три четверти мили в длину. Рядом со своими соседями, водными великанами Озерного края, оно выглядит голубым блюдцем, затерянным среди зеленых холмов. Хотя, если присмотреться, Райдал-Уотер напоминает скорее осколок волшебного зеркала, в котором отражаются поросшие лесом вершины.

Впервые я увидел его ночью. О, какая это была ночь! Стояло полное безветрие, яркая полная луна заливала окрестности медовым светом и отражалась в водах озера — прямо посередине Райдал-Уотер плавала полновесная золотая гинея. Не знаю, как других, а меня подобные картины поражают в самое сердце. Ведь как бывает: идешь по лесной тропинке, ни о чем не подозревая, и вдруг за ближайшим поворотом перед тобой открывается такая красота, словно попадаешь в волшебную сказку. Слезы наворачиваются на глаза, дыхание перехватывает... хочется опуститься на колени и тихо помолиться. Если бы озеро Райдал-Уотер располагалось в Корнуолле или Уэльсе, то народная молва непременно связала бы его с легендой об Эскалибуре.

И никто бы не посмел усомниться в подлинности мифа, ибо человеческий разум бессилен перед величайшей тайной подлинной красоты...

Пока я безмолвно стоял на берегу озера, из темнеющих камышей появилась дикая утка. Бесшумно рассекая водную гладь — лишь тонкая серебристая полоса осталась на поверхности, — она пересекла озеро, потревожив отражение луны. Золотая гинея всколыхнулась, подпрыгнула разок-другой и снова замерла. Волшебное озеро вновь погрузилось в безмятежный сон.

5

Простите, простите меня. Я знаю, что этой истории не место на страницах моей книги, но не могу ее не рассказать. А дело было так.

Я только что покинул Карлайл и ехал, разложив на коленях дорожную карту. В мои намерения входило добраться до великой римской стены, пересекавшей Англию от залива Солуэй-Ферт на западе до русла Тайна на востоке. И тут я заметил на обочине дорожный указатель, на котором значилось: «До Гретна-Грин 10 миль». И мои планы кардинально поменялись.

— Вот, — сказал я себе, — достойный повод сойти с маршрута. Я просто *обязан* повидать Гретна-Грин! Решено: устраиваю себе каникулы и вперед — в Шотландию!

Подумайте сами, как я мог проехать мимо места, где свершалось столько безумств? Мне потребовалось лишь несколько минут, чтобы покинуть пределы Англии и въехать на территорию фактически другой страны. Хоть она и была похожа на свою южную соседку как две капли воды, тем не менее факт оставался фактом: я только что пересек границу!

Она далеко не сразу показывает свое лицо — «милая традиционная Шотландия», но с каждой милей ты все яв-

ственнее понимаешь, что попал в страну рыжих бород и очаровательных веснушчатых девушек, страну лиловых пустошей и высоких гор, вершины которых даже в ясную погоду
окутаны облаками. Здесь на каждой улице бегают крепкие
светловолосые мальчишки (которые в один прекрасный день
непременно покинут родную деревню и уедут на юг) и маленькие девочки, которые когда-нибудь вырастут и будут
разговаривать на особом английском языке — самом сла-
достном и напевном в мире.

От Карлайла к Гретне вела широкая прямая дорога. Казалось, будто она в спешке срезает углы, стремясь поскорее
добраться до финиша и выиграть приз за скорость. В конце
дороги я еще издали углядел большую толпу и понял, что
прибыл в Гретна-Грин!

Народ толпился вокруг деревенской кузницы. Судя по
всему, невысокое одноэтажное здание совмещало функции
жилого дома и кузни. Это учреждение оказалось единственным, которое существенно выгадало (и даже прославилось)
благодаря знаменитому акту лорда Хардвика. Этот закон,
принятый в 1754 году, положил конец тайным бракам, которые до того процветали в Англии. Особенно славился
нелегальными бракосочетаниями Лондон. Они совершались
и в тюрьме Флит, и в часовне пастора Кейта на Мэйфэре
(в наши дни часовню снесли, но память о ней сохранилась в
названиях улиц Ист-Чапел- и Вест-Чапел-стрит — они
проходят неподалеку от Шепердс-Маркет, у Пикадилли),
и даже в респектабельном отеле «Савой», где священно-
служитель по имени доктор Джон Уилкинсон не постеснялся
вывесить объявление следующего содержания: «Бракосочетание. Процедуры проводятся регулярно в атмосфере полной секретности и с соблюдением норм благопристойности.
Вы можете незаметно попасть в нашу часовню — для этого
существует пять подходов посуху и два по воде»!

В отличие от Англии и Уэльса Шотландия не подпадала под действие закона лорда Хардвика. Сей факт немало послужил к финансовому процветанию Гретна-Грин — первой деревушки, которая встречается после шотландской границы. С тех пор по карлайлской дороге сюда зачастили кареты, запряженные четверкой резвых лошадей, а подчас гремели и выстрелы — когда горячие влюбленные отстреливались от близкой погони. Мне смутно припомнилось, что в Гретне сочетались браком: один архиепископ Кентерберийский, три лорда-канцлера и один лорд хранитель печати...

Итак, перед кузницей собралась большая толпа, наполовину состоявшая из американцев, а на другую половину — из туристов, прибывших из-за английской границы. Остановился и я, разглядывая объявления на фасаде здания. Как выяснилось, внутри функционировал небольшой музей, в котором была представлена знаменитая «комната бракосочетаний». Желающие могли приобрести почтовые открытки. Лично мне это предприятие показалось самым практичным из всех, что довелось видеть в последнее время. (Следовало бы догадаться, что нынешняя Гретна-Грин давно утратила изначальную простоту и естественность!) Звон монет ласкал слух — миловидная шотландская дама собирала с посетителей плату за вход. Бросив в коробку шестипенсовик, я прошел через турникет внутрь.

Вместе с остальной толпой я бесцельно побродил по старой и уже вышедшей из употребления кузне (в самом деле, кто будет тратить время на каких-то лошадей, когда денежки и так текут неиссякаемым потоком?), ознакомился с довольно скудной экспозицией музея, куда входили: древняя, ненужная теперь наковальня; экипаж, якобы принадлежавший королеве Каролине; давний журнал регистрации браков; два весьма сомнительных «покаянных стула» из «старой церкви» и высокие цилиндры, которые в разное время носили местные «священники».

Покончив с осмотром выставки, я разговорился с уборщицей, торговавшей копиями брачных свидетельств из Гретна-Грин.

— Скажите, вы здесь до сих пор регистрируете браки? — поинтересовался я.

— А как же! — с гордостью ответила женщина. — Тому уж двадцать два года!

Она ткнула пальцем на стопку бланков, хранившихся на полке, все это были брачные сертификаты.

— И кто же проводит церемонию?

— Ну, некоторые посетители просят кузнеца — тогда мы присылаем им мистера Грэма; а обычно роль священника исполняет мой муж.

Я прошел во внутреннюю комнату, где побеседовал со «священником». Похоже, здешние жители не вкладывали в это слово никакого особого смысла — просто человек, который «женит» приезжих. В Шотландии разрешены оба вида бракосочетания — как официальное, так и неофициальное. Полагаю, что если двое заявили о взаимном желании соединить свои судьбы и подтвердили его при свидетелях, то их поженят хоть посреди улицы.

— А я могу у вас жениться? — спросил я. — Вы можете провести церемонию?

«Священник» посмотрел на меня с интересом.

— Конечно, сэр, — ответил он. — С превеликим удовольствием. Единственное условие — вы должны прожить в Шотландии не меньше двадцати одного дня.

Я несколько приуныл. Мужчина объяснил мне, что сама церемония очень простая.

— Я спрашиваю у парня: «Берешь ли ты эту женщину в жены?» И он отвечает: «Да, беру». Затем я обращаюсь с таким же вопросом к невесте: «Берешь ли ты этого мужчину в мужья?» Она тоже отвечает: «Да, беру». Сначала они подписывают бумагу, потом я ставлю свою подпись. В конце подписываются два свидетеля. И все, по законам Шотландии они становятся мужем и женой. Вот так у нас здесь женятся!

— И что, это законный брак?

— Ну да!

Из дальнейшей беседы я узнал, что в Гретна-Грин до сих пор, как встарь, случаются и погони. Совсем недавно «священника» разбудили среди ночи: в дом вломилась разъяренная мать (про себя я отметил, что в прежние времена это непременно был бы отец), во что бы то ни стало желавшая знать, не приходила ли сюда расписываться ее дочь.

— Бедняжка, она немного поторопилась. На самом деле ее дочь с женихом объявились только на следующий день!

В результате посещения Гретна-Грин мое романтическое представление об этой деревушке сильно пошатнулось. На самом деле я подозреваю, что в ее жизни всегда главенствовали коммерческие мотивы. Мне рассказывали, будто Джозеф Пэйсли, в прошлом главный руководитель брачной службы Гретна-Грин, разработал специальный тайный код для общения с форейторами карет, которые помогали ему собирать сведения о материальном положении предполагаемых клиентов. Опять же по слухам, доход этого джентльмена составлял сто фунтов в неделю.

Увы, образ простодушного старого кузнеца, который — в соответствии с предначертанием звезд — помогает сочетаться браком юным влюбленным, мягко говоря, является историческим вымыслом!

С этим неутешительным выводом я покинул легендарную деревушку и вновь выехал на карлайлскую дорогу, по которой некогда скакал лорд Вестморленд со своей возлюбленной мисс Чайлд, наследницей банка Чайлда. Беглецы стремились как можно скорее попасть в Гретна-Грин, поэтому, когда лорд Вестморленд увидел приближавшуюся погоню — а первый всадник уже поравнялся с их каретой, — то, не задумываясь, открыл стрельбу.

Как правило, общественное мнение бывает на стороне романтичных влюбленных пар, но лично я открыл в Гретне нечто такое, что заставляет меня сочувствовать апоплексическим отцам, страдающим от своеволия детей.

Глава девятая
Туннель во времени

В этой главе описывается дождь над Адриановым валом. Я размышляю о Даремском соборе и его святых, о славе и величии Йорка, а под конец удостаиваюсь чести заглянуть в душу этого древнего города.

1

Если бы мне представилась возможность каким-то образом обмануть время, я, не задумываясь, вернулся бы на шестнадцать столетий назад — в далекую эпоху трехсотлетнего правления (а фактически военной оккупации) Древнего Рима. Я непременно встретился бы с кем-нибудь из римских центурионов, которые несли службу на Адриановом валу (в то время это была просто Стена). Я пожал бы его мужественную руку и за дружеской выпивкой сказал примерно следующее:

— Приветствую тебя, Марк! И прими мои соболезнования! Я проехался вдоль Стены от Карлайла (или Лугувалия по-вашему) до самого Ньюкасла-на-Тайне (вы называли этот город Понс Элиев)... и веришь ли, везде шел дождь. Да еще какой дождь, Марк! Представляешь, семьдесят три мили дождя над Стеной! И, клянусь Юпитером, неслабого дождя!

Наверняка, он посмотрел бы на меня с интересом и спросил:

— Так этот треклятый дождь все еще идет? Интересно! Мы-то были уверены, что его наслали местные боги, чтобы навредить империи. А вреда от него было немало! Дождь заливал костры нашей походной кухни, проникал в винные бурдюки, заставлял кашлять всю испанскую конницу... а уж если выпадало нести дозор на Стене, он обязательно бил тебе в лицо, слепил глаза, заливался за шиворот и вообще в каждую дырку. О молнии Юпитера, как я ненавижу эту Стену!

— Странно, а мне казалось, у вас там была защита от дождя... И потом, разве вам не присылали из Рима шерстяное белье и губные гармоники для поднятия духа? Я полагал, что в дождливые ночи вы сидели под дощатым навесом и хором распевали: «Мы из армии Фреда Карно[1], поглядите на нас, молодцов...»

— Ну да, мы пели что-то вроде гимна весталок. Пикты и скотты обычно сидели по ту сторону Стены — слишком мокрые, чтобы нападать на нас — и от нечего делать тоже начинали петь. У нас была другая песня о центурионах со Стены. Знаешь, ведь там на каждую милю приходилось всего по одному римлянину. Остальные же были даками или фракийцами, попадались и мавры, и скифы. Короче, полный набор... ну, вроде плакатов на призывном пункте — национальный состав римской армии! А песня была такая: «Эх, собрались в нашей сотне тунгры, астурийцы, батавы и греки!» Там был классный припев, недаром ее пели и в Дева, и в Эбораке...

---

[1] Ф. Карно (1866—1941, настоящее имя Фредерик Дж. Уэсткотт) — английский театральныый антрепренер, придумавший один из наиболее известных комедийных гэгов — бросок тортом в лицо.

— Теперь у этих городов другие названия — Честер и Йорк.

— Вот как? Интересно... А еще у нас на границе была особая песня: «Старый солдат никогда не умрет... нет, не умрет, нет, не умрет. Что б ни случилось — он только чихнет, только чихнет... э-эй!» И это чистая правда. Помнится, у пиктов ходила шуточка: мол, пока у легионеров есть носы, им, пиктам, ни к чему боевые рожки. Хорошенькое, доложу я тебе, мы представляли зрелище, как, бывало, выстроимся на парад по поводу прибытия правителя Британии или, тем паче, цезаря из Рима. Представляешь, стоят шесть тысяч человек, и все чихают знаменитым легионерским чихом... «Чих Верного Тринадцатого» — вот как мы его называли!

— Вы ведь, наверное, иногда получали отпуск?

— Ха, скажешь тоже! Какой там отпуск! Если уж послали на Стену — считай, получил пожизненное заключение. Поэтому первое, что мы делали, прибыв сюда, — женились и обзаводились хозяйством. А уж в невестах у нас недостатка не было. Чтобы местная девчонка да отказалась выйти замуж... нет, сэр, такого я даже представить себе не могу! Мне довелось служить инструктором по баллистам в Четвертой галльской когорте, что стояла в Виндолане. Поглядел бы ты на тамошних новобранцев, которые прибывали со всех концов света. Шастают туда-сюда по Стене и таскают под туниками половину всех земных богов. А что ты хочешь, там — от Лугувалия до Понса Элиева — говорили на двадцати пяти разных языках. У меня в когорте был один ветеран, он еще служил вестовым при Веспасиане... так вот, он постоянно менял свою веру. Если случалось, что мавританский или египетский бог отвечал на его молитву, он сразу же покупал его образок и начинал молиться о своем переводе в Лондиний. Но

номер у него не вышел — боги Стены слишком хорошо знали этого хитреца...

Ах, этот дождь от Карлайла до Ньюкасла! Он налетал с
севера сплошной водяной завесой, а навстречу ей двигалась такая же неодолимая махина с юга. Они встречались в
воздухе как раз над Адриановым валом... Сильные, упру-
гие струи сталкивались друг с другом, боролись, а затем
вместе обрушивались на землю, смывая все на своем пути.
Это был сущий ад! Через каждые несколько миль я оста-
навливал машину на обочине и ковылял по размокшему
полю, чтобы взглянуть на Стену, которая непрерывно (или
почти непрерывно) тянулась на протяжении семидесяти
трех миль.

Я задержался в Хаустэдсе, взволнованный до глубины
души. В прошлом мне доводилось посещать Помпеи и легендарный город Тимгад в Африке, но то были чужие,
дальние страны. Совсем другие чувства рождались при
виде величайшего римского памятника на нашей холодной,
северной земле. Ведь как ни крути, эта древняя стена служила северной границей Римской империи. На данном
участке стена была около шести футов в высоту и тянулась
более чем на двадцать пять миль — вы вполне могли прогуляться по ней! Адрианов вал являлся существенной деталью окружавшего пейзажа. Местами, где позволял рельеф
местности, он шел совершенно прямо, как римская дорога.
Там, где случались холмы, вал карабкался на их вершины,
затем спускался и продолжал свой бег. В результате все
возвышенности на протяжении от Карлайла до Ньюкасла
увенчаны руинами древнеримской стены. К северу от вала
был вырыт глубокий оборонительный ров, с этой стороны
вала помимо рва имелась военная дорога. Адрианов (или
Римский) вал, несомненно, является величайшим инженерным сооружением Англии, и, на мой взгляд, настало

время внести его в список исторических памятников и обязать министерство общественных работ осуществлять его охрану и реставрацию.

Время и непогода медленно, но верно разрушают вал. Уже сейчас многие мили сооружения находятся в таком состоянии, что спасти их может только срочное и основательное цементирование. К тому же долгие годы вдоль вала велись бессистемные раскопки (как не копать в таком месте, где буквально на каждом квадратном ярде обнаруживаются кости и осколки керамики).

В форт Честер я прибыл насквозь промокшим, но, несмотря на это, отправился осматривать развалины Килурна — так именовался крупнейший форт Адрианова вала, где несла дозор Вторая ала астурийской кавалерии. Руины оказались в неплохом состоянии: здесь до сих пор сохранились основания ворот, а на северных воротах можно даже рассмотреть пазы для петель. В южной части форта видны остатки караульных помещений.

Префект (или командир заставы) жил в прекрасных покоях с видом на Тайн. Его дом был снабжен ванной и отапливаемой гостиной. В центре форта, как водится, располагался обнесенный колоннадой форум. Рядом с ним был сделан каменный желоб, предназначенный для отвода стекавшей с крыши воды. И он работал — дождевые капли исправно падали в канавку, которую прорубили полторы тысячи лет назад! На каменной мостовой отпечатались колеи от колес древнеримских колесниц. Расстояние между ними составляло три фута шесть дюймов — ровно столько же, сколько на помпейских мостовых. Под землей находился подвал со сводчатым перекрытием; в свое время здесь был обнаружен полусгнивший сундук, набитый монетами Римской империи — очевидно, заработной платой легионеров. Вокруг центральной группы зданий выстроились солдатские казармы, рассчитанные на три сотни человек. Возле реки располагались обязательные бани.

У форта Килурн имеется одна любопытная особенность, которая вызывает множество споров у исследователей. Дело в том, что у него гораздо больше ворот, чем у других фортов Адрианова вала. Если быть точным, то таких ворот шесть, причем трое из них смотрят на север, то есть в сторону вражеской территории. Коллингвуд Брюс предлагает этому весьма простое объяснение: по его мнению, наличие добавочных ворот, открывающихся на «ничью землю», обусловлено большими размерами самого Килурна по сравнению с другими крепостями. Я бы рискнул выдвинуть собственную теорию, основываясь на том факте, что данный форт являлся военным лагерем кавалерийского соединения. Всякий, кто имел дело с конницей, представляет себе логику ее военных действий в случае вражеского нападения. Что должны были делать обитатели Килурна при атаке пиктов? Да то же, что и всегда: вскочить на коней, обнажить мечи и, главное, как можно скорее оказаться по ту сторону Стены. Скорость многое решала! Так вот, имея в своем распоряжении целых три выхода, гарнизон крепости мог проделать все это буквально за три минуты. А дальше дело техники — развернуть строй и дать бой нападавшим. Вот зачем, я думаю, Килурну дополнительные ворота, и вот почему они открывались на север!

Не требуется богатого воображения, чтобы представить себе Адрианов вал таким, каким он был в римскую эпоху: стена высотой в восемнадцать футов, протянувшаяся от моря до моря. Через каждую милю по всей ее длине располагаются крепости, представляющие собой долговременные боевые сооружения. В них несут постоянную службу когорты или кавалерийские алы. Жизнь берет свое: легионеры женятся, обзаводятся домом и хозяйством. В результате за каждым из таких фортов неминуемо возникают деревни с мастерскими, лавками и храмами.

Странно осознавать, что на протяжении трех столетий множество европейских народов участвовало в создании оборонительной стены на севере Англии. Регулярные войска стояли в Йорке и Честере, а охрана Стены вменялась в обязанность солдатам территориальной армии — вспомогательных легионов, комплектовавшихся со всех покоренных Римом территорий. Здесь несли службу африканские мавры (бедняги, им нелегко приходилось под проливными дождями или в зимнюю стужу), рекруты из солнечной Испании, из далеких лесов Германии, Франции и Бельгии. По сути, целиком Европа и частично Африка помогали защищать Англию, и длилось это триста лет!

Наверняка эти иностранные легионы со временем ассимилировали, приобретали английские корни. Если возникали перебои с пополнением из дальних земель (а я уверен, что такие ситуации время от времени случались), гарнизоны фортов пополнялись за счет населения сопутствующих деревень. Римские орлы принимали под свое крыло наполовину британских рекрутов.

Сегодня на полуразрушенных стенах Килурна цветут малиново-лиловые цветочки заразихи (Erinus alpinus), которые в изобилии встречаются в Южной Европе. Возможно, многие ученые со мной не согласятся, но я уверен, что это растение попало на север Англии из Испании вместе с фуражом, доставлявшимся для лошадей Второй астурийской алы...

Покидая руины Честера, я еще раз бросил взгляд на Адрианов вал: он тянулся от моря до моря — крепкий и надежный, как строй легионеров с сомкнутыми щитами. Я набрал в легкие побольше воздуха и прокричал: «Аве, Цезарь!», но ответом мне был лишь шум дождя.

2

Эти строки я пишу, сидя на берегу реки Уир в окружении целой стаи стрекоз — маленьких крылатых дракончиков, — которые то и дело опускаются на мой блокнот. Наземную группу поддержки этой эскадрильи составляют крошечные многоножки, тоже атакующие мои заметки: они непрерывной цепочкой пересекают исписанный лист и далее деловито продолжают свой путь в траве. В конце концов я сдаюсь и решаю отложить работу, благо день настолько хорош, что не хочется ничего делать. Откинувшись на разогретой земле, я весь отдаюсь созерцанию одного из прекраснейших зрелищ в Европе — Даремского замка.

Он стоит на вершине холма, дерзко возвышаясь над самыми высокими вековыми деревьями. За мощными зубчатыми стенами, проходящими по самому краю утеса, вздымаются в небо поражающие своим великолепием буро-красные башни в норманнском стиле — они принадлежат Даремскому кафедральному собору. Глядя со стороны на холм с венчающим его замком, я не могу отделаться от навязчивой ассоциации. Замок напоминает мне гордого вооруженного рыцаря, а скученный у подножия холма город (тесная масса невысоких домов с двускатными крышами) — толпу крепостных, которые робко жмутся к своему господину в поисках защиты. На мой взгляд, Дарем столь же ярко воплощает в себе феодальное начало, как и его величество лондонский Тауэр.

Сидя на берегу широкой ленивой реки, я размышлял: как удачно выбрано место для замка и церкви, олицетворяющих собой норманнскую Англию.

Очень жаль, что многочисленные туристы, ориентирующиеся только на текст путеводителя, не способны прочувствовать всю красоту, романтику и драматичность этого места. Я вспомнил, как утром прошел за алтарь и остановвился перед большой мраморной плитой, на которой было вырезано одно-единственное слово: «Кутберт». В путеводителе по этому поводу сообщалось: «Почетное место за алтарем отведено гробнице святого Кутберта, умершего в 687 г. Внутри действительно хранятся мощи святого...»

В тот миг, когда я читал надпись на плите, мое воображение устремилось в глубь веков. Временной туннель длиной в 1239 лет привел меня в совсем другую, диковинную Англию. Моему взору предстал Даремский холм еще до строительства великого норманнского собора. Более того, еще не была построена ни каменная саксонская церковь, ни первая тростниковая часовня... На месте нынешнего города стоял покрытый лесом холм из красного песчаника, где в зарослях папоротника бродили пятнистые олени. Родословная Дарема уходит в такую глубь английской истории, что ее и проследить-то трудно. Это была дикая, варварская Англия, жители которой молились Тору и Вотану на руинах древнеримских храмов. Жестокая и беспечная страна, в которой полыхали пожарища и кровь лилась рекой, в которой звон мечей был привычным звуком, ибо что ни день королевство вставало на королевство. Но это была прекрасная Англия, ибо по лугам ее тихо и скромно шествовал Иисус Христос — точно так же, как шел по родным галилейским землям. Древнеримские легионы, покинувшие было Англию, вновь вернулись, но уже не с мечом, а с Божьим посланием.

Великие деяния совершались во имя Бога — того самого Бога, который заставил жестоко страдать своего сына. История христианизации Англии, которая самым тесным и чудодейственным образом связана с именем Дарема, по моему мнению, является наиболее замечательной историей со времен Нового Завета. Если оглянуться назад, в далекие времена, предшествовавшие церковному собору в Уитби, мы увидим странствующих монахов, которые неутоми-

мо мерили шагами старые римские дороги; они проникали
во все концы Англии, чтобы, сидя под дубом, проповедовать всем желающим — мужчинам и женщинам — Слово
Божие. Эти простые, скромные люди брели через вересковые пустоши, поднимались на одинокие холмы, продира-
лись через дремучие леса с единственной целью: донести
слова Истины до язычников-саксов и совершить обряд их
крещения возле лесного источника или на берегу ручья. Они
были одержимы идеей, во имя нее шли на любые лишения.
В то время единение святых братьев было не пустым звуком. Меня всегда до глубины души трогала смиренная кро-
тость, с которой Беда Достопочтенный умолял линдисфарн-
ских монахов воспринимать его как «покорного слугу их маленького братства». Какие яркие образы порождают эти слова
в моем мозгу!

Я хорошо представляю себе смуглых бородатых королей
саксонской эпохи. Вот эти жестокие, решительные воины
сидят с мечами на коленях и завороженно, как дети, внимают истории Иисуса Христа (достоверно известно, что очень
часто королей в христианство обращали не монахи, а их собственные жены-королевы). Это был очень длительный процесс. Потребовалось немало времени, чтобы старые боги —
Тор и Вотан — удалились из Англии, оставив о себе память лишь в названиях дней недели — среды и четверга[1].
Языческие боги были изгнаны в сумерки, чтобы дать дорогу новому свету.

Монахи-отшельники собирались на отдых в уединенных
местах — так в стране появились первые монастыри.

Когда святой Кутберт умирал на священном острове
Линдисфарн, он взял слово со своих товарищей, что в случае повторного нападения пиратов монахи заберут с собой

---

[1] Среда в английском языке называется Wednesday («день Вота-
на»), а четверг — Thursday («день Тора»).

его тело, куда бы им ни пришлось бежать. В 870 году длинные ладьи данов объявились на северо-восточном побережье острова, и святые отцы спешно покинули Линдисфарн. Верные слову, они захватили гроб Кутберта, куда положили также и голову святого Освальда. Некоторое время они скитались по Южной Шотландии и Северной Англии, перевозя с места на место драгоценную ношу. В местах своих остановок они основывали христианские церкви, которые посвящали святому Кутберту. И до сих пор здесь сохранились старые церкви, названные именем этого святого. После восьмилетних странствий они обосновались неподалеку от Дарема, в местечке с названием Честер-ле-Стрит. Целое столетие тело Кутберта покоилось в тамошнем монастыре.

Затем снова нагрянули даны! И вновь монахи отправились в путь, увозя с собой мощи несчастного святого. Наконец в 995 году они облюбовали себе место на высоком Даремском утесе и выстроили здесь маленькую мазаную церковь, в которой погребли тело Кутберта. Позже на месте мазаной появилась деревянная, а затем и каменная церковь. Согласно легенде, король Канут босиком пришел в эту каменную церковь, чтобы поклониться мощам великого святого...

Воспоминания о тех далеких днях Дарема неминуемо всплывают в памяти любого человека, преклонившего колени возле гробницы, которая прячется в полумраке за алтарем.

Даремский кафедральный собор...

Я не помню, чтобы где-нибудь испытывал более сильные чувства, чем в этом месте. Здание собора не просто восхищает — оно потрясает! Это самая удивительная норманнская церковь из всех, что я когда-либо видел, не исключая знаменитой церкви Святого Стефана в Кане. Чтобы понять Даремский собор, необходимо помнить, когда и как он строился, а это, в свою очередь, предполагает знание ряда фактов, никак не связанных с религией.

В 1069 году, то есть три года спустя после норманнского завоевания, Вильгельм Завоеватель присвоил титул графа Нортумбрии одному из своих приспешников и в таковом качестве отправил его на север Англии. Жители Дарема отказались принять чужеземного правителя: они попросту убили и самого графа Нортумбрийского, и весь его отряд. Последствия этой враждебной акции были ужасающими: король Вильгельм провел карательную экспедицию, получившую в народе название «Разорение Севера». Его конница подобно циклону пронеслась от Дарема до Йорка, уничтожая все живое и оставляя за собой обгоревшие руины.

После столь впечатляющей демонстрации силы и вырос на холме Даремский кафедральный собор. Его величественный неф, который поддерживается огромными каменными колоннами, был построен печально известным Ранульфом Фламбардом. Я не знаю другого храма (если не говорить о знаменитом египетском храме Карнака с его гипостильным залом), который внушал бы такое же чувство религиозного благоговения. Когда я стою у западных ворот Дарема и рассматриваю грандиозное погруженное в сумрак внутреннее пространство — с гигантскими колоннами, напоминающими вековые дубы, со спокойными строгими линиями сводов, с мощными, будто рассчитанными на осаду, святилищами — мне кажется, что вся постройка является декларацией норманнской политики. Я почти слышу зычный голос Вильгельма Завоевателя, который разносится на весь неф:

— Взгляните на эту церковь! Я завоевал Англию и намереваюсь в ней править. Всякий раз, когда вы приходите молиться в этот храм, вспоминайте, как я огнем и мечом прошелся по вашим землям — в наказание за своеволие. Я силен, невероятно силен!

Таково, мне кажется, послание, зашифрованное в Даремском соборе. Он представляет собой доказательство в камне — доказательство силы и решительности новой династии, утвердившейся в Англии.

Я долго стоял над гробницей, скрытой за алтарем... Надо сказать, святой Кутберт, подобно большинству первых святых, испытывал ярую ненависть к женщинам. В нефе Даремского собора имеется линия, выложенная темным фростерийским мрамором, которую женщинам запрещено пересекать. Эта ненависть сохранилась даже после смерти Кутберта. В подтверждение приведу одну любопытную историю: когда епископ Падси начал возведение часовни Богоматери в восточной части церкви (как раз возле гробницы святого), по ближайшей стене собора пошли странные трещины. Епископ воспринял это как знак того, что Кутберт не одобряет строительства часовни, посвященной женщине, в непосредственной близости от своей могилы. В результате часовню Богоматери (ее еще называют Галилейской) перенесли в западную часть храма.

Я мог бы привести и еще один интересный факт из истории строительства Даремского собора, который роднит это великолепное здание с восточной мечетью — как выяснилось, его возводили люди, принимавшие участие в крестовых походах. А как вам такая история? Оказывается, на северных вратах храма висит дверной молоток причудливой формы. Стоит кому-нибудь постучать в него, как тут же с северного портика, расположенного над вратами, спускаются двое монахов (они постоянно находятся на своем посту), чтобы немедленно отвести просителя в святилище собора. Этот человек — независимо от тяжести совершенного преступления — обретает право убежища, которого никто не может его лишить.

Пока я сидел на берегу реки и любовался величественными башнями собора, спустились сумерки, и комары стали не на шутку мне досаждать. Я бросил прощальный взгляд на храм, который возник на заре христианства в Англии. И тут мне пришла забавная, хоть и не вполне уместная мысль. Я вспомнил, как утром, стоя у гробницы святого женоненавистника, увидел три пары хорошеньких женских ножек, переступающих через могильный камень — это молоденькие американские студентки беззаботно разгуливали по храму. И хотя девушки были обуты в спортивные туфли на мягкой подошве и потому практически не производили шума, полагаю, святой Кутберт в этот миг беспокойно пошевелился в своем гробу.

И мне подумалось: время всем воздает по заслугам — даже святым!

3

Если вы интересуетесь стариной, прекрасными антикварными вещами и вообще историей нашей страны, то вам обязательно надо посетить Йорк — обещаю, вы не обманетесь в своих ожиданиях.

Лично я приехал в Йорк, обремененный массой ошибочных представлений о нем, и мне пришлось заново открывать для себя этот город. Против ожидания, я обнаружил не огромную суетливую столицу Севера, а тихий, потрясающе красивый средневековый городок. Скопление маленьких, с выступающими цоколями домов обнесено белыми укрепленными башнями стенами, которые, на мой взгляд, в сто раз интереснее честерских. Сказочное зрелище! Йорк чересчур красив, чтобы быть реальным.

Меня приятно удивило, что этот город — помнящий бой боевых барабанов и звон соборных колоколов — сумел сохранить свое лицо, не обезобразив его дымными фабриками и газовыми заводами. Если Лондон — могущественный король, то Йорк — прекрасная королева английских городов.

Теперь, познакомившись с ним поближе, я не могу понять, почему Йорк представлялся мне неким подобием Ньюкасла.

Наверное, дело в том, что у нас, обитателей Южной Англии, давным-давно сложилось ложное представление о промышленном Севере, которое со временем превратилось в устойчивый стереотип. Еще поколение наших дедушек обзавелось комплексом: почему-то издавна считалось, что угольные месторождения Севера в масштабах экономики всей страны имеют большее значение, чем пшеничные поля Юга. И мы, южане, — которые видели Шеффилд лишь из окошка скорого поезда (а надо признать, это действительно безрадостное зрелище) — наивно полагали, что все северные города безнадежно уродливы. Картина коммерческого процветания таких новоявленных гигантов, как Манчестер, Ливерпуль, Лидс, Шеффилд, Брэдфорд и Галифакс, застит нам глаза, мешает увидеть истинное лицо Севера. А ведь он всегда был и остается (если не считать нескольких перенаселенных конгломератов) одним из самых прекрасных и романтичных регионов Англии.

Интересно отметить, что промышленная революция, в общем случае сыгравшая значительную роль в развитии Северной Англии, обошла стороной такие древние аристократические города, как Ланкастер, Дарем и Йорк. Примечательно, что тот же самый Ланкашир, на территории которого располагаются Ливерпуль и Манчестер, может по праву гордиться главным столичным городом графства — погруженным в вековую дремоту Ланкастером. И мне видится символичным тот факт, что новые индустриальные города, впечатляющие величиной и мощью, тем не менее — если рассматривать их в исторической перспективе — теряются на фоне бесконечных зеленых просторов исконной Северной Англии.

Что касается Йоркшира, то это, собственно, не графство, а целая страна — в эпоху саксонской Англии эти земли принадлежали древнему могущественному государству Нортумбрия! В Йоркшире можно найти достаточно интересного материала, чтобы писать и писать. Я мог бы провести здесь за работой целый год, и именно по этой причине спешу поскорее покинуть здешние места — так же, как покинул в свое время Корнуолл.

Лидс, Шеффилд и Брэдфорд — три маленьких островка в краю обширных вересковых пустошей и райских долин, в краю замков, церквей и аббатств, которые практически не изменились с тех пор, как в Нортумбрии появились первые монахи с распятием в руках.

Я прошелся вдоль йоркской стены (а она действительно выглядит городской стеной), окружающей несравненный город. Йорк, в отличие от других древних городов, не кичится своей красотой. Он слишком старый, гордый и мудрый, чтобы выставлять себя напоказ толпам любопытных туристов. И это еще одна причина, по которой я люблю Йорк с его узенькими, почти деревенскими улочками, с его сельскими гостиницами, названными по имени их владельцев. Здесь вы не встретите кричащих вывесок типа «Маджестик» или «Эксельсиор», вместо них над дверями красуются простые и достойные таблички — «У Брауна», «У Джонса», «У Робинсона».

Рим, Лондон и Йорк... На мой взгляд, это три самых могущественных имени в Европе! Они, подобно колокольному звону, вибрируют от ощущения власти. В них чувствуется непоколебимая уверенность и надежность — именно то, чего, к сожалению, недостает таким именам, как Париж, Берлин или Брюссель.

Названия йоркских улиц столь красноречивы, что говорят сами за себя. Пожалуй, вряд ли мне удастся подобрать какие-то слова, которые бы лучше передавали атмосферу этого древнего города. Вы только вслушайтесь: Джилли-гейт, Фосс-гейт, Шамблз, Спурир-гейт, Гудрэм-гейт, Купер-гейт, Свайне-гейт, Огл-форт, Таннерс-моут, Палмерс-лейн, Олдуорк...

Нужно ли вам еще дополнительное описание этих старых улиц, укрывшихся за стенами Йорка? Полагаю, что нет! (Кстати, к своему удивлению, я обнаружил здесь улицу с названием Пикадилли!)

Йоркский кафедральный собор — Йоркминстер — занимает главенствующее положение в городе: где бы вы ни стояли, его величественные очертания бросаются в глаза и навсегда запечатлеваются в памяти. Ни одно творение рук человеческих не может сравниться по своему великолепию с двумя парными башнями, возвышающимися над западной папертью, там, где висит Питер Великий — самый большой в Англии колокол, ежечасно оглашающий своим боем улицы Йорка.

Я пристроился к толпе американских туристов, возглавляемых местным гидом. Небольшая прогулка в их обществе убедила меня в том, что американцы больше нас знают о Йорке. Было бы совсем неплохо, если б англичане испытывали такой же живой интерес к английской старине, как и наши заокеанские гости. Во всей группе обнаружилась лишь одна откровенная дурочка — пожилая и явно богатая дама, которая опиралась на трость с серебряным набалдашником и задавала совершенно идиотские вопросы, апофеозом которых явилось:

— Скажите, а в наши дни существует архиепископ Йоркский?

К слову сказать, сама дама абсолютно не стыдилась собственного невежества.

Главной достопримечательностью Йоркского собора являются его стекла. По словам экскурсовода, здесь собраны две трети всего английского стекла четырнадцатого века. К сожалению, я позабыл, какую площадь в акрах можно покрыть этим стеклом. Перед витражным окном с названием «Пять сестер» я остановился, позабыв и американцев, и их гида. Воистину это королевское окно — высокая, изящная и сладостная поэма в стекле, которую невозможно описать словами. Бесполезно даже пробовать — это надо увидеть собственными глазами.

Ах, если бы я мог на закате выйти на йоркскую стену и собрать вокруг себя всех своих единомышленников — всех тех мужчин и женщин, которые писали мне бесконечные письма с признаниями в любви к истории нашей страны...

С западной паперти собора открывался вид на абсолютно плоскую равнину. Я стоял на белой стене и наблюдал, как солнце медленно опускалось за край равнины. Оно почти уже скрылось за багровым облаком, нависшим над горизонтом, но последние лучи отражались в западном окне, чьи посеребренные пластинки отсвечивали багряно-золотым блеском. Как же прекрасен этот старинный город! И сколь мил сердцу каждого лондонца! Ведь Лондон и Йорк имеют общие корни. Эборак! Лондиний! Два брата-близнеца от одного и того же древнеримского орла.

Как много исторических событий разворачивалось на улицах древнего Йорка — немудрено, что город смотрит на мир уставшими, полузакрытыми глазами. Он помнит, как римские ликторы расчищали дорогу перед паланкином Адриана. Два цезаря закончили свои дни на улицах Йорка. Именно сюда в 210 году возвратился император Север после завершения очередной военной кампании: несчастный, страдающий ревматизмом хозяин мира, прячущий опухшие ноги под шелковым покрывалом. За носилками следовала толпа полководцев, в том числе и его собственный сын, который с нетерпением ждал смерти отца. Говорят, когда император — повредившийся в уме, но не сломленный духом — проезжал в городские ворота, сидевшие на них вороны закаркали, что было расценено как дурной знак. Тем не менее Северу удалось подавить назревающий мятеж, и, когда заговорщики бросились перед ним на колени, император приподнялся на подушках и, выпростав свои опухшие ноги, наставительно произнес: «Настоящий правитель правит с помощью головы, а не ног!» Как бы мне хотелось присутствовать при этой сцене и услышать речь умирающего хозяина мира...

Трубы трубили на улицах Йорка, легионеры гремели своими щитами, когда Константин Великий был объявлен императором. Как странно думать, что те же самые йоркширские овцы, которые сейчас пасутся на обочинах, обеспокоено поднимали головы при восторженных криках «Аве, Цезарь!», когда новый император облачился в пурпурную мантию и пошел навстречу своей судьбе.

Разноцветные облака плыли над Йорком...

В темной крипте собора скрывается источник. Собственно говоря, здание специально было построено над источником. Вначале здесь стояла обычная деревянная церковь, возведенная для того, чтобы на Пасху 627 года крестить в водах источника короля Нортумбрии Эдвина и его двор...

Солнце садилось и омывало западный фасад собора розовым светом. Несколько мгновений спустя тихие сумерки опустятся на улицы Йорка, и Питер Великий своим звоном сотрет еще одну страницу со скрижалей вечности.

4

Если человек любит какой-то город, время от времени ему в награду предоставляется возможность заглянуть в душу этого города.

Я стоял на Стоун-гейт и вел неспешную беседу с одним американцем, как и я, без памяти влюбленным в Йорк, когда на темной улице показалась пышная процессия. Она двигалась посредине мостовой в направлении от собора: первым шел начальник полиции Йорка — при полном параде, в высоких сапогах со шпорами; далее следовал секретарь городского совета в своем официальном одеянии; за ним шагал человек в отороченной мехом шапочке времен Ричарда II, перед собой он нес на вытянутых руках меч императора Сигизмунда — необходимую и весьма важную деталь всех торжественных выходов лорд-мэра Йорка. Его светлость шел следом в пурпурной мантии с темной меховой опушкой. За ним выступали парами олдермены в голубых одеждах, негромко переговариваясь на ходу. Завершала процессию — и это выглядело неожиданным в такой торжественной обстановке — длинная цепочка юных воспитанников сиротского дома, очень тихих и серьезных девочек и мальчиков.

— Ну, — прошептал мой собеседник, — вы что-нибудь понимаете в происходящем?

Действительно, неожиданное зрелище — городской совет во главе с лорд-мэром Йорка, торжественный вынос меча императора Сигизмунда, и все на фоне колонны маленьких бедных сироток! Я никак не мог прокомментировать подобное, поэтому обратился за объяснением к стоявшему неподалеку полицейскому.

— Так уж у нас заведено, — охотно откликнулся он. — Каждый год лорд-мэр и члены городского совета посещают церковную службу вместе с воспитанниками сиротского дома. Затем по окончании службы в ратуше проходит небольшой концерт и раздача призов детишкам. Вот и все.

— Скажите, офицер, — вступил в разговор мой приятель-американец, — а это как-то освещается в прессе? Какие-нибудь объявления для публики?

— Нет, сэр, никаких объявлений. Все происходит, как обычно...

— И что вы скажете? — повернулся ко мне американец. — Потрясающее зрелище! Сотни любопытных туристов заплатили бы любые деньги, чтобы увидеть это, а «все происходит, как обычно» — будто это самое обыденное дело. О боже! Вот что мне нравится в этих чертовых англичанах. У вас в Англии существует куча вещей, которые не требуют специального объявления... Простите, офицер, а как вы считаете: нам разрешат присутствовать на этой церемонии?

— На вашем месте я бы не спрашивал разрешения, просто вошел, и все.

Мы так и сделали: вошли в здание ратуши и, как выяснилось, оказались совершенно не подготовлеными к тому, что там увидели...

Йоркская ратуша является одним из самых живописных зданий в Англии. Ее деревянная крыша покоится на мощных дубовых колоннах, каждое из которых потянет на полновесное дерево. Сквозь витражные стекла проникает сумрачный свет, который отражается в отполированных до блеска стенах.

В дальнем конце зала располагался помост под пышным балдахином, на нем восседал лорд-мэр в своих пурпурных одеждах. Перед ним на столе лежали великий меч Сигизмунда и серебряный церемониальный жезл Йорка. Городские сановники разместились по обе стороны от лорд-мэра, а толпа серьезных, молчаливых сироток села напротив: девочки слева, мальчики справа. Косые лучи солнца падали сквозь высокое западное окно, расположенное за троном лорд-мэра, и образовывали цветное озерцо света на каменном полу. Мы с американцем застыли в дверях ратуши, захваченные врасплох великолепием этой сцены: фигуры серьезных чиновников в торжественных одеждах, блеск мечей и старинных пистолей на стенах и свежие, невинные лица детей. Маленькие девочки в серых казенных платьицах робко вышли на середину зала и начали танцевать в падающих лучах солнца.

Пианист наигрывал простенькую мелодию морриса. Юные воспитанницы — с их тоненькими детскими талиями, туго заплетенными косичками, изящными ножками в грубых черных чулках и заученными улыбками на губах — попарно вставали, кружились в танце (лишь тоненькие косички взлетают на поворотах), менялись местами, выделывали различные па и, раскрасневшись от волнения, удалялись на свои места.

Лорд-мэр сидел, опершись подбородком на руку, и серьезно наблюдал за происходящим действом поверх лежащего на столе жезла. Все вместе это составляло одну из самых прелестных картин, какую мне доводилось наблюдать в городах Англии.

Церемония продолжалась. Девочки танцевали — попарно или небольшими группками, а коротко стриженные мальчики-сироты громко аплодировали после каждого номера.

— Черт, во всем этом есть что-то такое, — прошептал американец, — что и словами-то не определить... Но пробирает до самого нутра.

— А лично мне приятно осознавать, — ответил я тоже шепотом, — что лорд-мэр одного из старейших и известнейших в мире городов может посвятить полдня бедным детям. Причем не швырнуть, как подачку, а именно посвятить — прийти вместе со своими помощниками и принести с собой важнейшие регалии города!

— Тут вы абсолютно правы, сэр... Но мне хотелось бы кое-что добавить. Я уже говорил вам, помните, что это одно из самых чудесных зрелищ, которое я мог только мечтать увидеть. И для меня это станет главным воспоминанием об Англии. Вы только взгляните на ту рыжеволосую крошку...

как солнце играет у нее на волосах! Полагаю, они просто не смогли упрятать такую копну волос в косичку. Не девочка, а картинка!

Тем временем музыка смолкла. Последние танцорки закончили выступление и вернулись на свои места, уселись, расправляя казенные платьица на коленях, и приняли строгий и чопорный вид. В зал внесли стопку книг, лорд-мэр взял их в руки и поднялся для официальной речи. Он заявил, что город Йорк гордится своими воспитанниками и ждет от них великих дел в будущем. Они должны стать хорошими людьми. Ничто не сможет помешать осуществлению их планов. Обращаясь к мальчикам, он напомнил, что один из последних лорд-мэров сам был из числа сирот.

Дети, лишившиеся отцов и матерей, смотрели широко открытыми глазами и внимательно слушали отца города.

Затем началась раздача призов.

— Дженни Джонс, — объявил лорд-мэр, — приз за доброту к малышам! (Со стороны мальчиков раздались громкие аплодисменты).

Зардевшаяся Дженни поднялась со стула, получила свой приз, сделала низкий реверанс в сторону меча и жезла города Йорка, затем вернулась, прижимая подаренную книгу к груди.

— Джон Робинс, приз за успехи в садоводстве!

Теперь поднялся с места здоровяк Джон, получил подарок, поблагодарил и пошел на место, прижав книгу к голубой курточке с начищенными медными пуговицами...

На столе возле меча лежала большая куча апельсинов и два мешочка с новенькими блестящими шестипенсовиками. Сироты Йорка один за другим пересекали зал, проходя по солнечному пятну на полу, подходили к столу и принимали из рук лорд-мэра подарок — апельсин и монетку. Когда последний ребенок вернулся на место, в рядах чиновников на помосте возникло движение. Тотчас раздался звон шпор начальника полиции, из зала вынесли меч императора Сигизмунда, за ним последовал серебряный жезл Йорка. Послышалось шуршание шелка: это поднялся лорд-мэр, за ним секретарь городского совета, олдермены — все они неспешно покинули зал и вышли в ласковый свет ранних сумерек...

Мы с моим другом вышли вслед за ними на улицу с чувством, что этот старый импозантный город оказал нам большую честь, допустив на ежегодный праздник своих сирот. На углу мы повстречались с толпой туристов, которые что-то шумно обсуждали, уткнувшись в карту.

— Сдается мне, — задумчиво произнес американец, — что за последний час мы узнали о Йорке больше, чем эти бедняги с путеводителем смогут узнать за миллион лет.

По-моему, он в некотором смысле был прав.

Глава десятая
Счастливое графство

Эта глава знакомит читателя с американцами в Бостоне, Линкольне и Питерборо, а также представляет самое маленькое и самое счастливое графство Англии, где смысл жизни сводится к умерщвлению лис и коллекционированию лошадиных подков.

1

Города, как и люди, имеют свои причуды. По количеству этих причуд я бы даже скорее сравнил их с капризными женщинами (да простит мне женский пол данное обобщение).

Некоторые города любят играть в прятки с путешественниками: они до последнего момента скрываются за высокими холмами, как бы не желая себя обнаруживать. Вы едете по дороге, ни о чем не подозревая, сворачиваете за угол, а они тут как тут — неожиданно вырастают за поворотом. Другие предпочитают удивлять вас, внезапно появляясь посреди голой равнины. Но есть и такие — правда, их совсем мало, — которые загодя вырисовываются на фоне безоблачного неба и издали приманивают своей красотой. Линкольн как раз принадлежит к последним.

Линкольн — это расположенная в глубине страны гора Сент-Майкл. Плоская болотистая равнина простирается до самого горизонта, издали она напоминает желто-зеленый океан — океан зеленой травы и желтой пшеницы. При таком ландшафте, да еще в ясную погоду, башни Линкольнского кафедрального собора видны на расстоянии в тридцать миль. Старая римская дорога пересекает равнину и упирается в холм, на котором раскинулся город. Все вместе составляет один из самых характерных пейзажей Англии. Он является олицетворением Болотного края, а мгновенная перемена ландшафта, столь свойственная для нашей страны, красноречиво гласит: вы покинули Север и въехали в равнинные земли Юга.

Проезжая Киртон-ин-Линдсей, я увидел Эрмин-стрит, которая ровной лентой тянется на протяжении шестнадцати миль и в конце концов упирается в Линкольнский холм. Двигаясь по этой маленькой, чистой дороге, вы постоянно видите собор. С каждой минутой, даже секундой его башни увеличиваются в размерах, пока на последней миле не вырастают в полный рост, шпилями упираясь в небеса. Я ехал и напевал походный марш легионеров о Лалаге и Римини...

Если вы мечтаете увидеть римскую Британию, вам следует отправиться в Киртон, проделать с полузакрытыми глазами этот путь в шестнадцать миль и перед вами как живой встанет белокаменный Линд (я так благодарен картографическому управлению за привычку указывать в скобках латинские названия). Линкольн — истинное порождение Рима. Чтобы развеять всякие сомнения, достаточно взглянуть на прямую, как гладиаторский меч, Эрмин-стрит, протянувшуюся на север, и не менее прямую Фосс-уэй, уходящую в северо-западном направлении.

Я приехал в Линкольн вечером. Из окна моей спальни открывался замечательный вид на западный фасад кафедрального собора. Одна из башен вся была покрыта строительными лесами. Что поделать, Линкольнский собор подобно многим своим собратьям страдает от разрушающего воздействия времени.

Решив прогуляться по тихой соборной площади, я повстречался с мужчиной средних лет, оказавшимся на поверку лондонцем, проводившим здесь свой отпуск. Он поведал мне, что уже успел осмотреть знаменитую четверку соборов — в Или, Норидже, Питерборо и Линкольне. Для Восточной Англии эти города играют такую же важную роль, как Херефорд, Вустер и Глостер — для центральных графств Англии.

Я полагаю, что каждый англичанин — будь то мужчина, женщина или ребенок — должен потратить свои отпускные дни на знакомство с этими двумя группами наших отечественных достопримечательностей.

— В Лондон я возвращаюсь, увлеченный новой идеей, — похвастался мой новый знакомый после традиционной беседы о погоде. — Знаете, раньше я всегда считал, что, выйдя на пенсию, буду доживать свои дни где-нибудь в маленьком местечке неподалеку от Лондона — может, в Сарбитоне или даже в Гилдфорде. Теперь же мне хочется уехать в один из этих соборных городков, где можно тихим вечерком или после обеда выкурить трубочку на такой вот чудесной площади. Вы, может, не так хорошо знакомы с Лондоном, как я... но в любом случае мир и спокойствие, царящие в подобных городках, заставляют сомневаться...

— А не сон ли Лондон?

— Точно, дружище! Сидеть здесь, слушать колокола — ох, как они мне вначале действовали на нервы! — каждые пятнадцать минут исполняющие кусочек гимна, или глядеть на грачей, кричащих на деревьях, или... ну, вы меня понимаете?

— Понимаю. Кусты красной герани под серой аркой (настоятели храмов почему-то обожают ее разводить)... или старик, подстригающий газон.

— Да-да! И эти высокие стены вокруг собора, с характерными воротами... Все это так успокаивает нервы, не правда ли?

— И будит воображение?

Мужчина выколотил свою трубку о стену и усмехнулся.

— Вот это вряд ли, — сказал он. — Я никогда не мог себе позволить такую роскошь, как воображение. Видите ли, по профессии я кассир... а как показывает практика, все кассиры с воображением оканчивают свою жизнь в тюремной камере. Полагаю, таких, как я, миллионы: скромные трудяги, десятилетиями тянущие свою скучную лямку. Сперва они еще дергаются... мечтают, что рано или поздно бросят эту рутину и уедут куда-нибудь — на свежий воздух, за цветущие изгороди... Но потом привычка берет свое, и они уже безропотно гнут спину.

Он снова набил трубку табаком.

— Наверное, вам кажется, — предположил я, — что за этими соборными стенами вы обретете что-то истинное, найдете занятие более важное, чем пересчитывать чужие деньги?

Мужчина горько рассмеялся.

— Как вы узнали? Ну, в любом случае через два дня я возвращаюсь в Лондон, чтобы развязаться с Илингом и... надеюсь все позабыть!

В этот миг соборные колокола отбили полчаса, мимо нас прошел ветхий каноник с книгой в руках. Мне подумалось, что из мечтателя-кассира — если убрать остроконечный воротничок и фетровую шляпу — получился бы неплохой монах.

———————

Город Линкольн лежит как бы на двух уровнях. Старый Линкольн, расположившийся на холме, неразрывно связан с прошлым; новый же Линкольн, лежащий у подножия холма, во время войны производил танки.

Одной из самых интересных достопримечательностей старого Линкольна является Ньюпортская арка — единственные в Англии древнеримские ворота, которые не только прекрасно сохранились, но и до сих пор служат горожанам. Я постоял возле этих массивных серых ворот, понаблюдал за потоком автомашин, который тянулся в обе стороны... Трудно себе даже представить, что под этой самой аркой проходили вооруженные копьями римские легионы. Рядом с основными воротами сохранилась маленькая боковая арка с красноречивым названием «Игольное ушко». Мне кажется, что большинство людей склонно буквально воспринимать известное библейское изречение о верблюде и игольном ушке. Если так, то Ньюпортская арка поможет им лучше разобраться в известной цитате. Во времена римлян восточные ворота закрывались на закате, зато «Игольное ушко» оставалось открытым. Припозднившиеся караваны вынуждены были оставаться на ночевку за городскими стенами. Но вот их хозяева могли воспользоваться миниатюрной боковой аркой (куда верблюдам было не протиснуться при всем желании), и таким образом обрести желанный уют в городских гостиницах...

Линкольнский замок является одним из восьми замков, о которых наверняка известно, что их построил Вильгельм Завоеватель. К сожалению, я прибыл в город слишком поздно, и замковые ворота захлопнулись буквально у меня перед носом.

Улицы нижнего Линкольна и в ночные часы заполнены народом, в верхнем же городе царит совсем иная картина. Когда, придерживаясь за поручни, вы поднимаетесь по кру-

тым ступеням на вершину холма, то попадаете в обитель
тишины и покоя. В просветы между нависающими над мостовой крышами старых домов виден массивный западный
фасад собора и две парные башни, вздымающиеся до самых
небес. Находясь здесь, вы можете думать о Древнем Риме,
о последнем путешествии мертвой королевы Элеаноры —
ее путь пролегал из Линкольна до последнего «креста Элеаноры» в Чаринге. Или же вы можете вообще ни о чем не
думать, а просто восхищаться величественной красотой,
которая живет в этих камнях.

2

Человек, привыкший к округлым контурам ландшафта
Западной Англии, на первых порах будет скорее всего разочарован монотонным пейзажем линкольнширских болот.
Взгляд наблюдателя напрасно скользит по земной поверхности в этих краях — зацепиться ему решительно не за что.
Плоская равнина расстилается во всех направлениях, а в
воздухе над колышущимися пшеничными полями ощущается близость моря. Однако со временем особая атмосфера,
присущая этим землям, проникает в душу и овладевает воображением. Здесь любая возвышенность — даже самая
незначительная — бросается в глаза, ветряная мельница или
высокое дерево становятся ориентирами, силуэты птиц на
фоне безоблачного неба кажутся прекрасными. Как и на
любой плоской местности, особое значение приобретает неспешное движение облаков над кромкой горизонта или изменение цвета небес.

Одна из трех частей, или «райдингов» графства Линкольншир называется Голландией, и, на мой взгляд, это имя
как нельзя более подходит данной местности. Я как раз направлялся в эту самую Голландию, когда заметил посреди

поля, на расстоянии примерно в десять миль, необычные очертания башни.

— Так это Бостон-Стамп! — пояснил местный фермер.

— А что такое Бостон-Стамп?

— Да просто Бостон-Стамп! — пожал он плечами, а во взгляде его явственно читалось: «Ну и тупицы же все эти приезжие!»

Чувствуя, что дальнейшие расспросы бесполезны, я распростился и поехал своей дорогой.

Бостон в Голландии...

При ближайшем рассмотрении выяснилось, что Стамп — не что иное, как башня очаровательной голландской церкви, стоящей на берегу медленной, смахивающей на канал реки. Через несколько минут я ступил на мощеную улицу небольшого городка, который, подобно уилтширскому Брэдфорду-на-Эйвоне, нес на себе печать заморской торговли (любому голландцу, охваченному тоской по родине, я бы настоятельно посоветовал провести уик-энд в Бостоне!).

Сегодняшний Бостон представляет собой весьма интересный предмет для изучения. Это типичный пример великого в прошлом города, который в наше время утратил свои позиции. Подобно любому обветшавшему аристократу, он отважно хорохорится, пытается сохранять внешние приличия, хотя все видят, что от былого величия ныне не осталось и следа. В Средние века Бостон фактически играл роль Бристоля на восточном побережье. Если не считать Лондона, то во всей Англии не было порта, по величине и значению равного Бостону. Упадок пришел вместе с Черной смертью, которая буквально опустошила восточные графства. Вдобавок море нанесло существенный урон бостонскому порту. Оно прорвалось сквозь все плотины и наводнило илом прибрежную акваторию. Окончательный удар Бостону нанесло расширение торговли с Америкой, благодаря которому

центр коммерческого развития медленно, но верно перемещался с восточного на западное побережье. Бостонцы и сами
немало способствовали этому процессу, основав одноимен-
ный город в Новой Англии. И сегодня жители всемирно
известного Бостона из штата Массачусетс бродят по улочкам забытого британского Бостона и отпускают шуточки по
поводу его «странности».

Помнится, в главе, посвященной аббатству Бьюли в
Нью-Форесте, я уже задавался вопросом, возможно ли,
чтобы ореол святости перешел от бывшего храма к его руинам. Теперь я пытался решить аналогичную загадку в отношении торгового духа — может ли он намертво приклеить-
ся к городу, который пережил собственный расцвет и был
вынужден на протяжении столетий бороться с неблагопри-
ятными экономическими и географическими переменами.
А почему бы и нет? Я не знаю более живучего феномена,
чем уличный рынок.

Сегодняшний Бостон — это город с населением 16 100 человек, и его никак нельзя назвать сонными развалинами.
В доках по-прежнему кипит напряженная работа. Я своими глазами видел, как там разгружались баржи с континен-
тальным углем. А еще сюда привозят рыбу, которой торгуют по схеме «голландского аукциона»[1]. На городской площади функционирует рынок — самый печальный из всех,
что мне доводилось видеть. Он представляет собой нату-
ральный «блошиный рынок», недаром его центральный ряд
так и называется — Блошиный ряд.

Старые железные каркасы от кроватей, побитые и погнутые за долгие годы службы, представляют собой удру-
чающее зрелище. Тут же в ряд стоят древние, как мир, по-
трепанные детские коляски. Рядом в аккуратные кучки скла-

---

[1] «Голландский аукцион» — публичная продажа, при которой аук-
ционист постепенно снижает цену, пока не найдется покупатель.

дированы обломки досок — их явно подобрали на месте снесенных домов, теперь им предстоит пойти на растопку. На убогих прилавках разложены старые книги, ржавое железо, погнутые велосипедные рамы. Покупатели роются в этом хламе, пытаются оттереть от ржавчины бабушкины ложки, оживить затвор сомнительного фотоаппарата.

— Все эти мелкие торговцы появляются на «блошином рынке» раз в неделю и пытаются заработать пару-тройку шиллингов, — пояснил мне один из коренных бостонцев. — Но лучше прийти в базарный день, когда здесь собираются фермеры и торговцы зерном.

Некий мужчина настойчиво уговаривал меня приобрести мешок, полный круглых металлических ручек от дверей. Я до сих пор удивляюсь, зачем бы они мне могли понадобиться.

Трое уже немолодых, но вполне подтянутых (несмотря на нездоровый цвет лица) и полных энтузиазма поклонников Англии — на которых, судя по всему, специализируется город Бостон, штат Массачусетс — стояли в тюремных камерах ратуши, внимательно рассматривая маленькие голые клетушки, где в 1607 году содержались в заключении Уильям Брюстер и другие отцы-пилигримы после неудавшейся попытки бегства из Англии...

Однако наиболее ярким бостонским впечатлением является долгий подъем на Стамп — башню одной из самых больших приходских церквей в Англии. В этой церкви семь дверей — по числу дней недели; в нефе двенадцать колонн, соответствующих двенадцати месяцам года; в библиотеку ведут двадцать четыре ступени — по количеству часов в сутках; пятьдесят два окна представляют число недель в году; шестьдесят ступенек, ведущих на алтарь, напоминают о количестве секунд в минуте, а лестница на Стамп, башню высотой двести 275 футов, насчитывает триста шестьдесят пять ступеней — по числу дней в году.

Но когда вы поднимаетесь по винтовой лестнице внутри узкой каменной трубы, вам кажется, что эта цифра явно приуменьшена — настолько бесконечным видится подъем. Два или три витка спирали приходится проделывать в кромешной темноте. В это время откуда-то сверху доносится голос с характерным для уроженца Бостона (Массачусетс) мягким акцентом:

— Эй, ну как ты там... поднимаешься? Я жду тебя на повороте!

Лестница настолько узкая, что двоим на ней не разминуться. Поэтому пережидаешь, прижавшись к стенке, пока звук усталых, шаркающих шагов не возвестит, что человек снизу прошел и освободил для тебя каменный пролет.

Достигнув наконец вершины Бостон-Стамп, ты, конечно же, обнаруживаешь на смотровой площадке Грейси и ее матушку, а также пожилого профессора из Бостона (штат Массачусетс). Все они жадно вглядываются в плоский фламандский ландшафт, пытаясь различить на горизонте башни Линкольнского кафедрального собора (и, надо сказать, в ясную погоду это действительно возможно).

Далеко внизу, на берегу коричнево-зеленой реки, забавляется ватага местных сорванцов. Задрав головы вверх и приставив ко рту руки рупором, они кричат:

— Эй, мистер, бросьте пенни!

Кто-то из туристов откликается на просьбу маленьких попрошаек. Монетка, блеснув на солнышке, летит по широкой дуге и шлепается на землю с таким громким звуком, что никто не решается повторить опыт — из страха, что кусочек металла упадет на голову мальчишке и убьет его.

— Это Бостон! — восторженно шепчет Грейси, оглядывая маленький городок у подножия башни — с рекой, просторной площадью и налезающими одна на другую крышами.

— Я рад, что нам удалось его повидать, — говорит профессор.

— А время чаепития мы не пропустим? — раздается голос мамаши.

Бостон... чаепитие... знакомое словосочетание, забавно слышать подобное на вершине Бостон-Стапм! Я улыбаюсь и делаю вид, что рассматриваю башни Линкольна.

— Сейчас, папа, я буду через минуту!

Слышен щелчок — это срабатывает фотоаппарат Грейси. Через несколько мгновений шаги бостонцев (из штата Массачусетс) разбудили эхо на темных ступенях храма, в котором люди молились — и вполне успешно — за Новую Англию.

3

Он сидел в холле гостиницы, мрачно уставясь в путеводитель. Увидев меня, он — очевидно, под воздействием спонтанных дружеских чувств — сразу же сделал попытку завести разговор.

— Эй, приятель! — завопил он. — Не могли бы вы ответить мне на пару-тройку вопросов? Ну, спасибо... это чертовски мило с вашей стороны. Официант, пару сухих мартини! Так вот, сдается мне, что я приехал не в тот город! Видите ли, я ведь уже побывал в Линкольншире, в Глостершире и в Вустершире и — черт, как же там? — ага, в Херефордшире! И везде осматривал ваши хваленые соборы. И вот на тебе — на очереди Питерборо и его собор. Я ведь чувствовал, что это будет повторением пройденного... а значит, просто выбросил день коту под хвост! Может, мне следовало сразу двинуть в Или?

Я попытался проникнуться его проблемой, но не слишком успешно.

— То есть вы хотите сказать, что на вас не произвела впечатление особая мощь здешнего норманнского нефа?

— Нет, сэр, — со всей категоричностью заявил американец. — Мне кажется, что глостерширский неф покруче будет.

— А как насчет норманнской апсиды? Ведь она считается гордостью Питерборо! Или же замечательный западный фасад — недаром его называют «самым красивым портиком в Европе»!

— Пожалуйста, помедленнее, сэр, — внезапно воскликнул мой собеседник. — Как вы говорите? «Самым красивым...» чем?

Он вытащил блокнот, ручку с золотым пером и принялся записывать.

— Предпочитаю ничего не откладывать на потом, — пояснил он с дружелюбной улыбкой.

— Ну, тогда вам непременно надо записать историю этих храмов, — предложил я. — Ведь соборы не появляются, так сказать, на ровном месте. Мол, привезли два воза кирпичей и принялись строить. Нет, сэр, за каждым английским собором стоит своя история, в которой намешаны и любовь, и вера, и борьба... Вот, скажем, с собором Питерборо связана красивая любовная история. Жил-был некогда саксонский король по имени Пеада, и он без памяти влюбился в прекрасную принцессу, которую звали Этеледа...

— О, боже! Эти варварские имена сведут меня с ума!

— Не берите в голову, сэр. Для того времени это обычные имена. Так вот, король был язычником, а его возлюбленная христианкой. И девушка пообещала выйти за него замуж, если Пеада примет христианство. Это, кстати, нередкое явление: многие саксонские королевства обрели истинную веру благодаря женскому влиянию. Король согласился, и в результате вся Мерсия приняла христианство.

В ознаменование этого события построили церковь — на том самом месте, где сейчас стоит собор.

Американец лихорадочно строчил в своем блокноте.

— Все это случилось *до* Вильгельма Завоевателя? — деловито поинтересовался он.

— Официант! — помахал я рукой. — Будьте добры, еще два сухих мартини!

После чего уселся поудобнее, решив все-таки выяснить, с какой целью мой собеседник пересек Атлантику.

На самом деле такое происходит довольно часто: целые толпы неглупых и вполне разумных американцев — а, поверьте, никто не относится с большим уважением к американским туристам, чем я, — тратят немалые средства на то, чтобы приехать в Европу, а приехав, бесцельно блуждают, напоминая собой корабль без руля. Это всегда меня удивляло. И сейчас я решился задать наконец мучивший меня вопрос и получить информацию, так сказать, из первых рук. Американец отвечал с подкупающей откровенностью.

— Видите ли, сэр, — начал он, подвигая свой стул поближе, — дело в том, что у себя на родине я добился немалых успехов. В настоящий момент я являюсь вице-президентом такой-то компании — и это всего спустя шесть лет после того, как я поступил стажером в одну инженерную фирму, возникшую в ходе известного бума в Кентукки. Можете представить, сэр, как переменилась моя жизнь. Теперь мне приходится посещать всяческие званые обеды, корпоративные вечеринки и прочие подобные мероприятия. И я понял, что для дальнейшего прогресса мне нужно научиться поддерживать светскую беседу — а значит, я *просто обязан повидать старушку-Европу*! Мне до смерти надоело сидеть и молча слушать, когда какие-нибудь старые курицы обсуждают Рим, Флоренцию, Стратфорд-на-Эйвоне и прочую чепуху. Поверьте, сэр, человек, который не бывал во всех этих местах, не имеет никаких шансов...

Этот парень определенно начинал мне нравиться. Искренность, с которой он излагал цели своего приезда, просто подкупала.

— Итак, вы решили совершить турне по Европе?

— Ну да! Я взял отпуск на пять недель. Две из них придется провести на трансатлантическом лайнере, а остальные три отведены на знакомство с Европой... Я уже побывал в Риме, Венеции, Флоренции и Неаполе; осмотрел Париж и Стратфорд-на-Эйвоне, и все ваши чертовы соборы... И полагаю, теперь, когда я вернусь обратно, мне будет о чем порассказать. Можете не сомневаться, сэр, теперь я вполне образованный человек!

— Возможно, вам было бы проще и дешевле накупить книжек и прочитать их у себя на диване?

— Э нет, сэр! Это не заменит путешествия. Все необходимо увидеть собственными глазами... Кстати, вы хорошо знаете Лондон? Вы оказали бы мне большую услугу, если б подсказали, как бы уложиться с осмотром в один день...

Я отвел его в кафедральный собор и постарался объяснить — не останавливаясь на архитектурных особенностях, — что все эти величественные церкви по сути представляют собой урны, в которых хранится прах английской истории. В этих сумрачных переходах живет прошлое нашей страны, а оно неразрывно связано с нашим настоящим. Ведь здесь, под гулкими сводами соборов, собраны все те, кто так или иначе — через бури и неурядицы, через упругий полет стрелы и дым пожарищ, через словесные войны, через великолепные победы и не менее великолепные поражения — формировал судьбу английского народа.

Мы остановились возле могилы Екатерины Арагонской, первой жены Генриха VIII — несчастной королевы и, возможно, одной из самых несчастнейших женщин, чья жизнь и чей характер достойны восхищения последующих поколений. Тем не менее большинство посетителей беспечно проходят мимо простой мраморной плиты, на которой высечены всего два слова — «Екатерина Английская». На долю этой мужественной женщины выпали все несчастья, которые только могут постичь нелюбимую и одинокую жену. По сути, она была жалкой пешкой в политической игре; человеком, чью жизнь безжалостно перемололи дипломатические жернова; самой униженной и страдающей стороной в знаменитом любовном треугольнике — Генрих, Екатерина, Анна Болейн.

Лично я не устаю восхищаться поступками этой женщины. Ведь это ей в отсутствие супруга (Генрих VIII находился за границей) пришлось столкнуться с серьезной угрозой для государства: Яков IV Шотландский решил воспользоваться удобным моментом и вторгся в пределы Англии. И как же в такой ситуации поступает королева? Может, сообразно своему полу и рангу, спешит укрыться за надежными крепостными стенами? Нет, она собирает войско, держит вдохновенную речь и отправляет на битву на поле у Флоддена, которая и была блистательно выиграна. Увы, подобное беспримерное мужество не обеспечило ей любви и благодарности мужа. Целый год Генрих VIII отчаянно интриговал, дабы получить развод с Екатериной. Сколько унижений и несправедливых обвинений довелось ей вынести за этот срок! И никакие разговоры о новой любви Генриха, о его стремлении обзавестись наследником престола не способны оправдать недостойное поведение короля. На мой взгляд, весь этот затянувшийся скандал так и останется одной из самых постыдных страниц в семейной истории английской короны. Когда сломленная печалью и болезнью Екатерина наконец умерла (кстати, к нескрываемой радости Генриха и его новой пассии), ей пришлось пройти еще через одно, уже последнее унижение: несчастную женщину похоронили не в королевской усыпальнице, а в малоизвестной церкви Питерборо. Оставим на совести короля заявление о том, что он обеспечил Екатерине «самую замечательную усыпальницу, которая только существует в Англии». И если призрак толстяка Генриха, ненасытного жизнелюба и ловеласа, когда-нибудь заглянет под своды здешней церкви, надеюсь, ему станет стыдно за эту скромную, всеми позабытую могилу. Королева Екатерина, несомненно, заслужила более приличное захоронение.

С Питерборо связана память еще об одной королеве, тоже родившейся под несчастливой звездой. Я имею в виду Марию Шотландскую — сначала соперницу, а затем пленницу королевы Елизаветы. Любопытно, что могилу ей выкопал все тот же «Старина Скарлет», который за полвека до того хоронил несчастную Екатерину Арагонскую. Правда, тело Марии недолго покоилось в здешнем соборе. Как только ее сын Яков I пришел к власти, он велел перенести останки своей матери в Вестминстерское аббатство.

— Теперь я понимаю, — заявил американец, — почему вы так носитесь со своими соборами. Для вас это вроде семейной истории... скелеты в шкафу и всякое такое прочее. Так вы говорите, Генрих Восьмой? Это не тот жирный парень с рыжими усами? Все эти его несчастные жены...

— Мария Шотландская не была его женой...

— Ну, уж это-то я знаю! — хмыкнул он. — Так я что хотел сказать: женщины изрядно натерпелись от этого Генриха. И все равно буквально в очередь ломились, чтобы только его захомутать. А ведь он даже не был хорош собой! Вот вам и справедливость! Выходит, женщины падки на уродливых тупиц, так, что ли?

— Надеюсь, мне удалось пополнить ваш багаж парой-тройкой интересных историй. Будет что рассказать дома?

— А то! — довольно усмехнулся американец. — Уж будьте уверены!

— Ну, я рад. Значит, сегодняшний день не прошел даром.

Вечером мы расстались: мой новый знакомый укатил на последнем поезде в Лондон. И я представляю, как несколько недель спустя он вернется к себе в Америку и будет бриться, собираясь на званый обед. Наверняка на полочке в ванной будет стоять его путевой дневник, возможно, открытый на страничке «Питерборо».

— Ну, сегодня я им всем покажу, — приговаривает он. — Будут знать, как меня за дурака держать...

Надеюсь, у него все получится.

4

Среди моих знакомых нет ни одного человека, который бы побывал в Ратленде. То есть многие, конечно, посещают Ратленд в поисках лисицы, но вот чтобы человек специально приехал сюда на экскурсию... Таких оригиналов мне не встречалось; да и вам, полагаю, тоже.

Ратленд — который большинство почему-то, не задумываясь, помещают в Уэльсе — является самым маленьким и самым примечательным из всех английских графств. В нем всего-то семнадцать миль как в длину, так и в ширину. Имеется два города — Оксм и Аппингем, но ни один из них не тянет на формирование муниципального округа. Ратленд уютно устроился между Линкольнширом, Лестерширом и Нортгемптонширом. Благодаря своему географическому положению он включен в состав Центральных графств. Из всех графств, возникших на месте древнесаксонской Мерсии, это выделяется тем, что его название никак не связано с именем главного города (иначе бы на карте Англии красовался не Ратленд, а Окемшир). С другой стороны, никто и не собирается называть это графство Ратлендширом! Крошечный Ратленд — единственный кусочек древней Мерсии, который не поддался «ширзации» западных саксов.

Проследив историю Ратленда в глубь времен, можно убедиться, что за ним закрепилась устойчивая репутация «подарочных земель» — короли неоднократно дарили его своим законным женам или же любимым фавориткам. Так, Этельред подарил Ратленд королеве Эмме; Эдуард Исповедник — королеве Эдите; Иоанн — Изабелле. Если отсутствие истории можно почитать за счастье, тогда Ратленд — самое счастливое из всех графств. Единственным эпизодом, омрачающим безмятежное существование Ратленда, является нечаянная битва, которая, на мой взгляд, случайно пересекла границу этого спокойного, но беспомощного графства. Не удивлюсь, если его жители были недовольны таким нарушением порядка и попытались отогнать нежданные события — точно стаю чужих гусей, забредших в огород, — обратно за границу. Можно лишь сожалеть об этой досадной исторической ошибке, ибо без нее Ратленд мог бы по праву носить название английской Аркадии.

Мой путь пролегал меж колосящихся полей пшеницы и овса. Чудесная золотая сторона, где ни единая фабричная труба не омрачает пейзаж. Волна промышленной революции прокатилась по Ратленду, не оставив видимых следов: фабрики и заводы вырастали, как грибы, но так же быстро исчезали. Мне кажется, что сам здешний воздух — насыщенный какой-то старомодной чистотой — не приемлет спешки и сумятицы, столь характерных для нашего века. Собственно, вся промышленность сосредоточена в районе ратлендской деревни Кеттон — это карьер, где ведется добыча местного кеттонского известняка и где трудятся примерно сто пятьдесят человек местного населения. Из кеттонского камня построена церковь Святого Дунстана на Флит-стрит; он же (если мне не изменяет память) использовался при строительстве Тауэра.

Зато ратлендские деревни совершенно очаровательны. Все они построены примерно по одной схеме: в центре —

церковь и дом священника; сельская кузница, где делают отменные подковы; непременный паб под названием «Голова сарацина»; два десятка маленьких белых домиков (у каждого на заднем дворе — аккуратный хлев и загон для свиней) и, конечно же, насосная станция. Полагаю, последнюю спецовку в округе видели в окрестностях Ратленда.

— Что это за местечко? — поинтересовался я у маленькой девчушки, которая раскачивалась на воротах.

— Тикенкот.

Если вы когда-нибудь окажетесь неподалеку от этой деревушки, непременно последуйте моему примеру и осмотрите местную церковь — маленькую, так сказать, «карманную» версию норманнского храма. Стоя в тенистом церковном дворике и глядя на крепкое каменное здание (а оно было возведено вскоре после прихода Вильгельма Завоевателя), я думал: вот одно из чудеснейших строений, которое мне когда-либо доводилось видеть. Сводчатый потолок алтарного помещения, конечно, великолепен, но подлинным чудом является норманнская арка. Во всей Англии я не видел ничего подобного! Больше всего эта арка напоминает конструкцию из пяти огромных каменных подков, вложенных одна в другую; причем каждая из «подков» щедро украшена изысканной резьбой. Уж не знаю, почему на ум взбрело именно такое сравнение. Возможно, потому, что образ подковы вообще символичен для Ратленда: находясь здесь, вы беспрестанно слышите звон подков о каменную мостовую; взгляд завораживают искры, сыплющиеся с наковален в темной кузнице, — а ведь здесь тоже изготавливают не что иное, как подковы. Ну и, наконец, Окем по праву гордится самой большой в мире коллекцией подков (об этом я расскажу чуть позже).

Сам Окем, главный город графства, выглядит как большая деревня. Здесь до сих пор на главной улице стоят дома с соломенными крышами! На рыночной площади сохранилось круглое строение под названием Баттер-Кросс, в котором можно видеть средневековые колодки (что интересно, в них пять отверстий — неужели пятое в расчете на одноногого пленника?) Проезжая по пустынным улочкам города, я невольно сбросил скорость — чтобы не разбудить спящих жителей, ибо у меня сложилось мнение, будто все 3500 обитателей Окема спят сном праведника. Во всяком случае я не собирался делать то, что никому не удалось сделать за две тысячи лет!

Перекусить я решил в здешнем трактире, где стены зала были увешаны лисьими головами — надо полагать, охотничьими трофеями. Пышная, румяная красотка — лицо ее напоминало спелую пепинку, а талия, пожалуй, была создана для объятий какого-нибудь кавалера восемнадцатого столетия — подала мне эль и сочный кусок говядины.

— Ну, и чем вы здесь занимаетесь? — спросил я у девушки.

— Да ничем особенным, — ответила она, зардевшись от смущения, — по крайней мере, пока не начнется охотничий сезон.

Оказывается, окемские девушки до сих пор не разучились краснеть. Забавно!

Я окинул взглядом помещение. На стенах, помимо лисьих морд, висели многочисленные фотографии. Часть из них была посвящена стипль-чезу: вот наездник, берущий препятствие, вот еще один — падающий в канаву с водой. Остальные все на ту же традиционную тему охоты: свора гончих, идущая по следу; свежие, рвущиеся с поводка гончие; гончие, утомленные долгой погоней. В комнату вошел ретривер и ткнулся своим черным холодным носом мне в руку...

— И что, у вас тут ничего никогда не происходит?

— Ну почему же, сэр? Принц Уэльский приезжает поохотиться.

Я вышел на улицу, миновал высокую — рассчитанную на старомодные кареты — арку.

Самым примечательным объектом в этом сонном, счастливом городке является замок — прекраснейший образец норманнской архитектуры в Англии. Здесь дважды в год проводится выездная сессия суда присяжных. Это скорее дань традиции, ведь в Ратленде не совершается преступлений — почти наверняка судья получит пару белых перчаток.

На стене норманнского зала, который сохранился от первоначального замка и датируется двенадцатым веком, богатейшая коллекция подков. Некоторые из экспонатов представляют собой подковы обычных размеров, другие изготовлены из металлических полосок длиной семь футов. Происхождение этой коллекции связано с давней традицией: всякий раз, когда какой-нибудь представитель высшей знати проезжал через Окем, он должен был подарить замку подкову. В случае отказа жители Окема оставляли за собой право конфисковать одну из лошадей высокопоставленного гостя (случись такое в наше время, окемцы, должно быть, прокололи бы шину роскошного автомобиля, и поделом!) Трудно найти достоверное объяснение этому странному обычаю, ведь корни его теряются в глубокой древности. Некоторые считают, что традиция родилась еще во времена норманнского завоевания, когда Окемский замок принадлежал Валькелену де Феррье, шталмейстеру самого Завоевателя. Другие относят ее возникновение к более позднему периоду.

Не одно поколение королей и королев вынуждено было платить этот своеобразный оброк. Две последние подковы являются подарками короля и герцога Йоркского, когда они приезжали в Окем поохотиться. В числе дарителей также королева Виктория, королева Александра, Эдуард VII и другие монархи. Одна из самых крупных подков — дар королевы Елизаветы. А Георг IV преподнес Окемскому замку подкову высотой семь футов. Она отлита из чистой бронзы и, по слухам, стоила пятьдесят фунтов — по тем временам немалые деньги.

Однако есть у жителей городка и своя трагедия: их безмерно расстраивает тот факт, что в коллекции отсутствует «взнос» от Георга V.

— Ах, какая жалость, что нам не удалось получить эту подкову! — сокрушался смотритель замка. — Причем известно, что Георг V как-то проезжал через Окем по железной дороге, но, к сожалению, это не считается. Помню, как король — тогда он еще носил титул принца Уэльского — посетил наш замок, осмотрел коллекцию и горестно воскликнул: «А где же отец?»

Любопытно, что в то время, как короли дарят подковы Окему, жители соседнего Кеттона (того самого, где располагаются каменоломни) на протяжении столетий вынуждены делать аналогичные подарки королевам. Эта деревушка и сегодня выплачивает короне ежегодную ренту в несколько шиллингов — так сказать, королеве на перчатки (pro ocreis Reginae)! Скорее всего, этот обычай сохранился с тех далеких саксонских времен, когда Ратленд находился в личной собственности королевы...

Я улыбался все время, пока ехал к границе графства. Я выехал на поиски Англии, и сотни раз мог с гордостью сказать, что мои поиски увенчались успехом. Сейчас, в Ратленде, это произошло в очередной раз.

Здесь, как нигде, силен дух старой доброй Англии. Найдется ли во всей стране другое такое место — где охота на лис является главной статьей дохода целого графства, где в самом центре города жители топят печи дровами, кроют крыши соломой и отправляются спать с первыми сумерками, где люди никогда не видели фабричного дыма и междугородних автобусов, где на протяжении столетий не случалось ни единого убийства (по крайней мере, так мне говорили) и где девушки заливаются краской и опускают глаза, если к ним обратиться с вопросом? Я пообещал себе, что когда-нибудь обязательно перееду жить в Ратленд. Буду разгуливать в розовом макинтоше и каждый вечер перед сном выпивать по бутылочке портвейна.

А какие тонкие комплименты делают вам в Океме! После того как смотритель замка продемонстрировал мне свою многовековую коллекцию подков, он бросил на меня лукавый взгляд и поинтересовался:

— Можем ли мы рассчитывать еще на один экземпляр — от вас, сэр?

Покидая это крошечное графство, я остановился на границе и снял шляпу перед золотыми плодородными полями Ратленда.

Глава одиннадцатая
Город церквей

Земля северного народа. Я приезжаю в Норидж, брожу по печальным прибрежным болотам и шагаю по мертвой дороге. В этой главе описывается остров Или и люди, сохранившие искусство обработки кремня.

1

Отчаявшись самостоятельно разобраться в путанице норфолкских проселочных дорог, я обратился к проходившему мимо мужчине:

— Доброе утро!

Он молча посмотрел на меня.

— Доброе утро! — повысил я голос. — Скажите, это дорога на Норидж?

Мужчина продолжал сверлить меня взглядом. Выдержав изрядную паузу, спросил с подозрительностью в голосе:

— А зачем вам это знать?

Ну знаете, подобная манера вести разговор кого хочешь выведет из себя. Я, однако, постарался придать своей физиономии максимально приветливое выражение (которое обычно приберегаю для званых чаепитий) и ответил:

— А затем, мой дорогой 'бор, что я собираюсь попасть в Норидж.

Слабое подобие улыбки скользнуло по его изрезанному морщинами лицу. Тем не менее ответил мужчина не сразу. Помолчал и неохотно буркнул, глядя в сторону:

— Ну, допустим, что на Норидж!

Человек, не знакомый с теми краями, попросту не поверит в подобную историю.

Увы, в Норфолке живут самые недоверчивые в Англии люди. Если в Девоне и Сомерсете вас при встрече сердечно хлопают по плечу, то здесь кажется, будто местные жители очень даже не прочь надавать вам оплеух — по крайней мере, пока не познакомятся с вами поближе. И тому есть объяснение. Видите ли, на севере Восточной Англии люди за долгие столетия привыкли, что если они встречают незнакомого путника на глухой дороге, то это вполне может быть отбившийся от своего отряда викинг (их длинные хищные ладьи нередко посещали здешние берега).

— Доброе утро, 'бор! — говорит викинг. — А как пройти к церкви?

— А зачем тебе это знать? — хмуро отвечает житель Норфолка.

— Да вот, понимаешь, надумал ее сжечь!

Как только вы осознаете, что недоверчивое отношение к чужакам у жителей Восточной Англии является застарелым комплексом, выработанным в результате многовековой горькой практики, то это перестанет вас раздражать. На самом деле, поверьте: они не держат на вас зла. А уж коли дело дошло до того, что уроженец Норфолка назвал вас « 'бор» (как я понял, это обращение представляет собой усеченное «нейбор», то есть «сосед»; или же, возможно, переделанное «бой» — парнишка), — можете смело считать это комплиментом. В Восточной Англии все люди делятся на соседей и викингов. И если вам посчастливилось быть принятым в сообщество соседей, вы можете рассчитывать на любое благодеяние со стороны местных жителей. Кроме заема денег, естественно. Ибо когда дело касается того, чтобы прижать свои денежки, любой норфолкский фермер заткнет за пояс сразу трех йоркширцев.

Словечко «'бор», пожалуй, самое популярное в норфолкском диалекте. Поспорить с ним может лишь «мотер», что в переводе означает «девушка». Оно и понятно, ведь в здешних краях полным-полно крепких, симпатичных «мотер» с красивыми плечами и великолепными руками. Некоторые из них укладывают свои льняные косы этакими баранками на ушах — ни дать ни взять юные Брунгильды! Тут поневоле вспомнишь о тех викингах, что когда-то приплыли в Восточную Англию, да так здесь и осели, обзавелись хозяйством и нарожали детишек. Кстати сказать, знаменитая Боудикка была типичнейшей «мотер» — пока не ударилась в политику.

Мой путь пролегал между живых изгородей по плодородной земле. Стояла пора сбора урожая. Я не знаю более прекрасного зрелища, чем поле созревшей пшеницы. Сплошное колосящееся золото, великолепные высокие стебли тянутся вверх, как золотые стрелы. Меня завораживает вид колышущегося безбрежного поля — здесь бугорок, там впадина, волны набегают и отступают. Мне нравится наблюдать, как легкие порывы ветра наметают пыльцу с колосьев в крохотные сугробы, затем походя уничтожают их и торопятся дальше.

Норфолкские церкви не имеют себе равных. Здесь, как нигде, развито искусство использования кремня в строительстве. Сотни тысяч маленьких — размером всего в несколько дюймов — кусочков камня замешиваются в серую массу раствора. В результате получается гладкая, будто полированная стена — твердая, как сталь, и такая же прочная. Эффект достигается в высшей степени необычный. Если вы когда-нибудь пытались расщепить кусочек кремня, то знаете — это самый сложный, капризный и непредсказуемый минерал на свете. И вы с особым почтением взираете на эти церкви, возведенные из кремня.

Должен сказать, что именно здесь, в норфолкской глуши, я столкнулся со своей первой свиньей. Коровы мне встречались повсюду, фактически в каждом английском графстве — от Сомерсета до Камберленда — я наблюдал этих спокойных, флегматичных животных. Со свиньей же, как я уже сказал, мне пришлось иметь дело впервые. Я миновал поворот на довольно большой скорости и обнаружил, что моя машина несется на хрюшку, которая разлеглась прямо посреди дороги, решив, очевидно, встретить там свою судьбу. Это была всем свиньям свинья — огромная *prima donna*, ярко-розового цвета, с налитыми кровью глазами и маленькой, аккуратной закорючкой хвоста. Мое внезапное появление, видимо, ее разбудило, но не внесло окончательную ясность в мысли. Пока я отчаянно давил на тормоз, свинья вскочила с ошалелым видом, подпрыгнула на месте — и понеслась мне навстречу. Вначале мне показалось, что она просто перепутала направления, но затем я осознал свою ошибку. На самом деле это животное обладает крайне развитым инстинктом. В данный момент инстинкт гнал ее домой, а попасть туда можно было лишь мимо меня. Противиться инстинкту свинья не могла, посему лихо тряхнула парой батских щечек, выдала серию истеричных, по-бабьи визгливых воплей и — понадеявшись на помощь всех своих свинячьих богов — ринулась вперед. С некоторой долей оторопи я смотрел, как на меня неслись двести фунтов первоклассного бекона: непривычные к подобным упражнениям, до смешного короткие ножки лихорадочно работали (наверное, свинье казалось, что она делает не менее пятидесяти миль в час).

Я честно попытался обогнуть несчастную хрюшку, но у той, похоже, был собственный план выживания. Очень некстати вильнув окороками, она задела капот машины и в

ужасе шарахнулась в сторону. Доложу я вам, друзья, такая
куча сала, да еще в узком переулке — это пострашнее курицы на дороге, а она, как известно, почетный член местного клуба самоубийц. Честно говоря, я ненавижу пугать животных. Поэтому остановил машину и, движимый самыми
добрыми намерениями, вылез наружу. Я надеялся пропустить свинью и затем уже спокойно продолжить свой путь.
Но не тут-то было: тонким, срывающимся голосом свинья
проорала в мою сторону какие-то совершенно незаслужен-
ные оскорбления, нырнула в живую изгородь и накрепко
там застряла. Так ей и надо!

2

Я сидел на одиноком бревне, изучая карту Норфолка, когда
увидел, как они приближаются — первые бродяги (вернее,
первые откровенные бродяги), которых я встретил после того,
как покинул Чешир. Мужчина шагал, толкая перед собой
деревянный ящик на колесиках от детской коляски. Женщина, поотстав на несколько шагов, несла маленький картон-
ный поднос. Одета она была в нечто, в чем угадывался некогда модный матросский костюм с удлиненной талией. Женщина придерживала на груди воротник костюма, что заставило
меня предположить: под ним у нее ничего не надето. Она
предложила мне купить пакетик лаванды и крайне удивилась,
когда я купил двенадцать пакетиков.

Ее спутник тоже был удивлен, так же как и сопровож-
давший их щенок дворняжки — одно ухо у него было при-
поднято (будто он прислушивался, что там делается за изгородью), а на морде налипли остатки кроличьей шерсти.
Вскоре мы стояли рядом и улыбались друг другу.

— Н-да, — произнес я, — жизнь, конечно, не сахар...
верно говорю? Но, слава богу, на свете существует табачок.
Улавливаете, о чем я?

Бродяги скорее выносят вам оценку, чем, скажем, собаки или дети. Им достаточно посмотреть на вас одну секунду, и они уже знают, опасны вы или безвредны. Через положенную секунду у нас завязался задушевный разговор...

— Постоянная работа! — воскликнула женщина. — Ты бы не хотел иметь такую работу, не правда ли, Джо?

Джо, прищурившись, посмотрел на дорогу. Он был прирожденным бродягой, любящим (и умеющим) подолгу ходить пешком и не гнушающимся бесцельными прогулками. Его трудно было однозначно отнести к племени горожан или, наоборот, сельских жителей. Одно я мог сказать точно: цивилизация не оставила заметных следов на его свободолюбивой, первобытной натуре. Как выяснилось, в войну он служил в армии.

— Ну, — заговорил Джо, лениво растягивая слова, — мне и так вроде не плохо. Квартирную плату вносить не надо, платить муниципальный или подоходный налог тоже... Почти всегда ешь досыта. И потом, мне нравится сельская жизнь, я не хотел бы торчать в городе.

Он рассказал мне, что его родственники — состоятельные люди в деревне. Они, конечно, хотели бы, чтобы он наконец осел и занялся делом (тут он презрительно сплюнул).

— Да только я не желаю вести с ними дела, — продолжал Джо. — Пусть они подавятся своими чертовыми деньгами. Мне они не нужны!

— А вы? — обратился я к его подруге. — Вам это нравится?

Она улыбнулась в ответ. Явно тоже из числа бродяжек (что среди женщин встречается гораздо реже). А может, просто отличалась ленивым и неряшливым нравом.

— Ну, я видала и лучшие дни, — ответила женщина, вновь кутаясь в свою робу и придавая лицу несчастное выражение.

— Да ну? — рассмеялся я. — А мне кажется, что вы обожаете такую жизнь, когда сегодня не знаешь, где будешь ночевать завтра.

Тут она рассмеялась.

— Может, и так... хотя это не всегда удобно. Порой бывает слишком холодно, мокрые чулки сохнут прямо на ногах, а от этого ревматизм начинается.

— Интересно, как долго вы бы согласились прожить на одном месте, в настоящем доме?

— Недолго, — твердо ответил мужчина. — Эй, мальчик, пошли отсюда! Он у нас очень сообразительный пес, сэр, не смотрите, что дворняжка. Мне за него предлагали немалые деньги — несколько фартингов. И очень смирный. Не то что человека — кролика не тронет...

В этот момент — весьма некстати — на дороге показался какой-то толстяк. Пес с лаем метнулся в его сторону. Пришлось деликатно сменить тему.

Эта парочка поведала мне гораздо больше, нежели намеревалась. Я узнал, как приятно путешествовать от одного города к другому, не связывая себя ни делами, ни обязательствами. Как весело каждый вечер встречаться в ночлежке с друзьями, обмениваться новостями, узнавать, что такой-то и такой-то делает то-то и то-то; выкладывать на стол добытую за день еду и обсуждать маленькие дружеские сделки. А поутру снова брести, дальше и дальше — никуда не стремясь, никому не завидуя... Просто бродяга — человек без цели и определенных занятий...

Джо свистнул пса и кивнул мне на прощание; женщина улыбнулась, продемонстрировав не очень хорошие зубы. И они побрели прочь по дороге: мужчина толкал перед собой тележку в которой были сложены их нехитрые товары; женщина, слегка поотстав, следовала за ним; щенок, наоборот, рыскал где-то впереди. Я поймал себя на мысли, что не испытываю никаких сожалений по поводу их судьбы. Мне почему-то казалось, что эти двое счастливее многих миллионеров... и уж точно счастливее, чем большинство из нас.

Я продолжал об этом думать, пока ехал к Нориджу.

3

Самая удивительная вещь в Норидже — его норманнский собор, единственный в Англии, который остается неизвестным американцам. Норидж отсутствует на картах новых паломников, и тому есть причины географического порядка. Главный поток туристов на южном направлении проходит от Линкольна к троице городов Питерборо — Или — Кембридж, оставляя Норидж далеко на востоке, в самой крайней точке 50-мильного клина, который образует Норфолк. Конечно, когда-нибудь гости нашей страны доберутся и до этого города (и сильно удивятся, обнаружив в гостинице пятнадцатого века такие удобства, как холодная и горячая вода в каждом номере). В один прекрасный день Норидж откроется туристам.

Он представляет собой очень своеобразный, я бы даже сказал, сбивающий с толку город. За прошедшие столетия история навязала тут множество узлов, которые не так-то просто распутать. Это характерно для всего Норфолка. Данный край является памятником северному народу Англии и сохраняет все его отличительные черты — чего только стоят кремневые стены, которые не сразу и распознаешь с первого взгляда. Норидж невозможно себе представить где-нибудь в Сомерсете; он — истинное воплощение суровой и несговорчивой Восточной Англии. Мои знания об этом городе были крайне скудными, пока я не приехал сюда. Я, конечно, слышал, что Норидж всегда стремился зарабатывать деньги. Как и всякий англичанин, знал, что когда-то это был третий по величине и значению город страны; что, когда в условиях промышленной революции Норидж лишился своего конька — торговли текстилем (ее центр перекочевал на север вслед за угольной промышленностью), он переключился на производство женской обуви и сумел сохранить лицо. Такой город достоин того, чтобы выжить!

Главные достопримечательности Нориджа сразу бросаются в глаза: над скоплением красных черепичных крыш высится характерный изящный шпиль местного собора (пожалуй, по красоте он уступает только собору в Солсбери) и массивный силуэт норманнского замка на холме. В замке, по утверждению Джорджа Борроу, сидит языческий король и «с мечом в руках охраняет свое серебро и злато». Я отправился прогуляться по узким мощеным улочкам Нориджа, которые до сих пор сохраняют налет средневековой неряшливости — подобную картину вполне можно было наблюдать в каком-нибудь английском или голландском городке четырнадцатого столетия: дома с высокими остроконечными крышами, на чердаках которых, как правило, располагались ручные ткацкие станки. В медленных водах реки отражаются уличные фонари, а под навесами крыш движутся темные фигуры жителей города.

Норидж издавна именовался «городом церквей», но меня он также поразил обилием пабов и клеток с канарейками. Увлечение канарейками носит повальный характер: тысячи жителей занимаются разведением этих очаровательных птичек. Достоинства и недостатки различных пород канареек местные сапожники обсуждают с таким же пылом, с каким ньюмаркетские фермеры толкуют о лошадях. И если бы вам в голову вдруг пришла фантазия остановить уличное движение в Норидже, то легче всего это сделать, прогулявшись по улице с первоклассным экземпляром норриджской гладкоголовой канарейки на пальце.

— Благодаря этим ребятам мы платим за квартиру! — сообщила мне жена сапожника, кивнув на клетку с маленькими золотыми птичками.

Мне довелось познакомиться с человеком, который в сезон содержит до пяти тысяч канареек одновременно. Он экспортирует их в Индию, Канаду, Австралию и Новую Зеландию.

— Во время путешествия за ними присматривает корабельный мясник, — пояснил мне хозяин канареек. — Он ведь привычен ко всякой живности.

За время пребывания в Норидже мне предложили приобрести гладкоголового самца и хохлатую самочку — каждого за пять фунтов, и стоило больших трудов отвертеться от столь выгодной сделки.

В жизни всех старых городов непременно наступает момент, когда местные власти должны собраться и решить чрезвычайно важный вопрос: стоит ли бороться за сохранение древней красоты родного города или же позволить ему превратиться во второй Лестер или маленький Бирмингем? Мне кажется, что Норидж сейчас как раз достиг такой точки.

В зависимости от принятого решения город либо потеряет свой исторический облик через каких-нибудь пятьдесят лет (там просто не на что будет смотреть), либо станет одним из красивейших городов Англии. Ведь мало где сохранились такие великолепные постройки — целые улицы фахверковых домов, частично средневековых, частично тюдоровской эпохи. Правда, большинство из них изуродовано штукатуркой, нанесенной в георгианские времена; если ее соскрести, открывается красная кирпичная кладка и великолепный дуб. После умелой обработки дома Нориджа засверкают, как отреставрированные полотна старых мастеров. Городской администрации следовало бы на недельку съездить в Шрусбери, чтобы осознать, какой редкостный шанс выпадает им прямо сейчас, в текущий момент. А по возвращении пусть разыщут тех горе-архитекторов, которые возводят новые банки в духе кинофильмов о георгианской поре — можете себе такое представить? — и подвесят их в железных клетках, которые уже заготовлены в подвалах того самого замка. По мне, это самое лучшее применение для железной клетки (и для бездарных архитекторов тоже).

Трудно, конечно, предсказать будущее города, который платит сотни фунтов за картины знаменитого нориджского художника и одновременно допускает, чтобы на его могилу в нориджской церкви капала вода из протекающей крыши. Как вы понимаете, я имею в виду Джона Крома, похороненного в церкви Святого Георгия-в-Колгейте.

Стрэнджерс-холл, то есть Странноприимный дом, который стоит в уютном дворике на оживленной улице, является одним из самых прекрасных средневековых домов, сохранившихся в Англии. Другие города были бы счастливы обладать таким чудом, а в Норидже подобное встречается чуть ли не на каждом углу.

Взять хотя бы кафедральный собор Нориджа, особенно его неф — он буквально переполнен великолепными образцами норманнской архитектуры. И при этом практически неизвестен туристам. Спрятанный в глубине галереи верхний ряд окон выполнен в норманнском стиле; то же самое можно сказать и о боковых приделах. В крыше имеется необычное отверстие, сквозь которое монахи спускали раскачивающееся кадило. И хотя нориджский собор не может похвастать таким эффектным западным фасадом, как, скажем, его собрат в Линкольне, по-моему, он гораздо интереснее многих знаменитых церквей. На маленькой площадке перед собором возвышается белый крест с надписью:

*Посвящается святой и чистой памяти
Эдит Кавелл[1],
отдавшей свою жизнь за Англию
12 октября 1915 г.*

Каждое субботнее утро Норидж превращается в Норфолк в миниатюре. Люди со всего графства приезжают в город, заполняют его узкие улочки и рыночную площадь. Вот уж где собираются лучшие дочери Норфолка, сотни фермеров и их пышущие здоровьем жены. Здесь же толкутся гуртовщики со своими стадами: они жуют клубнику и рыщут бдительным взглядам по своим и чужим коровам.

Скотный рынок, который Коббет назвал «самым лучшим и наиболее заманчивым» во всей Англии, постепенно заполняется быками, овцами и свиньями. В воздухе висит пыль от множества копыт, отовсюду раздается блеянье, мычанье и хриплые крики. В этот хор вплетается стук посохов и подбитых гвоздями подошв о булыжную мостовую. Странствующие торговцы, которые в обычное время бродят по деревням, тоже здесь. Они раскрывают свои необъятные кожаные саквояжи и под бесстрастным взглядом норфолкских крестьян выкладывают самый невообразимый ассортимент товаров. Они явно рассчитывают поразить покупателей, но те и ухом не ведут: молча смотрят, до поры до времени воздерживаясь от комментариев. Эти люди от природы замкнуты и не склонны к проявлению восторга. К торговцам они относятся с традиционной осторожностью — как

---

[1] Эдит Кавелл — английская медсестра, с 1906 г. жила в Бельгии, после начала Первой мировой войны осталась в Бельгии и ухаживала за ранеными с обеих сторон. За помощь солдатам союзников в организации побега в нейтральную Голландию была арестована немцами и приговорена военным трибуналом к расстрелу.

бы не обманули! Ох, нелегкая это работа — что-то продать на норфолкском рынке.

— Да этот портсигар из чистого серебра! Вот ей-богу, не совру — я подобрал его в вагоне поезда. Сам удивляюсь: чего только люди не теряют в дороге! Наверняка принадлежал какому-нибудь лорду. Ты посмотри! Здесь и надпись есть — монограмма называется — «лорд Бланк». Ну, и кто теперь скажет, что это не...

Но никто ничего не говорит — в Норфолке это не принято. Пусть говорят другие!

На площади появляется таинственный грузовичок. Боковые стенки у него сняты, чтобы публика могла наблюдать за происходящим внутри. А там на небольшом возвышении стоит стол и два стула, на столе — непонятного назначения электроприбор, основную часть которого составляет аккумуляторная батарея. Оставшиеся борта сплошь оклеены рекламными листовками, в которых восхваляется новый способ лечения ревматизма. Тут же висят невнятные рентгеновские снимки. На платформу медленно, несмело поднимается пожилая крестьянка. Видно, что она боится — губы побледнели и дрожат. Тут же кружком стоит ее родня, все наблюдают, затаив дыхание: исцелит или убьет? Женщина, перекрестившись, берется за электроды, ассистент включает слабый ток. Глаза у бедной старушки, кажется, готовы выпрыгнуть из орбит. Через пару секунд сеанс окончен. Женщина спускается вниз, возбужденные родственники сразу же ее обступают:

— Ну что, ма? Тебе полегчало?

— Да вроде бы!

За стойкой бара норфолкские фермеры часами делят заработанные фартинги. Где еще вы увидите такую ожесточенную торговлю? Два норфолкца способны целый день торговаться за несчастный четырехпенсовик.

— Мне сигару, — говорит здоровенный краснолицый фермер в лавке, куда я тоже зашел прикупить табака. —

И не вздумай мне всучить что-нибудь из твоей дряни, 'бор!

(В Норфолке не привыкли церемониться).

— Девять пенсов, — объявляет торговец, демонстрируя товар.

— Семь, — делает встречную заявку фермер.

— Нет, 'бор, сигара стоит девять пенсов.

— Ну, и кури ее сам за эту цену!

— Ладно, восемь пенсов, — сдается торговец. — Себя обкрадываю. Берешь?

— Беру, беру... Хотя, зуб даю, она того не стоит!

Когда дверь за фермером захлопывается, продавец пожимает плечами:

— Она и впрямь стоит восемь пенсов... но не говорить же об этом вслух!

Ночной Норидж представляет собой волшебное зрелище — особенно если смотреть на него с замковых стен. Крыши домов ярко блестят в лунном свете, зыбкое зеленоватое свечение окутывает тонкий шпиль собора, а внизу расстилается таинственный лабиринт темных узких улочек. Одинокий припозднившийся гуртовщик перегоняет свою отару через опустевшую рыночную площадь. В такие минуты кажется, будто минувших столетий как не бывало. И снова из раскрытых чердачных окошек доносится поскрипывание ручных ткацких станков, а вдоль пустынных набережных медленно движутся призраки фламандских кораблей.

4

Неподалеку от Кромера расположена деревушка Клейнекст-зэ-Си (жители Норфолка произносят ее название как Клай), сразу за которой начинаются солончаки. На целые мили тянется однообразная низина, отделяемая от моря узкой полоской желтого песка. В часы отлива она оголяется, но затем море возвращается и лихим кавалерийским галопом наверстывает свое. Это пустынная местность, где тишину нарушают лишь шепот ветра да крики морских птиц. Люди сюда не захаживают, если не принимать в расчет одержимых натуралистов, которых гонит научное любопытство и желание познать мир солончаковых пустошей.

Ветер колышет морскую гладь — мили и мили бледно-сиреневого цвета; то там, то здесь проступают огромные пятна розового и лилового оттенков: морская вода заполнила выемки в рельефе и образовала озера; золотые облака громоздятся над кромкой моря и медленно, будто сказочные галеоны, наползают на сушу. Солнечные лучи отвесно падают на плоскую равнину и дополнительно усиливают все это многоцветие. Они порождают столько тончайших оттенков, что никакими словами не передать великолепие пейзажа — здесь требуется хороший художник-акварелист. Прибрежные солончаки только кажутся пустынными, на самом деле они наполнены жизнью. Вот серо-голубая цапля бесшумно взмывает над зелеными зарослями камышей и летит прочь, выпрямив ноги, лениво взмахивая сильными крыльями. Немного поодаль она снова опускается на землю — ее темная головка возвышается над камышами, глаза зорко следят за вашими передвижениями. На обломках рыбачьих лодок рядами сидят белые чайки.

Внезапно стая приходит в движение — вспышка белого цвета, сопровождаемая громкими криками. Чайки срываются с места, поднимаются в воздух: оранжевые лапки втянуты, плотно прижаты к белым перьям брюшка. Птицы набирают высоту, описывают беспорядочные круги, затем замирают и парят, распрямив крылья. Полет длится недолго, и вот уже стая снова устремляется к земле: каждая чайка — словно белая вспышка с оранжевыми мазками лапок. Начинается прилив, и вода наступает на берег. Она жадно поглощает сушу, крутясь и пенясь, заполняет небольшие ложбинки и извилистые русла ручейков. Еще минуту назад илистые отмели были сухими, а теперь они скрываются под водой, которая коричневой змеей вползает на берег — извивается и пузырится, образуя на границе светлую кромку из морского критмума.

И весь этот спектакль — с криком чаек, плеском воды и ветром, нагоняющим морскую голубизну, — ежедневно разыгрывается без зрителей. Ибо это странное, ничейное пространство не принадлежит ни земле, ни воде. Вернее сказать, это прекрасное и диковинное место — наполовину суша, наполовину море. Каждый день море наступает, пытаясь отвоевать его для себя, а трава отчаянно сопротивляется, отстаивая свои права. Если повернуться спиной к морю, то вдалеке вы увидите зеленые луга и деревушки, словно прорисованные уверенным пером художника, и серые церковные башенки над кронами деревьев.

Они цепочкой выстроились вдоль всей границы солончаковой пустоши — странные маленькие селения, некогда бывшие портовыми городками. Непомерно большие церкви, одиноко стоящие посреди лугов, свидетельствуют о том, что некогда здесь жили люди и кипела торговля. В Блейкни церковь имеет дополнительную башню — раньше она исполняла роль маяка, а теперь находится на грани разрушения. Они все пришли в упадок и медленно разрушаются — и Клей, и Солтхаус, и Уэйберн (чья древняя гавань превратилась в гнездилище диких птиц), и Уэллс-некст-зэ-Си. Все эти прибрежные деревушки — бывшие порты — пали жертвой моря.

Деревушка Стиффки находится в маленькой укромной долине. Она знаменита своими собирательницами моллюсков. Чтобы увидеть их, мне пришлось отправиться на дальнюю прибрежную пустошь. По пути я форсировал многочисленные ручейки и протоки — благо кто-то позаботился

наладить мостки из гниющих бревен, — прошагал целые
мили по болотной жиже, прежде чем добрался до песчаного
пляжа, густо усеянного обломками кораблекрушений (по
обилию этих самых обломков здешний берег мог бы поспорить с Нидлз[1]). Здесь я увидел десятки черных фигурок,
которые, согнувшись в три погибели, копались в песке в
поисках «стьюкийских голубых» — именно так называются знаменитые ракушки.

Навстречу мне двигалась одна из собирательниц моллюсков, на спине она несла огромный мешок с добычей.
Собственно, почему я решил, что это женщина? Угадывать
пол этого странного существа, ориентируясь на одежду, было
неблагодарным занятием. Что можно сказать о черных кю-
лотах и толстых шерстяных чулках, которые насквозь про-
мокли от морской воды? Комплект дополняла старая черная шаль и зюйдвестка, застегнутая на подбородке на манер чепчика Кейт Гринуэй. Когда фигура приблизилась, я
смог разглядеть, что это все-таки женщина, причем весьма
преклонных лет — на вид ей было лет семьдесят, никак не
меньше. Лицо по форме и цвету напоминало печеное яблоко, все испещренное тонкими морщинками; беззубый рот с
плотно сжатыми губами придавал лицу строгое, даже чо-
порное выражение, которое контрастировало с младенче-
ски-наивным взглядом блекло-голубых глаз.

Вначале разговор не складывался: подобно многим своим землякам, старуха боялась отвечать на вопросы незнакомого человека. Я поинтересовался, хватает ли у нее сил
для такой тяжелой работы. Женщина ответила, что занимается этой работой всю жизнь — с младых лет.

Помнится, несколько лет назад в печати появилась ста-
тья, которая выставляла Стиффки и ее женское население в

---

[1] Нидлз — череда острых скал и их обломков у юго-западной оконечности острова Уайт.

весьма невыгодном свете. По словам автора, практиковавшиеся здесь родственные браки сильно испортили нравы деревни: мужчины якобы вообще не работают, а женщины вынуждены вкалывать как проклятые, чтобы хоть как-то продержаться на плаву.

— Все это чепуха, — отрезала престарелая собирательница моллюсков. — Наши мужчины трудятся на земле, а женщины отправляются к морю собирать ракушки. Сколько себя помню, всегда так было. Я сама начала этим заниматься, когда вышла замуж. Детей ведь нелегко растить... знаете, сколько всего нужно, вот и хотелось подзаработать лишних деньжат. Да и всех нас сюда нужда гонит, сэр...

Она повернулась к морю, где на прибрежной полосе копошились черные фигурки.

— Это, почитай, уж последние собирательницы ракушек в Стиффки. Нынешние-то девчонки нос воротят. Вишь ты, все хотят быть леди. Они не желают надевать эту уродливую одежду и тащиться к морю — как до того делали их матери и бабушки... да и прабабушки тоже. Молодежь не любит тяжелой работы. Вот и получается, сэр, что мы, старухи — последние, кто этим занимается...

Моя собеседница пришла в ужас, когда я попросил разрешения ее сфотографировать. Она закрыла глаза руками — точно так же поступали арабы перед фотокамерой.

— Нет, нет, — твердила старуха, оглядываясь в поисках укрытия.

Я насилу ее успокоил.

И дело тут не в ложной скромности или в нежелании демонстрировать уродливую, как она выразилась, одежду. Просто здесь, как и в других глухих краях, бытует странное верование, будто фотографирование отнимает у людей удачу.

Странное зрелище представляют собой эти женщины, когда они с началом прилива возвращаются со своего про-

мысла. Они медленно, тяжело бредут, взвалив на спину
мешки, полные моллюсков. Большинство из них уже старухи, принадлежащие к прежнему, более выносливому поколению. Но попадаются и женщины среднего возраста. Время от времени за ними увязывается какая-нибудь девчонка.
Спроси ее, так она и сама не знает, зачем пошла. То ли ради
забавы, то ли из любопытства: посмотреть, каким именно
образом мать зарабатывала для нее деньги. Они бредут по
солончаковой пустоши, по щиколотку увязая в мокром песке. Ветер хлещет их по голым лодыжкам, заляпывает грязью короткие юбки.

Занятное место. Туристы сюда не добираются, а напрасно: ведь здесь все проникнуто особой атмосферой, пробуж-
дающей далекие воспоминания. Достаточно выйти на солончаки ближе к вечеру — когда солнце медленно опускается за горизонт и его лучи играют на бледно-сиреневой
морской поверхности, — и у вас перед глазами сами собой
всплывут картинки из далекого прошлого. Легко представить себе корабли викингов, причаливающие к английским
берегам. Вот рослые бородатые мужчины бредут по песку,
волоча за собой тяжелые обоюдоострые мечи. Вот они останавливаются и из-под ладони всматриваются вдаль, через лиловые пустоши...

Здесь, на солончаках, почти всех охватывает непонятное чувство грусти, которое трудно поддается описанию.
Хочется побыть одному, побродить по этой плоской пропи-
танной влагой земле, прислушаться к пронзительным крикам птиц и шелесту ветра в прибрежной траве.

5

Над Педдарс-уэй царит мертвая тишина.

Можно пройти многие мили по этой широкой пустынной
дороге и не встретить ни единой души. Она тянется на рас-

стоянии шести миль от Тетфорда до Хокема. Затем, выйдя
на прямой 30-мильный участок, устремляется вперед —
прямая, как стрела. Иногда теряется в полях, но затем снова продолжает свой бег — мимо Касл-Акра и Грейт-Бер-
чема — до самого приморского Бранкастера. Педдарс-уэй
была известна задолго до того, как возникла страна под названием Англия. Сколько она служит людям, даже сказать
невозможно. Когда римляне пришли на остров, эта дорога
уже существовала и считалась древней. Надо думать, завоеватели очень порадовались, ибо дорога была прямая и хорошо утоптанная многими поколениями местных жителей.
К тому же вела ровно туда, куда надо, следовательно, по-
зволяла сэкономить время и силы на строительство новых
коммуникаций. В Средние века Педдарс-уэй также не оставалась без применения: по ней пролегал путь к одной из
величайших местных святынь — часовне Девы Марии Уолсингемской...

А сегодня эта дорога мертва.

Теперь на ней резвятся одичавшие кролики, порой про-
бегает ласка или пролетает черный дрозд. Люди, построив-
шие Педдарс-уэй, давным-давно не пользуются ею, много
столетий назад они ушли в вечность.

Я пишу эти строки на обочине старой дороги. Оттуда,
где я сижу, мне видно ее продолжение — широкую тропу с
насыпями, которая уходит в траву, на некоторое время теряется в ней и снова выныривает в полях. Ветви деревьев,
растущих вдоль дороги, образуют живую арку. Хорошо
сидеть в зеленом полумраке, прислушиваться к послеполу-
денной тишине (ветерок, до того гулявший в кронах, стих, и
перешептывание листвы прекратилось) и думать о тех, кто
когда-то ходил по этой дороге.

Я почти не сомневаюсь, что это место посещают призраки. Всякий раз, как падает лист или возникает шорох в траве, я вскидываю глаза, ожидая увидеть, как по мертвой до-

роге ко мне приближается фигура, одетая по моде давно минувших дней. Разок я резко оглянулся, но за спиной никого не было. Никого и ничего... только деревья, замершие в противоестественной тишине. Даже птицы в этот час не поют над Педдарс-уэй. Говорят, призрачный пес Черная Шкура до сих пор бродит по этой дороге, как и в окрестностях Кромера. Он иссиня-черный и большой, ростом с теленка. Скажу по секрету: я считаю его гончим псом Тора, который темными ночами — такими же черными, как он сам, — блуждает по Норфолку.

Призраки обычно связаны с заброшенными домами, однако, по моему мнению, куда более подходящее для того место — старая пустынная дорога, по которой уже много лет никто не ходит. Этим дорогам присуща особая магия и красота, не знакомая современным магистралям. Сегодня ведь как — мы едем по дороге и не замечаем ее. Вспоминаем о ней, лишь когда встречаем некое препятствие — в виде ухаба или же работающей ремонтной бригады. Но было время (и Педдарс-уэй относится именно к той эпохе), когда дорога — так же, как огонь или, скажем, крыша над головой, — являлась несомненным благодеянием. Она входила в число немногих вещей — простых, понятных и жизненно необходимых людям. Более того, дорога была символом единения людей, которые вместе двигались в одном направлении — к цели своего путешествия длиною в жизнь.

Педдарс-уэй возникла еще в доисторические времена. Она видела многое: как вонзалось в дичь копье с кремневым наконечником, как на смену каменному оружию пришло железное, как проходили торговые караваны. Эта дорога является ровесницей нашей цивилизации, она росла вместе с ней — от дикой тропы до широкого тракта.

Римские легионы шагали по этой дороге — кое-где выравнивая ее, то там, то здесь срезая углы. Она вела их от

Камулодуна (сегодня он носит название Колчестер) до расположенного на заливе Уош Бранодуна (нынешнего Бранкастера).

Если вначале Педдарс-уэй знала лишь войну и торговлю, то со временем — по прошествии столетий — ей довелось познакомиться и с религией.

Среди старинных построек Уолсингема, что располагается к северу от Фэйкенхема, сохранились не очень выразительные развалины. Когда-то на этом месте стояло могущественное аббатство, прославившееся на всю страну. В тот период — начиная с правления Генриха III и вплоть до разрушения монастырей — короли, королевы и простые англичане приезжали сюда поклониться гробнице Девы Марии. Вначале она представляла собой скромную деревянную часовню, но позже, когда Назарет перешел в руки неверных, уолсингемские монахи стали утверждать, будто прах Богоматери, тайно вывезенный из Палестины, упокоился теперь у них, в Норфолке. Заявление это было сделано, на мой взгляд, не без задней мысли — видно, здешние отцы решили, что они ничем не хуже монахов Гластонбери, которые получали щедрые пожертвования и жили припеваючи. Впоследствии закрепилось мнение, что гробница Девы Марии Уолсингемской и есть истинная Санкта-Каза (Святой дом) из Назарета.

Таким вот образом Педдарс-уэй превратился в дорогу паломников. Теперь здесь постоянно раздавался стук посохов пилигримов: сотни мужчин и женщин из всех уголков Европы добирались по этой дороге в Уолсингем. Чтобы представить себе эту картину, достаточно вспомнить данное Чосером описание славного паломничества в Кентербери. Педдарс-уэй суждено было увидеть и бедняка, который, прихрамывая, тащился по обочине, и его величество короля, двигавшегося с пышной свитой. Генрих III, Эдуард I, Эдуард II, Роберт Брюс Шотландский, Генрих VII — все они прошли этой дорогой. Даже Генрих VIII (до того как затеял религиозную революцию) успел проделать путь паломника. Добравшись до крохотного Хафтона-ин-зэ-Дейл, богомольцы снимали обувь (здесь до сих пор сохранился Башмачный дом) и дальше продолжали путь босиком.

Если вы никогда не видели паломничества, то вам трудно будет вообразить эту картину. Я-то наблюдал, как пилигримы начинали свой путь в Мекку; видел сирийских христиан, стоявших на коленях в Иерусалиме и Вифлееме — слезы катились у них по щекам; они целовали палки, которыми священники касались священных реликвий, просунув их меж мраморных колонн...

В знаменитой усыпальнице стоит статуя Девы Марии. Известный богослов Эразм, совершивший паломничество в 1511 году, писал: «В часовне нет окон, единственное освещение от восковых свечей, распространяющих исключительно приятный аромат. Но стоит только взглянуть, как сразу становится ясно, что это обиталище богов — вокруг столько света и блеска, будто стены усеяны золотом, серебром и драгоценными каменьями».

Среди необычных реликвий усыпальницы находились флакон с молоком Богоматери и сустав одного из пальцев апостола Петра.

Так продолжалось довольно долго, затем настал день, когда последние паломники лежали ниц перед гробницей. Вскоре Педдарс-уэй стал свидетелем прибытия вооруженных всадников. Они изъяли прах Девы Марии и отвезли на сожжение в Смитфилд. Затем в Англии стали происходить и вовсе странные вещи, а дорога начала потихоньку зарастать травой.

Косые солнечные лучи пробиваются сквозь листву деревьев и падают на широкую старую дорогу. Эх, посмотреть бы на Педдарс-уэй в лунном свете! Наверное, волшебное зрелище... И я даю себе слово как-нибудь вернуться сюда ночью и пройтись по древней дороге. Тогда уж наверняка из темноты появится таинственная призрачная фигура и заговорит со мной. На латыни, или нормандском диалекте французского, или на английском тюдоровской поры... А может, это вообще будет никому не известный язык.

Ведь здесь звучала разноязыкая речь, и лишь Педдарс-уэй ведомо, о чем говорили путники. Но дорога ничего не скажет, потому что давно уже мертва. Мертва... или же крепко спит под густым ковром травы и не ведает, что жизнь продолжается.

6

Последние десять дней я пребываю в ужасном состоянии — валяюсь в постели с воспаленным горлом и скверным настроением, которое время от времени сменяется творческим порывом. Меня гложет мрачное предчувствие, что не сегодня завтра я помру в этой придорожной гостинице и тем самым страшно погрешу против правил хорошего тона. Ведь в гостинице дозволено делать все, что угодно, но только не умирать.

Как-то ночью, поддавшись суммарному воздействию сырого яйца и лечебной пастилки с кокаином, я сел и написал слезливое эссе, посвященное английским сельским кладбищам. В этом очерке присутствовали старые раскидистые тисы, замшелые надгробия и море вселенской скорби. Доктор, ознакомившись с сим творением, отнял у меня перо, и в результате — совершенно беспомощный, лишенный своей последней соломинки — я нырнул в пучины лихорадки и растворился в ней. Моим единственным развлечением было разглядывать собственную руку против света из окна. Я медленно сжимал и разжимал пальцы, гадая, неужели это моя рука... и кто, собственно, я такой? (Если вам когда-нибудь доводилось иметь миллион стрептококков в горле, то вы, наверное, меня поймете).

Все, однако, имеет свой конец — закончился и мой кошмар. Микробы пали в неравной борьбе. Неиспользованные пастилки кокаина отошли бедняге-коридорному, страдавшему от невралгии. Горничная, соответственно, получила порошки для полоскания, а я — наконец-то! — смог насладиться дорогой и случайно выглянувшим солнышком.

Я ехал и размышлял о существующих в Англии волшебных «островах», которые опровергают все учебники географии, — ибо эти острова со всех сторон окружены сушей. Когда-то, сотни лет назад, их и вправду окружали непроходимые топи. Но постепенно все болота осушили с целью расширения сельскохозяйственных угодий, и нынешние «острова» представляют собой не что иное, как невысокие холмы в окружении зеленых полей. Назову только несколько из них. Прежде всего, это остров Авалон в Сомерсете, на который легендарные королевы отвезли умирающего короля Артура. Затем это остров Этельни, тоже в Сомерсете, где Альфред Великий собирался с силами, прежде чем сокрушить ненавистных данов. Конечно же, следует назвать остров Или в Кембриджшире — именно здесь окопался Херевард Бдительный, и отсюда он совершал свои партизанские вылазки против Вильгельма Завоевателя. Есть еще остров Торни, на котором стоит Вестминстерское аббатство; остров Танет и несколько других «островов».

Ранним утром — еще до того как в поле вышли первые жнецы — я направлялся к Или. В это время года на кембриджских пустошах по утрам лежит белая пелена тумана — некая зябкая полупрозрачная субстанция молочно-жемчужного цвета; и пока я пробирался сквозь нее, у меня было ощущение, будто я плыву на корабле в призрачном море. Смутно видневшиеся вдалеке живые изгороди казались краями кубков, забытых на плоской шахматной доске. Внезапно передо мной возник остров Или. Он появился из утреннего тумана во всей своей сказочной красе, подобно мертвому кораблю, навечно впечатанному в замерзший океан. Выплывший из белого предрассветного тумана холм с венчавшим его собором, в тот миг он показался мне самым прекрасным зрелищем во всей Англии. Я уверен: это заколдованный холм, и возник он по мановению волшебной палочки чародея. Представьте себе этакий плавучий Камелот, сотканный феями из колдовского тумана и готовый раствориться в воздухе, если неосторожный путник бросит на него любопытный взгляд.

По мере того как солнце поднималось, туман постепенно рассеивался, и остров Или (правильнее его называть Илз) приобретал реальные очертания. Стал виден маленький городок, жмущийся по склонам холма к своему древнему собору. Но странное дело — даже в разгар летнего дня Или сохраняет частицу своей волшебной ауры и остается тайной, которую невозможно разгадать.

Собственно говоря, в Или и нет ничего, кроме собора. Этот собор является его прекрасной королевой. У. Д. Хауэллс как-то назвал Уэллский кафедральный собор в Сомерсете самым женственным из всех английских соборов. Составители путеводителей подхватили спорное замечание доктора Хауэллса и повторяли его столько раз, что в конце концов все в это поверили. Все, но только не я! На мой взгляд, Уэллский собор носит ярко выраженный мужской характер. В этом отношении он почти не уступает Даремскому собору. Если же пытаться отыскать в Англии женственную постройку, то таковой, несомненно, будет Илийский собор. В своих причудливых фантазиях я иногда воображаю его супругой Дарема. Да-да, именно так: Даремский собор — это мрачный норманнский рыцарь, а Или — прекрасная норманнская дама. Это очаровательный собор, полный изысканной красоты и грации. А его уникальная восьмиугольная башня видится мне решающим аргументом в нашем споре: только признанная красавица может позволить себе роскошь носить столь необычную и претенциозную шляпку!

Хочется напомнить, что и своим возникновением Илийский собор обязан женщине. Это произошло тысяча триста пятьдесят три года назад, когда благочестивая Этельдреда разочаровалась в семейной жизни (этому предшествовал двенадцатилетний период не слишком удачного брака с королем Нортумбрии) и решила вернуться в родные края — на болотистый, продуваемый всеми ветрами остров Или. Здесь она основала монастырь и провела в нем остаток своей жизни — «в великом смирении и праведности», по словам летописца. Думаю, немногие знают, что память об Этельдреде сохранилась в слове «tawdry» («тодри», дословно «безвкусица»). Дело в том, что в народе королеву звали Сент-Одри (святая Одри); соответственно, и проводившаяся на Или ярмарка паломников получила название ярмарки Сент-Одри. Здесь собиралось великое множество мелких торговцев и перекупщиков, которые торговали недорогими аляповатыми сувенирами: шелковыми шейными платками и дешевыми кружевами — так называемыми «цепочками Сент-Одри» или попросту «тодри». Еще одно слово, происхождение которого связывается с Или, — головной убор, котелок (по-английски «билликок»). Это куда более поздняя история: монастырь существовал уже не одно столетие на этом холодном, негостеприимном острове, и монахам — которые страдали от жестоких зимних ветров — специальным распоряжением папы дозволялось носить специальные шляпы под названием «уилкок». Позже это слово трансформировалось в «билликок».

Рассказывая об Илийском соборе, необходимо вспомнить монаха по имени Алан Уолсингемский — ведь именно его радениями была воздвигнута знаменитая восьмиугольная башня и другие элементы этой великолепной церкви. Алана Уолсингемского по справедливости можно отнести к величайшим архитекторам Средних веков. Двадцать второго февраля 1322 года в аббатстве случилась беда. Монахи только успели разойтись по своим кельям, как старая норманнская башня внезапно рухнула прямо внутрь хоров. По словам одного из летописцев, это сопровождалось «таким грохотом и содроганием, что все подумали, будто началось землетрясение». Алан Уолсингемский «ночью поднялся на хоры и стоял над грудой обломков, не зная, куда повернуться. Однако же он собрал всю свою смелость и, веруя в поддержку Господа Бога нашего и Пресвятой Богородицы, приступил к работе во славу святой девы Этельдреды».

И сегодня мы можем наблюдать результаты его трудов. Перед Аланом стояла нелегкая задача, и полагаю, лишь его собратья по ремеслу могут по достоинству оценить талант средневекового монаха.

Наверное, я не буду оригинальным, если скажу, что остров Или в моем понимании связан прежде всего с именем Херварда Бдительного. Однако для меня эта связь тем более значительна, что двадцать пять лет назад мне самому пришлось побывать в шкуре Херварда. Помню, как долгими субботними вечерами (а если повезет, то и воскресными днями) мы, мальчишки, играли в Херварда и Вильгельма Завоевателя (эта роль меня никогда не привлекала, и я с легким сердцем уступил ее своему рыжеволосому приятелю). Островом Или для нас служила превосходная компостная куча на выгоне, и я во всех деталях помню тот день, когда разъяренный Вильгельм — худой, веснушчатый, в залатанных штанах — атаковал меня с перекладиной от вешалки наперевес. Настоящий Или вполне соответствовал тому нашему острову на сельском выгоне. Посему сейчас, стоя на вершине холма и озирая зеленые просторы, я вполне понимал, так сказать, на основе личного опыта, что Хереварду не было нужды серьезно беспокоиться по поводу норманнской конницы, безуспешно рыскавшей по окрестным болотам.

Любопытная история приключилась после того, как противостояние разрешилось... и не в пользу Хереварда. Жадность толкнула местных монахов на предательство, и они выдали Хереварда норманнам в расчете на жирный куш в виде новых земель. Вильгельм явился в монастырь один и в неурочное время — пока монашеская братия заседала в обеденном зале. Он знал, что монахи ждут от него благодарности за свое отступничество, но не торопился расплатиться. Вильгельм долго стоял в раздумье перед главным престолом. Стоял в полном одиночестве и молчал. Затем швырнул наземь одну-единственную золотую марку (около ста пятидесяти фунтов стерлингов в пересчете на современные деньги). После этого тихо вышел из церкви и направился к своему коню.

Несколько мгновений спустя в трапезную ворвался рыцарь, который обрушился на монахов с оскорблениями. «Жалкие слюнтяи! — кричал он. — Не могли выбрать другого времени? Король посетил ваш храм, а вы обжираетесь, как последние свиньи!» Монахи опрометью бросились в церковь, но поздно — там никого уже не было! Они побежали вслед за Вильгельмом и нагнали его в трех милях от монастыря, в Уитфорде. Монахи слезно молили о прощении, и король простил их, но наложил штраф в размере семисот серебряных марок (примерно четырнадцать тысяч фунтов стерлингов). Чтобы расплатиться, монахам пришлось отправить на переплавку церковную утварь. Увы, этого оказалось недостаточно — норманнские чиновники донесли королю, что стоимость слитков не покрывает назначенный штраф. Вильгельм разгневался и потребовал от несчастных монахов еще триста марок. Таким образом, несколько минут, проведенных Вильгельмом в раздумье перед алтарем церкви, обошлись Или в двадцать тысяч нынешних фунтов стерлингов.

На обратном пути я становился и бросил прощальный взгляд на возвышавшийся на вершине холма монастырь Святой Одри. Этим прохладным сентябрьским утром он напомнил мне призрачный корабль, который спокойно и с достоинством дрейфует в бурном море английской истории. Плавание длится уже не одно столетие: парусник движется вперед вопреки хлестким ветрам Кембриджшира и бурным событиям прошлого.

7

Проезжая через Брэндон, я остановился в «Белом олене» промочить горло. Сам городок относится к Саффолку, но Брэндонская железнодорожная станция располагается на территории Норфолка. Сидя за столом и прислушиваясь вполуха к нескончаемым спорам, которые вели посетители бара, я невольно отметил странный шум, беспрестанно доносившийся снаружи. Это был необычный стук... или скорее даже бренчание с каким-то металлическим оттенком, которому я даже затруднялся подобрать название. Шум определенно не мог идти из кузницы — я знаю звук, раздающийся при ковке подков, этот был чересчур высоким.

— А, это? — добродушно улыбнулся официант. — Так то ж молодой мистер Эдвардс — колет кремень в сарае на задворках, делает замки для кремневых ружей...

После такого объяснения мне ничего не оставалось делать, кроме как отставить в сторонку кружку и отправиться на поиски «молодого мистера Эдвардса».

Полагаю, тысячи путешественников еженедельно проезжают через этот маленький, ничем не приметный городок и даже не подозревают, что здесь обитает, возможно, самое древнее в мире деловое предприятие. Речь идет о бизнесе, который якобы возник еще в десятом веке нашей эры. Люди начали работать с кремнем еще в доисторические времена. Они изготавливали те самые великолепные кремневые наконечники для стрел, которые сегодня мы находим при раскопках. Помимо этого здесь производили кремневые ножи и скребки. Знаменитые неолитические шахты Граймс-Грейвс как раз и появились для добычи кремня; наши далекие предки пробивали в меловой породе длинные галереи и добывали кремень при помощи заступов, изготовленных из оленьего рога.

Прошли десятки тысяч лет, но в Брэндоне люди умудрились сохранить древнее искусство обработки кремня. Насколько мне известно, только жители этой маленькой деревушки в Саффолке умеют справляться с этим неподатливым материалом и придавать ему нужную форму.

Я заглянул в открытую дверь сарая и увидел молодого человека, сидевшего на невысоком табурете. На левом колене, защищенном толстым куском кожи, он держал солидный обломок кремниевой породы, по которой и колотил небольшим молоточком. Именно эти его действия порождали тот странный, стеклянный звон, который я слышал в трактире. С одной стороны от парня громоздилась большая куча необработанной породы с остатками налипшего мела; с другой стоял жестяной тазик, наполовину заполненный только что нарубленными дымчато-голубыми кремневыми сколами, представлявшими собой конечный продукт его трудов.

При виде меня молодой человек дружелюбно улыбнулся. Я расценил это как приглашение, посему вошел в сарай и уселся на еще один валявшийся неподалеку перевернутый тазик.

Вы когда-нибудь пробовали выточить кремневый наконечник для стрелы?

Лично я пытался несколько раз, и всегда безуспешно. Для меня так и осталось загадкой, как наши далекие предки умудрялись работать с этим хрупким камнем; как обтесывали его, получая маленькие острые, как лезвие, наконечники для стрел и длинные, аккуратно заостренные — будто над твердым, как сталь, камнем трудилась огромная мышь — навершия копий.

Наблюдая за молодым мистером Эдвардсом, я понял, что кремень может быть послушным материалом, если иметь четкое представление, как и куда направлять удар. Молодой человек наносил несколько легких ударов по куску кремня и чутко прислушивался к производимому звуку. Когда полученный результат удовлетворял его, он ударял посильнее, и камень легко раскалывался вдоль найденной линии разлома. В результате мистер Эдвардс получал замечательный плоский осколок кремня, с которым уже можно было работать дальше. Парень легонько постукивал молотком по краям образца, отслаивая камень, пока после серии мастерских ударов в руках у него не оставалась идеально квадратная пластинка — готовый кремневый замок для ружья. Меня поразило, насколько послушным был в его руках кремень, славящийся своей неподатливостью. Проходило несколько секунд, и еще один готовый замок падал в жестяной тазик, а на очереди был новый осколок.

— Таким вещам обучаешься в юности, — пояснил мистер Эдвардс. — Если повезет... а ведь некоторым так и не удается прочувствовать удар. Знаете ли, это своего рода талант...

— ...переданный вашими неолитическими предками? — поинтересовался я.

— Ну, можно и так сказать, — улыбнулся молодой человек. — Это одна из теорий.

— И что дальше происходит с вашими изделиями?

— На них большой спрос в Африке и других местах, где до сих пор пользуются кремневыми ружьями. На сегодняшний день практически все кремневые замки изготавливаются у нас, в Брэндоне. Их обычно продают в упаковках по пятьдесят штук.

А мне подумалось, что торговля кремневыми замками может со временем исчезнуть, как и любое древнее ремесло. Искусство работы с камнем не находит себе поклонников среди молодого поколения. Работа тяжелая, а платят немного; к тому же кремневая пыль въедается в легкие и, говорят, наносит непоправимый вред здоровью. В Брэндоне сегодня осталось всего с полдюжины мастеров, да и те занимаются обработкой кремня в свободное время.

Я смотрел, как мистер Эдвардс штамповал кремневые замки — один за другим, с невероятной скоростью, без единого промаха, без единой трещины, — и думал, что высокий, стеклянный звон, который он производил своим металлическим молоточком, — один из самых удивительных звуков, который мне доводилось слышать. Это звук, с которым человеческая раса сотни лет назад выиграла свою битву за превосходство над дикими зверями...

— А не могли бы вы сделать для меня наконечник стрелы? — попросил я.

— К сожалению, это не моя специализация, — ответил мистер Эдвардс. — У нас этим занимается всего один человек, он живет дальше по улице. Да только думаю, и ходить к нему не стоит — все равно откажет. Он один умеет делать наконечники для стрел и копий, но никому не раскрывает своего секрета! К нам сюда приезжали сэр Артур Такой-то и Джон Сякой-то — пытались разузнать, как он делает свои... да только впустую. Он не говорит. Вот, кстати, посмотрите, это его последняя работа... на прошлой неделе сделал.

И парень передал мне на рассмотрение лезвие топора. Честно говоря, я не слишком хорошо разбираюсь в доисторических древностях. На мой взгляд, вещь выглядела настолько убедительно, что я незамедлительно купил бы ее как подлинник.

Несмотря на совет мистера Эдвардса, я все же отправился к местному мастеру и поинтересовался, где он обучался своему уникальному ремеслу.

— В детстве, — начал рассказывать он, — мне довелось повидать множество профессоров. Они рассуждали по поводу обработки кремня и так, и эдак, но все в конечном счете сводилось к одному — мол, они не понимают, как люди каменного века могли изготавливать свое оружие. Ну, я их послушал и решил сам потренироваться. Пробовал по-всякому, а потом вдруг меня осенило. Внезапно открылось! Я подумал: «Так вот как они это делали!» А подумав, начал сам делать наконечники для стрел и лезвия для топоров. И, боюсь, сэр, многие из моих изделий сейчас выставляются в музеях!

Мистер Сполдинг бросил на меня хмурый взгляд.

— Это мой секрет, — продолжал он. — Я сам придумал способ и не вижу причин, почему должен рассказывать другим...

Он открыл ящичек, в котором лежала небольшая коллекция превосходно обработанных неолитических наконечников для стрел; в соседней коробке обнаружился точно такой же набор. Кивнув в сторону коробки, мистер Сполдинг признался:

— Вот эти выточил я в свое свободное время.

Достаточно одного взгляда на эти две коллекции (между которыми пролегло бог знает сколько тысячелетий), чтобы с уверенностью утверждать: оба набора — и доисторический, и современный — изготовлены по одной и той же методике (в чем бы та ни состояла). Странность же заключалась в том, что мистер Сполдинг — при всех своих уникальных способностях — не умел изготавливать кремневые замки для ружей! На самом деле его нельзя назвать истинным резчиком кремня из Брэндона, даже для людей, ежедневно имеющих дело с этим капризным материалом, мистер Сполдинг остается неразгаданной тайной. При этом коллеги отдают себе отчет, каких высот достиг в своем мастерстве мистер Сполдинг, насколько бесценным является искусство, сохраненное им с древнейших времен.

Мы распрощались. Мистер Сполдинг остался стоять на пороге; в руках он держал каменное лезвие топора, которое пытался прикрепить к крепкой рукояти при помощи сыромятных полос бычьей кожи. Закончив работу, он покрутил в руке топор и, похоже, остался доволен его балансом. Таким оружием не составит труда отогнать не в меру любопытных охотников за чужими секретами. Мне мистер Сполдинг показался похожим на первобытного жителя, который — с твердостью, достойной его кремневого оружия, — защищает и вход в темное нутро своей пещеры, и суть своего изобретения. Если б я был более убежденным сторонником теории о реинкарнации душ, возможно, ему не удалось бы так просто от меня отделаться.

А впрочем, кто знает... Очень может быть, что жертвой оказался бы я сам — учитывая великолепный баланс его кремневого топора!

Глава двенадцатая
Дамы и кавалеры

Я сижу на берегу Эйвона неподалеку от Стратфорда; свожу знакомство с новым поколение цыган; посещаю Ковентри, Кенилворт, Уорик и наконец-то завершаю свое путешествие.

1

Ах, эти узкие тропинки Уорикшира, эти могучие деревья, маленькие горбатые мостики, перекинутые через крошечные ручейки! Все это приметы моего далекого детства. В этом краю сохранилось множество очаровательных деревушек, таких как Уэлфорд-на-Эйвоне, где люди до сих пор говорят на языке елизаветинских времен и по праздникам устанавливают на центральной площади майский шест. Здесь по-прежнему выращивают самую крупную и сладкую клубнику в графстве и добывают великолепнейший мед из соломенных ульев; именно здесь много лет назад я впервые увидел человека в рабочем халате пасечника. В этих краях стоит деревушка Бидфорд — «пьяный Бидфорд», как ее называют — где прежде жила одна древняя старушка с лицом, как сморщенное яблоко. Помнится, она любила прогуливаться под своим розовато-сиреневым зонтиком и демонстрировать всем желающим любимую яблоню Шекспира. В тени этого старого раскидистого дерева великий поэт якобы отсыпался после бурной ночи, проведенной на постоялом дворе «Сокол».

Мне знакомы также деревни из небезызвестного стишка (несомненно, принадлежавшего Шекспиру):

> Педворт с дудкой, танцор Марстон,
>
> Чертов Хиллборо, тощий Графтон,
>
> Эксболл, папист Уиксфорд,
>
> Нищий Брум и пьяный Бидфорд.

Что касается меня, я бы не рискнул заново посетить эти места, даже при наличии свободного времени.

Нет, когда-нибудь я обязательно приеду и проведу здесь целый месяц. Но это будет в июне, когда в Уэлфорде наливается сладким соком клубника.

Я считаю глупейшей ошибкой возвращаться в места, где вы были счастливы в молодости. Лично мне Стратфорд-на-Эйвоне запомнился этаким райским уголком, где царит вечный май, соловьи рассыпают серебряные трели в темных купах деревьях, а река Эйвон лениво несет свои воды под старым мостом, выстроенным Хью Клоптоном. Я был в ту пору ужасно молод; вставал с рассветом, гулял по росистым лугам, сбивая цветы калужницы болотной, и читал вслух стихи Шекспира, повергая в удивление местных коров. Я был юным, голодным и восторженным. Только молодость знает; только молодость способна на такой накал страстей.

Как-то ночью я едва не убил Марию Корелли. Это была совершенно фантастическая лунная ночь:

> В такую ночь Дидона, с веткой ивы грустно стоя
>
> На берегу морском, манила друга
>
> Вернуться в Карфаген[1].

---

[1] У. Шекспир «Венецианский купец». Перевод Т. Щепкиной-Куперник.

Собор в Солсбери

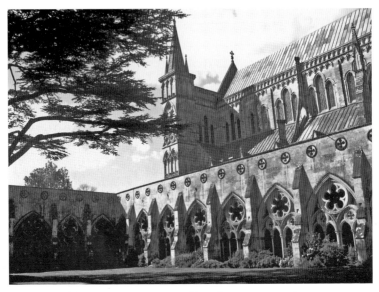

Внутренний дворик Солсберийского собора

Интерьер и хоры собора в Солсбери

В Солсбери собор виден из любой точки города

Идиллия английской глубинки: типичный пейзаж

Стоунхендж. Пяточный камень

Стоунхендж. Общий вид

Гластонбери. Надгробие на предполагаемом месте захоронения
короля Артура

Развалины замка Кенилворт, воспетого В. Скоттом

Замок Тинтагель, «колыбель» артуровской легенды

Останки Адрианова вала

OVER 10000 MARRIAGES
PERFORMED IN THIS
MARRIAGE ROOM
EST: 1830

Гретна-Грин.
Надпись на стене
гласит: «В этом
здании заключено
приблизительно
свыше 10 000
браков»

Панорама Йорка

Норидж. Норманнский замок

Нориджский собор. Здесь, в частности, похоронен фаворит королевы Елизаветы Роберт Дадли, граф Лестер

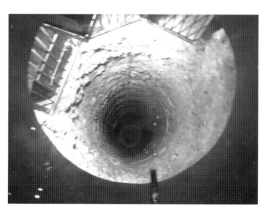

Норидж. Колодец в замке, пробитый на 40 метров в толще скалы

Лланголлен

Замок Конви

Замок Рудлан

Замок Денби

Замок Карнарвон

Собор Святого Давида

Замок Харлех

Сноудон и его окрестности

Лланберис

Сланцевые копи Лланбериса

Побережье острова Англси

Кардифф. Замок

Панорама Кардиффа с вершины замковой башни

Мой взгляд был прикован только к этой великолепной луне, поэтому неудивительно, что я со всего размаху врезался в знаменитую гондолу Корелли. Помимо этого несчастного случая мне вспоминается мистер Фрэнк Бенсон — такой, каким он был в ту пору — местное божество, распорядитель и первосвященник шекспировского фестиваля. Его часто видели разъезжающим на допотопном велосипеде. Я помню, как он призывно махал мне, стоя посреди увешанного окороками склада (по совместительству офиса Фрэнка). Как я сидел на клети от сахара и с благоговением слушал его разглагольствования о том, что только Стратфорд — привычное место встречи англоговорящего мира — способен исцелить индустриализм и снова принести счастье в Англию. Мы можем сделать весь мир счастливым, обучив его «моррису» и народным песням и приучив посещать Мемориальный театр. С этой прекрасной верой юные пилигримы снова смогут возродить добрую старую Англию — с ее ручными прялками и прекрасными девами в свободных одеждах, играющими на клавикордах. Прекрасная идиллия... Но вскоре грянула война, и всему пришел конец.

Я миновал участок дороги, обсаженный ухоженными живыми изгородями, столь характерными для Уорикшира, и под уверенный рокот автомобильного движка въехал наконец в Стратфорд. Увы, милый старый Стратфорд, который запомнился мне с юных лет, претерпел не самые приятные изменения. Похоже, путешественники со всех концов земли устремились на родину великого Шекспира. Центральная площадь была забита междугородними автобусами. Добрая половина автомобилей центральных графств либо приезжала в Стратфорд, либо его покидала. В отеле было не протолкнуться от длинноногих американских девиц, их цветущих мамаш и болезненного вида отцов семейства.

Мне достался номер с названием «Бесплодные усилия любви» — похоже, все комнаты в этом отеле имели отношение к шекспировским произведениям. И поскольку окно моего номера выходило на улицу, я имел возможность наблюдать за новыми толпами прибывающих американцев и прикидывать, что бы по этому поводу сказал сам Шекспир. Слава Стратфорда в известной мере покоится на личности Шекспира: любой американец считает себя обязанным посетить родной город знаменитого драматурга — без этого его путешествие в Англию будет неполноценным. Для американцев Стратфорд является сердцем Англии. Миллионеры, совершающие круиз на собственном автомобиле, и бедняк, пользующийся отрывными купонами бюро путешествий, — все схожи в одном: они не посмеют вернуться домой, не побывав в родном городе Шекспира.

Стратфорд-на-Эйвоне — единственный английский город, который может считаться современным центром паломничества. По своей популярности он вполне может сравниться с Гластонбери. Полагаю, старые религиозные гробницы также привлекают к себе тысячи пилигримов, понятия не имеющих, зачем они туда приходят, если не считать безотказного довода «так принято».

Слово «паломник» в его современном понимании вызывает у меня острую неприязнь, то же самое относится и к слову «святыня». Как правило, в комплекте с ними идет фразочка: «Эй, подайте мне парочку мартини — да поживее — и холодной воды в придачу!»

Я посетил Гарвард-хаус, принадлежащий Американскому университету (в нем висят ярко-синие йельские портьеры!) В этом доме проживала Катарина Роджерс, вышедшая впоследствии за Роберта Гарварда и, соответственно ставшая матерью основателя Гарвардского университета Я заглянул в Нью-Плейс, который стараниями мистер

Уэллстуда, куратора родного города Шекспира, превратился в великолепный музей. Конечно же, я не мог пройти мимо родного дома Шекспира и обнаружил здесь в каждой из комнат по смотрителю — оно и понятно, ибо сама атмосфера Стратфорда подогревает инстинкты охотников за сувенирами. Что касается меня, то, похоже, мое преклонение пред гением английской драматургии давным-давно себя исчерпало. Во всяком случае я с гораздо большим интересом наблюдал за простодушными лицами посетителей, склонившимися над застекленными стеллажами, нежели чем за самими экспонатами. Тот факт, что в этом доме некогда родился величайший гений английской поэзии, меня оставил более или менее равнодушным.

— Скажите, гид, — спросил один из посетителей, — а известно, сколько всего пьес выдумал Шекспир?

Наблюдение за садом, прилегающим к дому Шекспира (если только допустить, что окружение и взаимосвязи помогают постижению творчества автора), создает идеальные кабинетные условия. Сидя на подоконнике, куратор шекспировского дома мистер Уэллстуд имеет возможность любоваться садом, где маленького Билли когда-то убаюкивали, где он пускал пузыри и неловкой ручонкой пытался поймать край полога; где он внезапно просыпался, потревоженный коликами, столь характерными для всех младенцев. Само по себе вдохновляющее занятие, а к сему надо еще приплюсовать дополнительный бонус в виде юных американок, с мая по сентябрь дефилирующих перед взглядом господина куратора.

Мистер Уэллстуд поведал мне, что под полем для гольфа он обнаружил развалины древнеримского Стратфорда.

Мне же посчастливилось найти два совершенно не изменившихся места в Стратфорде. Одно — замшелое сиденье на высокой стене церкви Святой Троицы, откуда открывался прекрасный вид на Эйвон. На мой взгляд, это один

из характернейших английских пейзажей: у вас под ногами
ветви плакучей ивы опускаются в речные воды, на противоположном берегу расстилается усеянный желтыми цветами — словно веснушчатый — луг, и над всем этим разносится плеск воды на старой мельнице. По-моему, в этом
пейзаже воплощена все красота уорикширской сельской стороны. Между могильными камнями раскиданы высокие
тисовые деревья. Это так справедливо, что прах Шекспира
покоится в тихой сельской церкви — где колокол на высоком тонком шпиле время от времени лениво отсчитывает
время, где старые липы колышутся на ветру.

И леса за рекой нисколько не изменились. Туристы сюда
не захаживают, и весенними ночами здесь раздаются соло-
вьиные трели. Живые изгороди увиты диким шиповником,
а на траве лежит осыпавшийся цвет терновника. Именно
здесь, в этих краях, вы сможете встретить Шекспира — в
этом волшебном лесу «рядом с Афинами».

Вечерней порой я отправился туда с настоящим паломни-
чеством, и мне показалось, что при звуке моих шагов
Оберон и Титания едва успели спрятаться в густой чаще, а
Горчичное Зерно и Душистый Горошек захлопнули свои
стручки. Посреди леса, который тянется вдоль крутых берегов Эйвона, мне повстречался старик, возвращающийся
к себе домой, в Шоттери. Он шел, опираясь на необстру-
ганную ясеневую палку, а за спиной нес увесистый мешок.
Мы обменялись приветствиями и отправились каждый своим путем. Но я узнал его! Это был тот самый простой деревенский мужик из Уорикшира, которого Шекспир отправ-
лял в Афины в ночь летнего солнцестояния!

2

Я выходил с сельской почты, когда услышал хорошо знакомый голос:

— Эй, вы только посмотрите на этого человека! Известно ли вам, сэр, что моя жена написала вам целых три письма и не получила ни единого ответа?

— Увы, я ничего про это не знаю.

— Ей так хотелось, чтобы вы написали о новых цыганах.

— И кто такие эти новые цыгане?

— Это мы. То есть их великое множество, но мы являемся типичными представителями. Привычки, знаете ли, затягивают... и единственный способ поддерживать приличную физическую форму — выезжать на уик-энды из Лондона. В прошлом году мы держали на Темзе собственную баржу — этакий плавучий дом, — но минувшей весной она затонула. Так что теперь приходится пользоваться палаточными городками. Несколько выходных мы провели в Девоне и Сомерсете, добирались даже до Нью-Фореста... А это наш первый лагерь в Уорикшире. Послушайте, сэр, вам знаком Эбботс-Милл? Отлично, проходите мельницу, сворачиваете налево на пешеходную тропинку и держитесь ее, пока не упретесь в ручей с небольшим мостиком. На мостик не ходите — он небезопасен, левее увидите деревянные мостки, вот ими и воспользуйтесь. Пересечете поле по пути к лесочку, а когда окажетесь на опушке, подайте голос — мы вас услышим. Ждем вас к обеду! Сардины, бекон, яйца и консервированный язык обеспечены.

— Сегодня вечером я занят.

— Ну, тогда приходите в любой день после обеда. Здешние звезды просто великолепны — о них можно целые ярды бумаги исписать. Великий Скотт — вот кого мне это напоминает! Итак, до скорого.

Джон Икс — классический лондонский бизнесмен, успешный во всех своих начинаниях, был последним человеком, которого я ожидал встретить в этой забытой богом деревушке, да еще в костюме легендарного крысолова. Короче, я с благодарностью принял приглашение на обед.

Уже стемнело, когда я миновал Эбботс-Милл и двинулся по означенной тропинке, которая вопреки моим ожиданиям (ибо, как правило, все рекомендации оказываются ложными) действительно привела к маленькому ручью с подгнившим мостиком. Золотое жнивье с хаотически проложенными кроличьими тропками заканчивалось темнеющим лесом. Здесь я остановился и, как договаривались, покричал. Тотчас же откуда-то сверху донесся ответный крик, он сопровождался хрустом валежника. А еще несколько мгновений спустя на опушке леса появился Джон с закатанными рукавами.

— Только что домыл посуду, — с ухмылкой пояснил он. — Чертова работа! Ну, пойдемте.

Он провел меня через лесную чащу узенькой тропинкой егеря.

— Можете себе представить больший контраст с деловым Лондоном? — спросил Джон, делая широкий жест в сторону тенистых елей. — Уик-энды в загородных коттеджах или на яхтах и тому подобных местах всегда заканчиваются однотипно — партией в бридж и коктейлем, а в результате вы вынуждены проводить время с людьми, от которых мечтали сбежать. Здесь совсем другое дело — вы с таким же успехом могли бы оказаться на луне. Вот мы и пришли...

Еще один шаг, и мы внезапно оказались на поляне. На некотором расстоянии от зеленой палатки горел костер. Поодаль стоял укутанный непромокаемым брезентом спортивный двухместный автомобиль.

— Ох, и пришлось же нам намучиться, пока мы доставили сюда машину. Но оно того стоило: мы в любой момент можем сняться с места.

Тем временем из палатки показалась миссис Джон Икс, и должен сказать, что я в жизни не видел более очаровательной цыганки.

— Видите, — сказала она, заводя меня в палатку, — у нас даже есть электричество от автомобильного аккумулятора.

В палатке стояли две походные кровати, на полу между ними коврик.

— Скомандуйте, когда захотите пить, — сказал Джон Икс, доставая сифон с содовой.

Мы сидели вокруг костра и наблюдали, как темнота выползает из леса и потихоньку поглощает нашу маленькую поляну. На небе появилась первая звездочка.

— Это не самая удачная наша стоянка — признался Джон Икс, набивая трубку. — Однако основная идея заключается в мобильности: мы перемещаемся с места на место, исследуя окрестности. До сих пор самое замечательное место было в центре Нью-Фореста . Вообразите себе: прямо у полога палатки — чистейшей воды озеро глубиной в шесть футов... и вокруг ни единой живой души.

— Просто роскошно! — воскликнула миссис Джон Икс. — Я захватила с собой купальный костюм, но так ни разу им и не пользовалась... По ночам мы слышали тявканье лисиц, а однажды вечером помогали егерю выкуривать диких пчел из старого гнезда. Представляете, собрали 45-фунтовую жестянку меда...

Джон Икс поднялся с места и побрел к своему автомобилю.

— Мне кажется, — сказал я, — что это прекрасное средство от скуки семейной жизни, не так ли? Вам ведь доводилось ссориться с Джоном, пока вы жили в городе?

—Ха, и еще как! — воскликнула миссис Джон. — Это успело уже войти в привычку. Кроме того, поход — лучший способ решения проблемы с детьми (если вы понимаете, что я имею в виду).

— Еще как понимаю. Мужчина и женщина должны время от времени выезжать куда-нибудь вдвоем на природу —

там, где они могут положиться друг на друга и сами позаботиться о себе. Всякие там сельские гостиницы или коттеджи со штатом слуг — совсем другое дело.

— Слушайте, слушайте! — Джон Икс появился с какой-то штукой в руках, на первый взгляд показавшейся мне похожей на старинный граммофон. — Этот цыганский ансамбль заряжает нас бодростью на целую неделю, не правда ли, старушка? Хотя многие женщины терпеть этого не могут... Мэри, ну-ка подсоби мне с этой штукой.

Женщина поднялась — гибкий, точеный силуэт на фоне костра — и помогла установить на земле громоздкий радиоприемник.

— Это специально, чтобы покрасоваться перед вами, — пояснил Джон Икс. — Обычно мы приберегаем подобные развлечения для дождливых уик-эндов.

Странное было ощущение — сидеть перед костром посреди леса и слушать звуки оркестра, играющего в центре Лондона.

— Вы даже себе не представляете, какое это доставляет удовольствие сырой, холодной ночью, — улыбнулась миссис Джон Икс.

Тем временем совсем стемнело. Все небо над поляной было усеяно сверкающими звездами. Ночные мотыльки мельтешили в свете костра. Темное кольцо деревьев стояло недвижимо, лишь желтые сполохи огня падали на мощные стволы и порождали причудливые тени. Мы сидели молча и курили, поддавшись тихому очарованию этой ночи.

— А ведь такое приключение доступно каждому, у кого есть машина, — произнес Джон Икс, накрыв своей ладонью тонкую руку жены. — Не правда ли, Мэри?

Далеко не каждому, подумал я, глядя на этих двоих. Мне пришло в голову, что их кратковременное бегство из налаженного быта, из лондонского дома с его обязанностями и строгим распорядком — тайна, которой не грех поделиться с другими семейными парами. Возможно, многие семьи стали бы счастливее, восприми они элемент игры Джона Икса и его жены.

Миссис Джон зашла в палатку, включила свет и тут же выскочила с криком:

— Джон! Там у меня на подушке мотылек размером с аэроплан!

— Сейчас я разберусь, — пообещал Джон Икс, направляясь к палатке.

— Только не убивай его! — воскликнула женщина. — Просто убери!

— Слишком поздно, — донеслось из палатки.

— Ну ты и дикарь! — вздохнула миссис Джон Икс, закуривая сигарету.

Джон Икс зажег фонарь и помог мне перебраться через ручей. Звезды... Мир и покой этого места. Некоторое время я наблюдал, как его фонарь, приплясывая, удаляется в глубь чащи. Затем он скрылся за поворотом, и меня со всех сторон обступила темнота. Несколько мгновений я размышлял над тем, сколь недалеко ушли эти лондонские цыгане: всего несколько часов пути отделяет их от благоустроенного дома, от детей. И тем не менее в эту звездную ночь они одиноки, как путники, затерявшиеся в самом сердце Ливийской пустыни.

Я отправился в обратный путь, вызвав изрядный переполох в семействе диких кроликов, резвившихся на краю темного поля. Аккомпанементом мне был шум воды на Эбботс-Милл, звучавший в ночной тиши не хуже армейского барабана.

3

Полагаю, любой человек, решившийся писать о Ковентри, неминуемо должен коснуться темы автомобилей и велосипедов. Отдав должное этому вопросу в первых же строках нашего повествования, перейдем далее к более приятным предметам. Например, к женщинам. Ковентри всегда везло с женщинами, и посему его можно почитать счастливейшим городом Англии.

Все началось с истории, относящейся к периоду зарождения Ковентри. Если верить легенде, то одиннадцать тысяч девственниц прибыли из Кельна, так сказать, в порядке духовного вояжа. Некоторое время они провели в Ковентри, озаряя его светом своего благочестия. Затем отбыли восвояси, но оставили женщинам Ковентри наследие в виде одиннадцати тысяч добродетелей. Если хоть единый город нашего королевства может похвастаться более прекрасной историей, то я об этом ничего не слышал.

Что интересно, Ковентри на протяжении веков славится своими женскими персонажами: святая Осбург, леди Година, Изабелла, Маргарита Анжуйская, сестры Ботонер, на чьи деньги был построен шпиль храма, Джоан Уорд, мученицы Лолларда, миссис Сиддонс, Джордж Элиот, Эллен Терри и другие.

Приближаясь к Ковентри, я восхищался медленным, величественным танцем трех шпилей на фоне неба. И вовсе не был удивлен, что одиннадцать тысяч девственниц все еще являются украшением Ковентри. Одна из них, торгующая на углу Хертфорд-стрит, получила большую часть своего наследства, если только красоту считать добродетелью.

Леди Година всегда привлекала мое внимание. Она, несомненно, является ключевой фигурой в истории Ковентри. Мне не нравится современное толкование ее поступка — в духе викторианской морали, — согласно которому леди Година испытывала нечеловеческие муки стыда. Гораздо ближе мне свидетельство хрониста Роджера Уэндовера, относящееся примерно к 1230 году и являющееся по сути гимном безрассудству этой женщины. Если верить Уэндоверу, леди Годива не тратила времени на бесплодные угрызения совести и на размышления, что скажут по этому поводу Робинсоны. Она просто «распустила свои волосы, укрывшие ее так, что были видны лишь ее белые ноги, села на лошадь и в сопровождении двух рыцарей пересекла рыночную площадь, после чего вернулась в замок — к огромному облегчению собственного мужа...»

Если основываться на этой первой записи событий, то появление леди Годивы на рыночной площади (которое на протяжении столетий считалось чем-то вопиющим) по сути дела являлось не большим подвигом, чем для современной девчонки сесть на омнибус...

В кабинете жены мэра в ратуше стоит очаровательная статуя — леди Годива на белой лошади; еще одна статуя установлена в нише Центрального зала. Помимо скульптурных изображений имеется и живописный портрет леди Годивы.

— Вы действительно верите в эту историю? — спросил я у энергичного, не в меру эрудированного смотрителя, который водил публику по залу.

— Ну как вам сказать? — задумчиво ответил он. — Надежных доказательств не существует... С другой стороны, дыма без огня не бывает, правда ведь? История, которую пересказывают уже столько лет, не может быть чистой выдумкой — я так полагаю.

Высокопоставленный чиновник из администрации Ковентри придерживался другого мнения.

— Лично я во все это не верю, — шепотом сознался он, — но попрошу моего имени не упоминать, иначе я в два счета вылечу из города! Вы ведь читали «Золотую ветвь» сэра Джеймса Фрэзера?

— Надеюсь, вы не собираетесь рассматривать леди Годиву как первородное духовное начало?

— Нет, хотя это наводит на определенные размышления! Что, собственно, мы знаем? Что она жила в этих краях, с помощью своего супруга основала бенедектинский монастырь и тем самым снискала уважение своих сограждан. Однако, к сожалению, записей ее современников не сохранилось; самые близкие свидетельства о ее деяниях были сделаны сто пятьдесят лет спустя после смерти Годивы. Согласно изысканиям Фрэзера, образ обнаженной или полуобнаженной женщины на белом коне возникает в фольклоре многих народностей мира. Предполагается, что это тем или иным образом связано с обрядом языческого жертвоприношения. В этой части страны важную роль играют народные танцы с использованием маски лошади. Пожилые люди еще помнят устраиваемые в Уорикшире праздники Майского дня — с непременным исполнением морриса в народных костюмах и с лошадиными масками. Лично я считаю, что знаменитая скачка леди Годивы через Ковентри — не более чем древняя народная традиция, восходящая корнями к языческим легендам об обнаженной женщине на белом коне. Что может быть естественнее, чем увязать эту легенду с прекрасным и любимым образом леди Годивы?.. Впрочем, это всего-навсего предположения; доказательств у нас нет...

Я распрощался с чиновником, оставив его в подавленном настроении. Ненавижу разрушать старые легенды. Мне нравится история о короле Альфреде и подгоревших хлебах; нравится притча о Кнуте, усмиряющем волны. И я продолжаю верить в то, что обнаженная Годива под охраной всего двух рыцарей объехала рыночную площадь, и никто не посмел оскорбить ее нескромным взглядом. В конце концов жизнь доказывает, что жены всегда берут верх над своими мужьями. Полагаю, когда Годива вернулась к разъяренному Леофрику, она сказала примерно следующее: «Дорогой, я ведь *обещала*, что сделаю это... и *сделала*! И поверь, никто не видел меня. А сейчас — пока я буду одеваться, — тебе лучше распорядиться о снижении налогов. Иначе я буду очень, очень недовольна!»

Мы должны помнить, что Годива унаследовала от одиннадцати тысяч девственниц талант управляться со своевольными мужчинами.

Какое там духовное начало! Чепуха! Она была просто обычной женой.

Подобно Нориджу, Ковентри представляет собой современный промышленный город, но это лишь внешнее впечатление. По сути, эта промышленная видимость держится на твердом средневековом каркасе. История была исключительно милостива к Ковентри. Пожары являлись сущим бедствием Средних веков. Так, Великий пожар стер с лица земли большую часть старого Лондона. Ковентри в этом отношении повезло: здесь сохранилось несколько ценнейших зданий — Сент-Мэри холл; больница Форда для бездомных старух (она же «богадельня»); церковь Святого Иоанна, известная под названием больницы Баблейка.

Больница Форда кажется самым прекрасным фахверковым зданием — ничего подобного мне не доводилось видеть в Англии. Когда я прохожу через ворота в мощеный плитняком двор и вижу черно-белые стены — тяжелые, нависающие, с украшением в виде отполированных дубовых балок, — то чувствую, что попал совсем в иной мир. Это Ковентри 1550 года.

Узкий прямоугольник неба над головой не имеет ничего общего с современным городом: ни фабричных труб, ни линий электропередач. Здесь царят мир и покой тюдоровской эпохи. На протяжении четырех столетий этот дом служил убежищем для пожилых жительниц Ковентри, которые под конец своей жизни оказались в затруднительном положении. В настоящий момент в приюте проживают шестнадцать женщин различного возраста и разного уровня достатка (вернее, недостатка).

— Многим из них уже за восемьдесят, — сообщил мне смотритель приюта. — Каждая получает еженедельное содержание в четыре шиллинга плюс бесплатный уголь. И, в общем-то, они могут делать все, что захотят: устраивать чаепития для друзей, навещать друг друга... ну, и тому подобное.

Комнаты, в которых живут старушки, заставили бы позеленеть от зависти многих богатых американок.

— Многих гостей приходится буквально силком отсюда вытаскивать, — похвастался смотритель. — Здесь действительно очень красиво, особенно когда распускаются цветы на окнах.

Мы зашли в просторную чистенькую комнату, где жарко топился камин.

— Эта дама только сегодня въехала в приют — ей пришлось дожидаться своей очереди. Обычно наши постоялицы стараются приукрасить свое жилище.

Я окинул взором изящную, с высокими потолками комнату и заметил личные вещи — скромные сокровища, которые эта старушка сберегла под конец своей жизни. Трогательное впечатление! Первое, что бросалось в глаза, — коврики с благочестивыми высказываниями — хвала Господу и Его доброте, — которые старушки вешали в изголовье своей кровати.

— Она сейчас куда-то вышла, — пояснил служитель. — Этой даме уже за семьдесят, но она здоровая и бодрая. Просто удивительно, насколько энергичны наши пациентки...

Если бы добрейший Уильям Форд, торговец шерстью из Ковентри, который вложил деньги в строительство приюта, смог бы заглянуть в это заведение, думаю, он остался бы доволен: здесь все обустроено в соответствии с его пожеланиями. Единственное, что его бы удивило, — это электрическое освещение.

— На самом деле, — заметил смотритель, — электричество стало для нас сущей благодатью! Помнится, когда я впервые сюда попал, мне не давала покоя мысль о возможном пожаре. Это стало моим неизбывным кошмаром. Вы только представьте себе ситуацию: 70-, 80-летние старушки (а многие из них уже пребывали в маразме) каждый вечер укладывались спать при свете свечи! Просто чудо, что за 400 лет существования больницы не произошло ни единого несчастного случая.

В сопровождении своего гида я обошел почти все комнаты приюта. Многие из них пустовали — хозяйки вышли в город по каким-то делам, — и я смог без помех рассмотреть помещения. Некоторые комнаты выглядели побогаче, другие попроще, но все объединяло одно: на прикроватных столиках обязательно стояли фотографии детей и внуков.

В одной из комнат — пожалуй, одной из наиболее очаровательных комнат приюта — я застал сцену, которая привела бы в восторг Рембрандта. Возле широкого тюдоровского окна, составленного из сотен свинцовых пластинок, сидела маленькая сморщенная старушка, кутавшаяся в шаль. За ее спиной открывался прелестный вид — старинный дом с черно-желтыми балками и кусочек безоблачного неба. Компанию старушке составляла молодая девушка (судя по всему, внучка), которая за чашкой чая пересказывала бабушке последние семейные новости. Очевидно, новости были благоприятными, ибо старая леди так и лучилась улыб-

кой. Впрочем, возможно, ей просто было лестно внимание
юной девушки.

— Так грустно бывает видеть одиноких старушек, —
заметил служитель приюта. — Ведь им всего-то и нужно,
что изредка увидеть кого-нибудь из своих родных, получить открытку на Рождество...

Раз в неделю обитательницы Фордовского приюта на-
девают свои лучшие шляпки и спускаются в парадную залу,
выходящую окнами на улицу. Специальный чиновник, ве-
дающий раздачей милостыни, сидит у маленького столика,
на котором сложены кучки монет. Одна за другой старушки поднимаются с мест и подходят к столу, где им вручается
скромное подношение в четыре шиллинга. Этот ритуал уходит корнями еще в елизаветинские времена.

Уильям Форд не нуждается в памятнике — его и так
помнят и любят в Ковентри.

4

Уорикский замок. Стоя на мосту, вы видите замок в низине, на поросшем деревьями утесе, который, как в зеркале, отражается в водах Эйвона. Обычно на мосту толпятся
посетители, и кто-нибудь непременно произносит фразу:
«Это один из самых прелестных пейзажей в Англии». Несмотря на банальность высказывания, с ним трудно поспорить: вид, открывающийся на замок, действительно выше
всяких похвал.

Мне повезло: я стоял на мосту в одиночестве и, соответственно, произнести сакраментальную фразу было некому,
кроме меня самого. На мой взгляд, после Виндзорского замка Уорик является самым известным и самым прекрасным
творением средневековой архитектуры.

Гид поджидал меня возле барбикана, и мы вместе пошли по зеленой, аккуратно подстриженной лужайке — су-

губо английскому изобретению, которого не увидишь ни в одной другой стране мира. Наша неторопливая прогулка завершилась возле серой громады здания, пустые окна которого свидетельствовали о том, что хозяева находятся в отъезде.

Главный зал Уорикского замка относится к числу непревзойденных исторических достопримечательностей Англии — ведь недаром такая масса сил и средств тратится на его реставрацию. В былые времена хозяева замка въезжали в зал верхом, разметая подстилку из тростника, и, лишь спешившись, приступали к рыцарской трапезе: помогая себе кинжалом, отрезали куски овечьей или бычьей туши, которая жарилась прямо посреди зала.

Интересно, сколько американцев ежегодно приезжают в этот замок, дабы подкрепить свое представление о средневековой Англии? Подобный идеал жилища английского аристократа был создан в Калифорнии и получил свое воплощение в американском кинематографе.

Мы постояли, восхищаясь рыцарскими доспехами и огромным котлом для приготовления пищи, носившем название «Чаша для пунша». Этот котел емкостью сто двадцать галлонов был отлит в четырнадцатом веке для сэра Джона Талбота Суонингтонского. Согласно легенде, на пиру, посвященном совершеннолетию графа Уорика, этот гигантский котел трижды наполнялся и опустошался. Подобные цифры должны были произвести соответствующее впечатление на американских туристов!

— Каждый год я вожу тысячи посетителей по замку, — сообщил мне гид. — И должен сказать, что получаю гораздо больше удовольствия от общения с американскими туристами. Пусть порой они выглядят наивными детьми, но в них чувствуется живой интерес — в отличие от наших соотечественников, которые ничего не знают и не желают знать об истории собственной страны... Вы знаете, у нас здесь хранится посмертная маска Оливера Кромвеля! Я рассказал об этом одной из посетительниц, даме-англичанке. Реакция была нулевая, поэтому я решил, что она глуховата, и повторил свой рассказ погромче. «Не надо кричать, — сказала она, — я хорошо слышу. Лучше объясните, с какой стати Оливер Кромвель носил маску?»

Трудно представить себе более прелестное зрелище, чем вид на Эйвон из парадных залов замка. Река величественно течет меж зеленых берегов, образуя запруду в нижнем течении.

— У нас в замке есть два секрета, о которых никто не подозревает, — сообщил мне гид. — Во-первых, река Эйвон снабжает здание электричеством, но все приспособления скрыты от постороннего взгляда. А во-вторых, под главным залом спрятан орган.

Залы замка вообще производят потрясающее впечатление. Они буквально насыщены сокровищами. Все стены увешаны подлинниками Гольбейна, Рубенса, Ван Дейка, Лели. Маленькие позолоченные щитки рассеивают мягкий свет и подчеркивают богатство красок.

День уже клонился к закату, когда я заглянул в часовню Бошама. Заглянул и остановился на пороге, сраженный ее красотой. По-моему, сравниться с ней может лишь часовня Генриха VII в Вестминстерском аббатстве, да еще, пожалуй, Королевский колледж в Кембридже. Великий Ричард Бошам лежит скрестив руки на груди (голый череп под забралом шлема).

Я помню несчастье, которое приключилось с телом графа в семнадцатом веке. Тогда пол часовни провалился, и тело — прекрасно сохранившееся — обнаружили внутри гробницы. По слухам, женщины Уорика завладели волосами графа и понаделали из них колец...

Свет угасал с каждой минутой, и я поспешил покинуть замок. Я вышел на улицы Уорика — тихие, милые улочки, сохранившие свой средневековый вид. Здесь можно бродить целый месяц и не исчерпать воспоминаний, которые за долгие столетия накопились на зеленых берегах Эйвона.

5

В Кенилворте трудно провести границу — где кончается королева Елизавета и где начинается Вальтер Скотт. Я приехал сюда в один из тех жарких летних дней, когда земля, кажется, колышется от поднимающегося зноя, разогретые камни обжигают руку.

Вид беспорядочно разбросанных руин шоколадно-рыжего цвета породил во мне такое острое чувство скорби и отчаяния, какого я не испытывал ни в каком другом заброшенном месте. Тюдоровская Англия, ко времени которой относится расцвет Кенилворта, кажется, по-прежнему жива в этих краях. Лица людей того периода, их деяния, их поэзия и философия, даже любовные письма — все так же свежо в нашей памяти, как лица и мысли наших современников. Судьба Кенилворта вызывает во мне чувство почти личной обиды. В то время как многие саксонские и норманнские постройки — далеко не совершенные с точки зрения архитектурного замысла — стоят себе вполне целые (даже ошибки их создателей увековечены в камне), от Кенилворта остались лишь полуразрушенные стены. Некогда величественные лестницы ведут в никуда, а былые ристалища зарастают сорной травой.

Гибель Кенилвортского замка видится мне величайшей трагедией. Если бы ему посчастливилось выжить — как это произошло с другими тюдоровскими постройками, — то во всей Англии ему не было бы равных среди исторических памятников подобного рода.

Возле привратного дома Лестера я встретил пожилого мужчину в черном пальто, который прощался с группой

американских туристов. Вел он себя довольно нелепо: раз-
махивал в воздухе тростью, топал ногами. Но вместо ожи-
даемых ехидных улыбочек на лицах посетителей я увидел
выражение глубокого уважения, если не сказать — почте-
ния. Выяснилось, что мужчина был официальным и, как
скоро мне предстояло убедиться, самым лучшим экскурсо-
водом во всей Англии.

Он как раз набирал новую группу для проведения экскурсии, и кое-кто из ее членов (еще не осведомленных о
достоинствах своего гида) усмехался за его спиной и кру-
тил пальцем у затылка. Так или иначе, мужчина взмахнул
своей палочкой и направился по намеченному маршруту, а
мы все, подобно стаду баранов, двинулись следом. Он шел,
время от времени оборачиваясь к нам, замахиваясь на нас
своей палкой. Затем снова делал несколько шагов вперед и
внезапно поворачивался, как бы желая поймать и изничто-
жить наше невежество. При этом рассказывал потрясаю-
щие вещи про какую-нибудь башню или участок обвалив-
шейся стены.

Этот старик был полностью погружен в Кенилворт. Он
жил этим городом, он его любил. Он привел нас на возвышенность и, вскинув свою трость, молча ждал, пока не смолк-
нет хихиканье среди самых легкомысленных девиц. И только
затем этот потрясающий гид заговорил. Речь его лилась
великолепным, свободным потоком. Он восстановил для нас
разрушенные стены Кенилворта, провел нас сквозь Средние века и привел в тюдоровский Уорикшир ко двору королевы Елизаветы. Вся группа слушала, затаив дыхание.

Маленький старый человек в черном пальто стоял на вершине холма; за его спиной до самого горизонта расстилались зеленые луга, а рядом с ним возвышалась полуразрушенная башня из красного песчаника. Странным образом
она олицетворяла для нас дух здешнего места — это чудо

сотворил для нас наш гид в нелепом черном пальто. Он был настоящим артистом. Его взгляд, выражение лица менялись, когда он рассказывал о различных людях, героях того времени — Лестере, Берли, Шекспире, Сесиле. Повествуя о королеве Елизавете, он гордо вскинул голову. Вы можете мне не поверить, но клянусь, я увидел призрак пышного плоеного воротника вокруг его шеи. А затем наш экскурсовод пустился в описание пышных празднеств и перещеголял в этом самого Вальтера Скотта.

Обратив свое лицо к лугам, раскинувшимся у подножия холма, он взмахнул своей волшебной палочкой и наполнил водами знаменитое Кенилвортское озеро. Еще один взмах — и по озеру поплыли парусники. Точно так же — с помощью магии рассказчика — был восстановлен разрушенный замок; в его бесконечных коридорах вновь зазвучал смех и высокие, сладостные звуки верджинела.

Я не знаю, как ему это удавалось. Это был фантастический *tour de force*. По окончании рассказа мы остались стоять ошеломленные — как дети, которые не желают верить в конец сказки. Но наш рассказчик стер своей волшебной палочкой картину, которой мы так восхищались, и, понизив голос до шепота, вновь заговорил. Умело жестикулируя, он говорил о долгом карнавальном шествии, которое, собственно, и является историей Англии. Он говорил о добре и зле, которые веками шли рука об руку. И закончил свою речь следующим образом:

— Англия! Сейчас вы стоите в самом сердце Англии. Гордитесь ли вы этим? Счастливы ли, что разделяете судьбу этой страны?.. Лично я на оба вопроса отвечаю: да и да.

Я заметил, что эмоциональная дама из Бостона, стоявшая в последних рядах толпы, украдкой утирает слезы.

Я задумчиво брел по заросшим травой ухабам, проклиная в душе полковника Хоксворта и его «круглоголовых»,

которые разрушили прекрасный замок Кенилворт. У ворот
я снова увидел старика, который своей волшебной палочкой
заманивал посетителей на экскурсию. Я остановился, чтобы сделать несколько комплиментов его артистическому
гению.

— А, — откликнулся старик, всматриваясь в мое лицо,
и я заметил, что он практически слеп, — рад, что доставил
вам удовольствие. Видите ли, некогда я был актером. Являлся одним из первых членов труппы сэра Фрэнка Бенсо-
на. Но... (здесь он указал на свои глаза) карьера моя закончилась, так и не успев начаться!

Он снова взмахнул своей палочкой и направился в сторону руин замка.

6

Я повстречался с ним на церковном кладбище. Он нес
корзинку, полную яиц. И хотя на нем не было пасторского
воротника, я сразу опознал в нем приходского священника.
Это был мужчина примерно шестидесяти лет — крепкий,
мускулистый, с красным обветренным лицом и абсолютно
седыми волосами.

— Это ужасно, просто ужасно, — приговаривал он, оглядывая надгробия. Некоторые из них, судя по надписям,
сохранились еще с восемнадцатого века, что отчасти объяс-
няло их бедственное состояние. Часть камней накренилась и
держалась лишь благодаря поддержке своих соседей. Другие были подперты деревяшками. Почти все надгробия покрылись мхом, некоторые наполовину скрылись под высокой
травой, буйно разросшейся на могилах и кладбищенских дорожках. Мне показалось странным, что человек, по роду своей
деятельности призванный учить, как обрести счастье в этой
жизни, страдает при виде собственного кладбища. Набрав-
шись смелости, я задал мучавший меня вопрос.

— Видите ли, — вздохнул священник, — беда в том, что этот крохотный участок земли под названием «приходское кладбище» давно перестал удовлетворять потребности нашего прихода. Несчастные покойники лежат в десять-двенадцать слоев — буквально на голове друг у друга. Самое же страшное заключается в том, что прихожанам это нравится! Если вы бросите взгляд через стену, то увидите чудеснейший луг. Это наше будущее кладбище, которое можно будет использовать уже через двенадцать лет. Однако народ и слышать не желает. Люди хотят, чтобы их похоронили на старом кладбище. Я очень боюсь, что придется принимать официальные меры — королевский указ или что-нибудь в этом роде, — чтобы закрыть старое кладбище и заставить людей хоронить своих близких на лугу. Я очень не хочу этого делать... поверьте, действительно не хочу. Это будет большим ударом для людей. Ужасным ударом!

— Но что заставляет их сопротивляться? — спросил я.

Священник бросил на меня быстрый взгляд и грустно улыбнулся.

— Боюсь, человеку со стороны будет трудно понять. Видите ли, мы здесь, в маленькой деревушке, живем по старинке. Несмотря на появление радио и междугородних автобусов, взгляды людей практически не изменились. Это сказывается даже на речи: мы до сих пор используем давно забытые слова и обороты. Не далее как вчера я услышал из уст маленькой девочки «купленная» рубашка вместо «готовая». Но все это ерунда, суть же в следующем: мои прихожане свято веруют в физическое воскрешение. Они убеждены: когда трубы Судного дня возвестят конец света, все похороненные на этом старом маленьком кладбище воссоединятся. Именно поэтому они хотят быть похороненными поверх своих отцов и дедов — чтобы восстать вместе как единая семья. Приверженность кланам при жизни торже-

ствует и после смерти. Это очень древняя и очень прими-
тивная идея. Мне известны случаи, когда представители
сельских церковных родов были похоронены в одном и том
же гробу.

Мы медленно пересекли кладбище, направляясь к серо-
му домику, стоявшему среди деревьев.

— Давайте зайдем, — предложил священник, — я вас
угощу сидром собственного изготовления: яблоки из моего
сада, бочонки специальные — для изготовления бренди.

В темном холле было прохладно, поэтому мы прошли в
продолговатую комнату. За окнами открывался прелест-
нейший вид на сад: каскады белых роз спускались по старым стенам; алый шиповник оплетал беседку; в воздухе
стоял густой цветочный аромат; от беспрестанного жужжания пчел у меня даже с непривычки разболелась голова.
Тем временем на лужайке возникло какое-то стремитель-
ное движение.

— Что это? Неужели заяц?

— Снова этот маленький хитрый попрошайка, чтоб ему
пусто было! — воскликнул священник. — Каждый вечер
он появляется у меня в саду и исполняет форменную джи-
гу — скоро от грядок уже ничего и в помине не останется.
Чувствую я, что придется заняться им вплотную — подыскать славный домишко для этого маленького нахала!

И он бросил быстрый взгляд в сторону подставки для
ружей.

— Как вам мой сидр?

— Он скорее похож на сотерн.

— Ага, вы разбираетесь в винах! У этого хороший вкус,
я бы даже сказал, великолепный. Прочувствуйте букет —
вы понюхайте, понюхайте! И посмотрите на свет — прямо-
таки дымчатый янтарь! Все свое: и яблоки, и бочки. Хотите
еще стаканчик?

— Мне кажется, он покрепче сотерна.

— Именно так.

Мы прогуливались по саду, обсуждая, как трудно быть счастливым в наше время.

— Счастье, — говорил старик, — это сочетание простоты, любви, философии, ну и, конечно, веры. Каждый должен верить во что-нибудь. Я не надоел вам своими проповедями? Если что, говорите. Недостаток веры — это современная духовная болезнь, и люди, похоже, только сейчас начинают это понимать. Вот я очень счастливый человек. Я рад просто жить, работать здесь — среди детей, цветов и фруктов. Мне очень нравятся наши приходские дети, я наблюдаю за ними, как некий благожелательный орел — если подобное сравнение допустимо.

— Для меня, — добавил старик, — практически все прихожане в возрасте до сорока — дети. Ведь я всех их в свое время держал на руках. Сколько, по-вашему, мне лет, молодой человек?

— Я бы дал вам лет шестьдесят.

— А на самом деле мне почти восемьдесят, вот так-то. У меня есть мои маленькие радости — цветы, фрукты и мои удочки. Что еще нужно пожилому человеку? Простая, тихая жизнь. Мы обитаем вдалеке от больших городов с их проблемами, с их сложностями. Жизнь здесь сведена к простому общему знаменателю — земля и люди, которые живут на этой земле. Время от времени кто-нибудь из девушек выходит замуж или уезжает на работу в город. Приезжают в новомодных юбках выше колен, рассчитывают нас удивить — конечно, ведь здешний народ такой отсталый и старомодный. Но так ли это? Мы стоим на твердой почве, наши корни уходят в нечто более глубокое, чем мода. У нас есть то, во что мы верим. Наши простые грехи — такие, какие есть, — это обычные грехи плоти; грехи, которые свойственны всем человеческим существам. И гораздо чаще мы нуждаемся в доброте, чем в совете или порицании. Поверьте, я хорошо это знаю... Проклятье, как эти зеленые мухи липнут к моим розам!

— На ваших глазах, должно быть, происходили большие изменения?

— И да и нет. Сейчас стало гораздо легче переезжать с места на место. Время от времени мы можем позволить себе поездку в Лондон. Вам, наверное, доводилось встречать наших земляков на Пикадилли — знаете, этакие деревенщины с широко распахнутыми глазами... Нет, вы посмотрите только на этих птиц! Боюсь, если не накрыть вишню сеткой, то ни одной ягоды не останется!

Над лугом плыл одуряющий запах свежескошенного сена. В поле за садом мужчина и женщина работали по колено в траве.

— Мой церковный староста! — с гордостью похвастался священник. — Это сейчас он такой здоровяк, а я еще помню, как укачивал его в старой деревянной колыбели в форме лука.

Мы обошли церковный сад, полюбовались полями, которые тянулись до самых холмов. Церковный колокол как раз пробил полдень, когда мы неожиданно вышли к небольшой галерее в норманнском стиле.

Сквозь западные окна можно было разглядеть группу рыцарей в полном боевом облачении, лежащую со скрещенными на груди руками. Здесь же находились и женщины — мертвенно-бледные дамы со старинными прическами, чьи руки, унизанные перстнями, были сложены в молитвенном жесте.

— Это склеп Джоселинов, — пояснил священник. — Они давным-давно погибли в сражении. Сейчас в деревне остался один человек с таким именем. Он живет на ферме неподалеку, но его фамилия пишется несколько иначе. И все же мне кажется, он похож на сэра Жерве — того самого, что отправился в Третий крестовый поход.

На стене склепа располагался раскрашенный родовой герб, а над ним на гвозде висел древний шлем с сильно помятым забралом. Падающие под углом солнечные лучи освещали лицо ближайшего рыцаря и длинные тонкие пальцы его дамы.

— Не хотите ли переночевать у нас? — предложил священник. — Мы бы вволю наговорились. К тому же сегодня мы отмечаем праздник урожая, может, вам было бы интересно...

Я выразил готовность остаться, чем явно порадовал старика. Священник предоставил мне одну из комнат в своем старом доме — маленькую, но чисто убранную. На беленой стене висела раскрашенная фотография герцога Веллингтона, датированная 1812 годом; очевидно, ее повесили в порыве британского патриотизма накануне последней мировой войны. Выглянув в окошко, я увидел пресловутого зайца, скачущего по лужайке. Вдалеке в лучах послеполуденного солнца золотилось поле, по краю которого лениво перебегали жирные, откормленные кролики. Перед моим окном росли кусты красных роз, которые были наполнены сладостным жужжанием пчел.

Стояли теплые сумерки, и обедать мы устроились при открытых окнах. Священник уселся в одном конце длинного дубового стола, за которым можно было бы разместить целое семейство; мне отвели место напротив. Прежде чем подавать еду, пожилая экономка зажгла две свечи на столе, и это сразу создало особую атмосферу в комнате. Мы наблюдали, как густеет за окном вечерняя мгла. Небо наливалось тем золотым свечением, которое обычно предшествует полнолунию, — здесь его называли урожайной луной. С улицы залетел крупный мотылек и принялся атаковать подсвечник. Стояла такая тишина, что отчетливо был слышен лай собаки за мили отсюда. Казалось, что вся красота и прелесть мира собрана в Длани Господней.

— И слышен голос Господа нашего, прохаживающегося в саду по вечерней прохладе.

Голос священника звучал тихо и ласково — под стать горящей свече, и мы оба, как по команде, бросили взгляд в вечерние сумерки.

— Принимать у себя гостей столь редкое для меня удовольствие, — проговорил старик, поднимаясь с места, — что мне хочется устроить праздник.

Медленно, с привычным благоговением он внес в комнату корзинку, в которой покоилась винная бутылка — очень древняя с виду.

— Этот портвейн старше меня самого. Отцовское наследство, — пояснил священник. — У меня осталось всего несколько дюжин таких бутылок. Я храню их для особых случаев — когда требуется разогнать тоску одиноких вечеров.

Небрежным жестом он убрал со стола стаканы и вместо них водрузил два элегантных винных бокала георгианской поры.

— Не будем оскорблять хорошее вино недостойной посудой, — улыбнулся он.

Мы подержали бокалы возле свечи, осторожно чокнулись и неспешно выпили. В этот миг я подумал: это самая прекрасная картина из всего, что мне доводилось видеть, — темные дубовые панели, на фоне которых вырисовывается доброе, умудренное жизнью лицо старика; его седые волосы, подобно нимбу, светятся в сиянии двух свечей; старческая, морщинистая рука осторожно подносит к губам изящный бокал с темно-красным вином...

Священник рассказывал мне о своих односельчанах, об их полях, о хозяине поместья — бедном, как церковная мышь, но привязанном к своей земле. Наверняка он был бы счастлив познакомиться со мной, но, к сожалению, сейчас в отъезде — залечивает наследственное заболевание на курорте. Он — человек старой закалки, обожает свою землю и не хочет даже слышать о ее продаже. О каком праве первородства он мог бы говорить, если бы продал свои наследственные земли? Ведь это все равно, что продать родную мать... не правда ли, сэр?

— Думаю, когда он умрет, — вздохнул священник, — землю все равно придется продать, чтобы оплатить похоронные издержки, и тогда...

Он не закончил фразы.

— Наверное, — продолжал старик, — я прожил слишком долго в старой Англии, чтобы принимать перемены. Здесь ничего не меняется. Для нас самое большое потрясение случилось в 1066 году, когда первый Джоселин захватил местную землю. Но мы очень скоро смирились с этим. Мы даже последовали за ним в крестовый поход... или даже в два. И присоединились к его потомкам под стенами Арфлера. Время от времени мы посылали одного из сыновей в большой город, чтобы представлять нас в большой жизни — между прочим, хотел бы я знать, действительно ли эта жизнь больше, чем наша? На протяжении веков мы держались за одни и те же предрассудки — мы все еще ненавидим соседей из из Спенниторпа — и при этом продолжали расти, как мои кусты черной смородины. Понимаете, мы жили очень замкнуто — столетиями были заперты в своих полях и своих предрассудках. Мы придумывали собственные песни и танцы до тех пор, пока внешний мир не ворвался в нашу жизнь со своим граммофоном и с криминальной хроникой в воскресных газетах. И даже это не слишком нас изменило: мы воспринимали газеты, как сказки о каком-то другом, внешнем мире. Ведь наши поля ничуть не изменились за прошедшие столетия: они все такие же, а мы по-прежнему остаемся слугами своих полей. И, хотите верьте, хотите нет, мы счастливы — потому что попросту не знаем, что такое неудовлетворенность. И, как я вам уже сказал, мы верим любому слову, которое исходит из уст Бога.

Мы вышли в сад и увидели, что луна уже взошла.

7

Над лесом и полями царила воскресная тишина. Ее нарушало лишь пение птиц и назойливое жужжание насекомых. Затем начали звонить церковные колокола.

Маленькая церквушка была заполнена снопами пшеницы. Корзины с яблоками — вымытыми и словно отполированными, к тому же подобранными по цвету и размеру — стояли вдоль алтарной загородки. На пустых скамьях был расставлен золотистый овес. В церкви витал запах спелого зерна и фруктов. Кто-то — может, специально, а может, и по случаю — вложил букет полевых цветов в каменные руки сэра Жерве. Он лежал там в рыцарских доспехах, с мечом под боком и с этим наивным подношением родной земли, призванном согреть его душу в том норманнском раю, где она пребывала.

С самого утра в церковь шли прихожане — женщины в черных платьях, мужчины в неудобных воротничках, — пока здание не заполнилось людьми с покрасневшими, загрубевшими от работы в поле руками. Дети жадно поглядывали в сторону выставленных яблок и перешептывались между собой.

Старый священник поднялся на кафедру и начал читать проповедь. Он говорил своей пастве об урожае и о Господе, даровавшем этот урожай. И смотрел на людей — переводил взгляд с одного на другого, — пока говорил. Его мудрые глаза видели все грехи этих людей, как и грехи их отцов. Видели и прощали. Может, именно это знание и даровало ему любовь к своим прихожанам. Слушая его проповедь, я за-

метил легкую перемену: когда он говорил с односельчана-
ми, в его речи появлялся легкий деревенский акцент. Это
помогло мне понять, насколько хорошо он знает свой народ. Тем временем маленький орган заиграл религиозный
гимн урожаю:

> В день жатвы, в день благодаренья
> Мы все предстали пред Тобой!
> Прими сердец и уст хваленье,
> Творец наш и Отец благой!
> За то, что нас создал премудро,
> Нам мир прекрасный подарил,
> За то, что с нами Ты — повсюду,
> Господь, Тебя благодарим!
>
> За то, что сеем мы с Тобою,
> Заботливо растим плоды,
> За хлеб насущный, хлеб духовный,
> Господь, Тебя благодарим!
> За весть благую о спасенье,
> За гимны радости, хвалы,
> За наше к жизни воскресенье,
> Господь, Тебя благодарим!

Гимн смолк. Церковь опустела. Полуденное солнце из-
ливало свои лучи на старых мертвых Джоселинов; позади
погребальной галереи красовалась картина урожая в норманнской рамке. Щедрая земля несла своих детей, и над
полями царила та самая улыбка, с которой мать взирает на
дитя у своей груди.

Я прошел на церковное кладбище, где позеленевшие камни, накренившись, опирались один на другой. Наклонив-
шись, я зачерпнул пригоршню земли и почувствовал, как
она сыплется, убегая у меня между пальцами. Глядя на эту

землю, я подумал, что пока существуют английские поля —
одно рядом с другим, — в мире останется нечто, что мы
любим. И будем любить всегда.

— Ну, вот и все, — улыбнулся священник, шагая со
мной рядом по тисовой аллее, — боюсь, больше мне нечего
вам показать. Это все, что у нас есть.
— У вас есть Англия, — ответил я.

ОТКРЫТИЕ УЭЛЬСА

*Перевод с английского Н. Омельянович
Перевод стихов, за исключением особо оговоренных случаев,
М. Башкатова*

Вступление

Эта книга написана во время долгого путешествия по Уэльсу. В ней нашли отражение впечатления приезжего от Уэльса и уэльсцев. Не стану притворяться и уверять, что работа далась мне легко: уэльсцы — не те люди, что раскрывают душу чужаку.

В отличие от Ирландии, Уэльс не отделен от своей могущественной соседки морем, а в отличие от Шотландии, его Приграничье — не Шевиот-Хиллс[1]; но, несмотря на это, уэльсцы умудрились сохранить и свой язык, и свою индивидуальность. Иностранец, которому нравится самобытность, отдаст должное жизнеспособности и силе самой маленькой из четырех наций, проживающих на Британских островах.

В большинстве книг, написанных об Уэльсе, говорится, что это страна, которую можно посмотреть, но невозможно понять. Авторы повествуют о Северном Уэльсе, о его красотах, но при этом не упоминают черного Юга. Здесь люди зарабатывают себе на жизнь в некогда прекрасных доли-

---

[1] Низкогорье в Великобритании между Южно-Шотландской возвышенностью и Пенинскими горами. — *Здесь и далее примеч. ред.*

нах, безвозвратно изуродованных полуторавековой добычей угля.

Я поступил по-другому: черным долинам Юга я уделил столько же внимания, сколько и зеленым долинам Севера. Поднимался на Сноудон и с не меньшим интересом спускался в угольные шахты. Если то, что я написал, заставит путешественников отклониться от проторенных дорог Северного Уэльса и углубиться в шахтерские долины Юга, буду считать, что свою задачу выполнил.

Во время моего путешествия в Бангоре проходил Айстедвод. В Бангор я заезжал в мае, но ради Айстедвода вернулся в августе. О своих впечатлениях от праздника написал в пятой главе, не стал отделываться сноской в послесловии.

Хочу поблагодарить дружелюбных валлийских мужчин и женщин Севера и Юга: они помогали мне и гостеприимно приглашали в свои дома. Не забуду их доброту, острый ум, чувство юмора и прекрасные голоса.

Г. В. М.

I MAIR sy'n caru Cymru

Тот, кто горячо любит свою страну,
Не испытывает ненависти к другим землям.

Уильям Уотсон

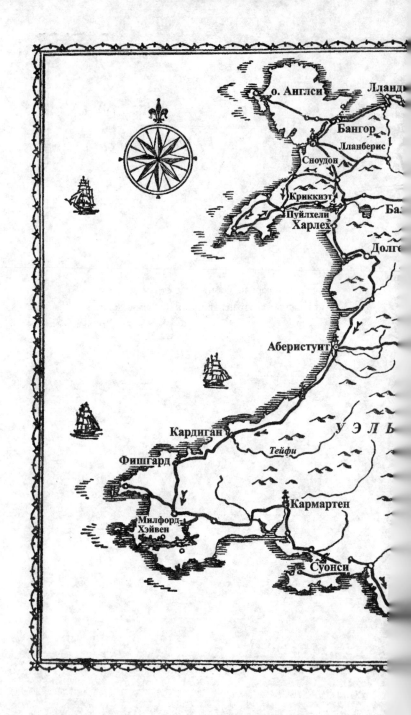

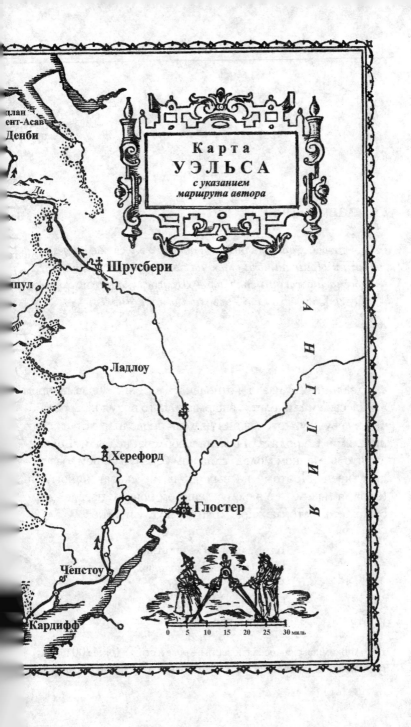

Карта
УЭЛЬСА
*с указанием
маршрута автора*

лан
ент-Асаф
Денби

Ди

пул

ери

Шрусбери

Ладлоу

Херефорд

Глостер

Чепстоу

Кардифф

0 5 10 15 20 25 30 миль

Глава первая,

в которой я отправляюсь на поиски Уэльса, нахожу дорогу к Приграничью, стою на парапете замка Ладлоу, посещаю ужасную спальню в Шрусбери, а в одно хорошее утро перехожу в Уэльс по мосту в Чирке.

1

Двадцать лет назад я отправился в Уэльс с экземпляром «Окассена и Николет»[1] в кармане. В то время я был влюблен в девушку, которая в Пуйлхели проводила отпуск с родителями. Ее родители в меня влюблены не были. Говорили, что я слишком молод, слишком беден, в общем, бесперспективен. Поэтому на выходных, не сказав никому ни слова, я махнул в Уэльс на дешевом ночном поезде. Дело было летом, стояла жара. Я сидел в углу и читал:

> Кто услышать хочет стих
> Про влюбленных молодых,
> Повесть радостей и бед:
> Окассен и Николет, —
> Как жестоко он страдал,

---

[1] Анонимная рыцарская повесть в прозе и стихах (ок. 1200 г.). Куртуазная идиллия сочетается в ней с пародией на феодальные нравы.

Храбро подвиги свершал
Для любимых ясных глаз?
Чуден будет мой рассказ,
Прост и сладостен напев.
И кого терзает гнев,
Злой недуг кого томит,
Эта песня исцелит,
Радость будет велика
И рассеется тоска
От песни той[1].

Мужчина, сидевший напротив — его я помню куда лучше, чем девушку, к которой ехал, — был дюжим рыжим детиной из Бирмингема. Он снял башмаки и поставил их на верхнюю полку. Из бокового кармана вынул фляжку с виски и спросил, не хочу ли я присоединиться. Мне было девятнадцать, и я был страшным педантом. Я посмотрел в его красные глаза и ответил: «Нет». Он сделал большой глоток, положил на лицо грязный носовой платок и уснул. Я же сидел и ненавидел его так, как только мальчик, читающий «Окассена и Николет», может ненавидеть человека, пьющего неразбавленный виски.

Поезд мчался сквозь жаркую ночь, и я помню, как выходил на прохладных придорожных станциях и чувствовал, что нахожусь в чужой, неизвестной стране, стране гор и бешеных рек. Я слышал, как билась о камни вода, видел тени высоких гор. Их черные бархатные арки затмевали летние звезды.

Должно быть, я все-таки уснул, потому что дальше помню, как шел по платформе в Пуйлхели. Я был растерян, у меня кружилась голова, и звезды бледнели и исчезали. А она стояла там одна, в большой шляпе и красной накидке...

---

[1] Перевод М. Ливеровской.

В нескольких милях от Пуйлхели есть местечко Ллан-бедрог, и там я снял комнаты. Смутно вспоминаю маленькую спальню на втором этаже коттеджа и крошечную гостиную с портретами бородатых мужчин в котелках. Они опирались на спинки кресел, в которых неестественно застыли юные женщины. В Лланбедроге я оскандалился, подняв жалюзи в гостиной. Меня тогда заинтересовала проходившая мимо окон похоронная процессия. Но выставили меня не из-за этого. Дело в том, что уик-энд закончился, и другой постоялец должен был заселиться в мои комнаты. Помню, как ехал в Пуйлхели в двуколке со связкой книг в руках. Надеялся, что родители девушки пригласят пожить в их доме. Не пригласили. Девушка думала, что я замечательный, но у ее отца был больший жизненный опыт, и он считал, что таких дураков, как я, он еще не встречал. Не помню, чем кончилась та история...

Прошло двадцать лет, и, выезжая ранним майским утром из Лондона, я вспоминаю о том единственном мимолетном знакомстве с Уэльсом. Погода божественная, солнце сияет; Гайд-парк шелестит молодыми зелеными листочками. Молочники — по большей части валлийцы — выставляют у дверей белые бутылки. А я снова еду в Уэльс, впервые после того давнего сентиментального путешествия. Странно, наверное, но я не чувствую себя старше. Разве может человек чувствовать себя старым, когда весенним утром выезжает на встречу с новой для себя страной?

Если когда-нибудь настанет день, когда я, проезжая прекрасным солнечным утром мимо бело-розовых яблонь в садах, перестану напевать и радоваться жизни, то, надеюсь, у меня хватит здравого смысла остаться дома. Либо (упаси Господи от такой участи!) заботливые родственники увезут меня, завернутого в плед, словно старая овчарка, на юг Франции.

Приятно свежим майским утром отправиться в незнакомую страну. Проходя по парку, где косят траву, и вдыхая аромат свежести, я чувствую жалость ко всем, кто не свободен так, как я. У меня в запасе уйма времени, и я могу потратить его на дороги, карабкающиеся на холмы и спускающиеся в долины.

Предчувствую, что путешествие будет интересным. Уэльс — одна из трех стран, расположенных на Британских островах, самая маленькая из них и самая загадочная.

Интересно, думаю я, что скажет прохожий на лондонской улице, если я спрошу его:

— Что для вас значит слово «Уэльс»?

Возможно, он ответит:

— Принц Уэльский, Ллойд Джордж, Айстедвод, Сноудон, гренки с сыром...

На этом месте он запнется. Более эрудированный горожанин, возможно, прибавит:

— Святой Давид, Флуэллен, пастор Эванс из «Виндзорских насмешниц», лук-порей, изображения замка Карнарвон в железнодорожных вагонах, катастрофы в шахтах и Кардифф.

Кто-то даже произнесет старую дразнилку, которая намертво прилипла к Уэльсу и его жителям:

> Таффи был валлийцем, Таффи был воришкой.

Но, боюсь, больше никто, кроме профессионального историка, ничего не вспомнит. Мы в Англии редко слышим о чести быть валлийцем, а вот шотландцы и ирландцы не дают нам о себе забыть. Как-то раз я видел, как подвыпивший валлиец ударил себя в грудь и громко воскликнул:

— Я из Уэльса и горжусь этим!

Самое близкое, что приходит на ум, — ранние речи мистера Ллойд Джорджа о горах и рассвете. Англичанину —

хотя он и не хвастается тем, что англичанин — нравится, когда шотландец гордится Шотландией, а ирландец — Ирландией. Джок и Падди[1] — ясные, определенные персонажи, а вот Таффи не так прост. И молчание у него странное. В отличие от Падди, столетиями боровшегося за автономию, даже карикатуры в газетах не заставили нас полюбить валлийца. Ни один мюзикл не сумел сделать из него типаж, который простые люди узнают с первого взгляда, как это бывает с шотландцем. Все дружелюбно посмеиваются над скупостью шотландцев и воинственностью ирландцев, а над валлийцами не шутят. Это знаменательно. В разговорах о том, что валлийцы лживы, сквозит враждебность. Нужно признать, что в тысячах на вид вполне английских Джонов и Уильямов появляется что-то зловещее, когда они внезапно заговаривают на странном и непонятном языке. Англичанин ненавидит незнакомое и неожиданное, а потому чувствует себя рядом с Таффи не в своей тарелке. В этом языке им слышится нечто коварное, словно Таффи — член тайного общества!

В древние времена лживость и коварство приписывали грекам, а один писатель-американец, Пол Коэн-Портхейм, отметил, что эти качества представляют собой оборотную сторону дара воображения и присущи как хитроумному Улиссу, так и Ллойд Джорджу.

Валлийцы — самые давние наши союзники. Пять тысяч уэльских лучников и копьеносцев воевали вместе с нами при Креси, натягивали свои луки в сражении при Азенкуре. Валлийский большой лук стал национальным оружием Англии, подарил нам победы во Франции и Шотландии. Ни одна маленькая нация не сопротивлялась мощи Англии так, как противостоял ей Уэльс, пока его гордость не была вознаграждена тем, что на трон взошел его сын, первый Тюдор.

---

[1] Обиходное название шотландцев и ирландцев соответственно.

Такого рода мысли занимали меня по пути из Лондона, и очень скоро я оказался между зелеными живыми изгородями, ведущими в Уэльс.

2

Преимуществом путешествия в одиночку является то, что в любой момент можно изменить свой маршрут, и при этом тебя не назовут дураком. «Почему бы, — подумал я, — не поехать в Уэльс через Стратфорд-на-Эйвоне и Дройтвич?» Посижу возле любимой могилы в церкви Святой Троицы. Если не замешкаюсь, приму целебную ванну в Дройтвиче.

Это довольно эксцентричный способ добраться до Уэльса, что, впрочем, не умаляет его достоинств. Чем дольше я смотрел на карту, тем больше убеждался в разумности такого решения: ведь из района Марки я попаду в Ладлоу — некогда самое важное место на пространстве от Ди до Уска.

Несколько часов спустя я затерялся в треугольнике второстепенных дорог в тридцати милях от Стратфорда-на-Эйвоне. Заплутал. Пошел дождь, сначала легкий, словно с улыбкой, а потом — мрачно и всерьез. Барахтаясь на уорикширских дорогах, я заметил в поле палатку. Пошел к ней, стукнул по полотну. Веселый голос отозвался:

— Привет, кто там?

Я просунул голову внутрь и увидел четверых мужчин, сидевших вокруг котелка с чаем. На мужчинах были шорты и рубашки цвета хаки. В палатке было не продохнуть от табачного дыма, теплого пара и мятой травы, что и не удивительно в замкнутом пространстве.

— Может, спрячетесь от дождя? — спросил один из мужчин.

Я вошел и уселся на землю.

Объяснил свою ситуацию, а они рассказали о себе. Мужчины на выходные отправились попутешествовать. Они гуляли днем по территории фермы, а на ночь возвращались в палатку. Ко всем автомобилистам относились с ненавистью, и до некоторой степени я был с ними согласен.

— Хотите чаю? — предложил один из них.

— С удовольствием.

Он зачерпнул из котелка чай жестяной кружкой и подал ее мне. Кружка была горячей, а чай крепким. В теплом воздухе стоял запах пеньковой парусины, словно от заплесневевшего ковра, запах тел, вонючего табака и — в противовес всему этому — свежий аромат мяты. Дождь барабанил по крыше палатки. Вдоль шва собиралась вода, ледяная капля падала на разгоряченную шею, и рука сама тянулась к протечке.

— Не трогайте, ради бога! — воскликнул кто-то.

Неожиданно я почувствовал себя счастливым. Словно вернулся в молодость.

— Прямо как в старые времена, — сказал я, не удержавшись.

Четверо недоуменно уставились на меня.

— Какие такие старые времена? — спросил один из них.

Я рассмеялся.

— Война, конечно... та же старая палатка, тот же котелок, тот же крепкий красный чай и даже та же щербатая кружка.

Мужчины запыхтели трубками.

— Мы не помним войны, — сказали они.

Я посмотрел на их широкие плечи и здоровенные волосатые колени. Непостижимо. Невольно я почувствовал себя старым, неуместным пришельцем из далекой страны.

— Мне было пять лет, когда закончилась война, — сказал молодой гигант.

— Я учился в школе, — сказал парень, похожий на младшего капрала.

— А мне было три года, — прибавил третий.

Я мрачно закурил трубку. Старость, подумал я, подкрадывается незаметно. Вспомнил девушку на вечеринке с коктейлями. Я чувствовал себя почти ее ровесником, пока она не сказала в ответ на одну из моих реплик:

— *Терпеть не могу довоенных мужчин!*

Полагаю, все мы рано или поздно испытываем подобный стресс, общаясь с молодым поколением. Еще утром я выезжал из Лондона, чувствуя себя двадцатилетним, а сейчас сидел в сырой палатке, сгорбленный под тяжестью прожитых лет! Эти парни понятия не имели, как похожи на ребят времен 1914—1918 годов, сидевших вот в таких же палатках. Они не знают ощущения, когда в палатку в любой миг мог постучать палкой унтер-офицер, учуявший запах крепкого чая, и коротко приказать: «Отбой».

Я печально поднялся и, чувствуя себя кем-то вроде ветерана Крымской войны, попрощался и зашлепал обратно по разбухшему полю.

Стратфорд-на-Эйвоне после дождя был чист и прекрасен. Уровень воды в Эйвоне довольно высок, течение быстрое. Река пряталась под красивый мост Хью Клоптона и дальше привольно бежала меж лугов. Я прошел по улице, вдоль которой росли высокие вязы, к церкви Святой Троицы. За восточным окном, в нескольких ярдах от места, где покоится прах Шекспира, я нашел могильный камень, на котором за свою жизнь сиживал много раз. Он стоит возле высокой стены над Эйвоном. Отсюда слышно, как вода чуть ниже по течению вращает мельничное колесо.

Мне всегда казалось, что Шекспир думал об этом месте, когда описывал смерть Офелии:

> Над речкой ива свесила седую
> листву в поток[1].

---

[1] Перевод Б. Пастернака.

Должно быть, об этом месте он снова вспоминал, когда писал сцену с Основой в зачарованном лесу, и его ремарка о том, что действие происходит «вблизи Афин», не может обмануть: это — Эйвон. В любой день вы пройдете по «лесу вблизи Афин» и встретите медника Рыло, починщика раздувальных мехов Дудку и столяра Милягу. Они по-прежнему живут вблизи Стратфорда и Шоттери, но теперь, полагаю, они слушают Би-би-си, а не эльфов Титании.

Я дождался, пока колокол церкви Святой Троицы ударит час, и неохотно ушел...

В Дройтвиче царило невозмутимое спокойствие. Я направился в водолечебницу Святого Андрея и вошел в самую удивительную воду королевства. Содержание соли в ней чуть ли не в двадцать раз больше, чем в морской воде. Источник поставляет эту необычную воду из земли в больших количествах. В ней невозможно утонуть. Когда вы осторожно в нее входите, она словно выталкивает, так что требуются немалые усилия, чтобы устроиться в ванне. Когда вода доходит вам до подмышек, устоять невозможно: ноги поднимаются, и вы либо лежите на спине, либо сидите, словно в невидимом кресле. Приходится грести вокруг себя, но осторожно, чтобы в глаза не попала едкая соль.

Престарелые полковники-ревматики и их страдающие ишиасом супруги уморительно подгребали под себя зеленую воду, а молодые мужчины и женщины в расцвете сил и здоровья громко смеялись. Лечебница казалась им забавным приключением.

Я оделся, вытряхнул соль из волос и ушей и выехал в Ладлоу.

3

Я ехал по прекрасной земле, мимо наполовину деревянных, наполовину каменных домов, мимо фруктовых садов, покатых холмов, зеленых лугов и очаровательных речек. Мысли снова вернулись к Уэльсу.

Первое, что нужно понять в отношении валлийцев, — что на самом деле никакие они не валлийцы. Они — настоящие бритты. Полагаю, что в любой стране, подвергшейся вторжению, вы найдете старые расы, ютящиеся в горах, в то время как на пахотных землях живут более молодые и сильные народы. Сильные племена, разумеется, теснят прежних хозяев. Так произошло и в Англии: сначала местное население пятьсот лет находилось под пятой римлян, потом бриттов постепенно, волна за волной, сгоняли со своих мест германские племена.

После ухода римских легионов бриттам достались обустроенные города, которые они не могли защитить. Агрессивные саксы погнали бриттов на запад в горы, на север к Стратклайду и на юг в Корнуолл.

Саксы обладали непоколебимой уверенностью в собственном превосходстве (в которой некоторые историки видят истоки английского привилегированного закрытого учебного заведения). Выражалось это, например, в том, что каждый человек, язык которого они не понимали, назывался «чужестранцем». Почти такую же нетерпимость выказывают ныне старые девы и отставные чиновники: приезжая за границу, они верят, что, если будут говорить по-английски громко и отчетливо, их непременно поймут.

Слово «валлиец», которым саксы назвали бриттов, после того как забрали их земли, в переводе с древнего языка — «чужестранец». Семантика слова прослеживается в немецком глаголе *wälschen*, означающем «нести чушь». Где бы ни оседали самодовольные тевтоны, тут же называли настоящих хозяев захваченной ими земли уэльсцами (*Welshmen*) или иностранцами! Они и Италию назвали *Walshland*; болгар — *Wlochi*, саму Болгарию — *Wallachia*, а кельтов из Фландрии — *Waloons*. Все эти слова произошли от одного и того же корня и основаны на убеждении, что завоеватели-саксы считали себя единственным народом, говорящим на правильном языке.

Бритты долгое время не принимали слово *Welsh*, потому что знали — никакие они не иностранцы и не чужаки. (Если бы кто-нибудь назвал короля Артура «чужестранцем», ему бы не поздоровилось.) Собираясь вместе в горах, они называли себя кимрами (*Cymry*), то есть «товарищами». И горы свои назвали Кембрийскими, что значит: «горы своей земли».

Короче говоря, вы чувствуете надменность захватчиков и патриотизм людей, мечтавших вернуть то, что у них отняли.

4

Под вечер солнечного дня городок Ладлоу похож на часового, спящего на посту. Хочется закричать «караул», чтобы разбудить улицы. На ум приходит Бервик-на-Твиде, еще один пограничный город: он спал, приоткрыв глаз, чтобы вовремя увидеть врага.

По главной улице идет овчар, погоняя неторопливую серую шерстяную волну. Шропширский парень оседлал тяжеловоза-шайра, и лошадь несет его из полей, тяжело цокая по мостовой. Мужчины в бриджах, сохраняющие то немногое, что осталось от Англии восемнадцатого века, обсуждают рост зерновых, приплод овец и цены на животных. В таких городах, как Ладлоу, заметны здравомыслие и солидность, так что в наш переходный, неуверенный век, когда старые верования умирают, а новые еще не родились, человек чувствует, что в мире сохранилось что-то сильное, древнее, то, что нужно ценить. В таких городах корни Англии. Ты идешь по спокойным, достойным маленьким улочкам с чувством, что, какая бы беда ни пришла на острова, эти торговые города перенесут ее без ущерба. Вульгарность и поверхностность, подтачивающие большие города, незнакомы мелким английским поселениям, таким как Ладлоу. Большие города умирают, исчезают, превращаются в бесформенные груды, люди отыскивают в них монеты и черепки, но деревни и городки живут вечно.

Я покинул главную улицу и направился к замку на зеленом холме. Перешел через сухой ров и оказался во дворе, поросшем травой. Высоко над головой вздымались башни и зубчатые стены самой большой крепости валлийской Марки. В круглой часовне росли мелкие цветы, на оружейном складе вымахал здоровенный папоротник. Я забрался на смотровую площадку, заглянул в бойницы. Увидел вдали синие горы Уэльса.

Окна замка Ладлоу до сих пор глядят на Уэльс, будто ожидая нападения со стороны гор. Двор и огромные стены без крыш, даже в полуразрушенном состоянии, словно чего-то ожидают. Когда в Англии жить стало легче и безопаснее, люди принялись строить дома, а не замки. Ярость средневековья утихла и наконец умерла, а длинная цепь замков отделила Англию от Уэльса. Буйные и своекорыстные «лорды Марки» были в своих замках независимыми монархами с собственной армией. Они обедали, положив рядом с собою мечи, в то время как англичане сидели за столом в шелковых халатах. Англия растила хлеб и разводила овец, а валлийская граница щетинилась копьями. Часовые расхаживали по крепостным стенам замков наподобие Ладлоу, смотрели по ночам в сторону уэльских гор, вслушивались, не крадется ли кто в темноте, вглядывались, не блеснет ли меч.

Какой же мужественной, но безнадежной была долгая борьба валлийских кланов против англо-норманнов! Их враги не были отрезаны морем от подкрепления, как бароны Ирландии. Из Честера и Бристоля флоты сторожили устья валлийских рек. Подобно шахматистам, «лорды Марки» продвинули свои замки в Уэльс, а валлийцы отступили в горы. Невероятное, должно быть, было это место, Приграничье! Валлийские принцы засели в горах. С ненавистью людей, лишившихся собственности, смотрели они на захватчиков. Мечтали о возвращении земель. Хотели собрать народ и повести его в землю отцов.

И где бы «лорды Марки» ни строили свои замки, вокруг вырастали маленькие города. Саксы, норманны и кельты жили совместно под защитой цитадели. Интересно, много ли валлийских шпионов работало там под видом прислуги, а ночью выбиралось, чтобы послать донесение вождю в отдаленное болото? Долгие годы длилась борьба между кельтами и англо-норманнами — между феодализмом и централизованным правлением, с одной стороны, и романтичным трайбализмом — с другой. В Шотландии та же борьба закончилась на поле Куллодена[1], а в Ирландии завершилась — по крайней мере официально — установлением ирландского свободного государства.

Одно время в замках среди гор и долин валлийской Марки проживали в своих замках сто сорок три лорда. Казалось, время остановилось. Англия в век Плантагенетов училась искусству мира и развивала сельское хозяйство и промышленность. Уэльс по-прежнему был преисполнен норманнского духа. Можно представить, скольким молодым людям наскучила пресная жизнь английского поместья. На валлийскую Марку они смотрели как на последний уголок романтики, а потому седлали коней, брали в руки дедушкин меч и отправлялись на поиски рыцарских приключений. Должно быть, это единственный период нашей истории, когда человеку удавалось повернуть жизнь в прошлое и выяснить,

_____

[1] Селение в Северной Шотландии, у которого 16 апреля 1776 г. англичане разгромили Карла-Эдуарда Стюарта, шотландского претендента на трон.

действительно ли «доброе старое время» и в самом деле было таким хорошим!

Лежа на солнышке во дворе замка Ладлоу, я вспомнил жесту о Фульке Фицварине, историю тех времен. Ладлоу — единственный английский замок, оставивший романтический след в средневековом фольклоре.

Когда Жосс де Динан, фаворит короля Генриха I, удерживал Ладлоу под натиском наседавших на замок валлийцев и его личных врагов, Варин де Метц, лорд Аббербери, послал к нему своего сына, чтобы Фульк вырос настоящим рыцарем. Мальчик стал пажом Жосса де Динана. Он многое увидел и многому научился.

Его хозяин вел войну с двумя могучими противниками, Хью Мортимером и Уолтером де Лэйси. Однажды молодой паж увидел с башни, что Мортимер попал в засаду. Его привели в замок и заперли в башне, которая с тех пор носит его имя. Несколько лет спустя Фульк снова стоял на башне с женой и двумя дочерьми Жосса де Динана. Отец дал дочерям красивые имена — Сибил и Хэвиса. Почти под самыми стенами замка шел страшный бой между Жоссом и Лэйси. Фульк и дамы с ужасом увидели, что Жосс, выступив впереди войска, потребовал от Лэйси сдаться, но не заметил, что на помощь противнику примчались трое рыцарей. Девушки застонали, увидев, что их бедному отцу угрожает опасность. Хэвиса повернулась к юному Фульку и бросила: мол, жаль, что он еще — беспомощный юнец. Уязвленный Фульк сбежал вниз, нахлобучил на голову ржавый шлем, схватил данский боевой топор и, вскочив на ломовую лошадь, ввязался в бой.

Явился он в тот миг, когда Жосса скинули с лошади и поставили на колени. Фульк поднял топор и зарубил двоих рыцарей. После этого он взял в плен де Лэйси и третьего рыцаря, Арнольда де Лиля.

Этот мужественный поступок спас жизнь Жоссу и сделал Фулька героем на час, а Хэвису — самой гордой девушкой Приграничья, но в результате привел к беде. Взятый в плен рыцарь Арнольд был молод и хорош собой, а в замке жила девица необычайной красоты, ее звали Марион де Лабрюйер. История снова и снова доказывает, что, если в подобных делах замешаны женщины, жизнь становится опаснее, чем в сражениях, в которых мужчины размахивают топором.

Марион была брюнеткой, сильной и страстной — первой из тех, кого принято называть «вамп». Арнольд слыл жутким повесой. Марион страстно в него влюбилась, а он беззастенчиво ее использовал и уговорил свить для него из простыней веревку. В результате вместе с де Лэйси он темной ночью бежал из Ладлоу.

Юного Фулька к тому времени уже не считали безусым юнцом. В часовне он обвенчался с Хэвисой, а после свадебного пира, длившегося две недели, вместе с молодой женой и Жоссом де Динаном покинул замок и отправился путешествовать в место, называвшееся Хартленд.

Замок остался без хозяина. Марион сидела у окошка и думала об Арнольде де Лиле. Она вынашивала опасные мысли и наконец, не в силах перенести разлуку, послала ему записку, написала, что в замке она почти одна и, если он тихонько придет ночью, она откроет окно и спустит веревку.

Арнольд, разумеется, в престижной школе не учился, а потому обратился к де Лэйси. Вместе они решили, что это прекрасная возможность для исключительно грязного дельца. Арнольд принял приглашение на любовное свидание и пообещал де Лэйси впустить в спящий замок отряд вооруженных людей.

Так все и вышло. Арнольд забрался в окно и удалился с Марион в ее будуар. Тем временем сотня людей Лэйси вскарабкалась в темноте по приставной лестнице и тихонько пошла по двору. Они зарезали часового и открыли главные ворота. Де Лэйси и его люди уничтожили гарнизон до единого человека. Стоны умирающих донеслись до Марион. Она выскользнула из объятий любовника и подбежала к окну. Один взгляд рассказал ей, что произошло. В спальне лежал меч Арнольда. Марион схватила его и поразила возлюбленного, а затем с диким криком выпрыгнула из окна и разбилась на камнях.

Финал таков: Жосс и Фульк вернулись и взяли Ладлоу в осаду. Де Лэйси пришлось туго, и он забыл обо всех приличиях и нарушил этикет Марки. Его имя прокляли во всех замках — от Ди до Уска. Он позвал на помощь валлийцев! Так дела не ведут! «Лорды Марки» могли ссориться друг с другом, но ни одному приличному барону и в голову бы не пришло обратиться к врагу!

Валлийцы под предводительством принцев Гвинедда и Поуиса с готовностью откликнулись. Они захватили Жосса и заперли его в собственном замке. Молодой Фульк благодаря быстрой лошади сумел ускользнуть. Он явился к Генриху I и рассказал о том, что произошло. Король приказал де Лэйси освободить Жосса и отправить валлийцев домой. Первая команда была немедленно исполнена, а на вторую понадобилось четыре года! Валлийцы, словно река, проломившая плотину, заняли шропширскую Марку, и только после нескольких лет сражений, переговоров и прямого подкупа их удалось отправить обратно на запад.

Сидя в тени башни Мортимера, я припомнил, что Тюдоры правили Уэльсом из замка Ладлоу. Генрих VII, гордившийся тем, что в его жилах течет валлийская кровь, назвал своего старшего сына Артуром, принцем Уэльским. Он послал его в Ладлоу, и этот замок стал центром политической жизни Уэльса.

В 1502 году сюда верхом, позади шталмейстера, приехала молодая испанская принцесса Уэльса, Екатерина Арагонская. За ней, также на лошадях, следовали одиннадцать испанских дам. Екатерина явилась в качестве невесты принца Артура, королевского регента в Уэльсе. В Ладлоу они прожили недолго, изображали королевскую чету, держали двор по образцу вестминстерского. Несколько месяцев спустя принц заболел и умер. Комнаты, в которых он жил, стоят сейчас без крыши, на высоких стенах растет папоротник. В этих комнатах испанская принцесса, имя которой прокатилось по Европе подобно грому, рыдала подле тела мальчика, с которым не прожила и полугода.

Итак, в Ладлоу случилась одна из самых досадных смертей в британской истории. Когда думаешь о кончине Артура, невольно представляешь, как могла бы измениться история, останься он в живых и роди Екатерина ему сыновей. Его могущественный брат, Генрих VIII, никогда бы не занял трон. Никогда не женился бы на Екатерине Арагонской. Подумать только!

Позже Ладлоу знал много знаменитых людей. Здесь свое детство провел Филип, сын сэра Генри Сидни. Джона, графа Бриджуотера, наместника Уэльса, дети пригласили посетить банкетный зал. Там в ночь Михайлова дня 1634 года был представлен «Комос» — пасторальная драма, написанная Джоном Мильтоном.

Тени на траве удлинились, и я, взяв северное направление, покинул старый Ладлоу, а замок, словно сонный часовой, остался стоять, повернувшись к голубым горам на западе.

5

В Шрусбери я прибыл, когда уже стемнело. В ужасную маленькую спальню меня привела служанка с тонкой талией. Думаю, Лоуренс Стерн пришел бы от нее в восторг. Спрашивается, разве трудно создать уют? Однако над помещением, в которое я вошел, трудился какой-то злодей: он хотел, чтобы несчастный приезжий улегся в кровать с ощущением, что его все бросили и он никому не нужен. Да лучше бы лечь на полу в амбаре (мне часто приходилось там спать), чем в этой бледной, холодной комнате, где в зеркале на туалетном столике отражается унылая двуспальная кровать! Невозможно представить в этой комнате приветственную улыбку, потому что там, где когда-то был камин, стоит мрачная газовая плита, поставленная туда, как мне кажется, с той же ужасной целью — вызвать у человека желание совершить самоубийство.

Я посмотрел на очаровательную деревенскую девушку и порадовался тому, что ее аккуратность и свежесть спасли меня от плохих манер.

— Убого и отвратительно, — сказал я и улыбнулся, чтобы смягчить свои слова.

— Прошу прощения? — глуповато переспросила девушка.

— Убого и отвратительно, — я снова улыбнулся.

— Чего? — вопросила она.

Это было ужасно.

— В Шрусбери все так разговаривают? — справился я.

— Я из Лондона, — ответила девушка.

— В таком случае неужели вам не кажется, что в ужасных комнатах, таких как эта, в маленькой населенной клопами гостинице возле Паддингтона или Юстона можно найти людей с перерезанным горлом?

— Вам не нравится? — огорчилась девушка.

— Я в восторге, — сказал я. — Каждый угол вселяет в меня тихую радость. Чувствую, что долгие утомительные мили, отделяющие меня от цивилизации, наконец-то оправданы, и я забудусь, окруженный всей этой красотой. Возможно, сегодня ночью скончаюсь от счастья.

Лампы возле кровати, разумеется, не было. Я так возненавидел комнату, что не стал просить удлинитель, чтобы выключить свет, не вставая с кровати.

— Принесите мне двенадцать свечей, — попросил я.

Девушка вышла, а я открыл дверь шкафа и ничуть не удивился, увидев, что предыдущий жилец оставил там свою рубашку.

— Я нашла только восемь, — сказала девушка, вернувшись с оплывшими наполовину свечами.

Я отдал ей реликвию последнего тела, занимавшего этот участок чистилища, и отправился на улицы Шрусбери, думая, что если кто-то выходит из себя, то случается это не тогда, когда все по-настоящему плохо, но когда все плохо наполовину. Я знаю гостиницы в Ирландии, чье безобразие приводит в восторг: прекрасные отели, где ничто не работает, все неправильно, все не вовремя... Жизнь в них превращается в зачарованный сон. Если матрац под вами рушится на пол, вы даже не пытаетесь вернуть его на место, а просто засыпаете. На следующее утро просыпаетесь от громкого хохота коридорного, принесшего вам чай. Я не против таких вещей, мне они даже нравятся: в них есть очарование неожиданности...

Шрусбери — славный город. Я всегда оказываюсь в нем поздно вечером, когда церковные колокола отбивают десять или одиннадцать ударов. На улицах полно людей, их речь немного быстрее и на тон выше, чем у южан. В голосе Шрусбери присутствует валлийская нотка.

Я стоял на мосту и смотрел на воду Северна. Река совершает правильную петлю вокруг Шрусбери, за исключением узкого перешейка на севере, где в далеком прошлом построили замок. В ночное время старинные улицы Шрусбери исполнены романтики, как, впрочем, и в других местах Англии. Дома кивают друг другу. Кажется, что с верхних этажей ты можешь обменяться рукопожатием с соседом на другой стороне улицы. Вот так же клонятся друг к другу черно-белые дома на средневековом Шемблз в Йорке.

Шрусбери очень напоминает Йорк чудны́ми названиями улиц, хотя и проигрывает Йорку в этом негласном соревновании. Намек на старые дикие дни, когда Шрусбери был приграничным городом, сквозит в названиях мостов через Северн. Западный называется Валлийским мостом, а юго-восточный — Английским.

На улице Уайл-Коп стоит наполовину деревянный дом. В нем по пути в Босуорт-Филд останавливался валлиец Гарри Ричмонд, ставший впоследствии Генрихом VII. На улице Догпоул (Собачий Столб) некоторое время жила его внучка, Мария Тюдор. Тогда она еще не была «Кровавой». Возможно, лучшие дни ее несчастной жизни прошли на валлийской границе.

Находившись до изнеможения, я вернулся в отель. Кровать оказалась на удивление удобной, и я проспал всю ночь, как четырехлетний ребенок.

6

Утро выдалось на славу — прохладное, солнечное, с высокими золотыми облаками. Дорога в Уэльс бежала на северо-запад.

В воздухе я ощутил нечто новое. Такое же ощущение бывает при переезде в Шотландию через перевал Картер-Бар — пустынность «ничьей земли» между двумя странами.

Возле дороги в Уитингтон стоит замок, словно вышедший из баллады. Кольцо стен, переброшенный через ров подъемный мост. Два лебедя на зеленой воде. Я постучал в ворота замка и увидел красивую девушку, согнувшуюся над корытом. В замке теперь прачечная!

Проехал несколько миль. Дорога пошла круто вниз, к мосту у Чирка. Я очутился на границе с Уэльсом.

— Скажите, — обратился я к мужчине, подметавшему дорогу, — где начинается Уэльс?

Он взглянул на мой автомобиль.

— Ваши передние колеса уже в Уэльсе, — ответил он, — а задние пока еще в Англии.

— Тут нет никакого указателя.

— Нет.

— Вы валлиец? — спросил я, потому что он говорил быстро и нараспев.

— Нет, англичанин, — быстро возразил мужчина.

Похоже, я задел его гордость.

Он продолжал выметать пыль Уэльса с Телфордского моста. Я предположил, что его предки были грабителями. Возможно, ходили в дом Таффи, чтобы стащить баранью ногу, а валлийцы являлись в его дом — стянуть говяжью лопатку. Все это напоминало Нортумберленд или Камберленд.

Интересно, почему на границе с Уэльсом нет никакого указателя, ведь между Англией и Шотландией он стоит. Уэльсу следовало бы поставить нечто подобное. Два миллиона человек, многие из которых говорят на собственном языке и гордятся своей страной, своими обычаями... им просто необходимо показать путешественнику, где начинается их родина.

Я переехал по мосту в Уэльс.

Глава вторая,

в которой я отправляюсь в Лланголлен, слушаю рассказ о старых дамах, посещаю охотничий домик уэльского принца, а вечером прихожу в долину Креста; завершаю повествование впечатлениями от гренок с сыром.

1

Я приехал в Лланголлен. Это маленький город или большая деревня, примостившаяся в тени гор. День и ночь здесь журчит форелевая речка, святая Ди. Я ясно ощутил, что пересек границу. Я находился в другой стране. Прямо из Англии попал в Лланголлен. Это не менее удивительно, чем если бы вас вдруг перенесли из Англии в шотландский Баллатер. Лланголлен можно назвать валлийским братом Баллатера: маленький, построенный из камня, затерявшийся в горах. И там и здесь форелевые речки. Обе речки носят одно и то же имя — Ди.

Я вошел в магазин. Продавец говорил с покупателем по-валлийски. Он тут же отвлекся и на чистом английском языке, который вы можете услышать и на Гебридах, спросил:

— Чем могу помочь?

И снова перешел на валлийский — звенящий голос, быстрая речь, как у взволнованного француза.

— Как вы умудрились сохранить свой язык на границе с Англией? — поинтересовался я.

— Нам пришлось бороться, — ответил он. — Церковь сохранила нам валлийский язык.

— Вы предпочитаете говорить по-валлийски?

— Я могу больше высказать на родном языке. Слова приходят быстрее, и они красивее.

— Много ли людей говорят по-валлийски?

— Не знаю. Зависит от района. В Карнарвоншире все говорят...

Я вышел на улицы Лланголлена. Они показались мне еще более иностранными. Трудно было поверить, что отправленные в этот вечер письма на следующий день окажутся в Лондоне.

Я провел на берегу Ди всю вторую половину дня — читал, что Джон Рис и Дэвид Бринмор Джоунс писали о валлийском языке. Выживание этого языка, древнего наречия бриттов, — самое удивительное явление в Великобритании. Когда римляне под водительством Цезаря завоевали в 43 году Британию, латынь почти на четыреста лет стала официальным языком государства. Уэльс, в отличие от Ирландии и Шотландии, был романизирован. Повсюду появились римские замки, легионеры проложили через Уэльс дороги и расположились от крепости Дева на севере до Каэрлеона на юге. Тем не менее речь бриттов выстояла.

Много слов в валлийском языке являются латинскими заимствованиями: *ceffyl* — лошадь, *cwlltwr* — плужный лемех, *ffos* — канава, *ffenestr* — окно, *sebon* — мыло, *cyllell* — нож, *tarw* — бык, *pont* — мост.

Удивительно уже то, что бриттский, или валлийский, язык продержался четыре столетия наряду с латынью, покорившей Галлию и Испанию, но воистину чудо, что после стольких лет он упорно противился поглощению французским, а позже и английским языком. Несомненно, постоянная борьба против оккупантов, нацеленных на разрушение национальных барьеров, еще сильнее сплачивает людей вокруг языка предков. Захватывает дух от осознания того, что тысячи мужчин, женщин и детей используют сейчас слова, которые, возможно, понял бы король Артур.

В течение пяти столетий, пишет Ллевелин Уильямс в работе «Создание современного Уэльса», валлиец жил рядом с могущественным, всепроникающим языком (английским). Он не был отделен от него ни горами Шевиот, ни проливом Святого Георгия. Англичанин столетиями переходил через вал Оффы, и даже в стихах Дафидда ап Гвилима можно найти много слов, заимствованных из английского. И все же сегодня валлийский не только уцелел как разговорный, но на нем издаются книги, а изучают его даже больше, чем когда бы то ни было.

Утром я увидел маленький рай. Лланголлен единым махом переносит вас в Уэльс. Здесь ничто не напоминает о Приграничье. Это и в самом деле другая страна.

Полноводная Ди течет среди заливных лугов, каскадами переливается через камни. Под красивым старинным мостом, построенным пятьсот лет назад епископом Тревором, река мчится как бешеная, брызжет пеной на арки.

Повсюду вздымаются горы, некоторые — длинные и покатые, другие — высокие и скалистые, есть и поросшие темным лесом, и покрытые нежно-зеленой травой, яркие заплаты утесника оживляют голые коричневые скалы.

Тот, кто умеет смотреть, видит очарование ландшафта, собранное в миниатюре. Небольшой горный шедевр; слияние гор, лесов и вересковой пустоши. Долина Лланголлена выглядит так, словно природа создавала модель для Шотландского нагорья, и ей настолько понравилась собственная работа, что она придумала несколько идей для Швейцарии и германского Рейнланда. Эта страна замечательно ухоженна. Кажется, что у каждой здешней лужайки есть паж, а у каждого дерева — горничная.

Красота, конечно, — одна из главных доходных статей Северного Уэльса. Слава таких мест, как долина Лланголлена, каждый год приносит солидный денежный поток и с севера, и из центральных графств страны. Как и многие другие привлекательные места, Уэльс пострадал от восторгов писателей наподобие Рескина, певшего ему хвалу в те времена, когда путешествие было делом трудным и человек не мог знать каждую долину в королевстве. Хотя я и предпочитаю Глен-Мор на Шотландском нагорье, не могу не признать, что долина Лланголлена обладает нежной, грациозной красотой, которая возносит ее в верхнюю половину списка лучших долин. Тем не менее на первое место, как Рескин и Браунинг, я бы ее не поставил.

Одной из главных достопримечательностей Лланголлена — слава его не померкнет — является переброшенный через реку Ди мост постройки пятнадцатого века. Четыре стрельчатые арки словно вступили в жаркую схватку с быстрым течением. Я страшно люблю смотреть с мостов на быстрые горные реки, бегущие по каменистому руслу. Часами я простаивал на мосту епископа Тревора, вглядываясь в темные заводи, внезапные водовороты, быстрые мелководные потоки орехово-коричневой Ди. Как повезло городу: форелевая река денно и нощно шепчется с его стенами, совсем как шотландская Ди, перешептывающаяся с Баллатером. В прошлые века этот мост входил в число «семи чудес Уэльса». Есть даже посвященное этому шутливое четверостишье:

Шпиль в Рексэме — о, сколь возвышен он! —
Пистилл Райадр и снежный Сноудон,
Родник Сент-Винфрид и овертонских тисов мгла,
В Лланголлене мост, а в Гресфорде — колокола.

Полагаю, что сегодня к «семи чудесам» должны прибавиться бирмингемский водопровод и подвесной мост Менай! И все же, хотя мост Лланголлена и не является «чудом», в том смысле, что изумления не вызывает, забыть его невозможно. Все еще есть люди, которым интереснее перегнуться через перила, чем стоять в восхищении перед инженерным шедевром.

Мне кажется, что Лланголлен был — а может, остается и поныне — замечательным местом для молодоженов. Представляю себе викторианский медовый месяц — новобрачного в клетчатых брюках и с бакенбардами и юную жену с тонкой талией и в платье с пышными рукавами. Тенистые берега реки Ди священны для наших отцов и дедов. Они, я уверен, вспоминают, как сиживали на грубо отесанных скамьях и читали вслух «Сезам и лилии» Рескина своим послушным и почтительным женам.

2

Солнечным утром я задумал подняться на вершину конической горы: там стоит разрушенный замок Динас-Бран. Тропинка, обходя мшистое болото, зигзагами вела меня наверх. Джордж Борроу по меньшей мере дважды взбирался на эту гору, но похоже, панорама его не вдохновила, хотя оба раза погода была ясная.

Я упорно лез вверх. Над утесником порхали бабочки, в небе носились ласточки, с гор дул прохладный ветер. Навстречу мне попался рабочий с лопатой и мешком. Смуглый, красивый парень с темным ободком на щеках. Там росла бы борода, если бы не изобрели безопасную бритву. Это был чистокровный ибер, человек, живший в Англии и Уэльсе, когда на острова явились римляне. Я считаю, что смуглый валлиец — подлинный абориген Великобритании. В Уэльсе, как и в Ирландии, не бывает неотесанных мужланов. У деревенских жителей саксонское происхождение. Кельт, из каких бы общественных слоёв ни вышел, всегда сообразителен, раскован, у него прекрасно подвешен язык. Я заговорил с парнем и выяснил, что он с юга.

— А что по-валлийски означает «Динас-Бран»? — спросил я.

— «Город Брана», — ответил рабочий.

— В некоторых книгах его называют «Вороньим городом», — заметил я.

— Бран по-валлийски означает «ворон», — сказал он, — но неправильно назвать Динас-Бран «городом воронов», потому что Бран — это имя короля, который очень давно жил в замке на вершине горы.

— А что он делал?

Парень улыбнулся, медленно и лукаво.

— Думаю, вы знаете лучше меня, — ответил он.

Я почувствовал себя побеждённым. Этот парень знал, что я его экзаменую. Я прикрыл своё смущение плохой шуткой и продолжил восхождение.

То, что осталось от замка Динас-Бран, похоже на торчащий из земли гнилой зуб. Однако же какое место выбрано для замка! Нигде, за исключением Рейна или на восточных склонах Апеннин, я не видел замка, поставленного на столь недоступную высоту. Трудную и суровую жизнь, должно быть, вели там, в облаках. Вода у них, конечно, была, и скот пасся на горных склонах, но даже если так, город Брана, похоже, жил на осадном положении.

Бран, по имени которого назван замок, был королём, правившим Поуисом в шестом веке. Но только в нормандские времена замок стал знаменитым. У владельца замка был ключ к долине Ди. Но, как ни странно, руины говорят не о войне, о прекрасной девушке Майфенви, дочери графского семейства Треворов, занимавшего замок до конца Средневековья.

Валлийская поэзия, от ранних времен и до Сейриога Хьюза, великого лирического поэта Уэльса, полна хвалебных отзывов о красоте Майфенви.

«Будь я порывом ветра, пронизавшим Динас-Бран, — восклицает Сейриог, — я поведал бы ей своей тайны, в колечко бы свил твой локон!»

Легенда рассказывает о юном уэльском трубадуре по имени Хауэлл ап Эйнион Алиглив. Он думал, что умрет от любви к Майфенви. Это — лучшая иллюзия, от которой страдает любой поэт. Любовь открыла спрятанный в нем талант, тем более что Майфенви не отвечала ему взаимностью, задирала нос и говорила в очень жестких выражениях, что любой мужчина в ее окружении может заткнуть его за пояс в игре на арфе. Благодаря холодности Майфенви и страсти Хауэлла мы можем теперь заглянуть в интимный мир людей, живших ту далекую эпоху. «Майфенви — читаем мы, — гордо выпрямившись, уходила прочь в алом платье, и все перед ней низко склонялись». Ее лицо было «словно снег, выпавший на вершину Арана». Даже конь Хауэлла, пишет автор, разделял восторг своего хозяина и готов был взлететь на высокую гору, где жила красавица. Последними словами Хауэлла, обращенными к прекрасной снежной королеве, были такие:

> Позволь твою красу воспеть,
> Не отвергай моих стихов,
> Не то приду под Динас-Бран,
> Свой путь земной прервать готов.

Разумеется, ничего такого он не сделал, а повел себя как разумный поэт. Увековечил в стихах прекрасную даму — и забыл о ней на празднике в аббатстве Долины Креста...

Что за вид отсюда, с вершины! Я смотрел на запад, где Ди, изгибаясь, прокладывала путь к Коруэну. Смотрел на север — и видел странные террасы из розового песчаника; на юго-западе вздымались массивные горы Бервин, но лучше всего видна была величественная зеленая равнина Шропшира. Не могу понять, почему Борроу, обычно столь восприимчивый к красоте, не вдохновился здешними видами. На мой взгляд, с горы открывается потрясающая панорама. Возможно, на Борроу повлияли ныне покойные валлийцы, которые долгие столетия удерживали эту высоту, а потому человек обращал свои взоры на восток и с ожиданием смотрел на отдаленную Марку.

3

В Лланголлене есть место, которое посещает каждый приезжий. Это — странный черно-белый дом, носящий название Плас-Ньюуидд. Я позабавился, прочитав о нем в отличной книге об Уэльсе. Автор назвал его «прекрасным образцом черно-белой архитектуры». Ничего подобного. Это — прекрасный образец того, как с помощью белил, смолы и бруса толщиной в полдюйма можно превратить обыкновенный домишко в особняк елизаветинского стиля.

В этом доме 150 лет назад жили две странные женщины — «прославленные девственницы Европы» леди Элеонора Батлер и мисс Сара Понсонби, знаменитые «дамы из Лланголлена».

Девушки родились в восемнадцатом веке в чахоточной Ирландии.

«Семья леди Элеоноры, хотя и лишенная титула по политическим причинам, жила в роскоши в замке Килкенни, — пишет в своем дневнике Каролина Гамильтон. — Мистер Батлер, отец Элеоноры, в один день мог с неслыханным гостеприимством принимать соседей — за каждым гостем стоял лакей в роскошной ливрее, — а наутро отправиться в трактир и весь день пить там пиво. Один из его

современников говорил, будто он полностью подчинялся
жене, которую за глаза называли старой мадам Батлер. Она
была ревностной римской католичкой, стыдилась собственных родителей и не носила по ним траур. Гордую и власт-
ную особу всегда окружали священники. Мадам подавляла
мужа, а дочь отправила на обучение во Францию, в монастырь. Говорят, похороны мадам Батлер были величественными, но возницы катафалка, напившись допьяна вместе с
остальной компанией, пустили лошадей во весь опор, и гроб
галопом примчался к кладбищу. Один из зевак, знавший
бешеный характер дамы, воскликнул: "О, если бы мадам
Батлер могла это увидеть, какой бы скандал она учинила!"».

Дочь, Элеонора, была высокой, красивой и мужеподоб-
ной. Сара Понсонби, с которой Элеонора дружила со школьных дней, напротив, отличалась женственностью и привле-
кательностью: под высокими бровями глаза цвета вероники, аккуратный носик. Обе не скрывали раздражения,
которое вызывали у них родственники. Вскоре они обнаружили друг в друге обоюдную страсть к уединению. Когда
Элеоноре исполнилось тридцать, а Саре было чуть поменьше, подруги отряхнули со своих ног пыль модной Ирландии
и вместе бежали. Они решили не вступать в брак, а посвятить свои жизни дружбе и добродетели.

«Сара Понсонби и Элеонора Батлер не имели средств к
существованию. Это были зависимые женщины, не способ-
ные заработать и пенни, — пишет миссис Дж. Белл. — Тем
не менее подруги вошли в мир, придерживавшийся строгих
правил относительно зарабатывания хлеба насущного. Общество никак не могло осознать ситуацию. Два пылких молодых сердца понятия не имели о спокойном и нероманти-
ческом бегстве. Если выйти в дверь не представлялось возможным, они выпрыгивали из окна, носили при себе оружие,
подкупали слуг. Все совершалось в полной секретности. Они
вели тайную переписку, прятались в душных шкафах или

мерзли в сараях. Сара едва не умерла. Несмотря на все труд-
ности, решительности они не утратили. Они знали, против
чего бастуют».

В апрельскую ночь 1778 года Сара вылезла из окна гостиной с пистолетом под мышкой. Пошла в сарай, где встре-
тилась с Элеонорой. Беглянок поймали по дороге в Уотер-
форд, где они надеялись сесть на корабль. Элеонора была
одета в мужское платье, а Сара дрожала от холода. Их забрали домой.

«Мужчина здесь не был замешан, — записала общая при-
ятельница, — скорее всего, это романтическая дружба».

Вторая попытка оказалась успешной. В Уотерфорде они
сели на корабль и добрались до Милфорд-Хейвена. Путешествовали по Уэльсу, пока не очутились в Лланголлене.
Сначала они жили у почтальона, а потом поселились в маленьком домике, который после добавлений и изменений
превратился в Плас-Ньюидд. Первое, что они сделали, —
послали в Ирландию за верной служанкой, Мэри Кэрилл,
бывшей кем-то вроде амазонки. Хозяева уволили ее за то,
что она кинула в слугу канделябр. С тех пор ее прозвали
Молли Грубиянка.

Такое странное сожительство продолжалось полвека.

Убежав из мира, они тем не менее оказались на одной из
его главных дорог! Холихед — главная дорога из Лондона
до Ирландии — проходит через Лланголлен. Совершенно
естественно, что этот странный *тйпаge* стал главной темой
разговоров за обеденными столами Лондона и Дублина.
«Дамы из Лланголлена» были бедны, как монастырские
крысы, зато обладали столь сильными характерами, что
после их бегства темная валлийская деревня сделалась местом, которое не преминули посетить все знаменитости того
времени: герцог Веллингтон, Томас де Куинси, Вордсворт
мадам де Жанлис и Вальтер Скотт. Каждый экипаж, про-
езжавший через Лланголлен, привозил подругам какую

нибудь сплетню из Лондона или Дублина. Они были очень хорошо осведомлены. Хотя главными развлечениями им служили литература, садоводство и любование природой, новости большого мира их тоже интересовали.

Элеонора Батлер, обладавшая властным характером, в 1788 году начала вести дневник. Тот дает ясное представление о жизни в «новом месте». Вот, например, такая заметка:

«Над деревьями горной деревушки поднимается, закручиваясь в спирали, тонкий прозрачно-голубой дым. Пишу. Приходил столяр, починил заднюю доску книжного шкафа возле портрета леди Энн Уэсли... Человек от Эвана из Освестри принес артишоки. Нам было нечего ему дать. Боже, помоги нам... Читаем, работаем. Ходили с моей любимой к белым воротам, вечер чудный — темный, тихий. Встретили маленького мальчика. Он шел из поля с корзиной картошки на голове. Спросили, как его зовут. "Питер Джонс, сын Томаса, обжигальщика извести". — "Где ты взял эту картошку?" — "За тем лесом. Это — картошка моего отца". — "Можно нам взять одну или две картофелины?" — "Да, пожалуйста, я вам буду очень обязан". — "За что же, милый мальчик? Это мы должны благодарить тебя за твою доброту". — "Нет, что вы. Возьмите всю корзину". — "Пойдем к нам в дом, мы тебе что-нибудь дадим". — "Нет, благодарю, мне ничего не надо, а вы возьмите всю корзину. Я вам буду очень обязан". Мы заставили его пойти с нами, взяли 3 картофелины и дали ему большой кусок хлеба с маслом. Мы всегда с удовольствием будем вспоминать о доброте и щедрости бедного ребенка».

Восхищаясь красотами природы и сочувствуя животным и бедным людям, они тем не менее могли проявлять невиданную жестокость.

«Пегги, нашу экономку, — записала Элеонора в 1789 году, — жившую с нами три года, мы сегодня рассчитали. Несчастная девушка. Она уже не могла скрывать свою беременность. В качестве оправдания она сказала, что ее соблазнили, пообещав жениться. Отец бедной Пегги Джонс не позволил ей вернуться домой. Мы уговорили чету Уиверов взять ее. Что-то теперь с ней будет?»

В домик Лланголлена долетал шепоток из большого мира и оседал в кратких записях дневника Элеоноры. Дам волновало здоровье короля и капризы принца Уэльского. Они тревожились о неспокойном положении собственной страны и получали из первых рук отчеты о том, что происходило в столице. Об этом рассказывали знатные люди, приезжавшие из Лондона. Со временем женщины стали проявлять эксцентричность в одежде. Они ходили в костюмах для верховой езды и в цилиндрах. Актер Мэтьюс, игравший в местном театре, оставил записи, в которых рассказывал о своих впечатлениях. Он сознался, что едва не расхохотался, увидев их среди зрителей.

«Ну до чего же они нелепые! — писал он. — Первые десять минут я едва мог играть. Их почти невозможно отличить от мужчин: костюмы, пудреные парики, туго накрахмаленные воротники. Они постоянно носят эту одежду, даже за званым ужином. Платья сшиты по мужской выкройке. К тому же черные касторовые шляпы! В таких костюмах они похожи на двух респектабельных священников».

До самой смерти дамы вызывали интерес и даже расположение общества. Две странные женщины являлись одной из местных достопримечательностей. Элеонора умерла в 1829 году, а ее «лучшая половина» — так она иногда называла Сару — два года спустя. Их похоронили на церковном кладбище Лланголлена. Посещая сегодня Плас-Ньюидд, вы оказываетесь в разношерстной толпе туристов. Они понятия не имеют, зачем сюда пришли, знают только, что так заведено.

Садовник и одновременно экскурсовод оставляет свою газонокосилку и ведет вас по дому, рассказывая о жизни подруг. Смотреть в доме не на что, удивляет только невероятное засилье старого дуба — доски шкафов, резных перегородок, лавок и так далее — мастерски пригнаны друг к другу, ими, точно панелями, облицованы внутренние стены дома. У подруг была ненасытная страсть к безделушкам, и, зная об этом, друзья пополняли их коллекцию.

Растерянные туристы смотрят на все тусклыми глазами. Они слегка оживляются, лишь когда узнают, что к концу жизни Мэри Кэрилл — Грубиянка Молли — накопила достаточную денежную сумму и передала ее хозяйке, чтобы та выкупила домик.

4

Интересно, посещали ли когда-нибудь «дамы Лланголлена» соседний дом Плас-Эглуисег? Удивительно, подумал я, какой неопрятной и трудной может быть жизнь, когда управление делами берет на себя мужчина. Плас-Ньюидд и Плас-Эглуисег разительно отличаются друг от друга.

Семь миль по узким дорогам — и вы оказываетесь в зеленом райском уголке у подножья скал Эглуисег. В их тени прячется красивый дом в тюдоровском стиле. На двери надпись: «Дом Плас-Эглуисег принцесса Поуиса унаследовала у Бледдина ап Кинфина, короля Северного Уэльса, павшего в сражении 1073 года». Под щитом слова «Ovna na ovno angau», что означает: «Бойся его, того, кто не страшится смерти».

Несколько столетий назад здесь стоял охотничий домик молодого принца Оуэна из Поуиса. Он правил этими местами во времена Генриха I. В 1108 году его отец Кадоган устроил на Рождество большой пир в Кередигионе. На пир пришел и его темпераментный сын, принц Оуэн. Этот молодой человек был типичным представителем своего времени и класса. Он был необуздан и упрям. Такие молодцы часто являлись персонажами баллад. После трапезы разговор зашел о красоте Нест, жены норманнского барона Джеральда Виндзорского, констебля Пембрука.

За необычную красоту Нест прозвали «Еленой Уэльса». Она была дочерью Риса ап Тюдора, принца Южного Уэльса, и любовницей Генриха I. На правах опекуна король выдал ее за своего фаворита Джеральда.

После выпивки кровь забурлила, и молодой принц Поуиса решил нанести визит прекрасной Нест. Он отправился в Пембрукшир, в замок Кенарт в долине Тейви, и красота Нест так пленила его, что он решил увезти женщину на глазах мужа. Оуэн, должно быть, ослеп от любви, а может, по молодости лет махнул рукой на осторожность. Более здравомыслящий человек понял бы, что похищение жены королевского констебля Пембрукшира, женщины, родившей сына королю Англии, втянет страну в войну и Северный Уэльс утратит независимость и столь нужный ему мир. Оуэн же, казалось, напрочь позабыл о всякой осмотрительности.

Он собрал отряд молодых валлийцев, таких же сумасшедших, как он сам. Ночью они подкрались к замку, пролезли под воротами и устроили пожар. Воспользовавшись суматохой, схватили Нест и двух ее детей и помчались галопом в Поуис. Джеральду, незадачливому Менелаю, пришлось бежать через отхожее место.

В то время как Оуэн и Нест поселились в охотничьем домике в тени скал, весь Уэльс и Марку охватило пламя. Король Генрих пришел в бешенство. Кадоган боялся за сына. Он попытался убедить Оуэна вернуть Нест мужу, но тот отказался, а вот детей вернул. Земли Кадогана были захвачены, Оуэну пришлось бежать в Ирландию. Некоторое время спустя Нест вроде бы вернулась в Пембрук.

Даже став бабушкой, она обладала властью над мужскими сердцами. Ее дети и внуки были в числе грозных рыцарей под предводительством королевского полководца

Стронгбоу. По страницам валлийской истории Нест Прекрасная проходит как фигура, окутанная туманом...

Я ходил по зеленым тропинкам, прислушиваясь к пению
птиц и любуясь игрой солнца на розовых известняковых
скалах. Любое место, в котором кипели человеческие страсти, обретает патетическое значение. Мне показалось, что
здесь страсть обожгла землю. Нам не дано знать, любила
ли Нест своего отчаянного принца. Не нашел я ответа ни в
шелесте деревьев, ни в яркости примул, выросших там, где
когда-то ступала ее нога.

5

Пройдитесь вечерком по одной из самых красивых тропинок Великобритании, следуйте вдоль течения Ди, по пра-
вому ее берегу, к руинам аббатства Долины Креста.

Вы увидите то, что осталось от маленького цистериан-
ского аббатства, приютившегося у подножия гор. Его окружает мирная красота, которую так ценили монахи. Цис-
терианцы, умелые овчары, пасли свои стада на горных
склонах. Процветающая трикотажная промышленность
Ллангоплена получена в наследство от монахов этого аббатства.

Вечернее солнце вливается в разрушенные арки и золотыми полосками ложится на траву. На вершине лиственни-
цы дрозд поет колыбельную песню. В 1201 году правитель
Поуиса Мэдок ап Гриффидд построил церковь в долине, и
она простояла здесь несколько столетий. Если бы не гнев
мужчин из горных замков, маленький участок лесистой долины мирно грелся бы под солнцем по соседству с церковью. Рассказывают, что Майфенви, гордая красавица из
замка Динас-Бран, нашла себе здесь вечный покой, однако
могильного камня нет. Потеряна также могила Йоло Гоха
(1315—1402), барда при короле Оуэне Глендовере.

Я стоял среди мирных развалин, и на ум пришла одна история. Как-то ранним утром, когда аббат монастыря молился на горе, перед ним тихо возник человек. Это был Оуэн Глендовер.

— Господин аббат, — сказал Глендовер, — вы очень рано встали.

— Нет, — ответил аббат, — это вы встали на сто лет раньше, чем следовало.

Валлийский патриот посмотрел на божьего человека и исчез так же тихо, как и пришел.

6

Мне известен восхитительный сыр кремового цвета, названный в честь города Каэрфилли в Южном Уэльсе, — но увы! в магазине мне сказали, что его там больше не изготавливают. Это бесподобный сыр, и я бы предпочел есть его не в претенциозных придорожных отелях, а в поле, с хлебом и маслом.

Как-то раз мне пришло в голову, что сыр — единственный продукт, которому Уэльс дал свое имя. «Валлийский кролик» или валлийские гренки с сыром относятся к большой группе жаргонных словечек, с юмором описывающих фирменное блюдо страны. У нас есть «эссекский лев», или теленок; «магистрат из Глазго» (копченая селедка), «норфолкский каплун» (тоже копченая селедка); «грейвсендские сладости» (креветки); «ирландские абрикосы» и «мюнстерские сливы» (картофель). А «валлийский кролик», или сыр на тостах, — блюдо, которое вроде бы приводит в восторг валлийцев.

Лично я не заметил у валлийцев ненормального пристрастия к гренкам с сыром. В меню лондонских пабов вы его встретите чаще, чем в Уэльсе. Тем не менее до нас дошло много свидетельств о том, что в прошлом валлийцы обожали этот сыр.

Шекспир много шутит по этому поводу в комедии «Виндзорские насмешницы».

Большая часть шуток крутится вокруг Хью Эванса, валлийского священника и школьного учителя. В одном из эпизодов Эванс возвращается к столу, потому что «сейчас подадут сыр и яблочки». С другой стороны, англичанину Ниму не нравится такой юмор — «не по характеру»: «Хватит с меня Фальстафа и его хлеба с сыром!». Форд говорит: «Я скорее доверю уэльскому попу кусок сыра, чем моей жене ее собственную честь». Фальстаф восклицает: «Спаси, Господь, греховную и немощную плоть от этого уэльского сатира! Он съест меня, приняв за груду сыра».

Другие авторитетные авторы тоже писали о любви валлийцев к сыру. В 1542 году один писатель замечал: «Известна расположенность валлийцев к хорошему жареному сыру». Другой автор в 1607 году утверждал, что «уэльсец любит лук-порей и сыр».

В книге Эндрю Берда «Первый опыт по распространению знаний», опубликованной в 1547 году, один валлиец характеризует свою нацию: «Я из Уэльса. Я люблю *cause boby*, хороший жареный сыр».

И даже в более ранней книге есть забавная история о валлийцах и сыре. Это — сборник рассказов «Веселые истории», опубликованный в 1525 году:

«Среди старых шуток я нашел историю о том, как Господь назначил святого Петра привратником Небес. Бог был так добр, что послал Своего Сына на страдания, после чего много людей явились в царствие небесное. Там одновременно собралась большая компания валлийцев, шумных и болтливых, и они страшно надоели всем остальным. Бог сказал святому Петру, что устал от них, и приказал выгнать их с небес. На это Петр ответил: "Милостивый Господь, будет сделано".

Святой Петр вышел из ворот и громко крикнул: "*Cause bobe!*", то есть "Жареный сыр!", и валлийцы повыскакивали из небесных врат. Святой Петр дождался, когда все выйдут, и запер ворота. Так удалось их спровадить...»

В 1613 году в книге «Начала глупости» появился такой стих:

> Валлиец с англичанином сошлись
> И спорить, кто важнее, принялись.
> Рядили, пререкаяся, сам-двое.
> В валлийце тут взыграло ретивое:
> «Коль свадьба, — рек, — весь край зовут на пир».
> В ответ: «Всяк свой нахваливает сыр».

Отчего столько шуток по поводу валлийского сыра? Во времена Шекспира производством сыра занимались Эссекс, Саффолк и Чешир. Уэльс сыр не делал. Можно предположить, что сыр для Уэльса был в то время редкостью, и любовь валлийцев к тому, что было рядовой пищей для англичанина, и вызвала столько добродушных шуток.

Валлийская привычка поджаривать сыр веселила англичан шестнадцатого века. Во времена правления Елизаветы к сыру относились серьезно. Один из исследователей приводит следующее латинское изречение —

> No nix, non Argos, Methusalem, Magdalenve,
> Esaus, non Lazarus, caseus ille bonus —

и объясняет: «Это означает, что сыр не должен быть белым как снег, у него не должно быть столько глаз, сколько у Аргуса, он не должен быть старым, как Мафусаил, в нем не должно быть много сыворотки, он не должен плакать, подобно Марии Магдалине, сыр не должен быть грубым, как Исав, или пятнистым, как Лазарь».

Старый Джервес Маркхем, автор «Английского домоводства», который знал все — от рецепта излечения апоплексии до способа приготовления пирога с вишней, много что мог рассказать о сыре и о его приготовлении, однако ни словом не обмолвился о жареном сыре. Возможно, гренки с сыром пришли в Англию вместе с Тюдорами и рассматривались теми, кто их не одобрял, как забавное пристрастие валлийцев, вроде любви итальянцев к макаронам. Шутки подобного рода и сейчас вызывают смех у посетителей английских мюзик-холлов.

Глава третья,

в которой я покидаю Лланголлен, приезжаю на землю Оуэна Глендовера, добираюсь до прекрасной долины Клуид, исследую темный город Корвен, вспоминаю сражения при Ритине, забираюсь на продуваемые всеми ветрами крепостные валы Денби и въезжаю во Флинтшир.

1

Пение птиц, желтые от лютиков поля, полноводная Ди, тени облаков над зелеными холмами и яркое солнце — вот таким было утро, когда я ехал по красивой дороге в Корвен.

Мало что в жизни так радует, как ощущение счастья, накатывающее на человека солнечным весенним утром. Я заметил, что чем старше мы становимся, тем меньше ждем наступления дня. Горожан коробят слова о жизнерадостном утре. Человек, с аппетитом уплетающий завтрак, кажется нам дурно воспитанным. На самом деле такое отношение указывает на неважное состояние нашего здоровья.

В это утро я распахнул окно и радостно воскликнул, увидев поля, влажные от росы, раннее солнце, свет которого пробивался сквозь деревья, и спокойные утренние тени, лежащие на земле. Хорошо быть живым. Хорошо пуститься в долгое путешествие по Уэльсу.

— Когда доедете до Корвена, — сказал мне портье, — обязательно поверните налево и поезжайте к Бале.

Люди всегда стараются изменить мои планы.

— Зачем? — спросил я.

— Потому что Бала — одно из самых красивых озер в мире.

— Но я хочу увидеть Ритин и Денби.

— Там нечего смотреть.

Я взглянул на портье и понял, что он — англичанин. Поэтому я солгал ему и сказал, что поеду к озеру. Он выглядел удовлетворенным...

По правую сторону от дороги бежала восхитительная Ди, изгибаясь и петляя по одной из самых спокойных и мирных долин, которые я когда-либо видел. Неожиданно на большом повороте река исчезла, но спустя милю я снова с ней повстречался. Она была величавой, коричневой и наверняка полной форели. Затем я доехал до маленького местечка *Glyn Dyfrdwy.* Я встретил почтальона на велосипеде.

— Как вы произносите это название? — спросил я.

— Глиндивердуи, — ответил он быстро с ударением на предпоследнем слоге и повышением тона голоса.

— Произнесите еще раз, только медленно.

Наконец-то я понял. Как и многие другие валлийские слова, на письме выглядит ужасно, но звучит замечательно.

— Глин-дивр-дуи...

Звучание этого слова напомнило мне воркование лесных голубей.

2

Деревня Глиндивердуи хорошо известна сейчас только любителям ловить форель, а ведь когда-то она породила одного из величайших персонажей валлийской истории — Оуэна Глендовера (или Овайна Глен Дура, как пишут его имя современные историки; я придерживаюсь написания, данного Шекспиром).

Глендовер, будь он англичанином, — вряд ли сделался бы национальным героем, потому что потерпел неудачу. Душа сакса перенесет любой идеализм, лишь бы тот завершился практическим успехом. Душа кельта, напротив, обожает печальное окончание истории и часто склонна идеализировать прошлое. Красавчик принц Чарли, например, при своих неудачах и бегстве, — более притягательная фигура для кельтского воображения, чем тот же Чарли, одержавший победу. Так же обстоят дела и с Оуэном Глендовером, великим валлийцем, у которого есть нечто общее с Уоллесом, Карлом Эдуардом Стюартом и Майклом Коллинзом.

В Глиндивардуи был один из двух его особняков. Второй дом находился в Денбишире, в Сихарте. Родился Оуэн примерно в 1359 году. Он был удачливым молодым человеком, поскольку владел землей, которой правили его предки, валлийские принцы. В его жилах текла пресловутая голубая кровь, без которой ни один валлийский националист не мог в те дни добиться успеха.

В Лондоне во времена правления Эдуарда III этот молодой человек изучал право. Это, однако, не означает, что он был настоящим студентом. В те дни Судебные инны были более модным и дорогим университетом, чем Оксфорд. Только самые богатые люди могли позволить себе посылать сыновей в Лондон, чтобы те научились правильно действовать в тени закона.

Первое заметное появление Глендовера — на поле сражения. Он был оруженосцем несчастного короля Ричарда II. Служил во Франции, Шотландии и Ирландии, проявил себя в сражении у Берика-на-Твиде. С перьями фламинго на шлеме он галопом помчался к шотландскому королю и заставил того спешиться. В сражении у Оуэна сломалось копье, но он схватил оставшуюся половину и бился ею, словно мечом. Шотландцы бежали от него, словно дикие козы.

Позже мы встречаем его в валлийском поместье, он счастливо женат, у него подрастают дети. Обеспеченный валлиец тех времен жил гораздо лучше равного ему по положению ирландца или шотландца. Об Оуэне свидетельствует его бард Йоло Гох:

«Вход в поместье барона окружен рвом, заполненным водой. Этот великолепный особняк принадлежит правителю Поуиса. К нему ведут дорогие ворота... Здание в неаполитанском стиле из восемнадцати комнат построено из хорошего леса. Оно стоит на вершине зеленого холма. К небу тянутся четыре восхитительные колонны...»

Дом окружают фруктовые сады и виноградники, в парке щиплют траву стада оленей. Здесь есть высокая каменная голубятня, рыбоводный пруд и гнездовье цапель. Самым удивительным, по мнению барда, является отсутствие привратника и замков на дверях, так что ничто не загораживает дорогу к богатствам Глендовера. Это наследство патриоту суждено будет потерять, потому что он мечтал о независимом Уэльсе...

Настал 1400 год. Несчастного Ричарда II, последнего из династии Плантагенетов, сместил с трона и убил Генрих Болингброк, сам взошедший на трон как первый Ланкастер — Генрих IV. Симпатии Уэльса на стороне убитого Ричарда. Любовь и сочувствие достались ему по наследству от отца, Черного принца. Новый король Генрих IV навлек на себя ненависть валлийцев тем, что издал ряд жестоких законов. Валлийцы посчитали, что к их языку и традициям проявлено неуважение.

От трех старых уэльских королевств осталось только название. Прошло девяносто лет с тех пор, как Эдуард I построил на севере длинную цепь замков и по норманнскому обычаю разделил страну на графства — Англси, Карнарвон, Мерионет, Кардиган и Кармартен.

С национальными предрассудками было покончено. Города возродились. На юге бароны Марки все еще сражались и мародерствовали, как в старину, однако это уже новый, почти покоренный Уэльс. Загнанная внутрь энергия нашла выход во времена Ллевелина. Тысячи валлийских лучников сражались во всех армиях Европы. Но ни одну страну нельзя считать покоренной, пока в ней живет хотя бы один человек, говорящий на родном языке. Это — спокойствие перед бурей, барды Уэльса настраивают свои арфы и поют опасную старинную песню о принце, который вот-вот встанет и возьмет в руку меч...

Борьба началась с частной ссоры между Оуэном Глендовером и его соседом, лордом Греем из Ритина. Король Англии призвал Глендовера к участию в шотландской войне. Записку он передал лорду Грею, но лорд не вручил ее Оуэну. Король разгневался на Глендовера, а Глендовер — на человека, выставившего его предателем.

В середине сентября 1400 года Глендовер начал мстить. Его друзья собрались в деревне Глиндивврдуи и пошли на город лорда Грея — Ритин. В канун ярмарки святого Матфея город был сожжен дотла. Три дня грабили соседние английские селения. Тлевший в сердцах валлийцев огонек протеста разгорелся в пламя. Спустя девяносто лет люди говорят так, как говорили во времена Ллевелина. Бунтари ждали сигнала, и зарево горящего Ритина стало таким сигналом: валлиец снова на поле битвы.

Гонцы помчались через границу с депешами к королю, и тот из Шотландии двинулся на юг. Сенешаль Карнарвона заявил, что видел, как люди продают скот и покупают на вырученные деньги лошадей и оружие. Валлийские крестьяне, убиравшие урожай на английских полях, прослышали о бунте. Они побросали свои серпы и поспешили на запад. Валлийские студенты из Оксфорда пересекли границу. Новость перелетела через Канал. Валлийские наемники покинули армию и толпами собирались в морских портах.

В Уэльсе развевалось на ветру знамя. На белом поле — золотой дракон. Под знаменем стоял Оуэн Глендовер. Люди называли его «валлийским принцем». Старый Йоло перебирал струны арфы и вкладывал душу Уэльса в две строки:

> Как долго ждал я, чтоб правитель
> Исконной, нашей крови был!..

С вершины Сноудона дует холодный ветер — это король Генрих IV вышел с большой армией на поиски Оуэна Глендовера. Но правитель Уэльса исчез! Он благоразумно распустил свою армию, зная, что та не выстоит против англичан. Генрих объявил о конфискации всех земель Глендовера и перешел границу Уэльса.

На следующий год, в утро страстной пятницы, сорок валлийцев перелезли через крепостные стены замка Конви, пока гарнизон находится в церкви. После пожара в Р`итине это — второй сигнал. И снова все мужчины Уэльса думают не об овцах, а о лошадях, не о плугах, а о луках. Но где Глендовер? Никто не знает. Только самые отдаленные ущелья у Сноудона видели тонкий дымок его лагерного костра. Принц Уэльса скрывается в пещерах и лесах. Человек, объявленный вне закона, ждет своего часа. На севере и юге люди говорят о нем так, как, возможно, говорили о короле Артуре. Они ждут его как всемогущего спасителя. Ждать осталось недолго.

Он словно спускается с небес, голубых летних небес Плинлимона, и сметает большое войско, готовившееся его уничтожить. Новость о победе быстро разносится. Авторитет Глендовера подскакивает до невероятных высот.

В болотах Кармартена мужчины устремляются под знамена с драконом. Прошел слух, что Принц Уэльса поведет армию на Англию и уничтожит английский язык.

Тем временем английский гонец отправился в Вестминстер к королю Генриху с письмом, написанным Оуэном Глендовером; однако гонца схватили, прежде чем письмо попало в руки того, кому было предназначено. В этом письме, написанном на латыни, Глендовер опустил титул «Принца Уэльса»; он называл себя освободителем Божьей милостью, призванным освободить валлийский народ от английских врагов. В таком настроении он спустился с гор для продолжения борьбы.

Осенью король Генрих снова пришел в Уэльс в поисках противника. Он опустошил Кардиганшир. Испуганные дети видели английских лошадей на постое возле алтаря в монастыре Страта Флорида близ деревни Понтридвендигайд. Но Глендовер всегда не там, где англичане ожидают его увидеть. Это — первый партизанский лидер. Он, как и все кельтские вожди — от Карактака до Майкла Коллинза, — ведет изматывающую борьбу: нападает на фланги и тылы английской армии, наносит удар и исчезает. Однажды Принц Уэльса захватил оружие, палатки и лошадей английского принца!

На следующий год Глендовер достиг еще большего успеха. Он выказал отменные способности организатора и руководителя, пером пользовался не хуже, чем мечом, пытался одержать победу над английскими баронами. Он планировал альянсы с Ирландией, Шотландией и Францией. Его армия находилась в постоянной боевой готовности. Он захватил своего старого врага, лорда Грея, и перевез того в оковах в горы. В июне валлийцы и англичане встретились у Брин-Глас, горы к западу от деревни Пиллет в Редоншире. Валлийские лучники в английской армии, внезапно ставшие националистами, повернули луки против англичан. Бойня была столь ужасной, что долгие дни англичане не осмеливались приблизиться к полю боя, где лежали тела тысяч их соотечественников. К Оуэну Глендоверу привели пленного Эдмунда Мортимера, дядю малолетнего графа Марча, наследника трона, — козырную карту.

Король находился в Беркемстеде, когда ему доставили эту новость. С тремя отрядами он направился в Уэльс. Его встречали дождь, холод и снег. В канун Рождества Богородицы он установил свою палатку на равнине. Резкий порыв ветра ее обрушил. Из ночной темноты прилетела стрела, выпущенная неизвестной рукой. Только кольчуга спасла короля от смерти. В английской армии начинают шептаться, что Глендовер — колдун и может управлять стихиями.

Его сила месяц от месяца крепла. Лорд Грей улучшил состояние финансов Глендовера, заплатив баснословный выкуп, в результате чего до конца жизни остался бедным человеком. Мортимер женился на дочери Глендовера и вступил в союз с валлийцами. Король в страхе: а что, если валлиец явится в Англию и станет требовать трон для законного наследника, молодого графа Марча? Долго сомневаться ему не пришлось. Мортимер объявил, что его тесть, Оуэн Глендовер, поручил ему восстановить на троне короля Ричарда — ибо многие думали, что Ричард II жив, — если же тот мертв, королем станет его благородный племянник, граф Марч.

Итак, Уэльс, поторопившись на сто лет, задумал поставить на трон Англии своего короля.

К концу 1494 года «Оуэн, милостью Божьей принц Уэльса» был признан правителем страны. На английский манер он собирал парламент в Долгелли, Харлехе и Махинллете. Принимал помощь от Франции. Французский король согласился помочь в осуществлении патриотической мечты Глендовера: Уэльс должен избавиться от саксов, валлийская церковь должна управляться валлийцами. Необходимо открыть два университета, один на севере, другой на юге.

Мечте, однако, не суждено было осуществиться. На следующий год удача стала отворачиваться от Глендовера. Есть что-то мистическое и необъяснимое в его конце. Этот человек мог бы стать одной из самых могущественных фигур Средневековья. Он всем пожертвовал ради мечты. Он обладал магнетизмом, способностью повести за собой маленькую нацию, бросить вызов большому народу, но тем не менее все его покинули.

«Давление армии Генриха и войск лордов Марки медленно, но неуклонно давало о себе знать, — пишет мистер Уоткин Дэвис. — Крестьянам была оказана помощь, и они мечтали о том времени, когда смогут спокойно возделывать свои поля, чему не помешает ни враг, ни друг. Высокие идеалы Оуэна были непонятны эгоистичным и неграмотным крестьянам, на которых он прежде всего и надеялся. Теперь они сотнями уходили из его лагеря. Общему *débâcle*[1] способствовала политика молодого Генриха — просчитанное милосердие. Он был не чужестранцем, а соперничающим валлийским принцем, и старался доказать, что не меньше Оуэна заботится о благосостоянии валлийских подданных. Аббат монастыря Долины Креста был совершенно прав, когда сказал Оуэну, что тот появился на сто лет раньше, чем следовало.

Конец Оуэна Глендовера — одна из загадок истории.

Традиционно считается, что он ушел вместе с несколькими сторонниками в северные горы и жил там в крайней нужде. Иногда его вроде бы видели, в платье поденщика, а потом он снова исчезал на долгие месяцы.

---

[1] Разгром, разруха (*фр.*).

Генрих V взошел на престол и пообещал старому патриоту полное прощение. Ну разве может патриот вынести такое оскорбление?!

Обещание прозвучало в 1415 году и было повторено на следующий год. Генрих послал в Уэльс единственного выжившего сына Оуэна, чтобы тот предложил мир и безопасность сломленному воину. Подобно родным горам, Глендовер ответил на это предложение молчанием.

Никому не известно, где лежат его кости. Кто-то говорит, что под конец он, словно старая собака, пришел в Глиндиврдуи умирать. Есть легенда, что его похоронили в Корвене. Согласно другой традиции, после перемены многих обличий он нашел наконец приют у одной из дочерей. Все они, кстати, удачно вышли замуж. На кладбище на речке Уай есть каменная плита, под которой, как говорят, и находится его могила. Впрочем, кто знает?

«Его мужество и боевой дух никогда не оспаривались, — пишет мистер Дж. Ллойд в книге «Оуэн Глендовер», — и это явное доказательство лояльности и приязни, которые он вызывал, и даже в самое черное время жизни Глендовера никто не выдал его врагам. Он выделяется в ряду великих персонажей валлийской истории тем, что ни один бард не попытался сочинить о нем элегию. Это обстоятельство следует объяснить не только тайной, которой окружен его конец, но и верой в то, что он просто скрылся и вновь появится в горький для его родины час. С того дня и по сегодняшний день его имя имеет большую власть в Уэльсе; попытки свести его статус до грабителя и бандита оказались неэффективными, и память его свята. Для валлийца Глен Дур — национальный герой, первый в истории страны, кому оказывали добровольную поддержку на севере и на юге, на востоке и западе Гвинедд и Поуис, Дехейбарт и Моргануг. Он может быть назван отцом современного валлийского национализма».

Недалеко от реки в Глиндиврдуи стоит холм, поросший травой и деревьями. Это все, что осталось от поместья, из которого вылетел «золотой дракон Уэльса».

3

В торговом городке Корвен мне снова показалось, будто я в иностранном государстве. На улицах было полно народу. Похоже, я попал сюда в базарный день. Люди стояли группами и на мостовой, и на тротуаре. Говорили по-валлийски. Их язык показался мне непонятнее, чем греческий или турецкий.

Многие мужчины, судя по кнутам, были горцами, другие — фермеры из долины — держали палки. Они были одеты как любая сельская толпа в Англии: шляпы-котелки или кепи, темные куртки, бриджи и штаны, но тем не менее, даже имея богатое воображение, их нельзя было принять за английскую толпу.

Я ходил между ними, полный отчаяния. Какой же я идиот! Ну как я напишу книгу об Уэльсе, не зная языка? Даже валлийский язык Джорджа Борроу, который был чрезвычайно плох, давал ему возможность заглянуть «за кулисы». Я понял, что язык в Уэльсе — самая важная вещь на свете, во всяком случае в таком месте, как Корвен. И на человека вроде меня все будут смотреть как на чужака. Я вошел в магазин, торгующий газетами. На прилавке были разложены все лондонские утренние газеты; на полках — английские книги. Как и в Лланголлене, продавец оказался двуязычным. Он говорил с женщиной по-валлийски, а ко мне обратился по-английски. Я купил несколько газет.

— О чем они говорят? — спросил я, кивнув в сторону толпы.

— О ценах на овец и овощи, — ответил он.

Я вышел и прислушался. Мне казалось, что местные замышляют еще один глендоверский мятеж. Очень взволнованный старик, который, возможно, говорил о баранине, казалось, призывал кланы пойти маршем на Шрусбери. На Гебридских островах Шотландии неудивительно услышать гэльскую речь, но странно слышать валлийский язык в двух шагах от английской границы. Да и народ тоже был другим. Одеты лучше, чем такая же ярмарочная толпа в Ирландии, — опрятнее и богаче. При этом в сосредоточенности толпы было что-то от ирландцев, что-то подозрительное. Казалось, они делятся каким-то секретом.

Корвен показался мне довольно мрачным городком. Тень крутой горы, к которой он прижался, затемняла улицы.

Я пошел к церкви и увидел на камне отметку, по легенде, оставленную кинжалом Глендовера. Говорят, что однажды в гневе он швырнул в Корвен оружие и закинул то почти на целую милю!

Снова пройдя сквозь толпу, я услышал взрыв смеха. Трое валлийцев над чем-то хохотали. Я чувствовал себя совсем чужим и не мог спросить, что их так развеселило. Должно быть, римлянин так чувствовал себя в британской деревне. Я покинул Корвен и покатил на север, в направлении Ритина.

4

Проехав милю, я повернул направо и скоро оказался в деревне Брин-Эглуис. Это, как я полагаю, одно из мест Уэльса, которое посещает каждый американец. Название означает «церковная гора». Места эти когда-то находились в собственности семейства Йелей.

«Семья Йелей владела им, — пишет А. Дж. Брэдли в своей восхитительной книге «Похвала Северному Уэльсу», — и один из членов этого семейства двести лет назад сделал так много для основания знаменитого университета в Новой Англии, что отныне тот носит его имя. Он похоронен не в часовне церкви Брин-Эглуис, а в Рексхэме, в десяти милях отсюда. На плите высечена эпитафия с кратким обзором его биографии:

> В Америке рожден, в Европе детство провел,
> По Африке бродил, а в Азии женился,
> И в Лондоне закончил дни свои.
> Творил добро, но делал и дурное,
> В надежде, что добром его уравновесил.

Многие американцы, я полагаю, отдают должное памяти Элиху Йеля в красивой церкви Рехсхэма, но я ни разу не слышал, чтобы кто-то из них приехал в Йель и Брин-Эглуис. Йельская часовня, где Элиху по праву должен был быть похоронен, как и остальные члены его семьи, образует южный трансепт маленькой церкви Брин-Эглуис. Само название деревни представляет интерес, поскольку оно — из очень немногих сохранившихся валлийских наименований. И в самом деле, я могу припомнить от силы три-четыре других названия за пределами английского Пембрукшира, хотя в приграничных графствах их было много...

Ах, если бы бывшие питомцы знаменитого университета нашли сюда дорогу и в воскресенье зашли бы в Йельскую часовню старой церкви! Посидели бы рядом с фермерами и пастухами, послушали бы старинную службу, спели бы псалмы на древнем валлийском языке и наверняка бы почувствовали, в каком странном, примитивном и романтическом месте находится колыбель их альма-матер».

В двух милях от церкви находится Плас-ин-Йель, место, из которого отец Элиху выехал в Америку во времена отцов-пилигримов.

— Много ли американцев посещает это место? — спросил я человека, работавшего в поле.

— Да, конечно, — ответил он. — К нам приезжали двое молодых людей из Америки. Они ездили по Уэльсу на велосипедах. Их предки были из этих мест, и они могли говорить по-валлийски. Не слишком хорошо. И они пили пиво. Хорошие молодые люди...

Я подумал, что эти американцы проложили дорогу другим пилигримам к красивой деревне возле горы Ллантисилио.

5

В Ритин я приехал в час пик. Солнце ярко освещало площадь Святого Петра — самую изысканную городскую площадь из тех, что я видел в Уэльсе. Ритин настолько же гармоничен и конкретен, насколько Корвен невнятен и безобразен. Даже современное строительство не смогло отобрать у Ритина зрелую старинную красоту.

На южной стороне площади находится живописное здание пятнадцатого века. Когда-то в нем помещались тюрьма и суд. В старое время публичные казни совершались повешением на окнах этого здания. Кажется, последний раз здесь вешали иезуита в елизаветинские времена.

Это здание, должно быть, построили после того, как Оуэн Глендовер поджог Ритин. Дом № 2 на Уэлл-стрит — единственный, избежавший уничтожения.

Я целый час бродил по этому великолепному городу, восхищаясь старыми деревянными домами и торговыми лавками. Витрины гастрономического магазина были заставлены разнообразными сырами. В этом городе в 1850 году была основана школа латинской грамматики, имелись дома призрения при больнице и двенадцать домов-гостиниц рядом с церковью. Дома призрения были построены Габриелем Гудманом, уроженцем Ритина, деканом Вестминстера, а также одним из переводчиков Нового Завета.

Хотя церковь Святого Петра сильно пострадала за несколько столетий, здание сохранило великолепную крышу над северным боковым приделом. Эта крыша была даром первого валлийского короля Англии — Генриха VII. Она состоит примерно из пятисот резных панелей, среди которых нет и двух одинаковых...

Я пошел в гостиницу. В пустом обеденном зале за массивным столом сидели две девицы. Я ретировался и вошел в бар. Там сидели шестеро мужчин, пятеро из которых пили пиво, а один — виски. Судя по всему, некоторые из них были фермерами из долины, а один или два, я думаю, — преуспевающими владельцами магазинов или бизнесменами. Я заказал пиво и сыр. Заметно было, что мужчины прикидывают, кто я такой — коммивояжер или первая ласточка туристского сезона. Когда я вошел, они быстро говорили по-валлийски. Затем сначала один, а потом и другой заговорили по-английски, и я подумал, что они — хорошо воспитанные люди. Разговор шел о корнеплодах и чрезвычайно плохих ценах, которые дают на рынках за овец. Двое мужчин допили пиво и вышли. Затем один из торговцев (или бизнесменов) обратился ко мне:

— Вы приехали отдохнуть?

Я сказал: «Да». Мой собеседник, очевидно желая проявить расположение к иностранцу, заговорил о тривиальных достопримечательностях Уэльса. Мне нужно увидеть водопад в Беттус-и-Койд; я не должен уехать, не повидав такую-то чудную долину. Поеду ли я в Карнарвон?

Я ответил, что, хотя хочу посмотреть все эти места, больше всего меня интересуют сам Уэльс и его народ. Я хочу узнать, чем они отличаются от англичан, ирландцев и шотландцев. Манеры моего собеседника тут же изменилась. Он пришел в восторг. Что он может мне рассказать?

— Эти города... — сказал я. — Не скучно ли в них молодежи? В английском городе такого размера должен быть хотя бы один кинотеатр.

— Да нет, что вы! — воскликнул он. — У них есть чем заняться. У нас есть вечерние школы, и мы готовимся к Айстедводу.

Что касается страсти к обучению, то в этом отношении Уэльс не уступает Шотландии.

— Айстедвод в августе. Неужели вы уже сейчас к нему готовитесь?

— Да, вся страна репетирует: школы, хоры, певцы, музыканты. Мы от природы музыкальный народ. Валлиец поет до изнеможения. Лучше всего мы выражаем себя в песне и музыке. Лучшее наше приобретение — ибо фантазия есть, а образования не хватает — это радиоприемник. Благодаря приемнику мы совершенствуем свой музыкальный вкус...

Другие мужчины, прислушивавшиеся к нашему разговору, кивнули и вышли на улицу, оставив меня наедине с моим экспансивным знакомцем.

— Несколько лет назад я жил в Англии, — сказал он вдруг. — Вы там много знаете валлийцев?

— Ни одного. Впрочем, мой молочник, наверное, валлиец. Уильямс.

— Да, наверняка. Кармартерншир. Валлийцев в Англии не любят.

Я из вежливости возразил.

— Да нет, так и есть, — сказал собеседник. — Знаете, это очень интересная тема. Мы относимся к самой нелюбимой разновидности кельтской расы. Среднему англичанину нравятся ирландцы и он просто обожает шотландцев. Можете спросить любого шотландца. Шотландский акцент в Англии — нечто вроде пароля. Когда я впервые приехал в Англию, то, разумеется, говорил с валлийским акцентом, и люди смеялись. Падди и Джок — хорошие ребят, но «Таффи — валлиец, Таффи — воришка...»

Я был обескуражен, но мой собеседник был настолько спокоен, что я преодолел смущение.

— Каждый английский ребенок знает этот стишок, — сказал я.

— Да, этот стишок принес Уэльсу много вреда. Хорошо бы его забыли. Думаю, его сочинили в те дни, когда валлийцы воровали английский скот, а англичане крали валлийских овец... Валлийцев, ко всему прочему, считают лгунами.

— И ирландцев — тоже.

— Да, но для англичанина ирландские враки полны очарования, — возразил он.

— А на ваш взгляд, валлийцы любят приврать?

— Это не вранье. Валлийцы, как и ирландцы, обладают живым воображением. Они не могут удержаться от искушения сочинить историю. Я и себя на этом часто ловлю. Лишенный фантазии английский мозг этого не понимает и не одобряет. Когда узнаете валлийцев получше, увидите, что мы очень чувствительны. В благожелательной атмосфере мы расцветаем, но поместите нас во враждебную, и мы закроемся, как устрицы. В моих соотечественниках мне не нравится то, что они не доверяют друг другу. Мы очень подозрительны. Может, это пережиток той поры, когда мы жили кланами. Не знаю. Мы очень эмоциональны, со всеми недостатками, которые из этого следуют. Например, возникает какое-то движение, и мы присоединяемся к нему с невероятным энтузиазмом. Постоянно говорим о нем. Затем — неожиданно — движение умирает. Мы теряем к нему интерес. Бросаем, так и не начав. Вот вы, англичане, гораздо предприимчивее, целеустремленнее...

Я вежливо хмыкнул, опровергая его слова.

— Да ведь так и есть. Вы наверняка заметите, что мы, валлийцы, страдаем комплексом неполноценности.

— Но почему?

Мне не суждено было услышать ответ. Открылась дверь. Вошла толпа мужчин, они громко здоровались с моим собеседником, и тот замолчал. Допил пиво, перегнулся ко мне и тихо сказал:

— Я горжусь тем, что я валлиец. Уехав из Англии, я потерял в деньгах. Вы еще увидите, что мы добродушные люди, нам можно доверять, мы не лживее, чем...

Он встал и лукаво закончил:

— ... англичане, ирландцы или шотландцы.

Я с некоторым сожалением посмотрел ему вслед, потому что чувствовал, что он мог бы рассказать мне гораздо больше.

6

День был таким хорошим, а небо таким ясным, что я не устоял перед большой зеленой горой. Это была Моэл Фаммау, самая высокая точка Клуидского хребта.

— Откуда лучше всего забраться на Моэл Фаммау? — спросил я у прохожего.

— Моэл Вамма? — переспросил он. — Поезжайте в Лланбедр, до церкви, и сверните направо...

Но в Лланбедре я узнал, что легче и быстрее будет доехать до Таварн-Гелин: это всего в двух милях от вершины. Здесь я оставил автомобиль и пошел по узкой тропе.

Прекрасный день для восхождения: ветер, словно охлажденное шампанское, яркое солнце на голубом небе, утесник в цвету, воздух пропитан чарующими весенними ароматами. В котловине Клуидского хребта я присел отдохнуть рядом с молодым человеком в твидовом костюме, который, как и я, поднимался к «Матери гор». Он был из Бирмингема, восстанавливался в Уэльсе после болезни. Мы вместе продолжили путь.

— Мне нравится Уэльс, — сказал он, — а люди не нравятся. А вам?

— Вы со многими познакомились?

— С хозяйками, что сдают дома на берегу. В Уэльс мы приезжаем каждое лето.

— Как думаете, любят ли нас, англичан, хозяйки из Маргейта?

— Возможно, нет, но валлийцы такие замкнутые, их невозможно узнать.

— А вы пытались?

— Господи, помилуй! Да у меня тетка валлийка. Ее мы хорошо знаем. Она заговорит вас до смерти...

Я пересказал молодому человеку свой разговор с валлийцем в пабе Ритина.

— Совершенно верно, — согласился он. — К валлийцам мы относимся с предубеждением.

— Интересно, — сказал я, — уж не старинная ли это вражда между кельтами и саксами?

— Что вы имеете в виду?

— Валлийцы когда-то населяли Англию. Они — настоящие бритты. Когда англы, юты, а позднее саксы явились сюда и вытеснили их на запад, в горы, захватили их землю, валлийцы их возненавидели, не захотели даже обратить захватчиков в христианство.

— А я этого и не знал, — удивился молодой человек. — Так вы хотите сказать, что валлийцы были христианами раньше англичан?

— Конечно. Они забрали с собой на запад все, что осталось от римского христианства.

За разговорами мы добрались до вершины Моэл Фамма́у

Что за вид! С одной стороны Клуидских гор хребет Сноудона, с другой — Пик Дербишира. Внизу раскинулась зеленая долина Клуида с ее извилистой речкой, бегущей на север. А на севере зеленые вершины холмов. Мы видели город Рил, замок Рудлан, белый шпиль замка Боделвидан, башню собора Святого Асава и чуть южнее — шпиль церкви Ритина.

Посмотрели назад — на западе протянулась длинная серо-голубая горная цепь. Сноудон.

Господи, какая красота! Сноудон — самая величественная гора Британии. Не такая высокая, как Бен-Невис, зато форма острее и живописнее. Она смотрела на своих соседей сверху вниз, а золотые облака закрывали ее на мгновение и уплывали в сторону.

К Таварн-Гелин мы спустились на хорошей скорости. Я подумал, что осенью, когда покраснеет вереск, вид с Моэл Фаммау будет еще прекраснее.

7

Теперь я ехал по красивой долине. Этот район Уэльса я полюбил с первого взгляда. Хорошо возделанная земля согревает душу. Долина Клуида, возможно, не обладает открыточной красотой Лланголлена, но для человека, любящего вид плодородной почвы, такое зрелище ни с чем не сравнишь.

Аккуратные фермы прилепились к горным склонам либо удобно гнездились в долине. Они так же красивы, как те, что вы видели в Сомерсете или в Девоне. Вы помните: те фермы и дома, кажется, выросли из земли, словно деревья. У здешних ферм такой же естественный вид. Они построены из местного камня. Подобно корнеплодам, они вросли в плодородную валлийскую почву.

Это — земля мелких фермеров. Думаю, среднее хозяйство занимает от пятидесяти до восьмидесяти акров. Люди, которые ими владеют, в рекламе не нуждаются. Их акры говорят сами за себя. Даже фермер из Норфолка — тот, что растит пшеницу в Фейкенхеме и думает, что за пределами Норфолка ничего хорошего вырасти не может — нехотя отдаст должное отличным землям Клуида. По всей долине, на равных расстояниях друг от друга, стоят торговые города. Они маленькие, спокойные и своеобразные. В них есть то, что я узнаю как характерно валлийское: сдержанность, солидность и достоинство.

Индивидуализм бросается в глаза. Заметно, что люди живут здоровой, замкнутой жизнью. В английских городах такого размера вас удивляют и раздражают огромные кинотеатры, множество танцевальных залов и других развлекательных мест. Наши небольшие городки подвержены сторонним влияниям. Валлийским городкам удается — не знаю как — противостоять кинотеатрам и большим магазинам. Эти городки очень просто и эффективно обслуживают небольшое сельское население, объединенное местными интересами. Впрочем, антенны радиоприемников указывают на то, что их интересует внешний мир.

Сила нации не в больших городах, а в деревнях и в маленьких городках. Это — места, где народный дух мирно развивается. Я чувствую, что большая часть лучшего в Уэльсе произрастает из сдержанной тишины таких городков, как Йель в графстве Клуид.

8

Вечером я стоял на продуваемой всеми ветрами вершине. С нее замок Денби смотрит на дикие горы. Этот вид — один из лучших в долине Клуид.

Замок возвышается над долиной на высоте 500 футов. Скала, на которой он стоит, такая же грубая и суровая, как в Эдинбурге. Высокие серые стены замка принимают на себя все природные катаклизмы. Этот замок королева Елизавета подарила графу Лестеру, который выкачал из здешних мест все, что смог, и так набил себе карманы, что королева вынуждена была вмешаться.

В эту мрачную крепость въехал Карл I после сражения при Раутон-Хите, и замок одиннадцать месяцев не открывал двери сторонникам парламента, пока наконец не уступил.

— Если посмотрите вниз, — сказал гид, — то увидите домик. Он стоит на месте того дома, где родился Стенли, тот самый, что нашел Ливингстона. Стенли происходил из бедной семьи, и настоящее его имя — Джон Роулендс... Жаль, что его дом снесли, ибо он был великим человеком.

Через несколько миль я въехал в графство Флинтшир.

Глава четвертая,

в которой я посещаю собор Святого Асава и замок Руд-лан, вспоминаю любовную историю Ллевелина и Элео-норы, исследую валлийскую Корниш-роуд — от Рила до Лландидно, посещаю колодец Элиана, иду по крепост-ному валу Конуэя и слышу голос Уэльса.

1

Когда святого Кентигерна, он же святой Мунго, вынуди-ли покинуть свой скит — там, где ныне стоит город Глаз-го, он перевалил через валлийские горы в поисках защиты у правителя Северного Уэльса.

Основателя Глазго всегда считали шотландцем, но на самом деле он валлиец, и его валлийское имя — Синдерин Гаратуис. Святой Патрик, кстати, тоже был валлийцем.

Святому Мунго передали во владение местечко Лланел-ви, сегодня — Сент-Асав. В 560 году он основал там епис-копальную епархию и монастырь. Прежде чем его снова пригласили в Шотландию, он назначил преемником одного из своих последователей, благочестивого монаха по имени Аса, или Асав. Итак, 1370 лет назад на том месте, где сей-час стоит собор Святого Асава, находилась христианска церковь. Во время англо-валлийских войн она неоднократ но сгорала, но не успевали остыть руины, как монахи возвращались и восстанавливали церковь. Правда, был период в сто лет, когда церковь лежала в развалинах...

Меня удивил и порадовал город святого Асава. Когда англичане вспоминают о соборном городе, их воображению представляется Кентербери или Винчестер — большие поселения, доминантой которых является внушительное готическое здание, такое большое, что ставит в затруднение желающих его отреставрировать, и такое католическое по замыслу, что люди, собравшиеся возле хоров для протестантской службы, кажутся отверженными. Но город святого Асава не похож на другие соборные города Британии. Это настоящая деревня! Монах-хронист Гиральд Камбрийский, служивший здесь мессу в 1128 году, назвал собор «бедной маленькой церковью Лланелви». Хотя я и не могу назвать собор Святого Асава «бедным», он очаровательно миниатюрен, и это приводит на память высказывание Гиральда. Думаю, это самый маленький собор в Англии и Уэльсе, а в местечке, которому он дал свое имя, проживают 2000 жителей, и оно считается «городом». Интерьер собора показался мне достойным, но неброским. В башне шли реставрационные работы, и огромные полотняные занавесы не давали возможности осмотреть западное и восточное окна.

— Не хотите ли посетить музей в здании капитула? — спросил вежливый церковный служитель.

Он провел меня в южный трансепт, который считается у них зданием капитула. Стеклянные витрины очень напомнили школьный музей.

Там лежало несколько интересных ранних валлийских книг, а также «Опоясная» и «Уксусная» библии. Я удивился, что человек, знакомый с этими изданиями, не мог объяснить, как они получили свои прозвища. «Опоясная библия», опубликованная в 1579 году, получила такое название из-за фрагмента Книги Бытие, описывающего, как Адам и Ева узнают о своей наготе:

«И открылись глаза у них обоих, и узнали они, что наги, и сшили смоковные листья, и сделали себе опоясания»[1].

«Уксусная библия» издана намного позднее. Ее напечатали в 1717 году, и свое название она получила из-за опечатки. В главе 20, где рассказана притча о винограднике, написано: «Притча об уксусе»[2].

Соборы оказывают гипнотическое влияние на тех, кто их посещает. Один мой друг чрезвычайно интересовался всем, что имело отношение к святому Асаву, хотя и вынужден был признать, что видел в Англии соборы и получше. Но, будучи валлийским священником, он справедливо гордился тем, что в июньский день 1920 года доктора Эдвардса назначили первым архиепископом самостоятельной церкви Уэльса.

Я остановился перед собором, чтобы осмотреть «крест Элеоноры», около тридцати футов высотой. На кресте восемь фигур, главная из которых — фигура епископа Моргана. Он перевел Библию на валлийский язык и в 1601 году стал епископом собора Святого Асафа.

Английский путешественник в Уэльсе должен понять, что этот памятник увековечивает одно из выдающихся событий в истории Уэльса. В период Реформации валлийцам ничего не дали взамен католицизма. Они погрузились в духовную кому. В 1858 году один писатель отмечал: «В Уэльсе много мест, да что там — целых графств, в которых нет ни единого христианина. Люди живут как животные, большинство ничего не знают о добродетели, в памяти осталось лишь имя Христа».

---

[1] Быт 3:7.

[2] Вместо английского *Vineyard* (виноградник) ошибочно напечатано *Vinegar* (уксус).

В 1563 году парламент постановил, что Библия, переведенная на валлийский язык, к 1566 году должна быть в каждом приходе. Этого, однако, не произошло, пока епископ Морган не опубликовал свою версию Писания на валлийском языке. Библия поразила воображение валлийцев. Она сделала для Уэльса то, что Лютер сделал для Германии. До сих пор ее считают шедевром валлийской прозы.

«Епископ Морган не только дал валлийцам Библию, — писал уэльский богослов, — но и реанимировал и реформировал древний язык кимров. Под его магическим пером то, что до тех пор было умирающим местным наречием, сделалось живым литературным языком. Он воссоздал и стандартизировал валлийский язык. Из грубо отесанной лексики вышла величественная и певучая речь, доносящая до народа Слово Господне».

Этот великий валлиец был сыном мелкого фермера из Конви.

2

Дождь припустил с мрачным энтузиазмом. Я покинул город святого Асафа. Долина Клуида расширилась. Справа от меня бежала река. Зеленые холмы Флинтшира отступали на восток, на западе виднелось дикое высокогорье Денбишира. На горы наползали большие облака, и по мере моего продвижения ландшафт утрачивал горное обрамление и стал напоминать спокойный, уютный Херефордшир.

Через несколько миль я въехал в Рудлан. Важный в прошлом морской порт ныне превратился в деревню. Осматривать здесь нечего, кроме остова замка, увитого виноградом, да дома на Хай-стрит, называющегося «домом старого парламента». На здании табличка со следующей надписью:

«Этот фрагмент — все, что уцелело от здания, где при короле Эдуарде I в 1283 году заседал парламент, который утвердил статут, закрепивший за Уэльсом юридические права и независимость. На самом деле статут ассимилировал валлийские законы в право Англии».

Какое смелое заявление! Интересно, что думают о нем тысячи людей, видящих его из года в год?

Когда в 1274 году король Эдуард I вернулся из Святой Земли, в августе его короновали в Вестминстере. Обычно на коронации присутствовали король Шотландии и принц Уэльса. Шотландский король Александр повиновался, а Ллевелин Уэльский отказался.

Эдуард и Ллевелин были старыми врагами. Оба — храбрые солдаты, умные государственные деятели, упрямые и искренние. Они могли бы стать отличными друзьями. Но Эдуард считал, что Ллевелину нельзя доверять, а Ллевелин думал, что Эдуард хитер и вероломен.

Король Англии снова потребовал, чтобы принц Уэльса принес ему вассальную присягу, и принц во второй раз отказался под предлогом того, что не сможет чувствовать себя в Лондоне в безопасности. И тут на исторической сцене Уэльса появилась одна из немногих женщин, причастных валлийской истории.

В Кенилворте Ллевелин влюбился в Элеонору, дочь Симона де Монфора. Тогда она была двенадцатилетней девочкой. После гибели Монфора его вдова вернулась с дочерью в доминиканский монастырь во Франции, однако все устроили так, что невеста Ллевелина должна была приехать к нему в Уэльс в 1275 году.

Она отправилась по морю вместе с братом, двумя английскими рыцарями и двумя монахами. Когда корабль проходил мимо островов Силли, их захватил бристольский купец, и девушку отвезли в Лондон. Элеонора оказалась в руках своего кузена, Эдуарда I. Король сразу же понял свою выгоду. Он отправил в Уэльс письмо: невесте разрешен будет выезд к жениху при одном условии — Ллевелин должен приехать за ней в Англию и присягнуть королю!

Возможно, Ллевелин стал бы романтической фигурой, согласись он на это условие, но не сделался бы тогда великим государственным деятелем. Он запретил сердцу управлять головой и в третий раз отказался преклонить колено перед королем Англии. Уэльс и Англия готовились к войне.

Осенью 1277 года большая армия Эдуарда начала наступление на Уэльс. Эдуард шел из Честера на Рудлан во главе одного отряда. Граф Линкольн двигался через Монтгомери. Граф Хереформ шел к Брекону. Четвертый отряд под командованием Эдмунда Ланкастера стоял в Кармартене. Уэльс был осажден со всех сторон. Ллевелин, как и многие валлийские патриоты, вскоре обнаружил, что единственное безопасное для него место — крепость Сноудон. Когда он бросил взгляд с гор в сторону моря, то увидел, что английский флот отрезал ему отступление к Ирландии. Моряки высадились на острове Мона, или Англси, и уничтожили пшеницу. Местные отступили в глубь острова. Жители низин в поисках спасения ринулись к Сноудону. Приближалась зима с угрозой голода, и лидеру Уэльса не оставалось ничего, кроме как капитулировать. 10 ноября 1277 года он подписал договор, который через шесть лет после его смерти был заменен суровым статутом Рудлана.

Политика Эдуарда с самого начала была направлена на утверждение единого правового пространства. Это означало замену валлийских законов английскими, внедрение английской административной системы, английской таможни, английского языка.

Этот принцип исповедовал в Англии Вильгельм Завоеватель. Утвердившись на островах, он решил изменить прежнее, саксонское административное деление. Вильгельм разделил страну на «широ» — это слово означает часть земли, отрезанную или отделенную границами от большой территории. Маленькие наделы земли стали первыми английскими графствами.

Эдуард увидел Уэльс таким, каким Вильгельм увидел Англию: территория делилась на огромные области — *кантревы*, а те, в свою очередь, на *коммоты*. По статуту Рудлана Уэльс разделили на шесть графств: Флинтшир, Карнарвоншир, Англси, Мерионетшир, Кардиганшир и Кармартеншир.

Итак, карта Уэльса, какой мы знаем ее сегодня, начала формироваться в те отдаленные времена. Но в течение двух с половиной столетий остальная часть страны находилась в железных руках баронов Марки. Этой территорией управляли владельцы примерно ста сорока замков, признававших только силу оружия. Генрих VIII уничтожил этих легализованных преступников и, согласно Акту об унии 1536 года, передал Уэльсу оставшиеся графства.

Но что же Ллевелин и Элеонора?

Принц Уэльса со своими военачальниками последовал за королем в Лондон, где и провел невеселое Рождество. Ллевелину в Вестминстере пришлось присягнуть парламенту. Лондонские толпы ходили следом за валлийцами: их интересовали странные наряды чужаков (сегодня в Англии так глазеют на экстравагантные делегации из экзотических стран). Валлийцы возненавидели Лондон и были рады вернуться домой.

Следующей осенью Ллевелин в соборе Вустера женился на Элеоноре. Эдуард и король Шотландии Александр присутствовали на церемонии. Бракосочетание было торжественным, но нерадостным. Эдуард отправил валлийского принца домой повязанным и брачными узами, и полной зависимостью от Англии. Но этим дело не кончилось.

«Историки и политики знают, — пишет Уоткин Дэвис, — что слишком суровый договор всегда порождает новые войны; рудланский статут был, несомненно, очень суров. Недовольство, дремавшее в Уэльсе, особенно на севере, сильно обострилось благодаря административному давлению королевских чиновников. Справедливость ни во что не ставилась. Англичане могли безнаказанно убивать и красть, если их жертвами были валлийцы. Продавались должности, вымогались взятки. Старые валлийские законы не принимались во внимание под предлогом того, что они противоречат королевским понятиям о справедливости. Давление было ужасным, и так трудно было противостоять ему конституционным путем, что в 1282 году во многих местах страны вспыхнули мятежи. Ллевелин старался ни в коем случае их не поощрять, но, заметив, что те возникают сами по себе, решил, что лучше направлять их, и возглавил движение протеста.

На сей раз Эдуард вознамерился уничтожить беспокойного вассала и навсегда подавить стремление валлийцев к независимости. Ллевелин приготовился встретить выступившую против него огромную английскую армию, хотя душу томили нехорошие предчувствия, а сердце ныло от горя по недавно скончавшейся жене».

Восстание произошло в 1282 году.

Эдуард собрал многотысячную армию. Архиепископ Кентерберийский поспешил в Уэльс против воли короля и «ради любви к Уэльсу», как он сам выразился, желая предупредить Ллевелина о мощи Англии и неодобрении Рима. Ллевелину предложили английское поместье и пансион, если он смирится. Он с негодованием отверг и то и другое.

Эдуард снова вошел в Уэльс. Ллевелин со своим поредевшим советом пытался что-то предпринять. В самом начале кампании Ллевелин поехал на юг на переговоры со сторонниками. Он вошел в лес возле Буилта, а его охрана из восемнадцати человек, все из Карнарвоншира, несла стражу у моста. Английский рыцарь по имени Адам де Франктон, который случайно встретил Ллевелина и понял, что перед ним валлиец, проткнул его копьем и поехал далее. Принц упал на землю. У него хватило сил лишь на то, чтобы позвать священника. Белый монах исполнил последний ритуал.

Позднее в тот же день Франктон вернулся в лес — раздеть человека, которого убил. Ллевелин все еще дышал. Франктон узнал, что поразил самого принца Уэльса, и весьма тому обрадовался. Он дождался последнего вздоха героя и, выхватив меч, отрезал Ллевелину голову.

Эдуард получил голову своего врага, когда находился то ли в Конви, то ли в Рудлане. Он выстроил армию и велел пронести насаженную на пику голову мимо всех воинов. И тут кто-то вспомнил старое пророчество Мерлина: когда английские монеты станут круглыми, принц Уэльса наденет в Лондоне корону. Английские монеты 1278 года были круглыми. Через несколько дней принц Уэльса был коронован в Лондоне: голову Ллевелина, надетую на кол и украшенную плющом, провез по Лондону всадник. Его встречали и провожали громкие трубы. Затем кол с головой принца Уэльса — принца старейшего правящего европейского дома — установили на самой высокой башне Лондона. Она много дней гнила на ветру под дождем.

Мятеж захлебнулся. Эдуард несколько лет оставался в Уэльсе. По английскому образцу в стране появилось шесть графств. Воспользовавшись королевской грамотой, англичане поселились в Кардигане, Буилте, Монтгомери, Уэлшпуле, Рудлане, Аберистуите, Карнарвоне, Конви, Криккиэте, Харлехе, Боуморе и Ньюборо. Этим городам суждено было стать центрами английского влияния, и вокруг них в

смутные времена Эдуард построил оборонительные кольца
замков: Конви, Бомарис, Карнарвон, Криккиэт и Харлех.

Эдуард I вернулся в Лондон, а карта Уэльса с той поры
изменилась.

3

В пабе Рудлана я встретил удивительного человека. На
нем были плащ и болотные сапоги. Я обратил внимание на
пустой рыболовный садок. Карман у него оттопыривался от
катушек, а в шапке было полно мушек для ловли форели.
Он был очень зол, потому что любимая удочка, которую он
по глупости привязал к бамперу своего автомобиля, по дороге отвалилась.

— Надеюсь только, что тот, кто найдет ее, останется
доволен, — сказал он и горько добавил: — Но местные,
кажется, предпочитают обходиться самодельными удоч-
ками.

Я понял: он испытал унижение из-за того что рыбачил
на озере или на реке с дорогой рыболовной оснасткой, в то
время как местный рыбак поймал всю рыбу на самодель-
ную уду.

— В окрестностях Балы есть хорошие рыбаки, — при-
знал он. — И я не плох, но они ловят рыбу на личинку, а я
какие только приманки не использовал... Впустую. А ведь
считаю себя хорошим рыболовом.

Этот человек, похоже, рыбачил на всех реках и озерах
Уэльса. Он и об Уэльсе думал только применительно к
форели и лососю. О ловле лосося в Шотландии он выска-
зывался с презрением — «забава богача», с юмором вспоминал форелевую рыбалку в Ирландии. Ее он окрестил
«убийством бедняка».

— Такой рыбалки, как в Уэльсе, нет нигде. Причем де-
шевой, а в наши дни это имеет значение.

— Много ли английских рыбаков так рано приезжают в Уэльс? — спросил я.

— Я не англичанин! — воскликнул он. — Я валлиец! Я живу здесь.

Я еще не видел рыбака, равнодушного к красотам гор, рек, озер и лесов. Мой знакомец пустился в восторженные описания страны. Оказалось, что на месте он не сидит и повидал самые красивые места Великобритании.

— Даже не будь я валлийцем, — заверил он, — думаю, что вид из Харлеха на Сноудон в ясную погоду все равно счел бы одним из лучших в мире.

Валлийцы, как и ирландцы, импульсивны и дружелюбны, если вы им понравились. Одной из особенностей ирландцев является то, что они тут же о вас забывают, стоит повернуться к ним спиной. То же можно сказать и о валлийцах.

Вскоре мы с рыбаком беседовали как старые друзья. Он очень хотел взять меня на озеро, где появилась майская муха. Когда я сказал, что еду в Рил по прибрежной дороге в Конви, на лице его появилась гримаса отвращения.

— Рил, — повторил он. — Зачем вам понадобилось ехать в Рил?! Это же не валлийское побережье, это — Ланкашир! Там все испортили Ливерпуль, Манчестер и Бирмингем...

Его возмущение было столь сильным, что он почти уговорил меня поехать в Конви через Абергил и через горы Денбишира в Лланрвст, но, стряхнув с себя его гипнотическое влияние, я все же поехал в Рил.

4

Ветреный Рил мне понравился. Настало время отлива, и золотые пески раскинулись на долгие мили. Это одно из многих прибрежных мест Великобритании, которое до нынешних дней утоляет миграционные инстинкты больших индустриальных городов. В мае же здесь так пустынно, что кажется, будто отсюда все уехали.

Вскоре я оказался на одной из самых красивых дорог Великобритании. Дорога из Уэльса в Корнуолл является чем-то вроде местной Ривьеры. Местами она так же красива, как Антримская прибрежная дорога в Ирландии. Справа вы видите море, слева — высокогорье Денби, а впереди — гигантские вершины Сноудонии.

На протяжении сорока с лишним миль этой дороги между Рилом и Карнарвоном встречаются самые известные и любимые города Уэльса. Этот участок красивого побережья облюбовали промышленные города Мидланда и севера. Вы не найдете ни одного жителя Мидланда, ни одного уроженца Ланкашира, который бы здесь не побывал. Эта часть Уэльса создана природой и человеком для отдыха от трудов праведных.

Рил, Колвин-Бей и Лландидно, конечно же, — фавориты побережья, но между ними есть тихие местечки, такие как Пенсарн, Абергил с лесистыми холмами и Лландилос (там несчастный Ричард II был передан в руки Болингброка).

Нетрудно понять, почему Колвин-Бей стал одним из самых популярных мест северного Уэльса. Золотые пески, море, горы, леса, реки. Горы, прикрывающие Колвин-Бей с юга и запада, создают здесь то, что врачи называют «локальным климатом». Большая часть очарования и популярности многих морских курортов северного Уэльса заключается в том, что, живя в городе, за полчаса пешей прогулки вы можете добраться до гор или до ветреной Атлантики.

Вот и я пошел пешком в маленькое селение Лланелианин-Рос. Это селение в прошедшие времена было одним из самых опасных на карте Уэльса. У подножия горы в земле есть углубление. Это все, что осталось от колодца святого Элиана. Магические колодцы пятьдесят лет назад были в Уэльсе обычным явлением, но ни одного так не боялись, как колодца святого Элиана.

Святой был благородного происхождения. Он жил в шестом веке. Однажды, почувствовав жажду, он лег на землю и помолился о воде. У его ног вдруг образовался колодец. Элиан благословил источник и попросил Господа исполнить его просьбу: пусть у всех, кто придет сюда с верой в сердце, исполнится желание. Тогда это был просто колодец желаний, один из тысяч по всей Великобритании. Со временем свойства его изменились. Он стал злым источником. Способность колодца вызывать боль и страдание многократно подтверждалась. Говорят, несколько людей умерли от одного только страха, что враги наслали на них проклятье.

— Когда я был мальчиком, — сказал человек, осматривавший магическое место, — мы очень боялись угрозы «*mi ‘th rof yn Fynnon Elian*». Возможно, вы не поняли, что это значит? Это означает: «Я посажу тебя в колодец Элиана».

— Вы знаете связанную с этим историю?

— Ее здесь все знают. Это был очень выгодный источник. Рассказывают, что женщина по имени Сара Хью, одно время владевшая этим колодцем, зарабатывала 300 фунтов в год. Деньги платили ей люди, приходившие проклясть своих врагов, а проклятые тоже платили, чтобы проклятие не свершилось! Самым знаменитым владельцем колодца был человек по имени Джон Эванс. Он умер не то в 1850, не то в 1860 году. На этом колодце он тоже хорошо заработал. Люди, верившие в то, что их прокляли, платили больше, чем те, кто проклял.

Если человек хотел кого-то проклясть, Эванс записывал имя врага на листе бумаги, клал его в свинцовую коробочку и привязывал к камню с выцарапанными на нем инициалами человека, наложившего проклятие. Коробочку бросали в колодец, сопровождая устным проклятием... Жертву, разумеется, оповещали о совершенном. Человек являлся и платил за то, чтобы проклятие не подействовало. Владелец колодца читал два псалма, жертва трижды с молитвой обходила колодец. Владелец вынимал свинцовую коробочку и отдавал листок прóклятому. Я слышал, что иногда проклинали целые фермы.

— А чем все закончилось?

— Говорят, местный священник осушил колодец, чтобы люди перестали насылать друг на друга проклятия. Тем не менее уже после того как колодец осушили, люди долго его боялись...

— А как вы считаете, почему колодец стал злым? Почему перестал исполнять желания и переключился на проклятия?

— Не знаю.

Лландидно можно рассматривать как пример психологии успеха. Во всем Уэльсе нет лучшего места для развлечений. У него все достоинства острова. Очертания его бухты не хуже, чем у Неаполя. Лландидно знает свое дело. Знает, чего хотят люди.

Я ходил по пока еще пустым улицам, примечал гостиницы и пансионы. В мае они мечтали о наплыве жителей Манчестера, Бирмингема и Ливерпуля.

Глядя на грациозные здания Лландидно, сложно поверить, что в 1849 году на этом берегу стояло лишь несколько рыбацких домишек да два маленьких постоялых двора. Открытие железной дороги из Честера до Холихеда дало Лландидно шанс.

Надеюсь, что тысячи северян и жителей Мидланда, каждое лето приезжающих в Лландидно, поднимаются на

Грейт-Орм и посещают маленькую церковь святого Тид-
но, по имени которого назван город. Церковь стоит там с
седьмого века, с тех пор как святой поднялся в горы в поисках спасения.

Вместе со своими счастливыми собратьями — примор-
скими курортами Лландидно славится красивым побережьем
и горами. Проведенный здесь отпуск равен трем отпускам
в других местах.

5

Я пишу эти строки на парапете замка Конви. Полуденное солнце освещает один из красивейших городов Британских островов. Конви изыскан.

Ни один город в королевстве не расположен так уютно в
стенах, защищавших его на протяжении семи сотен лет. Йорк
и Честер выпростались из своих стен. Ходишь по их стенам
и смотришь сверху на трубы окрестных домов. Серые, изъ-
еденные непогодой стены Конви, с круглыми башнями лучников, возвышаются, как и прежде. Такими их увидел и
Эдуард I, прошедший по Уэльсу огнем и тяжелым мечом.

Я смотрю из высокой башни на устье реки Конви. В бухте
стоят на якорях белые яхты. Синие горы четко выделяются
на ясном небе. Тишину нарушают лишь крики грачей в баш-
нях и гул уличного движения с моста. Мост в 1824 году
построил великий зодчий Томас Телфорд, когда проклады-
вал дорогу от Лондона в Холихед. Он сделал то, что казалось невозможным. Цепной мост гармонирует с замком
Конви. Это — один из лучших известных мне примеров
архитектурного вкуса.

На мой взгляд, в истории этого моста есть нечто очень
забавное. Перечень взимаемых пошлин сохранился в уди-
вительном предложении. Вот оно:

«За каждую лошадь или тягловое животное, перевозящее любой экипаж, фаэтон, одноконную двухместную или четырехместную карету, кларенс, почтовую карету, берлин, кибитку, ландо, тандем, дилижанс, парный двухколесный экипаж, четырехместную коляску, легкую двухместную коляску с откидным верхом или другой экипаж — 6 пенсов».

Интересно, сколько инспекторов смогли бы определить разницу между просто дилижансом и фаэтоном?

Конви напоминает историческую иллюстрацию. Большие замки, стоящие на холмах по всей стране, — дошедшее до нас свидетельство боевого духа Уэльса.

Представляю то отчаяние, с каким патриоты Уэльса смотрели на этот город, на крепостные стены толщиною 15 футов, на внушительный замок. Я походил вокруг, заглянул во дворы, в залы, давно утратившие крышу. Посмотрел сверху на остов замка и обратил внимание на то, сколь хитроумно архитектор учел все достижения своего времени, чтобы обезопасить защитников и затруднить атакующим доступ в крепость. Снаружи бойницы невероятно узкие, а изнутри широкие, позволяющие защитникам увеличить угол стрельбы. Потрудился архитектор и над воротами, которые невозможно взять приступом. Винтовые лестницы помогали человеку, стоявшему наверху. Десять защитников крепости с легкостью могли противостоять сотне нападающих.

Вся энергия и ум, которые сегодня мы вкладываем в тысячу профессий и ремесел, в старые времена обращались на строительство замков и церквей.

В мире не было ничего, кроме войны и веры.

Первые туристы года растерянно расхаживают по крепостным стенам, изо всех сил стараясь понять место Конви в истории, чувствуя, что старые мертвые вещи как-то повлияли на настоящее, однако влияние это неясно и уклончиво.

Они хотели бы увидеть мужчин и женщин, что боролись и страдали, терпели поражение или одерживали успех в этих могучих стенах, однако то, что предстает их глазам, возможно, когда-то было кухней...

На строительство замка ушло восемнадцать лет, и осуществлено оно было при Эдуарде I во время его долгой и жестокой войны с последним урожденным принцем Уэльса — Ллевелином.

Один человек, кажется, до сих пор бродит по замку. Это не суровый строитель Эдуард, а печальный и лишившийся надежд человек — Ричард II Несчастливый.

Он был слабым и обаятельным щеголем, жертвой собственных недостатков, волею судеб попавшим не в свою историческую эпоху. Будучи совсем еще мальчишкой, он мужественно повел себя в Смитфилде, когда выехал на переговоры к Уоту Тайлеру и крестьянам-мятежникам, однако из этой встречи никаких уроков не извлек. Он не понимал времени, в котором жил.

После двадцатилетнего правления Ричард предпринял напрасную поездку в Ирландию. Во время его отсутствия в Англию явился сосланный им ранее решительный Генри Болингброк. В итоге Ричард вернулся в Уэльс, в замок Конви, во всем своем великолепии и экстравагантности, чтобы спать на заплесневелой соломе и голодать.

Болингброк с поразительной скоростью прошел через всю Англию с армией из 60 000 лондонцев. В разрушенной часовне Конви граф Перси поклялся на Священном Писании, что не задумывал предательства, когда советовал Ричарду оставить Конви и уехать во Флинт.

— Чего они хотят? — спросил король, указывая на армию лондонцев.

— Хотят забрать вас, — ответил Болингброк, — и поместить в Тауэр. Они не успокоятся, пока я вас не арестую

Трагедия и унижения этого путешествия описаны Фруассаром. Началось с того, что королю дали самую жалкую лошадь, которую только можно было найти, и отправили на юг, в Лондон. Закончилось все загадочно, ночью, в замке Понтефракт.

Тело Ричарда отвезли в Лондон и выставили в Чипсайде. Там он лежал с непокрытым лицом, и мимо прошли 20 000 лондонцев. Ходили слухи, что в схватке с убийцами, подосланными Болингброком, Ричард был смертельно ранен в голову. Когда в 1871 году в Вестминстерском аббатстве его тело эксгумировали, оказалось, что череп не задет ни ножом, ни кинжалом.

Вот такой замешанный на амбициях эпизод истории. Он неотделим от замка Конви.

Я пошел прогуляться по очаровательному маленькому городу. В церкви увидел могильную плиту с высеченными на ней словами: «Хукс из Конви, джент.» Скончался этот Хукс в 1639 году. Оказывается, он был сорок первым ребенком Уильяма Хукса, и у него самого было двадцать семь детей!

Возможно, это наиболее примечательное хвастовство Уэльса.

6

Вероятно, самым удивительным местом, где происходит резкое изменение ландшафта северного Уэльса, является перевал Сичант, соединяющий Конви с городским районом Пенмаэнмоур. Вы покидаете дружелюбное речное устье и в мгновение ока оказываетесь в горном ущелье. Мрачная расщелина навевает воспоминания о Шотландии. Да это просто миниатюрная модель долины Гленко!

По склонам рассыпано множество валунов. Кажется, чья-то неосторожная нога в любой миг может свалить их на узкую тропу. С обеих сторон поднимаются темные горы, ветер свистит по-разбойничьи. Альпинистам хорошо знаком этот звук.

Затем, так же неожиданно, перевал заканчивается, и вы оказываетесь в красивом районе Пенмаэнмоур. Люди беззаботно играют в гольф, и, по меньшей мере, один особняк хранит помять о Гладстоне...

Что за дорога! Вряд ли какая-либо другая в королевстве может превзойти ее разнообразием.

7

Проходя мимо валлийских школ, я часто слышал великолепное пение. Хоры — иногда из девичьих голосов, иногда из мальчишечьих — чуть ли не поднимают крыши над зданиями. Я решил, что, если в следующий раз услышу школьный хор, непременно войду и попрошу позволения присутствовать на репетиции.

Я вошел в большую школу в Карнарвоншире и повстречался с ее директором.

— Похоже, школа готовится к Айстедводу в Бангоре?

— Да, и у нас есть отличный хор девочек. Хотите послушать?

— Непременно приду, если скажете, когда они будут репетировать.

— Да нет, что вы! Я попрошу их для вас спеть сейчас! Только схожу за хормейстером, мистером Джонсом.

Он рванулся из комнаты, прежде чем я смог его остановить. Такая готовность удовлетворить желание чужестранца, проявившего интерес к Уэльсу, характерна для этого народа. По всему было видно, что директор в восторге от того, что я, случайный приезжий, захотел послушать школьный хор.

Вскоре я услышал топот ног по каменным ступеням и возбужденный гомон. Директор вернулся.

— Мы готовы.

Он привел меня в большую классную комнату. За столами мореного дуба сидели около сорока девочек в возрасте от двенадцати до пятнадцати лет. В торце комнаты имелось возвышение, а на нем — несколько стульев и фортепиано. На подоконниках стояли стеклянные кувшины с колокольчиками. На стене, над возвышением, фотография, а на ней — снятый в натуральную величину мистер Ллойд Джордж.

Меня усадили на стул на возвышении, и я внезапно понял, какое удивительное зрелище представляют сорок девочек. Они смотрели на меня с откровенным любопытством, словно зверьки. Некоторым из них, похоже, я показался забавным, и они стали о чем-то перешептываться, другие разглядывали меня с застенчивым интересом, глаза третьих смотрели тупо (должно быть, такое выражение они приберегали для школьных инспекторов). Некоторые глядели весело, с ожиданием, словно я был артистом. Я тоже на них смотрел и думал, что лица людей можно читать, как книгу. Когда перед тобой сорок девочек, можно попытаться не только понять характер, но и угадать, что представляют собой родители этих детей. На каждом лице четко читались наследственные черты. Интересно было сознавать, глядя на этих длинноногих забавных созданий с перепачканными чернилами пальцами, веснушчатой или персиковой кожей, что лет через восемь некоторые из них станут женами и матерями Уэльса. Впечатление такое, словно наблюдаешь за производством взрывчатых материалов.

Преподаватель музыки, смуглый молодой человек, которому не мешало бы подстричься, сыграл музыкальное вступление, после чего директор поднялся и сделал удивительное заявление.

— Девочки, — сказал он, — сегодня у нас в гостях великий музыкант. Он специально приехал из Лондона, чтобы вас послушать.

Я смущенно заерзал, ибо в музыке совершенно не разбираюсь.

— Он о вас слышал, — продолжил директор, — и, когда вернется в Лондон, расскажет всем людям о вас и о вашем пении, поэтому я надеюсь, что вы хорошо споете...

Директор серьезно на меня взглянул.

— Своим приездом он оказал нам великую честь. Я хочу, чтобы, вернувшись в Лондон, он рассказал бы всем, что слышал лучший хор в Уэльсе.

Сказав это, он уселся рядом со мной. Я думал, что он извинится за то, что назвал меня великим музыкантом, или, по крайней мере, жестом даст понять, что несколько преувеличил. Но нет, ничего подобного. Уж не сказал ли я нечто такое, из-за чего директор принял меня за музыканта? Потом я сообразил, что директор не столько лгун, сколько человек, склонный к театральности. Просто у него артистический темперамент. Возможно, иногда он мечтает, чтобы в школу нагрянул какой-нибудь известный музыкант — сэр Эдвард Элгар или Шаляпин — и, похлопав его по спине, похвалил бы хор. У директора явно слишком сильное воображение, склонное к драматизму, а потому он не мог видеть во мне обыкновенного посетителя. Кажется, преподаватель музыки поверил в эту историю, потому что в его лице, возвышавшемся над фортепиано, я прочитал глубокое уважение.

— А теперь — раз, два, три... — сказал преподаватель и ударил по клавишам.

Девочки встали, взяли ноты и, открыв ротики, заполнили комнату восторженно сладкими звуками, каких я до этого никогда не слыхивал. Я пришел сюда из любопытства и думал, что буду скучать, но через десять минут валлийские дети совершенно меня увлекли. Все знают, что валлийцы талантливы по части пения, и я в этом убедился на личном опыте. Пение не терпит притворства. Эти дети любили петь. В их голосах слышалась экзальтация. Они пели по-валлийски. Одна странная, драматическая, печальная песня особенно меня привлекла.

— О чем они поют? — спросил я директора.

— О несчастном случае с шахтером. Он получил травму, добывая сланец, и теперь его несут на носилках.

— Вы не попросите, чтобы они спели еще раз?

Обыденная тема в устах детей приобрела поистине гомеровское звучание. Их голоса внезапно стихли до шепота и замерли. Казалось, они оплакивали воина, сраженного под Троей.

Затем хор грянул песню, которая показалась мне валлийской «Марсельезой». Это был потрясающий марш, абсолютно дикий. Он звучал, словно голос старого Уэльса, сопротивляющегося саксам, норманнам и англам. Я почувствовал себя кем-то вроде врага. В этой песне я слышал переданную в звуках вековую гордость Уэльса.

— Это, — сказали мне, — «Cymru'n Un», «Единый Уэльс».

Так я и подумал. Почему у англичан нет таких волнующих песен, как «Марсельеза», «Cymru'n Un» или «Scots wha hae»? Наша «Правь, Британия» прямолинейна и вульгарна, а «Пышность и величие» Элгара — обыкновенный марш, за которым нет народного чувства. Судя по всему, мало нас били, иначе мы сумели бы создать хорошие народные песни.

Прозвучал еще один марш — «Марш капитана Моргана», слова мистера Ллойд Джорджа. Затем девочки непринужденно перешли на английский язык. Они исполнили два или три прекрасных елизаветинских мадригала. Пели красиво и чуточку печально. «Веселая Англия» плыла в легкой дымке.

По окончании концерта я посмотрел на детей с уважением и удивлением. «Великого музыканта» попросили сказать несколько слов, и он их произнес очень проникновенно.

Я покинул обычный школьный класс с портретом Ллойд Джорджа и букетами колокольчиков. В душе звучал романтический и страстный голос старой Британии.

Глава пятая,

в которой я еду в Бангор, восхищаюсь университетом, слушаю танцевальную мелодию на арфе, вижу бардов и друидов у алтарного камня, посещаю Айстедвод и присутствую при коронации поэта.

1

Бангор ранним утром — один из самых свежих и бодрых городов, какой только можно себе представить. Термин «город» обманчив, потому что Бангор меньше большинства английских пригородов. Некоторые писатели, забывая, что это епископская епархия, называют его «деловым городком».

Соленые ветры с пролива Менай продувают улицы. На заднем плане поднимаются синие горы — складка за складкой. Будь я валлийцем, предпочел учиться бы в Бангоре, рядом со Сноудоном и островом Мона, чем в каком-либо другом месте. В возрасте, когда люди совершают невероятно глупые поступки, невозможно избавиться от чувства благодарности к валлийцам викторианской эпохи, которые среди тринадцати местных городов избрали местом обучения Бангор.

Англичанин в Уэльсе с удивлением и даже стыдом узнает, что, хотя мысль об валлийском университете была мечтой Оуэна Глендовера (его письма сохранились в архивах Парижа), валлийцам пришлось ждать пять столетий, пока парламент в Вестминстере разрешит университет в Уэльсе. Произошло это в 1893 году. У Шотландии в Средние века был университет Святого Андрея; в Ирландии в елизаветинские времена существовал Тринити-колледж, а Уэльсу приходилось бороться за высшее образование, и рассказ об этой борьбе, на мой взгляд, — одна из самых героических страниц валлийской истории.

Я часто слышал, как иностранцы подшучивают над манерой вероотправления валлийцев. Посмеиваются над «валлийским шаббатом», который таков, каков был и шаббат шотландский пятьдесят лет назад. Но они забывают, что мрачные здания со странными еврейскими именами, такими как «Эбенезер» и «Хореб», высеченными над порталами, сыграли доминирующую роль в религиозном, политическом, художественном и образовательном развитии валлийской нации. Возможно, туристам эти здания кажутся ужасными, но для валлийца, любящего свою страну, они священны.

Церковь подняла валлийцев из духовной ямы, в которую те рухнули после Реформации, и люди захотели образования для своих сыновей и дочерей. Сборщики пошли по всей стране, из дома в дом и из церкви в церковь, собирая буквально по пенни средства на строительство университета. В Лондоне за эту идею боролись несколько великих валлийцев, забытых всеми, кроме соотечественников, а в Уэльсе средний класс, мелкие фермеры и шахтеры юга щедро делились своими скромными сбережениями. В результате в бедной стране собралась удивительная по тем временам сумма — 60 000 фунтов.

В Аберистуите в 1872 году появился первый колледж. Он был построен благодаря самопожертвованию и вере нации. В 1883 году в Кардиффе открылся еще один колледж, а на следующий год в старом здании гостиницы распахнул двери колледж Бангора. По-прежнему не было ни государственных дотаций, ни университетских уставов. Ни один из колледжей не получил разрешения на присвоение степеней. И только в 1893 году, после продолжительных дискуссий и сопротивления обеих палат парламента, эти три колледжа добились получения хартии и были названы университетом Уэльса. С тех пор появился и четвертый колледж, в Суонси.

Итак, утром я спустился с горы и посмотрел на противоположный холм — на нем гордо стоит Бангорский колледж. Старую гостиницу он давно покинул. В 1911 году в замке Карнарвон состоялась церемония коронации принца Уэльского, по окончании которой король открыл это холодное, но величавое здание.

Странно, что англичане, которые, судя по слухам, больше всего на свете восхищаются хорошими боксерами, не обращают внимания на драчливость валлийцев. Древние бритты, населяющие эти горы, дрались со времен нашествия Цезаря — с римлянами, саксами, норманнами, англами. Когда же не дрались с англичанами, воевали вместе с ними. Валлийские лучники выиграли битву при Креси. В более поздние времена валлийцы бились за свою религию, за язык, за литературу и за образование.

Бангорский колледж на горе — символ победы.

2

В скромном, но чистеньком номере бангорского отеля я писал о своих впечатлениях, когда до меня долетели необычайно приятные звуки музыки. Кто-то играл неподалеку, через одну или две комнаты от моего номера. Сначала я подумал, что это клавесин, но, когда отворил дверь в коридор, понял, что звук мягче, не такой механический. Разумеется, это была валлийская арфа.

На лестничной площадке слышно было совсем хорошо. Играл настоящий музыкант. Мелодия, повторявшаяся снова и снова, звучала жалобно. Казалось, человек вспоминает что-то печальное, непоправимое, случившееся очень давно на горной вершине, а может, возле водопада. Мне доводилось слышать ночью в пустыне арабское пение; я слышал мелодии, которые в полнолуние на берегу Нила выдували на флейтах мальчишки. Внимал гэльским песням, зависавшим на мгновение, подобно птице в бреющем полете, и бесследно растворявшимся в воздухе Гебрид. Сейчас в этой печальной музыке мне слышалась вечность, подобная горам Уэльса. Такая мелодия могла бы звучать в зарослях омелы.

Музыка стихла. Дверь отворилась, и из комнаты вышел молодой человек. Я спросил у него, как называется мелодия. Он проговорил что-то по-валлийски. Я, разумеется, не понял. Из комнаты послышались нерешительные звуки музыки. Музыкант, похоже, не знал, что бы еще сыграть, и я понял, что молодой человек вовсе не арфист, как я вначале подумал.

— Кто это играет? — спросил я.

— Моя жена, — ответил он. — Она играет в оркестре арфистов, а сейчас готовится к Айстедводу...

Нелегко напроситься в комнату к человеку, жена которого готовится к Айстедводу. Нелегко, однако возможно.

Валлийцы, как и все люди из мира искусства, падки на похвалу и, как все артисты, любят порадовать публику. Я сказал, что никогда еще не слышал валлийскую арфу. На меня посмотрели озадаченно: оказалось, что в данном случае это — старинная французская педальная арфа.

Я сказал, что его жена прелестно играет. Молодой человек был явно польщен. Затем из комнаты снова зазвучала волшебная музыка. Я ее узнал — «Колокола Абердови». Мы поговорили об этой мелодии, и молодой человек вдруг пригласил меня войти и послушать.

Я увидел женщину, согнувшуюся в бардовской манере над большой золотистой арфой. Ее пальцы целеустремленно, но в то же время непринужденно касались струн. Раньше мне не приходило в голову, что арфа — единственный музыкальный инструмент, который не делает нелепым играющего на нем человека. Возможно, я исключу свирель Пана, но на ней, конечно же, предпочтительнее играть обнаженным.

Музыканты, играющие на духовых инструментах, выглядят откровенно комично. Тромбонист — настоящий шут ансамбля, как и человек, играющий в оркестре на пикколо. Даже скрипач не выглядит достойно, когда раскачивается с маленькой деревянной лакированной коробкой, зажатой под подбородком. Поразителен контраст между эмоциями, которые он порождает, и средствами, которыми он этого достигает. Пианист выглядит сносно только в силу привычки. Мы даже наслаждаемся движениями рук пианиста, скользящими по клавишам, но настолько привыкли к пианино как к предмету домашней мебели, что только поэтому не считаем его исключительно безобразным и сложным ящиком, имеющим некоторое сходство с гробом.

Итак, я смотрел на миссис Джонс, перебирающую струны арфы, и понял, что сделал открытие: арфа — единственный достойный инструмент, возвышающий играющего на нем человека. Даже плохой музыкант, думал я, должен вызывать восхищение, если он (или она) примет грациозную позу, как бывало в Древнем Египте.

Женщина поднялась, потерла руки и пояснила, что пальцы окоченели. Волшебство вмиг пропало. Она была просто миссис Джонс, к тому же беременна. У нее были муж и дом, за которым надо следить. Миссис Джонс снова уселась, развела ладони, согнула пальцы и осторожно провела ими по струнам. В одно мгновение она преобразилась. Казалось, достоинство старинного инструмента набросило на нее волшебный флер. В эту минуту сам Гомер мог бы встать подле нее и пропеть «Илиаду».

— Вам понравилось? — спросила она.

— Как это называется?

— «Нежная голубка».

Она взяла несколько аккордов и сказала:

— Я сыграю вам очень старый валлийский танец.

Ее пальцы запорхали по струнам, и полилась мелодия, от которой меня подбросило на стуле. Это были дикие и прекрасные звуки. В ней было все: девушки и юноши, поцелуи, подмигивание... Казалось, горные ручьи слились в белом потоке на фоне синих гор.

Я слушал и думал, что это — музыка высокомерного, еще не покоренного Уэльса. Человек, который написал ее, и люди, которые танцевали под эту мелодию, никогда не видели ни шелковую шляпу, ни пастора, ни молитвенное собрание. Это Робби Бернс в валлийском варианте, положенный на музыку. Это счастливая языческая мелодия.

— Сколько ей лет?

— Не знаю, — ответила женщина, — она очень старая.

— А как называется?

— «Eurwy's Dyffryn» — «Золотая река долины».

Я хотел попросить, чтобы мелодию сыграли снова, но в дверь оглушительно постучали. Женский голос велел: «Потише». И в гостинице зазвучала еще одна арфа...

Я вернулся в свой номер и попытался писать — не вышло: «Золотая река долины» гремела в моей голове. В мозгу крутились странные мысли; я думал, что в старину в Уэльсе жили нимфы и фавны. Иначе как придумали эту мелодию, под которую рука об руку танцевали Бах с Паном?!

3

Настало утро Айстедвода. В Бангоре собралось полно народу. Все отели забиты. Иностранец начинает подозревать, что находится среди знаменитостей. С виду обычные люди, возможно, держатся немного официально, скованно, все в черных костюмах и ничем не отличаются по наружности от тех, кто собирается на похороны. Но то и дело портье нашептывает иностранцу:

— Это Пенгоэд, сэр.

Иностранец начинает крутить головой, пока не замечает в углу вестибюля пожилого священника, прихлебывающего чай.

— Пенгоэд? — удивляется иностранец. — Что вы имеете в виду?

Кажется невозможным, что о важном священнике служащий отеля может высказываться столь фамильярно. Почему не «мистер Пенгоэд» или «достопочтенный Пенгоэд»? Нельзя же вот так — Пенгоэд! Представьте себе клерка в палате лордов, привлекающего внимание иностранца словами:

— Это Кентербери!

Но вскоре иностранец начинает догадываться, что все эти серьезные или жизнерадостные валлийцы в темных костюмах — либо друиды, либо барды.

Друидам и бардам, избираемым на каждом Айстедводе, дают имена друидов и бардов, по которым впоследствии их узнают в кругах друидов и бардов.

Как я уже писал, иностранец может узнать главных друидов и бардов с помощью служащего отеля. Это, я думаю, важно, ибо доказывает, что глубокий интерес к Айстедводу пронизывает общественную жизнь Уэльса. Можете ли вы представить себе английского портье, испытывающего хотя бы искру интереса к поэту-лауреату? Он скорее заинтересуется мистером Селфриджем, а не мистером Мейсфилдом[1].

А вот валлийцы — от простых до высокопоставленных — испытывают непреходящую страсть к музыке и поэзии, и это делает ежегодный Айстедвод самой важной национальной церемонией на свете. Я не знаю ни одного другого события в европейской стране, которое бы каждый год привлекало духом равного соперничества интеллектуалов и безграмотных, богатых и бедных, университетского профессора и сельского труженика, священника и шахтера.

Встреча нации на чисто художественном событии — выдающаяся характеристика жизни Уэльса. Англия уважает любительство в спорте, Уэльс ценит любительство в искусстве. Двенадцать месяцев валлийцы практикуются в музыке и поэзии, чтобы выступить на очередном Айстедводе. Во всем княжестве нет ни одного города или деревни, которые не приняли бы участия. Вот почему национальный Айстедвод — такое серьезное, достойное и важное мероприятие. Будь это просто модное занятие или проводись оно исключительно на спонсорские деньги, оно очень скоро стало бы ненужным и непопулярным, как Горные игры в Шотландии.

Но Айстедвод — это голос Уэльса.

4

Какова история Айстедвода? Всех, кто приходит на этот праздник песни и поэзии, интересует, с чего все началось.

Кельты всегда любили песню и музыку. Прежде чем Цезарь явился в Британию, за два столетия до Рождества Христова, местного короля называли «королем гармонии».

---

[1] Мейсфилд Джон (1878—1967) — английский поэт, поэт-лауреат с 1930 по 1967 г.

Диодор Сицилийский написал в 45 году до новой эры: «У бриттов есть поэты. Наигрывая на музыкальных инструментах, напоминающих лиру, они поют песни, в которых кого-то либо восхваляют, либо порицают».

Инструмент, о котором упомянул Диодор, был, конечно же, валлийской арфой. Валлийцы, в отличие от своих кузенов ирландцев и шотландцев, никогда не играли на волынке. Король Уэльса Гриффидд ап Кинан, современник Вильгельма Завоевателя, играл на волынке, возможно, из-за того, что учился в Ирландии, но этот музыкальный инструмент так и не стал популярен в Уэльсе. Отношение древних бардов к волынке замечательно отражено в сатирическом стихотворении Льюиса Глина Коти, переведенном на английский язык миссис Ллевелин. Поэт описывает, как воскресным утром во Флинте он посетил английскую свадьбу и под аккомпанемент арфы пел там валлийские песни. Но гости его освистали. Льюис горько комментирует:

> Увы, я лавров не снискал:
> Мужлан — и тот на смех меня поднял.

На той же свадьбе был волынщик по имени Уильям Бейзир, и арфист высказывается о его игре:

> «Давай, Уилл!» — они кричали
> И громогласно гоготали,
> Чтоб игреца сильней поддеть:
> Мол, так сподручнее дудеть.
> Уилл, решась, шагнул вперед;
> Угомонился местный сброд.
> Надул он щеки, и тогда
> Пискляво всхлипнула дуда.
> Он дуд и дул, слюной брызжа,
> Как если бы под хвост вожжа

Ему попала. Не дыша
Внимал волынке местный люд —
Что за мужланы сбились тут!
И, гордели подбочась,
Он новый лад завел тотчас...
Нет, ладом я бы не назвал
Те звуки, что он извлекал
Из дудки тонкой, да с мешком,
Что надувался гусаком.
Нет, в звуках этих — вот досада! —
Ни склада не было, ни лада.
Визжит так матка в опорос
Или скулит побитый пес,
Гогочет так индюк зобатый,
Задень ему крыло лопатой,
Журавль так кричит с болота —
И эти звуки отчего-то
В народе музыкой слывут
И их приятными зовут!
Но вот иссяк позорный пыл;
Пошел за платою Уилл.
Наградой за усердье все ж
Ему явился медный грош,
А может, целых два гроша —
Гуляй, волынная душа!
А мне и пенни не досталось
И лишь судьбу корить осталось,
Чьим промыслом стезя мала
В глушь эту барда привела.
Да будет проклят сей очаг,
Да чтоб у них весь скот зачах,
Да сгинет всяк, кому Уилл
С его дудой на слух был мил!

И мне уж не придется впредь
В их очи мутные глядеть!

В Ирландии и Уэльсе барды принадлежали к привиле-
гированному классу. Они разъезжали из селения в селение,
исполняя свои песни. В Уэльсе в отношении исполнителей
постепенно сформировалось определенное общественное
мнение, совсем как в нынешней прессе. В большинстве районов, недовольных английским правлением, барды ожив-
ляли старину и изрекали пророческие заявления.

У каждого валлийского вождя имелся семейный бард, и,
как писал профессор Рис в «Народе Уэльса», в аристократических семьях этот обычай жив до сих пор.

По его словам, домашние арфисты были у семей Бьют и
Лондондерри, а покойная леди Лэндовер (умерла в 1896 году) поддерживала тесную связь с группой арфистов.

В дополнение к оседлым бардам, в стране хватало менестрелей, переезжавших из города в город. В Уэльсе известные барды ездили по стране, как в наше время знаменитый
актер разъезжает с гастролями по провинции.

Неудивительно, что в стране, где искусство менестрелей
столь же естественно, как хлеб на столе, возникло нацио-
нальное состязание. Айстедвод (в переводе — «заседа-
ние»), без сомнения, древняя церемония, хотя никто, кажется, не знает, когда состоялось первое состязание.

Сохранились одно или два письменных свидетельства о
пирах у принца в норманнские времена. Тогда со всех концов Уэльса приглашали менестрелей и бардов — продемонстрировать свое искусство. И все же первый «подлинный»
Айстедвод состоялся, кажется, в Кэруисе в 1100 году и в
Кардигане — в 1176 году. Призами выступали два стула
(или трона) — на один усаживали лучшего поэта, а на другой — лучшего исполнителя на арфе, скрипке или флейте.

Обычай «возведения барда на трон» соблюдается до сих пор. Эта традиция уходит в более отдаленные времена и предполагает, что Айстедвод — старейшая церемония в мире, потому что правила возведения барда на трон записаны в законе кланового вождя Хоуэла, который жил примерно в 940 году.

На первые состязания могли приходить все желающие поэты и музыканты. Об Айстедводе объявлялось за год до его начала, и не только в Уэльсе, но также и в Англии, Шотландии и Ирландии. Состязание имело практическую цель — поднять уровень поэзии и музыки. Айстедвод, если можно так выразиться, выдавал бардам лицензию на профессиональную деятельность. Они могли ездить по стране с гастролями, квартировать в поместьях знати. Опека сильных мира сего была необходима. В стране, где едва ли не каждый пытался попробовать свои силы в поэзии и музыке, было очень много плохих стихов и никуда не годных мелодий.

В 1451 году в Кармартене состоялся исторический Айстедвод. Санкционировал его Генрих VI. В этом состязании принял участие поэт Давид ап Эдмунд, уроженец города Ханмер в северном Уэльсе. Он сумел навязать бардам два десятка сложных и искусственных стихотворных размеров. Эти правила сковали мысли и стиль многих поколений валлийских поэтов. Даже в наши дни стихосложение, представленное на суд Айстедвода, вынуждено подчиняться тирании давно ушедшего барда из Флинтшира.

Поэзия в Уэльсе подчиняется строгим правилам стихосложения, но стихотворение на конкурс в Айстедводе может быть написано любым размером, даже верлибром.

Затем, за исключением нескольких беглых упоминаний, мы теряем Айстедвод из виду на несколько столетий. Не слышно валлийской песни: ее заглушают боевые кличи; на место арфы является большой лук. Интерес к Айстедводу возродился вместе с приходом к власти валлийских Тюдоров, но это уже не золотой век валлийской поэзии. Искусство измельчало, барды разучились писать стихи! Прочитайте распоряжение королевы Елизаветы о созыве Айстедвода 1568 года:

«В княжестве Северного Уэльса возрастает число бродяг, бездельников, называющих себя менестрелями, стихотворцами и бардами. Совет лордов Приграничья обеспокоен тем, что указанные люди тревожат не только джентльменов, но и прочих граждан в их собственных домах».

После этой преамбулы следует распоряжение — созвать Айстедвод с целью выявления и удаления из страны всех бездарных бардов, рифмачей и менестрелей.

По всей видимости, это было сделано, однако в последующие столетия Айстедвод от случая к случаю собирался. Только с середины девятнадцатого века лидеры валлийцев решили возродить праздник. Они организовали Национальную ассоциацию Айстедвода. Мероприятия организуют по очереди Северный и Южный Уэльс. Местные айстедводы проходят в течение года по всему Уэльсу. Лауреаты состязаний являются на Национальный Айстедвод. И каждый год простые валлийцы выбирают своего рода артистический парламент, связывающий их с отдаленным прошлым.

5

Настало раннее утро дня открытия Айстедвода. Мне сказали, что я должен подняться до завтрака, чтобы увидеть *горседд*. Я уже заметил друидский каменный круг, который распорядители Айстедвода разложили перед университетом, на лужайке возле дороги. Когда я впервые увидел эти камни, то подумал, что они не моложе Стоунхенджа!

Быстро оделся. Утро было хорошее, хотя и туманное. На лестничной площадке я столкнулся с человеком в развевающихся зеленых одеяниях — то ли женщина-друид, то ли бард. Вряд ли так выглядели древние бритты, поскольку на носу дамы сидело пенсне. Я и не знал, что женщин допускают в священное братство. Мне всегда казалось, что это одна из последних мужских цитаделей. У меня мелькнула шальная мысль — уж не готовят ли ее в качестве жертвоприношения Айстедводу?

Внизу, в вестибюле, я увидел изрядное количество бардов и друидов обоего пола. Мне сказали, что женщины в зеленых одеяниях — оваты. Друиды — пожилые или среднего возраста мужчины — облачились в белые одежды. Их отличает благожелательность, пронизывающая все теории о человеческом самопожертвовании. На бардах голубые наряды. Они моложе, чем друиды. Я слегка забеспокоился, заметив брюки, выглядывавшие из-под плащей бардов и друидов.

Оставив их оживленно болтающими друг с другом, я вышел на утренние улицы Бангора. Сна не было и в помине, чувствовалось взволнованное ожидание.

На траве вокруг каменного круга собралась большая толпа. Вход в круг был обращен на восток. В центре круга — большой алтарный камень. Настали минуты томительного ожидания. Все взгляды были обращены в сторону молодых людей в фургоне-техничке: на Британских островах такие вот личности, как правило, занимаются освещением общественных мероприятий. В данный момент юноши осматривали провода, говорили по телефонам с невидимыми коллегами и проверяли, все ли в порядке. Оснащенный техникой автобус и круг друидов представляли собой забавный контраст. А вскоре произошло еще более забавное событие. В круг вступил молодой человек в брюках гольф. Он держал в руке жертвоприношение — пучок зеленых листьев. Бережно уложил его на алтарный камень и что-то прошептал, вроде бы молитву, но я знал: он говорит в микрофон, тщательно спрятанный между листьев. Какое трогательное уважение к эпохе друидов проявляет корпорация Би-би-си!

Наконец-то все готово...

И вот начинается церемония. Мужчины в алых одеждах вносят носилки. На них, словно ветхозаветный ковчег, высится огромный рог Хирласа, или рог изобилия. Его, кстати, можно увидеть в Национальном музее Кардиффа. Парами, в белых одеяниях, входят друиды, а за ними — барды в голубом и оваты в зеленом. Останавливаются перед входом. Между этими тремя группами проходит мужчина в зеленом наряде, он несет большой меч с двумя ручками. Позади него — верховный друид, в точной копии ирландского панциря, изображение которого Кэмден представил на иллюстрациях к своему сочинению «Британия».

Верховный друид занимает место возле алтаря, и в круг входят остальные друиды, барды и оваты. Они встают по кругу. Озорной ветер то и дело задирает одеяния чародеев и демонстрирует брюки из саржи и твида. Да уж, незадача. Я, правда, заметил одного барда, который предвидел это обстоятельство. Он единственный из всех участников надел белые носки и сандалии. Я осмелился взять одного друида за плечо и спросил, как зовут предприимчивого барда. Он повернулся и весьма любезно ответил, что человека в сандалиях зовут Кинан. Затем добавил:

— Иначе преподобный Джонс...

Я выяснил, что многие «чародеи» на самом деле — валлийские священники, на день переодевшиеся язычниками.

Но, насмотревшись на их брюки, я удостоверился, что все они очень респектабельные люди.

Началась церемония горседда. Большой меч извлекли из ножен. Друиды — по одному — приблизились и возложили на него руки. Верховный друид громко выкрикнул по-валлийски:

— Есть ли мир?

Он трижды задал этот вопрос. И трижды толпа ответила ему хором:

— Мир есть!

Красивая дама (не зеленая оватка, а рыжая, очевидно, представляющая аристократию) прошла по неровной травяной лужайке с огромным рогом изобилия в руках. Она преклонила колени перед верховным друидом и протянула ему реликвию. Я думал, что тот отопьет из рога или каким-то другим способом докажет его изобилие, но, поскольку рог был пуст, друид просто символически его коснулся, а дама поклонилась и грациозно попятилась вместе со своей ношей.

Верховный друид забрался на алтарный камень и произнес по-валлийски длинную речь. Я не понял ни слова, однако могу судить, что речь удалась. Толпе она страшно понравилась. Слова лились, точно бурная река.

За ним вышли другие ораторы. Некоторые, кажется, произносили эпиграммы, потому что толпа покатывалась со смеху. Наверняка древние кельтские боги заворочались в своей Вальгалле. Затем вновь избранных бардов одного за другим подвели к алтарному камню. Этих молодых мужчин и женщин выделили в прошлом году за заслуги в области поэзии, музыки или прозы.

Верховный друид пожал каждому руку, назвал их современными именами, а затем дал каждому старинное имя, чтобы теперь этих людей знали как победителей горседда.

Церемония закончилась. Друиды, барды и оваты совершили круг почета. Большой меч медленно движется над головами толпы. Рог изобилия сверкнул на мгновение в лучах раннего солнца. Айстедвод открыт...

Молодой человек в брюках гольф вошел в священный круг и потихоньку вынес пучок листьев со спрятанным в него микрофоном!

6

На берегу пролива Менай возвели огромный деревянный павильон. Говорят, будто в нем могут поместиться десять тысяч человек, столько же, сколько в лондонском Альберт-холле.

Павильон выстроен на травянистом берегу, плавно спускающемся к маленькой гавани, а напротив, не более полумили отсюда, виднеется зеленый остров Англси. Друиды и барды Айстедвода устраивают свои встречи в той части Уэльса, которую кельтские жрецы считали священной. На маленьком острове, называвшемся Мона, друиды некогда оказали вооруженное сопротивление римлянам. С этих пологих берегов великий воин Светоний Паулин повел свои легионы на выручку Лондону, когда дошла весть, что на город движется Боудикка...

Турникеты осаждают огромные толпы. Сюда явились мужчины, женщины и дети со всех уголков Уэльса, и к ним присоединились тысячи туристов. Я слышу валлийскую речь, ланкаширский говор, улавливаю бирмингемские фразы, но валлийский, конечно, слышится почти повсеместно.

На траве улеглись тысячи людей. Из павильона доносятся звуки духового оркестра.

Я сажусь на траву, оглядываюсь вокруг. Даже приезжий, такой как я, ясно видит, что сюда съехались люди и из

Северного, и из Южного Уэльса. Все мыслимые типы валлийцев. Люди с фабрик и ферм, из особняков и бедных домов, школьные хоры из городов и деревень, духовые оркестры из шахтерских южных долин.

Национальный Айстедвод показался мне одной из самых интересных церемоний, которые я когда-либо посещал. Я видел коронацию, присутствовал и на похоронах монарших особ. Видел людей в трауре и в моменты ликования. Видел толпу, беснующуюся во время спортивных состязаний. Но впервые я видел огромное количество людей, представляющих разнообразные грани национального характера, собравшихся, чтобы петь, играть на музыкальных инструментах и читать стихи.

Мужчина в аккуратном костюме из саржи, лежавший на траве рядом со мной, попросил огонька разжечь трубку. Мы разговорились. Я решил, что он шахтер. Оказалось, не ошибся. Он сказал, что играет на корнете в «серебряном» оркестре. Он приехал из долины на юге, чтобы помочь своему городскому оркестру завоевать лавровый венок. Мужчина был разговорчив и умен, как все валлийцы. Он сказал, что шахты переживают плохие времена, и поездка на Айстедвод для шахтеров дороговата.

Духовой оркестр в павильоне закончил выступление страшным грохотом. Двери широко распахнулись, я вошел внутрь и отыскал себе местечко. Павильон был полон. Тысячи лиц в сотнях рядов амфитеатра. Огромная сцена казалась пустой, несмотря на папоротник и цветы в вазах, расставленные в попытке придать ей уют, очеловечить, что ли.

После небольшой паузы на сцену прошли человек двадцать с музыкальными инструментами. Поставили на пюпитры ноты. Заметно было, что они волнуются. Марш они готовили двенадцать месяцев. Пришел момент представить его музыкальному парламенту Уэльса. Не удивительно, что они так бледны, шаркают ногами, опасливо прикладывают к губам мундштуки корнетов и тромбонов.

Но где же судья? Его не видно! Новичок на Айстедводе посмеивается над невероятными мерами предосторожности, которые здесь принимают с целью недопущения фаворитизма в оценке духовых оркестров. Одно из первых требований: судья не должен знать, какой оркестр он в данный момент слушает. Поэтому он сидит в отдельном помещении. Оркестранты тянут жребий, чтобы узнать, в каком порядке им выступать. Резкий свисток спрятавшегося судьи вызывает их на сцену, один за другим. Все играют один и тот же марш.

Интересное зрелище — шахтерский оркестр, заслышавший свисток судьи! Дирижер поднимает палочку, охватывает взглядом оркестрантов, опускает палочку, и на вас обрушивается медный гром. Футбольная команда в финале Кубка Англии не может быть более нацелена на победу, чем шахтерский оркестр во время Айстедвода. Плечи, затылки, нервные взгляды на пюпитры — все говорит о том, что люди борются за честь своего города. Уши земляков слушали их весь год. Все в городе знают мелодию наизусть. Тем не менее в этот день глаза горожан прикованы к оркестру. За вечерними газетами будет охота. Зрелище мрачное и страшное.

Неприятности ждут нервного тромбониста, который посреди мелодии ошибается в одной ноте! Ненависть написана на лицах его товарищей-оркестрантов. Они продолжают играть, надувая щеки, но их глаза, злобно глядящие на преступника, говорят все без слов:

— Ну погоди, вот выйдем и...

В конце концов, как все это по-человечески! И как ужасно думать о том, что тяжкая годовая работа погибла из-за одной фальшивой ноты!

Оркестр за оркестром играют одну и ту же мелодию. Музыка мне страшно наскучила, зато интересно вникать в психологию оркестрантов. Я более заинтересован их поведением, чем тем, как они играют. Некоторые явно испытывают комплекс превосходства: он вызван прежними победами; другие страдают от комплекса неполноценности из-за преувеличенного уважения к оппонентам; есть и коллективы, одержимые желанием снискать лавры любой ценой.

Оркестры уходят. На их месте появляются юные скрипачи со всех концов княжества. Девочки и мальчики. За ними следуют подростки не старше восемнадцати — они поют под аккомпанемент арфы. Такое пение называется «пениллион», и мне оно очень нравится.

Арфист играет арию, а вокалист выпевает аккомпанемент; другими словами, техника современного пения перевернута. Это — трудное искусство, и дети, которые добиваются успеха, доказывают, что музыка составляет важную часть жизни в самых обычных домах Уэльса. Как и в тот раз, когда миссис Джонс играла на арфе, я почувствовал, что слышу нечто благородное, зародившееся вместе с миром...

Состязания продолжались все утро. Люди входили и выходили из павильона. Тысячи лежали на траве, ожидая своей очереди. Из отдаленных мест доносилось гудение корнетов, звуки фортепиано, гул арф. Прошло одиннадцать часов, но претенденты продолжали доказывать публике и судьям свое искусство.

Воды пролива Менай тихонько набегали на берег. Англси как будто совсем рядом. Чудится, крикнешь, и тебя услышат на острове. Неожиданно я забыл, что люди вокруг одеты в скучную современную одежду, я видел только лица и слышал только голоса, и мне казалось, что они — те самые бритты, что собирались в прежние времена на праздник в Гвинедде, чтобы спеть и почитать стихи.

7

Великое событие и тайна в день открытия Айстедвода — личность «коронованного барда». Он — герой Айстедвода. Его выбирают заранее избранные судьи. Тайно, как и автора лучшего стихотворения. Имя остается в секрете, пока его не выкрикнут в павильоне, но может ли что-то оставаться в секрете, когда собираются вместе тысячи валлийцев! В Англии — да, в Шотландии — да, но в Ирландии и Уэльсе, конечно же, нет! У валлийцев есть пословица «Nid cyfrinach ond rhwng dau» — «Знают двое — знают все». Я уверен, что тех, кто знает имя коронованного барда, намного больше двух.

Я сидел на траве на послеполуденном солнце, дожидался великого момента. Тысячи людей набились в павильон, чтобы присутствовать при коронации поэта.

Рядом со мной уселся молодой человек, валлийский поэт.

— Что, имя коронованного поэта до сих пор в секрете? — спросил я.

— Да, конечно, — ответил он, а затем прибавил таинственным шепотом. — Думаю, это Кинан. Вон он. Давайте спросим!

Бард Кинан оказался на редкость приятным и интересным молодым человеком. Он уселся подле нас, и мы начали над ним подшучивать. Ну конечно, он все уже знает! Наверняка его предупредили, чтобы готовился к коронации. Нет, он не слышал ни единого слова и может в том поклясться... Смущенный Кинан отошел в сторону.

К нам присоединились другие молодые писатели и музыканты, и мы продолжили обсуждать тайну.

— Как думаешь, Оуэн, кто это будет?

Оуэн понизил голос и прошептал с видом заговорщика:

— Мне сказали, что Кинан!

Да, такого всем известного секрета мне еще встречать не доводилось.

— Прошу прощения, — сказал я, — объясните бедному невежественному иностранцу, что именно вы называете секретом в Уэльсе?

— Да, это действительно секрет. Только судьи знают имя.

— Но постойте, — возразил я, — ведь валлийские судьи не поголовно холостые, а валлийские женщины вряд ли отличаются от женщин других национальностей, да и валлийские мужья наверняка пробалтываются женам. Так какой же это тогда секрет?

К нам подошли другие молодые конкурсанты. Один из них наклонился и прошептал:

— Это Кинан...

— Ну разумеется, — сказал кто-то, — будущего лауреата наверняка предупредили, чтобы он непременно явился. Он будет стоять возле самого павильона и сделает удивленное лицо, когда услышит, что выкрикнули его имя...

Да, это очень похоже на правду!

Мы покинули солнечную лужайку и ушли в сумрак большого павильона, чтобы тайное наконец стало явным.

Народу набилось под завязку. Ни одного свободного места. Люди стояли в проходах. И вдруг запели трубы. Большие двери в дальнем конце павильона распахнулись, и в обрамлении солнечного света возле круга друидов мы увидели судей в пышных одеждах.

Медленно, попарно судьи прошли в павильон, поднялись на сцену и встали вокруг (увы!) современного трона с восседавшим на нем верховным друидом. Снова дружно грянули трубы.

Верховный друид поднялся и провозгласил: корона достается поэту, выступившему под псевдонимом Морган. Если такой человек находится среди публики, пусть встанет и объявит себя. В дальнем конце огромного здания послышались бурные приветствия. Тысячи голов повернулись на звук голосов. С места поднялся поэт, красный от смущения. Издали его было не рассмотреть. При виде его радостные возгласы прокатились по всему залу. Редко поэты (а в Англии — никогда) слышат такие аплодисменты.

Верховный бард и меченосец покинули платформу и медленно пошли к загадочному Моргану. Вернулись вместе с поэтом, торжественно подвели его к возвышению, держа за руки. Со стороны казалось, что его вели насильно, словно британские полисмены, арестовавшие пьяного.

Не прошел Морган и половины пути, как я увидел знакомые черты. Это и в самом деле Кинан! Но я, очевидно, случайно затесался в компанию знатоков, потому что тысячи людей, заполнивших павильон, несомненно, были удивлены.

Барда довели до платформы и надели на него пурпурную мантию с белым мехом, а потом усадили на трон. Над его головой подняли меч. Верховный друид надел ему на голову корону. Та оказалась немного мала. Снова послышались приветственные крики, и аудитории объяснили, почему судьи приняли именно такое решение.

Я попытался найти перевод стихотворения, но был обескуражен: перевода на английский язык не сделали. Такая же судьба постигла большую часть валлийской поэзии, и стучаться в закрытую дверь бесполезно.

8

Вечером все идут на концерт. Это мероприятие не похоже на утренние прослушивания.

Если хотите послушать пение, которого нигде больше в мире не услышите, сходите на выступление смешанного валлийского хора. Их пение вызывает удивление, восхищение и уважение. Не секрет, что валлийцы обладают особым вокальным талантом, но меня в данном случае удивляет, что эти способности передались современному Уэльсу с древних времен.

Гиральд Камбрийский в двенадцатом веке писал о валлийцах:

«Они не поют слаженно, как люди из других стран, а ведут разные партии, поэтому в компании певцов, которых часто встречаешь в Уэльсе, слышишь столько же партий, сколько исполнителей, однако в результате рождается гармоничная красивая мелодия. Дети валлийцев с младенчества поют в той же манере».

Одним из красивейших зрелищ, которые я когда-либо видел на сцене, был ансамбль арф. Я слушал концерт, который исполняли двенадцать девушек. В соответствии с «Триадами острова Британия», этими древними трехстишиями, человек должен иметь в доме три вещи — добродетельную жену, подушку на стуле и настроенную арфу. Должна ли добродетельная жена играть на арфе? Мне кажется, что с тех пор ситуация улучшилась, и только глупец проявит педантичность и спросит о подушке!

Глава шестая,

в которой я исследую зеленый остров Англси, знакомлюсь с местом рождения Оуэна Тюдора, возлюбленного Екатерины Валуа, сижу на стене фермы и вспоминаю одну из самых романтичных историй; приезжаю в иностранный город Карнарвон и вижу один из самых величественных замков мира.

1

Остров Англси отделен от материка такой узкой полоской воды, что человека с громким голосом можно услышать на другом берегу.

В солнечный день побережье пролива Менай незабываемо красиво. Я смотрел на запад, на зеленые фермерские земли плоского острова, и оборачивался к горам Карнарвоншира, думая, что это место одно из самых прекрасных не только в Великобритании, но и в Европе.

Узкая полоска воды при определенном освещении — ярко-голубая, как море возле Капри, или нежно-зеленая, как вода, омывающая шотландский остров Иона. Вся красота Англси собирается у кромки воды, откуда остров смотрит на материковые горы.

Что может быть труднее для человека, чем построить мост в такой стране, как эта, соединить горы Сноудонии с зелеными полями Англси? Тривиальный мост, быть может, построить было бы легче. Но мост Телфорда — настоящий триумф.

До того как в воздухе повис могучий мост, воды узкого пролива Менай формировали вокруг Моны защитный ров. Только военачальник, нацеленный на победу, повел бы через него армию. А когда вы в первый раз видите Англси, то думаете именно о таком человеке, человеке из глубины веков. Его война против британских друидов способствовала первому попаданию Англси в исторические документы.

Тацит, писавший в первом веке новой эры, утверждал, что завоеванию Клавдием Британии способствовал Светоний Паулин, выдающийся римский полководец, которого во времена Нерона назначили главнокомандующим римским «экспедиционным корпусом» в Британии. Он надеялся подавлением мятежных бриттов добиться не менее блестящего успеха, чем Корбулон, разгромивший парфян в Армении.

«Поставив себе такую цель, — пишет Тацит, — он решил покорить остров Мона, населенный воинственным народом, пристанище недовольных бриттов. Чтобы облегчить доступ к трудным и коварным берегам, он приказал построить плоскодонные лодки. В них он перевез пехоту, в то время как кавалерия перешла на остров либо по мелководью, либо вплавь»[1].

Затем Тацит дает описание острова, каким тот явился римским легионам. Это описание приходит на память, когда стоишь на берегу напротив Англси.

«На берегу стояло в полном вооружении вражеское войско, среди которого бегали женщины, похожие на фурий, в траурных одеяниях, с распущенными волосами, они держали в руках горящие факелы, бывшие тут же друиды с воз-

---

[1] Анналы XIV. Здесь и далее перевод А. Бобовича.

детыми к небу руками возносили к богам молитвы и исторгали проклятия. Необычность этого зрелища потрясла наших воинов, и они, словно окаменев, стояли в неподвижности под сыплющимися на тех ударами. Наконец, вняв увещаниям полководца и побуждая друг друга не страшиться этого исступленного, наполовину женского войска, они устремляются на противника, отбрасывают его и оттесняют сопротивляющихся в пламя их собственных факелов. После этого у побежденных размещают гарнизон и вырубают их священные рощи, предназначенные для отправления свирепых, суеверных обрядов; ведь у них считалось благочестивым орошать кровью пленных жертвенники богов и испрашивать их указаний, обращаясь к человеческим внутренностям, и вот, когда Светоний был занят выполнением этих дел, его извещают о внезапно охватившем провинцию возмущении».

Итак, на этот остров, западную оконечность римского мира, пришла весть о женщине, идущей на Лондон с мечом и огнем, — Боудикке. Светоний, позабыв об Англси, повел свою армию назад, чтобы встретиться со свирепыми племенами. Честь покорения Англси впоследствии досталась Агриколе. Форсирование пролива Менай вброд под командованием Светония было, должно быть, известно римской армии, ибо Агрикола обошелся без флота: он обучил солдат плаванию. Его воины могли сражаться в воде и одновременно управлять лошадьми. Римляне дошли до пролива, переплыли через него и взяли остров штурмом.

Через несколько минут я пересек воды, опасные течения которых сдерживали римские легионы, и оказался среди полей, беленых фермерских домов, золотого утесника и тихих улиц. Первая деревня, с незатейливым и доброжелательным названием Лланвайр, озадачивает приезжего, когда он узнает, что это всего лишь сокращение, а на самом деле называется она так:

Лланвайрпуйлгвингиллгорехвирнодробуилландисилио-
гогох!

Это не шутка. Так и есть! Полное название, однако, никогда не использовалось, хотя в слегка ампутированном виде
указывалось в карте географического управления. Почтовый адрес — «Лланвайр П.Г.» или «Лланвайрпуйл».

Я вошел в первый же паб и сказал, ни к кому конкретно
не обращаясь:

— Ставлю выпивку тому, кто произнесет полное название этого места.

Повисла зловещая пауза, затем один старик, допив пиво,
поднялся и *спел* название! Произнести это слово невозможно, но человеку со слухом удается, потренировавшись, его
пропеть.

— А что оно означает? — спросил я.

— Мне говорили, что это — «Церковь Святой Марии
в ложбине, заросшей белым орешником возле быстрого ручья, неподалеку от церкви Святого Тисилио и красной пещеры».

Я оказался в одной из самых крупных и плодородней-
ших частей Уэльса. Англси — это огромная ферма. Ее принято называть «матерью Уэльса», потому что все зерно,
необходимое Уэльсу, можно вырастить здесь. Длинные дороги проходят по плоской зеленой земле, соединяя тихие,
маленькие каменные города. Холихед предоставляет единственное развлечение: здесь можно понаблюдать за прибытием и отправкой ирландского пакетбота.

2

Задолго до того как приехать в Уэльс, я спрашивал у
мисс Меган Ллойд Джордж, пригодилось ли ей знание валлийского языка в избирательной кампании на Англси. Теперь понимаю, что задал глупый вопрос.

На Англси все говорят по-валлийски. В отдаленных частях острова еще встречаются старики, которые не могут поддержать разговор на английском. Хотя путеводители и книги о путешествиях по Уэльсу описывают Англси как край света, мне показалось, что за последние несколько лет остров переменился. Каждую субботу городок Холихед разыгрывает роль метрополии по отношению к людям, приехавшим из разрозненных фермерских хозяйств. Здесь есть магазины не хуже, чем в Бангоре или Карнарвоне, есть и «разговорный» театр. Влияние этого театра можно назвать коварным! Я пошел в магазин за табаком. Девушка за прилавком быстро говорила с приятелем по-валлийски. Беседу она закончила так: «О'кей, крошка».

Посреди главной улицы есть поворот, который легко пропустить. Он ведет к крытому городскому рынку. В субботу днем вы увидите здесь весь остров. Фермеры с женами и детьми приезжают на фургонах или на лошадях и делают закупки на неделю. Торговцы с материка раскладывают свои товары на лотках за пределами рынка — поношенная и новая одежда, женские шляпы, юбки, одеяла, полотенца, ткани и материалы для шитья. Жены и дочери фермеров ходят вокруг прилавков, рассматривают то, что осталось, и иногда совершают покупки. В углу рынка вездесущий кокни устроил аукцион. В одной рубашке он стоял перед огромной горой одеял и простыней. Его окружила толпа настороженных и сообразительных валлийцев.

— Кто даст десять шиллингов? — кричал он, сильно хлопая ладонью по одеялам. — Ну давайте, только не галдите разом... Я для вас все сделаю, потому что сегодня я в хорошем настроении.

Затем, слегка повысив голос, продолжал:

— Восемь шиллингов! — и хлопнул по одеялам еще яростнее.

Толпа молчала.

— Я их выброшу! — завопил аукционер в припадке невиданной щедрости. — Швырну прямо в вас! Семь шиллингов и шесть пенсов! Нет! Шесть шиллингов? Нет! Пять и шесть пенсов? Вы, дама?

Он сдержал слово.

В сторону бдительного помощника-еврея полетели одеяла, и фермерская жена горестно раскрыла маленький кошелек.

Интересно наблюдать за смеющейся толпой, обменивающейся английскими шутками и разговаривающей по-валлийски.

В помещении рынка стоят прилавки с продуктами. Рядом с корзинами яиц сидят старые женщины. Некоторые предлагают полфунта домашнего масла. Эти маленькие порции, привезенные издалека, — жалкая добавка к более или менее самоокупающемуся фермерскому хозяйству и красноречивое свидетельство простой жизни и скромных доходов островитян. Думаю, старые хозяйки приезжают на субботний рынок ради общения: вряд ли несколько пенсов, вырученных за товар, могут вознаградить за труды в приготовлении и доставке.

Я никогда не видел на маленьком рынке столько мясников. Тут от пятнадцати до двадцати прилавков, некоторые принадлежат материковым мясникам. На других местные фермеры раскладывают мясо забитого домашнего скота. И опять же привозят немного. Я не увидел целой лопатки или окорока. Мясо нарезано на маленькие, непривлекательные куски, весом в фунт или полфунта.

— Деревенским жителям и в голову не придет покупать мясо в городе, — сказал мне один мясник. — Здесь принято покупать мясо на рынке.

Из этого я сделал вывод, что в будни население Англси придерживается вегетарианского образа жизни.

———————

В Холихеде можно отлично отдохнуть. В хороший день, забравшись на гору, вы увидите Ирландию, красивые морские скалы, а на востоке — хребты Сноудонии.

От Холихеда идет прямая дорога, по обеим сторонам — пшеничные поля, на лугах среди кустов утесника и серых валунов пасутся черные коровы.

Я въехал в чудесный городок Бомарис. Коренные валлийцы с Англси считают Бомарис английским городом! Они подозревают, что Бомарис чем-то отличается от других городов. Думаю, это наследие далеких времен, когда английский король построил здесь свой замок, который подчинил себе окрестности, так что на валлийской почве вырос английский городок.

К Бомарису я ехал мимо пролива. Вода в Менае отливала серебром. Деревья образовывали над головой арку, каменные стены, зеленые ото мха и папоротника, были почти так же роскошны, как в национальном парке Килларни.

Мне понравился Бомарис — белые яхты, скользящие по заливу, торжественно-тихие улочки, потрясающий вид на горы и увитый виноградом остов замка Эдуарда I.

Эдуард построил замок после смерти Ллевелина. Он хотел любоваться панорамой Сноудона и одновременно держать в страхе островитян. До Карла I в замке Бомариса ничего выдающегося не происходило. Затем Англси сделался местом встречи и убежищем валлийских роялистов. Сегодня это самое мирное обиталище, какое только можно себе вообразить. Солнце падает на увитые виноградником башни, тишину нарушают лишь выкрики из двора — «Гейм!», — здесь теперь теннисный корт.

Я нашел в Бомарисе уютный паб и большую каменную гостиницу. И то и другое могло оказаться подарком любого английского торгового города.

Но я обнаружил и кое-что еще.

На боковой улице высоко в каменной стене есть ужасная дверь. Это не та дверь, через которую подают сено или зерно. Это — мрачная, невероятная дверь.

— Здесь, — сказал мне горожанин, — у нас до конца девятнадцатого века происходили публичные казни.

За стеной некогда была тюрьма, а из двери — на виду у всего города — выходили люди, приговоренные к смерти.

Сейчас тюрьма находится в распоряжении хорошенькой темноглазой девушки. Она показала мне страшные камеры, настоящую тюрьму девятнадцатого века. Теперь здесь водятся духи прежних ее обитателей.

— В тюрьму однажды посадили женщину с маленьким ребенком. В каменном полу камеры проделали отверстие и протянули веревку в нижнюю комнату. Эту женщину заставляли стирать, и, стоя в нижней комнате у корыта, она могла в любой момент дернуть за веревку и покачать люльку с ребенком, находившимся в верхней камере.

— А это — камера осужденных на смерть, — прибавила девушка.

У камеры и в самом деле был такой вид.

— А здесь — обрыв, — сказала она и открыла дверь.

Я посмотрел вниз, на улицу. Должен сказать, что это — единственное мрачное место на Англси. Сейчас это жизнерадостный, счастливый, зеленый остров, обращенный к горам Сноудонии. Остров, валлийский до мозга костей.

3

С дороги, бегущей между лугов, я прямиком въехал на главную улицу городка Ллангефни. Недалеко отсюда есть местечко под названием Сейнт — до него недолго пройти пешком от Плас-Пенминийд. Это старинный особняк. Как и многие другие дома северного Уэльса, он построен из старого и нового камня. Над притолокой можно заметить

герб и инициалы, они говорят о былой славе и великих
днях. В фермерском доме по-прежнему живут, дом маленький, но крепкий, вокруг него на лужайке — коровники
и амбары.

Я сидел на каменной стене, смотрел на Плас-Пенминийд
и вспоминал одну из величайших романтических историй не
только Уэльса, но Великобритании в целом — восхождение династии Тюдоров. В этом скромном месте родился
Оуэн Тюдор. Розовый куст, расцветший в елизаветинскую
эпоху, выращен в Уэльсе; из почвы Англси вырос самый
впечатляющий период истории Великобритании.

Человек, сидящий на стене в Англси, словно в тумане,
увидит над Плас-Пенминийд битву при Босуорте, открытие Америки, «лагерь Золотой парчи»[1], Реформацию, Марию и Елизавету, поражение Непобедимой армады и другие события века, в котором судьба нации, словно корабль
на сходнях, медленно скользила в современный мир, под-
хваченная потоком эпохи Тюдоров.

Я всегда думал, что тайная любовь валлийца Оуэна
Тюдора и Екатерины Валуа, вдовы Генриха V, — сюжет
одного из лучших романов английской истории.

В мае 1420 года в собор Нотр-Дам города Труа в полном боевом облачении вошел молодой король Генрих V.
Возле алтаря его встретили непутевая Изабелла, королева
Франции, супруга безумного Карла VI, и ее дочь, Екатерина.

Генрих и Екатерина, в отличие от многих королевских
пар до и после них, были действительно влюблены друг в
друга. Ему было тридцать два, ей только что исполнилось

---

[1] Прозвище местечка Балингем на севере Франции, где состоялась встреча английского монарха Генриха VIII и французского короля Франциска I.

девятнадцать. Она была красива — темные волосы, карие глаза, овальное лицо, белая кожа, маленький рот. К тому же Екатерина отличалась прекрасными манерами.

Как только в Труа был подписан англо-французский договор о мире, Генрих упал на колени перед алтарем и попросил юную принцессу выйти за него замуж. Она «робко согласилась». Он немедленно взял ее руку и надел ей на палец кольцо, которое в день коронации надевали английские королевы. Через несколько месяцев «повеса Хэл» и его «милая Кейт» устроили пышную свадьбу. Им суждено было прожить друг с другом лишь два года. Они переехали в Англию, где Екатерину приняли, «словно это был ангел, посланный Богом». В Вестминстере состоялась торжественная коронация. Генрих взял жену с собой на север, чтобы вся Англия увидела красоту его супруги. Перед рождением ребенка он вынужден был вернуться в армию во Францию. Когда он осаждал крепость Мо, до него дошла весть: Екатерина в Виндзоре родила сына. Королю припомнилось старое пророчество о несчастной судьбе принца, рожденного в Виндзорском замке, и он сказал своему гофмейстеру:

— Милорд, я, Генрих, рожденный в Монмуте, буду править недолго, а получу много. А вот Генрих, рожденный в Виндзоре, будет править долго, но потеряет все!

Через несколько месяцев Екатерину вызвали к постели умирающего мужа. «Екатерине Прекрасной» исполнился двадцать один год, когда она переплыла через Канал с телом мертвого супруга.

Среди валлийцев, сопровождавших короля Генриха на французские войны, был человек с острова Англси по имени Оуэн Тюдор. Он принадлежал к числу тех мужественных воинов, что под командованием Дэйви Одноглазого шурина Оуэна Глендовера, отважно сражались при Азенкуре. Утверждают, что Оуэна Тюдора произвели в сквайры за отвагу, проявленную при Алансоне.

Говорили, что Оуэн Тюдор происходил из бедного сословия, что его отец был пивоваром в Бомарисе. Однако в кельтских кланах людей низкого происхождения никогда не бывало; все они вели свой род от какого-то принца. Так было и с Оуэном Тюдором. Возможно, он был мелким землевладельцем в Уэльсе, когда поступил на службу к королю Англии. У него явно не было 40 фунтов в год на момент смерти Генриха, потому что тогда он стал бы рыцарем.

Мы видим его в Виндзорском замке в услужении у прекрасной вдовствующей королевы. На ту пору ему исполнилось тридцать семь лет. Это был высокий, красивый и, несомненно, обаятельный валлиец. Рассказывали, что однажды, когда он был на дежурстве, его попросили станцевать перед королевой. Стараясь показать себя в лучшем свете, он исполнил слишком замысловатый пируэт и упал прямо на колени ее величеству. Манера, в которой королева извинила не удержавшегося на ногах валлийца, многое сказала наблюдательным камеристкам. Они упрекнули Екатерину: мол, «она уронила свое достоинство, уделив внимание человеку, который, хотя и обладает личными заслугами и достоинствами, не является джентльменом, происходит из варварского клана дикарей и по своему положению находится ниже английского йомена».

Таково было мнение о человеке, который произвел на свет Генриха VII и оказался предком Генриха VIII и королевы Елизаветы!

Екатерина нашла что ответить на критику: «Будучи француженкой, она не ведала, что на Британских островах существуют сословные предрассудки».

Как Оуэн впервые сошелся с королевой, мы не знаем. Однако знаем, что думала она о нем очень серьезно, потому что заговорила с ним о его происхождении. Это означает определенную близость. Он ответил, как и полагается настоящему валлийцу, что происходит от блестящих принцев.

Екатерина попросила его представить ей в Виндзоре некоторых своих родственников.

«А потому, — пишет сэр Джон Уинн, — он представил ей Джона, сына Мередита, и Хоуэла, сына Ллевелина, своих двоюродных братьев, господ знатных и выдающихся, но совершенно невежественных и необразованных. Когда королева заговорила с ними на разных языках, они не способны были ей ответить, и тогда она мило улыбнулась и промолвила, что "в жизни не видела таких прелестных немых". И это служит доказательством, что, зная несколько языков, по-валлийски Екатерина говорить не умела».

А также — доказательством того, что она полюбила Оуэна Тюдора.

Мы можем воспользоваться слухами, ходившими в то время. На шестом году правления ее ребенка-сына вышел закон, грозивший карами человеку, «дерзнувшему жениться на вдовствующей королеве или другой даме королевского двора без согласия короля и Королевского совета».

Говорят, что Екатерина и Оуэн тайно поженились до того, как вышел этот закон. Мы никогда не узнаем, как женщина ее положения, в окружении других женщин, могла сохранить в тайне свой любовный роман. Это — одна из загадок истории. Однако Екатерине удалось это сделать. У Оуэна была официальная должность: он заведовал королевским гардеробом, охранял ее драгоценности, обсуждал новые наряды и покупал ткани.

Она тайно родила ему троих сыновей — Эдмунда, Джаспера и Оуэна.

Никто в Англии — во всяком случае, никто из важных персон — не знал, что новый королевский дом родился под розой Тюдоров!

Но к концу лета 1436 года что-то пошло не так. Если воспользоваться вульгарным, но красноречивым американизмом, было трудно надеяться на то, что королеве-матери и ее придворному «все сойдет с рук». Екатерине в то время было всего тридцать пять лет, а ее «мужу» — пятьдесят один. Они прожили четырнадцать лет в тайном браке и, как я полагаю, нисколько об этом не жалели. Однако разразилась гроза. Все еще молодая вдова родила дочь Маргарет. Ребенок прожил всего несколько дней. Смерть девочки и, возможно, годы постоянного беспокойства довели Екатерину до болезни. Она отправилась в аббатство Бермондси (современная женщина обратилась бы в больницу); некоторые, правда, утверждают, что королеву туда отправили по приказу герцога Глостера.

Всю осень она сильно болела. Тем временем просочилась весть о ее браке с Оуэном Тюдором. По приказу Королевского совета у нее отобрали троих сыновей и поместили их под опеку Екатерины де ла Поул, аббатисы Баркинга.

Оуэна Тюдора арестовали и заточили в Ньюгейте. Королева, его жена и возлюбленная, умерла, пока он был в тюрьме. Ее похоронили с должными почестями в часовне Богородицы Вестминстерского аббатства. Ее сын от Генриха V заказал латинскую эпитафию, которую позже заменил внук, сын сына, рожденного в тайном браке. Первая эпитафия была такой:

> Смерть, беспощадный жнец, рукой костлявой
> В сию гробницу благородный прах
> Великой королевы уложила,
> Что пятому из Генрихов супругой
> И матерью шестому приходилась.
> Цвет скромности, зерцало доброты,
> Здесь жизнь она и славу подарила
> Тому монарху, Англия, что твой
> Венец над всеми прочими возвысил;
> Покоится она во мраке склепа,
> Душа ее в сиянии небес,

> В ней слиты добродетель материнства
> И торжество ревнительницы веры;
> Земля и небо воедино славят
> Монархиню, что им дары вручила:
> Земле оставила достойного потомка,
> А небу подарила добродетель.
> В четыреста тридцать седьмом году,
> Во первый месяц и на третий день
> Ее стезя земная завершилась.
> Да правит в небесах она вовек!

Обратите внимание — ни единого словечка об Оуэне Тюдоре. Ни одного слова о втором замужестве, о детях, чьи потомки станут королями.

Екатерина умерла в феврале. В июле Оуэн сбежал из Ньюгейта и отправился в Девентри. Молодой король Генрих призвал его к себе под тем предлогом, что «хочет видеть того Оуэна Тюдора, который жил с его матерью Екатериной». Оуэн отказался приехать. Тем не менее он явился в Лондон и укрылся в Вестминстерском аббатстве. Старые друзья попытались заманить его в таверну у Вестминстерских ворот, но не заманили.

Однажды, прознав, что король слушает наветы, Оуэн набрался отваги и неожиданно предстал перед Тайным советом. Он защищал себя столь красноречиво и с таким жаром, что Генрих VI его освободил.

Оуэн уехал в Уэльс. Его преследовал враг, герцог Глостер. Оуэна снова схватили и бросили в Ньюгейт вместе со священником (возможно, тем самым, кто венчал его с королевой-матерью) и слугой. Но Оуэн был старым солдатом и человеком с железной волей. Разве не он тайно обручился с вдовой Генриха V под самым носом у двора? Он и во второй раз бежал из Ньюгейта вместе с сокамерниками, «тяжело ранив тюремщика», и снова приехал в Уэльс.

Прошли годы, прежде чем валлийского любовника покойной королевы Англии приняли в придворных кругах. Но это время пришло. Настали празднества по случаю рождения наследника трона, и Оуэна Тюдора пригласили в Лондон и выделили ему годовое жалование в размере 40 фунтов. Два его сына — сводные братья Генриха VI — были объявлены законнорожденными и приняты в свет. Эдмунд Тюдор стал графом Ричмондом, а его младший брат Джаспер — графом Пемброком. Но их отец, храбрый Оуэн, титула не получил. Его сделали «садовником наших парков в Денби в Уэльсе».

Благодаря влиянию короля его валлийский сводный брат, Эдмунд Тюдор, женился на Маргарет Бофорт, наследнице Сомерсета. Когда этой девушке было чуть более тринадцати, она 26 июня 1456 года родила сына в замке Пембрук. Этому мальчику — внуку Оуэна Тюдора и Екатерины Валуа — суждено было взойти на трон как первому Тюдору — Генриху VII.

Что же случилось с Оуэном Тюдором, сквайром из Плас-Пенминийд на Англси, солдатом удачи, заведующим королевским гардеробом и любовником королевы? В возрасте семидесяти шести лет этот человек повел армию ланкастерцев против йоркистов. Он потерпел поражение на Мортимер-Кросс. Старая голова Оуэна упала под топором палача на базарной площади Херефорда.

В сражении при Босуорте его внук, Генри Ричмонд, одержал победу над Ричардом Горбуном (английский король Ричард III) и въехал в Лондон уже как Генрих VII; он много размышлял о своем происхождении. Король распорядился убрать с могилы бабушки в Вестминстерском аббатстве стихи Генриха VI, восхвалявшие супружеские добродетели его матери Екатерины. Стихи эти утверждали, что Екатерина умерла вдовой Генриха V, в них не содержалось и намека на деда Генриха VII — Оуэна. Это ставило молодого короля в неудобное положение. Поэтому первый

Тюдор заменил первую эпитафию следующими строками, сохраненными хронистом Джоном Стоу:

> Прекрасной Катерины здесь
> Лежит достойный прах.
> О, дочь французских королей,
> Прославлена в веках!
> Супругой верною была,
> И Генрих Пятый с ней
> Владыкою славнейшим стал
> Среди земных царей.
> По праву крови, а еще
> Чрез единенье доль
> Он Францией повелевал,
> Великий наш король.
> Счастливой женщиной она
> На наш воссела трон,
> И трое суток длился пир,
> Чтоб был Господь почтен.
> Шестому Генриху она
> Суиела жизнь подать,
> В правленье чье не смел француз
> И головы поднять.
> Под несчастливою звездой
> Рожден правитель был,
> Но в сердце веру, как и мать,
> Он истово хранил.
> Ей Оуэн Тюдор мужем стал,
> Как минул срок вдовства,
> Чей отпрыск Эдмунд, славный принц,
> Возвысился едва.
> Седьмой, английский дивный перл,
> Из Генрихов взошел;
> Потомок Эдмунда прямой

> Британский взял престол.
> О, трижды счастлива пребудь,
> Небес причащена,
> И трижды счастлив отпрыск твой,
> Блаженная жена!

Первый Тюдор, великий, но холодный человек, пытался с помощью эпитафии воссоединиться с королевой-бабушкой.

Невозможно закончить романтическую историю Тюдоров без упоминания о мумии Екатерины. После похорон Генриха VII тело королевы эксгумировали. Генрих VIII не относился к Екатерине де Валуа с тем же почтением, что и его отец. Возможно, он был слишком самоуверен, и его не смущало родство с Оуэном Тюдором. Как бы там ни было, тело Екатерины прекрасно сохранилось. Забальзамированная мумия лежала на виду у всех в Вестминстерском аббатстве и по меньшей мере на триста лет сделалась одной из достопримечательностей Лондона.

Джон Уивер в сочинении «Надгробные памятники» писал о том, что увидел:

«Екатерина, королева Англии, жена Генриха V, лежит в ящике, или гробу, с незакрепленной крышкой. До нее могут дотронуться все, кто пожелает. Она сама навлекла на себя это наказание, поскольку ослушалась мужа и родила своего сына, Генриха VI, в замке Виндзор».

Во времена Карла II бедную Екатерину показывали любопытным за два пенса. Сэмюел Пипс, летописец той эпохи, отличавшийся легкой вульгарностью, пишет, что не только видел тело, но и «поцеловал в тот день королеву».

И только при Георге III с этим безобразием покончили, и прах некогда прекрасной Екатерины перенесли в склеп Вестминстера.

Вот так, сидя на стене в Англси, я задумался о правдивой истории, которая могла бы стать сюжетом романа. Ни Екатерина, ни Оуэн не знали, что их опасная любовная связь когда-нибудь попадет на страницы книг. Интересно, что бы сказал Оуэн Тюдор, знай он, что настанет день, и на голову его внука возложат снятую с тернового куста корону?

Пять веков назад Тюдоры занимались фермерством на Англси, и в любой день вы сможете увидеть дым, поднимающийся из труб Плас-Пенминийд, а вечером услышать мычание возвращающегося домой стада.

4

Ранним вечером я въехал в крепость Арвон, иначе Карнарвон. В этом городе более восьми тысяч жителей, и все они, как мне показалось, говорят по-валлийски. Сначала я подумал, что это место ничем не примечательно, но постепенно его особая атмосфера увлекла меня. Городок обладает собственным характером, отличающимся от всего, что я видел в Уэльсе. Несколько лет назад у меня были точно такие ощущения, когда я приехал в Галвей на западном побережье Ирландии. В тот раз я подумал: «Странный ветер дует в этом городе, ирландский ветер. В Дублине я был иностранцем наполовину; в Галвее я — абсолютный иностранец».

Карнарвон в этот вечер был абсолютно валлийским городом. По каменным улицам дул валлийский ветер, как тогда, в Галвее, — ирландский. Я чувствовал себя чужим и одиноким.

Приехал я в базарный день, и на площади в ожидании автобусов собралась большая толпа. Люди выглядели усталыми, но были по-прежнему разговорчивы. Я постоял рядом послушал живую и быструю речь. Судя по взрывам смеха тут раздавались шутки, а также передавались шепотком сплетни. Забавно звучали тонкие детские голоса. Женщины говорили резко и властно, мужчины отличались низкими голосами. Я бы все отдал за то, чтобы их понять. Интересно, сколько времени мне понадобится, чтобы научиться хотя бы нескольким валлийским фразам, достаточным для того, чтобы проникнуть в местные секреты? Я снова прислушался к быстрой и певучей речи и понял, что никогда не смогу научиться этому языку. Даже Джордж Борроу, похвалявшийся своим знанием валлийского, выставил себя глупцом, когда поехал по Уэльсу, изумляя людей тем, что он считал их родным языком. Как странно было стоять в толпе, слушать людей, которые в ожидании автобуса покупали пластинки или новую лампочку для приемника, и сознавать, что они говорят на языке древних бриттов! Валлийский, как и все живые языки, должно быть, прошел многие стадии в своей долгой истории, и мне было интересно, много ли сохранилось в нем от древнего наречия. Понял бы этих людей тот самый бритт? Возможно, одно или два слова.

Странное чувство нахлынуло на меня в этой толпе. Когда стоишь на испанской или итальянской площади, то всегда сознаешь, что у тебя в кармане паспорт, а за этим паспортом — выдавшее его министерство иностранных дел. Но валлийская толпа порождала чувство незащищенности. Я прекрасно знал, что, стоит мне повернуться к стоящему рядом со мной человеку и задать ему вопрос по-английски, он весьма любезно ответит мне на моем языке, — и все же какое-то смутное беспокойство тревожило мою душу. Потомки древних бриттов были для меня бо́льшими иностранцами и казались более опасными, чем французы или итальянцы. Как будто я был римским шпионом в британском городе первого века, засланным сюда императором Клавдием.

Из-за угла выехали автобусы с написанными на бортах по-английски маршрутами, однако пассажирам кондукторы отвечали на валлийском языке...

Смеркалось, я пошел по направлению к замку. От открывшегося вида перехватило дыхание. На фоне заката четко рисовались темные стены, бойницы, башни и ворота, запертые на замки и засовы. Там спали весь ужас и все великолепие Средневековья. Что за место!

Казалось, только что прогремел туш в исполнении многочисленных труб. Прислушайся и услышишь, как эхом откликнутся горы. Жизнь здесь словно остановилась. Она великолепна и ужасна: великолепна в своей силе, ужасна — в мрачных амбициях, похожих на треснувший раствор между камнями. Замок Карнарвон — самые великолепные руины в Великобритании — тянется мертвыми стенами к небу. Удивительно, как столь завершенное и суровое по своему назначению здание уцелело до наших дней. Оно — словно замороженное в камне.

Я шел по уже стемневшим улицам и думал, что неизменным источником общения и информации в Англии является паб. Сейчас мне тоже необходима компания, но что я буду делать в здешнем пабе, где все говорят на валлийском языке, который восхищает меня и в то же время приводит в отчаяние? К тому же на меня там посмотрят с подозрением, как на чужака. И все-таки я решил рискнуть.

Пабы Карнарвона не слишком привлекательны. Мне не нравятся викторианские питейные заведения с их подлыми маленькими занавешенными окнами. Это ханжеский прием — спрятаться от осуждения. Вот и бары Карнарвона показались мне из того же разряда. Насмотревшись на них критическим взглядом, я, естественно, ощутил жажду и вернулся в тот, что вызвал у меня особенное отвращение.

Меня встретил теплый запах пива и опилок. К стенам были прикреплены листы бумаги с ассортиментом пива и виски; под вывесками за круглыми столиками сидели мужчины. Некоторые говорили по-валлийски, другие — по-английски. Я решил, что это — работники с ферм и рабочие с каменоломни Лланбериса.

Отворилась дверь, и в паб вошел мужчина в железнодорожной форме. Похоже, он был популярным человеком, потому что его встретили дружными приветствиями, и все разговоры прекратились. Он уселся рядом со мной. Мужчина ответил на заданные ему шутливые вопросы и уткнул жизнерадостное лицо в кружку с элем. Я решил, что он — социалист и атеист, поскольку громко прошелся насчет валлийцев, ходящих в церковь, и валлийских священников. Половина собравшихся почувствовала себя крайне неловко, а другая половина радостно засмеялась. Он немилосердно подшутил над сидевшим в углу чистеньким молодым человеком — как выяснилось, известным волокитой. Шутки железнодорожника того заметно смутили, и на мгновение мне показалось, что он выйдет из себя. В характере кельтов есть что-то почти садистское. Мне доводилось видеть ирландцев, вот так же издевавшихся над своими друзьями. Ничто не может быть столь оскорбительным, как злая насмешка. Древние барды пользовались этим в полной мере.

Затем произошел неожиданный исход, вызванный прибытием автобуса. Все мужчины, которых я принял за рабочих из каменоломни, покинули помещение. Фермеры остались. Я заговорил с молодым железнодорожником. Мы затронули тему войны. Он сказал, что служил в валлийском полку и у него сохранились живые воспоминания о битве за Ипр.

Когда он сказал, что родился на юге, я понял, чем он отличался от северных фермеров. Свою жизнь он начал в шахте под Кардиффом.

Вторая пинта на него подействовала. Он вдруг поднялся и превратился в актера: скорчился и сложил руки, словно держал кайло. Он рассказывал чрезвычайно красноречиво, как нужно действовать, чтобы отрубить большой кусок угля. Изобразил пронзительный треск, который издает порода. Кульминацией рассказа стал крик «Берегись!» — и звук обрушивающегося в темноте угля.

Он рассказал о работе в ночную смену. Из темноты шахты клеть поднимается в темноту неба. Шахтеры настолько устают, что не могут сказать «доброй ночи». Это просто тела, бредущие домой...

Драматический пыл молодого человека привел всех в немое удивление. Фермеры Карнарвоншира и Англси застыли с кружками эля в коричневых руках, слушали историю жизни, такой от них далекой.

Так Северный Уэльс встретился с Южным.

Я попрощался и вышел на улицы Карнарвона. Увидел замок под звездами — холодный, одинокий... Соленая вода стучала в его стены.

5

Он стоял у входа в замок. Первым моим впечатлением было, что мистер Ллойд Джордж подвергся обработке в итонском инкубаторе: тот же рост, примерно тот же возраст, то же выражение лица, такой же голос, такой же дар рассказчика, как у других выпускников Итонского колледжа. На нем была синяя униформа служащего из управления надзора за королевскими замками. Он представился: мистер Рис Хью, начальник смены. Обычные заблудшие овцы, бегающие по историческим руинам, робко собрались возле него. Он взял трость и повел нас за собой.

Замок Карнарвон — одно из самых величественных сооружений на Британских островах. Мы с детства знаем о нем по фотографиям в железнодорожных вагонах, но редко кто в состоянии вообразить себе его истинные размеры и величие.

Снаружи огромный средневековый замок кажется совершенно не пострадавшим, но внутри — руины. Приблизьтесь к нему с моря, встаньте под могучими стенами — он выглядит точно таким, каким его видели средневековые валлийцы. Только когда пройдете в ворота на подстриженные газоны, увидите, что неизвестно где начинающиеся стены и арки заканчиваются в воздухе. Это один из краеугольных камней Уэльса, «самый величественный символ нашего завоевания» — сказал о нем валлиец Пеннант.

Мистер Хью поднял палку и начал рассказ о замке.

Одни экскурсоводы вгоняют в сон, другие доводят до отчаяния, есть и такие, к которым испытываешь презрение; попадаются и те, что ничего, кроме смеха, не вызывают. Я встречал всяких, но мистер Хью — один из тех редких гидов, которые срастаются со своим замком. Он знает здесь каждый камень. Он прочитал о нем все книги и проверил на месте каждое слово!

У него высокий голос кельта. Это голос барда, воспевающего эпические события древности.

Он пропел нам об Эдуарде I.

Этот замок призван был помочь в подавлении мятежа валлийцев, которые уже подустали прятаться в горах. Король намерен был положить конец свободам Уэльса. Он много времени потратил на объезд цепи замков, бывших когда-то горем, а ныне сделавшихся гордостью Уэльса — Конви, Криккиэта, Харлеха, Бира и Бомариса. Самым большим из всех был Карнарвон.

Мистер Хью взмахнул тростью и своим рассказом возродил для нас замок. Он показал нам это место исполненным жизни. Мы видели поваров, несущих из кухни дымящиеся блюда, всадников возле будок стражи, часовых, расхаживающих по крепостным стенам.

— А здесь, — сказал мистер Хью, указывая на недавно подстриженную лужайку, — была королевская трапезная. Тут сидел король, а лучники стояли на часах, готовые к бою. Заметьте, вход в трапезную был таким узким, что войти в него мог только один человек.

Почему? Да потому что в случае нападения лучники могли отстрелять врагов по одному. Вход был бы забит мертвыми телами. Король тем временем сбежал бы вон по той лестнице — сейчас она заблокирована, а тогда вела в маленький туннель в скале. У выхода на море дежурила лодка. А теперь пойдем дальше.

Он повел нас по винтовой лестнице в маленькую комнату Орлиной башни, которая ассоциируется с одним из самых знаменитых событий в англо-валлийской истории. Правда ли это, другой вопрос.

Хью рассказал, как супругу Эдуарда, Элеонору Кастильскую, отправили в Карнарвон, чтобы она родила наследника престола на валлийской земле.

В этой темной каменной каморке — двенадцать футов длиной и восемь футов шириной — королева будто бы родила несчастного ребенка, ставшего Эдуардом II. Произошло это в конце апреля. Король в то время находился в замке Рудлан. Он так обрадовался, услышав о рождении сына, что произвел посланца в рыцари и подарил ему обширные земли.

Эдуард поспешил в Карнарвон — увидеть Элеонору и наследника. Три дня спустя все вожди Северного Уэльса собрались у замка отдать почести завоевателю. Произошел исторический эпизод, в результате которого появился английский титул принца Уэльского.

Валлийские вожди просили Эдуарда назначить принца Уэльса, который бы правил от его имени, притом человека, который не умел бы говорить ни по-французски, ни по-английски.

Эдуард согласился. Вожди поклялись, что будут подчиняться принцу королевской крови и безупречной репутации.

Тогда король представил им своего сына, младенца Эдуарда. Родился он в Уэльсе, сказал король, нрав его не испорчен, он не знает ни французского, ни английского языка, и первые слова, которые он произнесет, будут валлийскими!

Горцы, хотя и понимали, что их провели, преклонили колени и поцеловали руку младенца. Через несколько минут малютку внесли на щите в ворота замка и провозгласили «Эдуардом, принцем Уэльским».

Один из туристов сказал, что все это где-то читал, и история — чистый вымысел. Мистер Хью почти рассердился.

— Кто-то говорит одно, а кто-то — другое, — строго ответил он, — и пока мы не можем с уверенностью сказать, что этого не было, то будем и дальше рассказывать эту историю... А теперь — сюда, пожалуйста... Когда в замке кого-то приговаривали к смерти, то приводили в эту часовню. Вы видите, что она построена в форме гроба. А теперь пройдите сюда! Осужденного ставили на этот камень, возле пропасти глубиной восемьдесят футов. Прилив выкидывал на берег мертвые тела. Вот такие были времена...

Мистер Хью сказал несколько резких слов о путешественниках, рьяно восхищающихся стариной. Они норовят унести с собой ее частичку. Американцы — самые страстные коллекционеры. В одной из комнат он указал на следы вандализма. Его возмущение было столь велико, что он начал думать по-валлийски, а говорить по-английски.

— И не смотрите, что приехали они, увешанные золотом, а за воротами их поджидают «роллс-ройсы»! Выходят они с добычей, если только я их не прихвачу!

Ни один английский хранитель замка не сочинил бы такой фразы!

Если пойдете на экскурсию в замок Карнарвон, отстаньте потихоньку от толпы и заберитесь в Орлиную башню. Вы заметите, что строители, чтобы обмануть валлийцев, поставили здесь на стражу каменных воинов. (Тот же трюк вы обнаружите у ворот Йорка.)

С башни открывается чудесный вид на внутренний и наружный двор, а за ними — на дымящие каминные трубы Карнарвона и горы. К западу раскинулся низкий зеленый берег Англси, отделенный узкой полоской воды.

Спускаясь вниз, задумайтесь, как мстит время. Великий замок Эдуарда привлекает к себе англичан, а Карнарвон, некогда английский город, стал сейчас самым валлийским городом княжества!

Глава седьмая,

в которой я посещаю церковь Святого Беуно, исследую «край света», вижу Криккиэт, встречаю на улице мистера Ллойд Джорджа, иду по туннелю Лланберис, посещаю могилу Гелерта, забираюсь на гору из сланца и узнаю кое-что о Таффи, а также о знаменитом говяжьем окороке.

1

Из книги, которую читал в постели, я узнал, что полуостров Ллин, похожий очертаниями на Корнуолл «палец», вытянувшийся на запад ниже острова Англси, является одной из последних провинций Аркадии. Валлийский «край света» по имени Абердарон, вычитал я из этой отличной книжки, — удаленное дикое место в семнадцати милях от железнодорожной станции. Население живет в счастливом неведении о современном мире. О них возвестил лишь полусумасшедший путешественник, некий «Дик», который по неясной причине изучил несколько иностранных языков. («О простом жилье можно договориться в деревенском пабе».)

Именно такие места мне по нраву, но я давно отчаялся найти их на западном побережье Ирландии или в удаленной высокогорной области северо-запада Шотландии. Тем не менее, размечтавшись об Абердароне, я поехал утром в южном направлении и вскоре увидел среди деревьев село с церковью. Название деревни — Клинног-Фаур — я перевел как «укрытие».

С правой стороны плескались воды Карнарвонской бухты. Из моря поднималась большая скала, тремя вершинами тянувшаяся к голубому небу.

Церковь в Клинног-Фаур вытеснила из моей головы все мысли об Абердароне. Таких церквей в Северном Уэльсе я еще не встречал. Это прекрасное здание эпохи Тюдоров. Ветры и дожди за долгие столетия оставили на камне свой след. Через крытые ворота я прошел на тропинку, петлявшую между могильными плитами и старинными деревьями.

Я посоветовал бы всем посетить эту церковь, сохранившийся памятник шестнадцатого века. Ей удалось сберечь редкое для валлийских церквей свойство: здесь живет прошлое, и кажется, что вот-вот увидишь монаха, спешащего на мессу.

В интерьере много старого дуба. От алтаря неф отделяет нарядная крестообразная перегородка. Я обратил внимание на величественные высокие окна. Когда витражи были еще целы, окна, должно быть, представляли изысканное зрелище. Церковь кажется нереальной и особенной, славящей Бога в столь суровом и практичном пространстве. Мне хотелось бы посетить здешнюю службу. Уверен, что по воскресеньям духи монахов церкви Святого Беуно посмеиваются над валлийскими протестантами. Удивительно, что не сложили легенды о каком-нибудь ночном путнике, который, заглянув в окна церкви, увидел бы алтарь с горящими свечами и услышал монахов, читающих вечернюю службу. Вот такое впечатление произвела на меня церковь Святого Беуно: церковь с привидениями.

Святой Беуно, о котором, полагаю, слышал мало кто из англичан, уступал в добродетели и могуществе разве только святому Давиду. В Северном Уэльсе ему посвящено по крайней мере шесть церквей. Беуно жил в шестом веке, когда память о римской Британии все еще хранилась в сердцах людей. Он посадил дуб, убивавший каждого проходившего мимо него сакса, зато валлийцы могли стоять под этим деревом безнаказанно! Это — красноречивое свидетельство о веке, в котором жил святой. Предположительно, святой Беуно явился в Арвон после большого сражения при Честере в 613 году. Тогда англы одержали победу над бриттами и навсегда отделили валлийцев Северного Уэльса от валлийцев Стратклайда. Первой церковью святого было, возможно, здание из глины и прутьев, и находилось оно там, где сейчас маленькая часовня шестнадцатого века соединяется с церковью через каменный крытый переход. Возле часовни Беуно вырос монастырь, упомянутый в кодексе Хивела Дда (Доброго). Он стал почти так же знаменит, как и община в Бангоре.

В Средние века на этой территории строили церковь за церковью, паломники посещали могилу святого Беуно. Своими чудесами она прославилась на весь Северный Уэльс. Говорили, что святой поднимает мертвых. Больные и выздоравливающие посещали часовню и проводили ночь вблизи могилы. У паломников вошло в привычку отколупывать кусочки могильного камня и из собранной пыли готовить глазные капли. Когда в 1776 году английский натуралист Пеннант объезжал Уэльс, на могиле святого он увидел перину, на которой лежал паралитик из Мерионитшира. Несчастного сначала окунули в источник Беуно, а потом перенесли в церковь и оставили на ночь на могильной плите. Странно, что, когда в 1913 году часовню Святого Беуно раскопали, то в месте, которое традиционно считали могилой святого, мощей не обнаружили.

В стеклянной витрине в церкви находится шкатулка святого Беуно, сухая, изъеденная червями старая коробка с хитрым замком. Она сделана из цельного куска ясеня. Крышку спилили, и в дереве обнаружили углубление. Деревяшка напоминает примитивную модель каноэ. В старые времена в шкатулке имелось три замка. О невозможности открыть шкатулку святого Беуно была даже сложена поговорка.

На Троицу фермеры Клинног-Фаур пригоняли на церковный двор всех ягнят и телят, родившихся с «отметиной святого Беуно». Вырученные за продажу деньги отдавались монахам. Отметиной Беуно считалась маленькая трещинка на ушах, с которой иногда рождался приплод валлийского скота. Мистер Алан Робертс из университета Бангора говорит, что фермеры Кармартеншира и Пембрукшира видели такие трещинки еще лет двадцать назад, но сейчас такое явление — редкость. Предполагают, что монахи специально привозили из Франции скот с такой меткой, зная, что большому проценту потомства этот знак передастся по наследству, и, стало быть, их доходы возрастут.

Еще одним интересным для церкви предметом являются собачьи щипцы, по-валлийски *гевейл кон*. Они похожи на обычные каминные щипцы, только заканчиваются чем-то вроде клыков. Такими щипцами пользовались во всех валлийских деревенских церквях. В те времена овчарки провожали своих хозяев в церковь и, свернувшись в клубок, мирно спали на скамьях во время службы. Время от времени, однако, в какую-то из них входил дьявол, и начинался переполох. В этом случае в ход шли «собачьи» щипцы, служба приостанавливалась, нарушителя спокойствия хватали и насильно выгоняли. Есть рассказ о валлийском священнике, который каждое воскресенье брал с собой в церковь свою собаку Танго. Собака спала напротив аналоя. Однажды пес увидел врага, фермерскую собаку, и в тот миг, когда хозяин Танго собрался читать поучение, между псами завязалась ужасная драка. Пришлось применить щипцы.

Викарий и его паства забыли о службе. Среди крика и визга битвы прихожане услышали, как их пастырь громко воскликнул:

— Ставлю три к одному на Танго!

Я вспомнил эту нечестивую историю, разглядывая собачьи щипцы. Потом вышел из церкви и направился по дороге паломников в Абердарон.

Покинув Пуйлхели — обыкновенный городок у залива Тремадок с божественным видом на горы, — я направился в глубь страны.

Я оказался в самом сердце полуострова Ллин. Дороги превратились в тропинки. Передо мной лежала необработанная, черная торфяная земля, вздымались круглые, гладкие холмы. В полях за каменными стенами пасся черный скот. Мною овладело чувство нереальности, и я невольно вспомнил об Ирландии.

Я заметил, что здешние собаки бегут от автомобиля, да и лошади пугаются. Я забрался в ту часть Уэльса, которая до появления автобусов была изолирована от всего мира.

Дорога вскарабкалась на крутой холм, и я оказался в красивой деревушке Сарн. В местном пабе я решил промочить горло и заодно спросил, как проехать в Абердарон. Молодой валлиец-бармен смотрел на меня с подозрением и на вопросы отвечал неохотно, хотя и читал английскую газету, вышедшую накануне в Ливерпуле. Он был вежлив, но говорил уклончиво. Я почувствовал, что, если не расскажу о своей цели, то не дождусь ничего, кроме холодной учтивости. Такое настроение понять нетрудно. Говорливостью, в отличие от большинства соплеменников, бармен не отличался, напротив, был угрюм и подозрителен, как крестьянин из Норфолка.

Поля и болота постепенно исчезли, я приближался к Абердарону, самой отдаленной деревне Уэльса. Вместо священного острова Бардси в сверкающем на солнце синем море я увидел высокую зеленую гору, закрывающую обзор.

В бухте гнездилась красивая деревня с белыми домиками, речкой и каменным мостом; на заднем плане — травянистые холмы, справа — нависшие над морем скалы. Так вот он какой, валлийский «конец света».

Церковь — место устремлений паломников, прибывавших на остров Бардси, — построена на самом берегу. В зимнее время ее стены, должно быть, омывают пенящиеся волны. Здание старинное, невысокое, сугубо кельтских очертаний, холодное и мрачное внутри, дверь красивая, норманнская, долгие столетия ее трепали соленые ветры. Сотни лет эта маленькая церковь давала приют праведникам и грешникам. В глазах католической церкви два паломничества на Бардси, остров, находящийся на расстоянии четырех миль от берега, равнялись одному паломничеству в Рим.

Я прошел мимо десятка белых домиков. Люди посматривали на меня с интересом, но я не верил, что нахожусь в Аркадии. Возвращавшиеся из школы мальчишки перекрикивались друг с другом по-валлийски, но меня все еще не оставляли сомнения. Может ли считаться Аркадией место, где филиалы крупных банков арендуют в белых домиках комнаты и между кружевными занавесками вешают объявление о том, что мистер Барклай будет работать здесь в следующий понедельник? Боюсь, Абердарон имеет связь с миром.

Вместо простенького деревенского паба я обнаружил хорошую маленькую гостиницу.

— Два джина с итальянским вермутом! — первое, что я услышал, войдя в дверь.

Два молодых человека в костюмах для гольфа обращались к девушке в современном баре. И это Абердарон, место, в котором я рассчитывал увидеть древних бриттов, одетых в шкуры!

— Здешнее место совершенно не испорчено, — поведал мне один молодой человек, посасывая джин. — Вчера мы гуляли по холму и встретили ребенка, который ни слова не знает по-английски.

— Это точно, — подтвердил его приятель. — Мальчик лет шести или семи. В домах говорят только по-валлийски, а когда дети идут в школу, им приходится учить английский.

— Но люди приезжают сюда в отпуск?

— Таких мало.

— Все же не думал встретить «на краю света» людей, распивающих коктейли.

— Прогресс, — пояснил молодой человек в приступе озарения.

Я поднялся на две мили по холму: мне хотелось посмотреть на остров с высоты. К морю сбегали крутые склоны. На вересковой пустоши овцы щипали траву, а в четырех милях отсюда в море я увидел остров, похожий на большую мышь. Бардси — куполообразный холм с покатыми склонами и длинным хвостом плоской земли.

Там обитают около пятидесяти человек. Живут они фермерством и рыболовством. Хотя их можно разглядеть с материка, в Великобритании нет более одиноких людей. Четыре морские мили, отделяющие Бардси от Абердарона, считаются одними из самых опасных. Часто островитяне остаются отрезанными от мира на целый месяц.

Мне бы хотелось туда отправиться, но лодочники Абердарона сказали, что, если мы и приплывем туда в целости и сохранности, то можем застрять на острове на несколько дней, потому что близится шторм. Это случается даже в разгар лета.

Как и обо всех островах у берегов Британии, о Бардси стало известно очень давно. Описал это впервые анахорет, единственным желанием которого было удалиться от мира. Это был святой Кадван. В 516 году он основал здесь аббатство, посвященное Богоматери. Славе аббатства в Средние века способствовала легенда о похороненных там двадцати тысячах святых. У этой легенды, несомненно, имеются исторические основания, потому что после битвы при Честере свыше тысячи монахов, бежавших из большого монастыря в Бангоре, нашли себе на Бардси приют и начали новую жизнь.

Я вернулся в Абердарон и, отведав рыбы, только что выловленной в Северном море, покинул «край света» и взял курс на Пуйлхели и Криккиэт.

2

Не знаю места лучше, чем Криккиэт в солнечный день. Из моря поднимается поросшая травой скала с древним замком на вершине. Отлив обнажает золотой песок, каменистые бассейны и валуны, покрытые зелеными водорослями. Есть и современный город, чистый, аккуратный — восхитительная смесь улиц, полей и парков, но в хорошую погоду вы и внимания на него не обратите, потому что не сможете оторвать глаз от противоположного берега. Никогда не видел более величественного зрелища. На расстоянии десяти-пятнадцати миль от Криккиэта вас очарует невероятная панорама изумрудного моря и гор. В полдень горы Карнарвона и Мерионитшира четко вырисовываются на фоне бледно-голубого неба. Единственное облачко — золотой нимб на севере, он, словно якорь, привязан к вершине Сноудона. Как описать цвет гор? Оттенки самые разнообразные — от нежно-голубого к сизому и цвету лилового винограда. Кажется, горы поднимаются прямо из моря. Что за величественная картина: к северу — Сноудон, в центре, на скале, замок Харлех, на юге — длинный силуэт горы Кадер-Идрис! В неподвижности полудня слияние моря и голубых гор напоминало видение из другого мира.

Когда прилив стал накатываться на золотые пески Криккиэта, я отправился в городок. Не припомню, чтобы когда-нибудь еще я отрывался от открывшегося мне зрелища с большей неохотой. Вскоре я осознал, что нахожусь в городе, сосредоточенном на мистере Ллойд Джордже. Продавец, у которого я покупал табак, разговаривал с покупателем по-валлийски. Единственными словами, которые я уловил, были «Ллойд Джордж».

— Что, мистер Ллойд Джордж сейчас в Криккиэте? — осведомился я.

— О да, разумеется. Он в Криккиэте.

Я поехал по Карнарвонской дороге, повернул на Арвония-Террас и вскоре увидел современный дом, чьи белые стены можно заметить за несколько миль. Это был Брин-Авелон, валлийский дом мистера Ллойд Джорджа. Слава приносит и неприятности. Разрушенный замок и мистер Ллойд Джордж — единственные достопримечательности Криккиэта. Люди, посещающие Криккиэт летом, не успокоятся, пока не увидят Ллойд Джорджа, они даже просовывают свои камеры сквозь решетку ворот. В конце концов пришлось окружить дом высокой стеной и высадить широкую ограду из кустов.

Дорога за Брин-Авелоном идет между полями и лесами к деревне Лланистамдуи, где Ллойд Джордж мальчиком ходил в школу. Деревня обладает той мягкой и грациозной красотой, какую привычно ожидаешь от Девона и Сомерсета. Через реку перекинут каменный мост. На берегах стоят дома из серого камня и старая церковь.

Местечко тихое, спокойное, единственный звук — музыка реки, бегущей по камням. По вечерам вода течет мед-

ленно и спокойно, если ее не тревожит ветер. Я перегнулся
через ограду моста, любуясь отражением деревьев в спокойной воде и зеленым папоротником, растущим на причале и между камнями моста. Рядом с мостом играли дети,
они пытались заставить маленькую собачку прыгать в воду
за камнем. Из труб слабо тянуло запахом дыма.

Почти напротив паба стоят два дома. У одного из них
маленькая пристройка. Это — дом, в который Ллойд Джорджа принес его дядя-сапожник. Не важно, кем является
человек — либералом, лейбористом или консерватором, он
должен согласиться с тем, что «валлийский чародей» —
величайший персонаж нашего времени. Пройдет время, но
мужчины и женщины по-прежнему будут посещать эту спокойную деревню, чтобы увидеть дом валлийца, взявшего на
себя ответственность за Британскую империю в самый мрачный момент нашей истории.

Большинство людей скажут вам, что Ллойд Джордж
родился в Уэльсе. На самом деле он родился шестьдесят
девять лет назад в Чорлтон-он-Медлоке близ Манчестера.
Его отец, школьный учитель и уроженец Фишгарда, бросил школу и приобрел ферму возле Хаверфордвеста в Пембрукшире. Когда Дэвиду не было и года, отец умер, и о семье заботился дядя, Ричард Ллойд из Лланистамдуи.

Отвага и дерзость — этими словами исчерпывающе описывается карьера Ллойд Джорджа. Известно, что бунта-
рем он сделался еще в молодости, но многие рассказы, от-
носящиеся к его детству, недостоверны. Говорят, когда на
его семью обрушилось горе, маленький Ллойд Джордж
предложил заколотить садовую калитку в надежде, что нехорошие дяди не смогут проникнуть к ним и украсть до-
машних божков! Такая хитрость юного Улисса, разумеется, слишком хороша, чтобы быть правдой.

В Лланистамдуи дядя воспитывал его в строгой религиозной атмосфере. Он был местным священником. Ллойд

Джордж посещал деревенскую школу, а в возрасте шестнадцати лет он решил заняться правом и подался в ученики солиситора в Портмадоке. В двадцать один год он и сам стал солиситором, но был слишком беден, чтобы купить себе мантию (та стоила три гинеи). А в Уэльсе солиситор обязан появляться перед аудиторией в мантии.

Сейчас все позабыли, какое событие сделало известным имя Ллойд Джорджа. А раньше весь Уэльс знал о «похоронном деле Лланфортена». Шахтер по имени Диссентер перед смертью выразил желание быть погребенным на местном кладбище, рядом с могилой своего ребенка. Власти возражали, и Ллойд Джордж, выступая на стороне покойного, посоветовал местным жителям снести кладбищенскую стену, если викарий откажется отворить ворота для вноса гроба. Так и поступили. Назначили штрафы, которые после обращения в Лондонский апелляционный суд были аннулированы. Этот судебный процесс сделал имя Ллойд Джорджа знаменитым во всех уголках Уэльса.

Благодаря этому делу молодому солиситору предложили избраться в палату общин от графства Карнарвон. Избрали его («мальчишку-парламентария») незначительным большинством, и в парламент он вошел не как либерал, а как валлийский националист и нонконформист. Мир узнал о его потенциале, когда во вступительной речи он упомянул «гордо реющее знамя с красным драконом». Вестминстер оценил Ллойд Джорджа и понял: это что-то новое.

Люди вроде меня, моложе сорока и из семей консерваторов, помнят Ллойд Джорджа как своего рода тролля от политики. Наши отцы называли его не иначе как «этот проклятый маленький валлиец». Возможно, мы припомним, как в детстве слышали о собраниях старой гвардии, на которых с яростью говорили о налогах на наследство, налогах на землю и еще каких-то налогах. Мы не понимали, в чем дело, но за всем этим стоял маленький валлиец — почти «нигилист», так его называли, — который в разговорах с герцогами использовал язык, не употребительный среди джентльменов. Наше поколение должно знать его лучше. В военные годы его голос звучал, точно сильный ветер, боевой голос старого Уэльса. Мы были слишком молоды, чтобы беспокоиться о «биллингсгейте»[1]. Мы знали: в Великобритании есть человек, который отстоит наши интересы во Франции.

Я возвращался из Лланистамдуи, когда увидел идущего по тропе мужчину в костюме коричневого твида: твидовая шляпа на серебристых волосах, проницательные голубые глаза в сетке морщинок. Это был Ллойд Джордж. Я представился и сказал, что побывал в Лланистамдуи. Мы заговорили об Уэльсе. В мистере Ллойд Джордже есть что-то патриаршее. Он действительно похож на отца нации.

В то же время в нем осталось что-то от мальчишки, что-то нежное, насмешливое и милое. Трудно представить его безжалостным политическим бойцом. Думаю, валлийские воины древности представляли собой странную смесь барда и воителя, мистика и материалиста.

Мы поговорили о валлийском пейзаже, истории Уэльса, о возрождении валлийского нонконформизма и о валлийском языке.

— Трудно выразить себя по-валлийски, ведь я слишком долго прожил в Англии, — сказал он. — Свои речи я произношу на валлийском языке, потому что люди, спускающиеся с гор ради того, чтобы меня послушать, обидятся, если я стану говорить по-английски. Когда говорю по-валлийски, то и думаю по-валлийски. Это великолепный язык. По-английски то же самое я сказал бы совсем иначе.

---

[1] Лондонский рынок Биллингсгейт печально славился грубыми манерами и бранью торговцев; со временем слово «биллингсгейт» сделалось нарицательным.

Он взглянул на меня живыми голубыми глазами.

— Что вас больше всего удивляет в Уэльсе? — спросил он.

— Мне интересно наблюдать за различиями между валлийцами и визитерами из Англии. Вчера я был в пабе. Как только англичанин вышел из комнаты, валлийцы заговорили на своем языке и сделались совершенно другими людьми.

— Да, — согласился Ллойд Джордж, — они стали лучше.

Он засмеялся, когда я рассказал о том, как слушал хор, а учитель представил меня детям великим музыкантом.

— Вы правы, — сказал он. — В этом склонность валлийцев к драме. К тому же, представив вас музыкантом, он тем самым вдохновил класс. Да, мы артистичный народ.

Он рассказал мне о великом священнике Джоне Элиасе. Накануне службы в деревенской часовне Элиас нашел служителя и приказал ему зажечь свечи. Затем поднялся на кафедру и велел погасить часть свечей. Осталось гореть всего несколько. Эти свечи и зажгли на следующий день к моменту службы. Своей проповедью Элиас довел людей до восторга, а когда заговорил о персте Божьем, выставил руку и указал на публику. Люди с ужасом увидели в слабом свете на стене часовни огромную тень пальца.

— Должно быть, это и в самом деле было страшно, — заметил Ллойд Джордж.

Я смотрел ему вслед, и мне казалось, что он — прямой потомок древних валлийцев. Кто-то однажды назвал его «деревенским эльфом». Глендовера тоже сравнивали с эльфом.

3

Пошел слабый дождь, скалы заблестели от воды. Тишину нарушало лишь жалобное блеяние овец и шум горных ручьев. Это — перевал Лланберис.

Каменные стены, изгибаясь, повторяют очертания дороги. Овцы жмутся к ним, пытаясь спрятаться от дождя. На горных вершинах лежат большие камни. Кажется, что их оставили гиганты после сражения. Я не переставал дивиться причудливым формам гор.

Я хотел бы посмотреть перевал Лланберис в разгар лета, когда через него едут повозки и автомобили. А в сырой весенний день он олицетворяет собой все одиночество, всю печаль, всю меланхолию кельтской страны. Такое возможно в Ирландии. Такое возможно в Шотландии, а вот в Англии — никогда.

Воспоминания, которые живут в черной Валгалле валлийских гор, — странные воспоминания для английского ума. Воспоминания о королях, бывших наполовину поэтами, и о поэтах, бывших наполовину королями; о странных происшествиях, случившихся в темноте и в сумерках; о мечах, о битвах и поражениях во времена столь отдаленные, что закончились они прежде, чем началась наша история.

Лучше всего смотреть на эти печальные места во время дождя, когда ветер оплакивает потерю, случившуюся в начале мира.

Вверху на перевале стоят неподалеку один от другого два постоялых двора. Выглядят они приветливо, как все заведения, что обещают в горах тепло и еду. Это интересные постоялые дворы. Их шотландские собратья удивляют невероятного размера форелью и лососем, которые выставлены в вестибюле вместе с именем человека, их поймавшего в 1889 году. Но на постоялых дворах у подножия Сноудона хранят другие реликвии. Полки забиты подкованными ботинками, ледорубами, веревками.

Здесь слышна тяжелая поступь альпинистов, по вечерам мужчины говорят только об ущельях, кратерах, глетчерах и о других вещах, которые не значат ничего для тех, кто не поднимается в горы. На перевале Лланберис всегда лежит тень Сноудона.

Поднявшись на перевал, видишь с правой стороны большую долину и коричневые горы, упирающиеся в небо. Словно выходишь из темноты на свет. К склонам отважно прилепились маленькие фермы. Валлийский фермер в Сноудонии трудится вместе с сыновьями, обрабатывает землю, которая разбила бы сердца большинству английских фермеров.

Стремление выжить и добиться цели типично как для всех горных районов Уэльса, так и для запада Ирландии.

Разрушенные деревушки в горах Шотландии также доказывают, что когда-то и там жили мужественные люди, но потом они либо перебрались в иные места, либо вообще покинули острова.

На вывеске написано «Беттис-и-Коэд».

Я не могу проехать мимо! Этот водопад в течение столетий притягивал к себе желающих на него полюбоваться. Я поехал туда с ощущением, что надо мной сейчас посмеивается Рескин.

Молодая женщина в национальном валлийском костюме стояла возле газетного киоска. На ней была высокая шляпа, красный плащ, юбку прикрывал клетчатый передник. Думаю, валлийские шляпы появились во времена Стюартов. Точно такую же шляпу носил Гай Фокс.

— Это старинная шляпа? — спросил я.

— Нет, — сказала она и сняла шляпу.

На подкладке я увидел имя известного лондонского шляпника!

Интересна история красного плаща. В 1797 году три французских фрегата высадили близ Фишгарда шестьсот солдат и восемьсот заключенных. Четыре дня спустя они сдались, поверив, что на них идет британская армия, но это были валлийцы в красных плащах!

Водопад Беттис-и-Коэд заслуживает всех высказанных о нем похвал. Это — великолепный каскад.

4

Если вам захочется увидеть перевал, в той же степени дружелюбный, в какой мрачен Лланберис, поезжайте через Абергласлин в Беддгелерт. Река течет между крутыми холмами, поросшими ельником. Всю дорогу вас сопровождает шум воды. По пути вы встретите одну из красивейших деревень Уэльса. Это место окружено историями, сохранившимися, главным образом, благодаря отличной книге Уильяма Джонса, который провел жизнь за прилавком в магазине тканей, а в свободное время собирал и записывал валлийский фольклор.

Легенда о верной собаке, конечно же, наиболее известна. Рассказывают, что собаку по имени Гелерт король подарил своему зятю, Ллевелину Великому. Волкодав был отличным охотником, и его отвагу увековечило валлийское четверостишье, которое в викторианские времена было отвратительно переведено на английский язык:

Здесь Гелерт преславный, охотничий пес, погребен,
Который за всяким оленем легко мог угнаться.
За дичью какою ни мчался бы по лесу он,
Хозяин его не боялся голодным остаться.

Однажды Ллевелин, который, по всей видимости, не испытывал тогда голода, отправился на охоту без Гелерта и оставил пса сторожить охотничий домик. Крошечный сын Ллевелина лежал в колыбели. Когда принц вернулся, собака с радостным лаем, виляя хвостом, выбежала ему навстре чу. Ллевелин увидел, что шкура ее запачкана кровью. Это встревожило принца. Он ринулся в детскую и увидел перевернутую колыбель и лужу крови. Вместо того чтобы посмотреть по сторонам и удостовериться в том, что он видит кровь сына, импульсивный отец решил, что собака загрызла ребенка. Он выхватил меч и вонзил в Гелерта. Только после того как бедный Гелерт скончался, Ллевелин перевернул колыбель и обнаружил ребенка, живого и невредимого, рядом с мертвым волком. И тогда Ллевелин понял, что Гелерт поранился, защищая юного хозяина.

Эту историю рассказывают каждый год тысячам людей. Миллионы, должно быть, знают ее и верят, что это — правда. Жаль даже все портить. Но дело в том, как указывали Джозеф Джекобс и другие фольклористы, что в Беддгелерте эта легенда не была известна до 1798 года. Критики думают, что она распространилась в восемнадцатом веке благодаря Дэвиду Причарду, владельцу постоялого двора. Этот человек привез с собой из Южного Уэльса множество отличных историй. Среди них, возможно, была легенда о Гелерте или другой собаке, убитой правителем, ибо подобные истории ходили по всей средневековой Европе и были известны, как доказал достопочтенный Баринг-Гоулд, даже в Тибете!

Владелец постоялого двора в Беддгелерте, будучи человеком мудрым и понимая важность рекламы, установил в поле, неподалеку от своего заведения, камень и назвал это место «могилой Гелерта». Для всех викторианских путешественников в Уэльсе вошло в традицию приезжать туда и проливать сентиментальную слезу. В этом горе им очень помогло известное и ненамеренно забавное стихотворение Уильяма Р. Спенсера. Последние строчки таковы:

> Здесь Гелерт, верный пес, лежит
> Под мраморной плитой,

И памятник поверх хранит
Его костей покой.
Без вздоха мимо не пройдет
Прохожий ни один,
И в каждом взоре предстает
Скорбящий Ллевелин:
Стоит, убивший друга сам,
С понурой головой;
И мнится: ветер по холмам
Несет тоскливый вой.
Промчатся многие года,
Поникнет Сноудон —
Но будут люди знать всегда:
Здесь Гелерт погребен.

Могилу до сих пор показывают туристам. С этого места, кстати, открывается прекрасный вид, но столь же сентиментальны ли нынешние юноши и девушки, что проносятся в своих автомобилях через перевал Абергласлин, как их деды и бабки, сказать не берусь.

5

Лланберис, как известно, находится у подножия Сноудона. Все, кто побывал там, помнят гротескную гору из сланца на противоположном берегу озера. Она блестит на солнце и дожде.

Странная, невероятная гора. Ее поколениями атакуют люди. Они оголили ее до основания. Огромная серо-голубая гора, жертва человеческой энергии, стоит среди нетронутых холмов. Она появилась здесь еще до зарождения жизни на Земле.

Сланец — одна из старейших горных пород. Своей твердостью он обязан огромному давлению и расплавившимся камням, которые обрушивались на пласты сланца в вулканическую эпоху, разогревая до невероятных температур.

Валлийский сланец (это знает каждый архитектор, но не каждый домовладелец) — самый твердый и лучший сланец в мире. Он переживет любой дом. Крыша лестерской ратуши изготовлена из валлийского сланца при Генрихе VII и до сих пор выглядит как новая.

Если вам требуется доказательство превосходства валлийского сланца над всеми остальными, то вот определение — «кембрийский». Это определение геологи дали старейшей и самой твердой горной породе. А Кембрия — римское название Уэльса.

Я приехал в карьер Динорвик, и меня провели в кабинет менеджера. Там мне показали на карте местоположение всех крупных сланцевых карьеров. Сланец здесь все равно что уголь в Южном Уэльсе.

В Карнарвоншире и Мерионитшире около двадцати сланцевых карьеров. Карьер Динорвик — самый впечатляющий. Он не только самый большой в мире, но также и самый разработанный.

На каминной полке лежали камни и странные куски сланца. Я взял один из них.

— Зачем вы это храните? — спросил я.

— Этот обломок убил человека.

— Как?

— Мы закладываем в карьер взрывчатку, и все уходят в укрытие. Как-то раз один бедолага высунул голову наружу, посмотреть на взрыв, и — один случай на миллион — этот камень его убил...

Я вышел из офиса и отправился осматривать сланцевую гору.

Нет ничего на свете, кроме, пожалуй, острова Портленд, что можно было бы сравнить с карьером Динорвик.

Гора поднимается на высоту 1400 футов. Ее разрабатывали террасами. Достаточно бросить один взгляд на могучую гору, чтобы понять, что сланец выбирают ровно со всех сторон, чтобы избежать обрушения.

Это пирамида с широким основанием.

Когда смотришь на огромные карьеры, в которых уместился бы собор Святого Павла, не веришь глазам: неужели человек своими маленькими белыми ручками мог сделать все это?

— Взгляните, — сказал мой гид, — вроде мы срыли очень много, а если б можно было спросить мнение горы, то она бы сказала, что ее лишь слегка поскребли. У нас здесь еще столько сланца, что мы могли бы построить крышу над всем миром, и она простояла бы многие века...

Я бросил взгляд на вершину горы, заросшую нетронутой травой.

По карьеру проложены рельсы на расстояние свыше пятидесяти миль. Маленькие, словно игрушечные локомотивы таскают за собой длинные вагоны, груженные сланцем.

Я смотрел на крутые склоны. Гора представляет собой удивительное зрелище с точки зрения цвета. Пласты цвета морской воды чередуются с серыми и пурпурно-серыми полосами; слой цвета кларета примыкает к почти синему сланцу.

— На этой горе нет ни одной окаменелости, — сказали мне. — Вы смотрите на скалу, которая сформировалась задолго до появления на Земле признаков жизни...

Сланец спускают с горы по крутой маленькой железной дороге. Вагонетки соединены стальными канатами, выдерживающими напряжение в тридцать тонн. Они медленно катятся по длинному спуску, и в то время как одна цепь вагонеток с грузом идет вниз, другая вереница уже пустых вагонеток поднимается по второй колее.

Железная дорога проходит в самое сердце горы и сообщается с каждой «галереей» карьера.

— Прыгайте сюда! — сказал мой гид.

Поравнявшись с пустой цепочкой, мы вскочили в вагонетку. Пятнадцать минут мы медленно поднимались, причем иногда угол наклона составлял один к двум.

Прибыв на пересечение путей, мы прошли некоторое расстояние и увидели следующую крутую дорогу, взбиравшуюся к другому перекрестку. Сели в еще один поезд и поднимались приблизительно полчаса.

Вышли из вагона, одолев половину пути наверх. Воздух здесь был заметно холоднее. Увидели бараки и мастерские. С «галерей», находившихся в милях от нас, сланец спускали туда, где его разрезали на куски, а потом везли на нижний уровень.

Я встал на краю глубокой пропасти и посмотрел вниз. Повсюду сланец — огромные пространства оголенного сланца. Сланцевые ущелья. Далеко внизу маленькие поезда, на рельсах бесшумно отдуваются локомотивы, не крупнее куска сахара. Озеро напоминало блюдце с голубой водой.

Резко взревела сирена, сланцевая гора ответила гулким эхом.

— Сюда, в укрытие! — воскликнул мой гид. — Сейчас будет взрыв!

Мы увидели, что в соседней галерее люди прекратили работу и бросились в каменный барак. Едва мы укрылись, оглушительно грохнуло.

Бум!

Взрыв отозвался в сотне каверн и покатился к небу. Я заглянул в отверстие в стене и увидел далеко наверху столб дыма и падение породы. Мне это живо напомнило артиллерийскую бомбежку. Взрыв за взрывом сотрясали карьер. Одни взрывы были ближе, другие дальше от нас.

В одних галереях укладывали заряды взрывчатки, в других спрятавшиеся в укрытиях рабочие наблюдали за тем, как срабатывают уже заложенные заряды. Если что-то не получится, они дадут сигнал и останутся в укрытии еще на полчаса.

Но сегодня ошибок не было. Произошло около двадцати пяти взрывов. Один прозвучал так близко, что мы услышали, как отламываются тонны сланца, услышали глухой звук его падения. Наступила тишина. Мы прождали пять минут. Снова завопила сирена.

— Отбой, — сказал гид. — Можем выходить.

В ближайшей галерее мы увидели результат взрыва. От горы отлетели тонны красивого зеленого сланца, часть повалилась на землю, часть забросило наверх, другие куски треснули и остались висеть, дожидаясь, когда их отколют.

Рабочие, обвязавшись веревками, спускались по крутым склонам галерей и принимались бить кирками по сланцу, пока тот не отваливался. Огромные глыбы с грохотом катились в пропасть. Внизу камень быстро нарезали на плиты наподобие могильных, толщиной около пяти дюймов, и грузили в вагонетки. Двое мужчин толкали вагонетки к локомотиву. Мы пошли в мастерскую.

Раскалывание и обработка сланцевых блоков — увлекательнейшее зрелище. Сланец — единственный камень, который можно расколоть по длине на гладкие плоские слои, не нарушая при этом твердости блока.

Мастерство, с которым рабочий обрабатывает плиты сланца толщиною пять дюймов, расщепляет их снова и снова, — это то, чему быстро не обучишься. Умение приходит после нескольких лет ученичества. Обработка сланца — наследственное занятие населения Северного Уэльса. На первый взгляд все кажется простым, но попробуйте, как я, взять зубило — и посмотрите, что получится!

Мужчины сидят в длинном помещении возле циркулярных пил, все серые от сланцевой пыли. Огромные блоки подаются наверх, под зубья пилы. За несколько мгновений блок разрезается на равные отрезки, каждый толщиной около дюйма. У рабочего в руках киянка и зубило в форме рыбьего хвоста. Он устанавливает зубило на край плиты, два или три раза тихонько стучит по нему киянкой, и через секунду в его руках оказывается тонкая плитка.

Блок толщиною в дюйм можно разделить на девять плиток, но в природе не бывает плиток тоньше одной шестой дюйма.

После расщепления блоков плитки обрезаются. Эту операцию совершают как вручную, так и машинным способом. За ручной обрезкой, разумеется, смотреть интереснее.

Мужчины и мальчики берут стопки грубых плиток, устанавливают плитку на острый край и с невероятной скоростью и точностью наносят по ней несколько ударов ножом — готово, плитка выровнена.

В мастерских на склонах сланцевой горы обрезают сланец, подгоняя его под нужный размер. Работники дают плиткам странные названия. Самая большая плитка — «королева», следующий размер — «герцогиня» и так далее. Плитка размером шестнадцать на восемь дюймов называется «леди».

Мужчины, занятые этим трудом, живут в нескольких милях от Лланбериса. У них открытый взгляд, и они часто смеются. Я встретил интересного человека: ему семьдесят один год, а чувствует он себя мальчишкой. Его имя звучит исторически — Оуэн Гриффит Джонс. Он — один из лучших мастеров карьера, а по-английски не знает ни слова!

Я говорил с ним с помощью переводчика, но, боюсь, пропустил все шутки.

Мистер Джонс однажды покинул Уэльс: он приезжал в Лондон во время юбилея королевы Виктории. В памяти у него остался Лондон, которого давно уже нет. В городе он был всего один день, но, кажется, повидал все.

— Как же вы справились без английского языка? — спросил я.

— А! — ответил он по-валлийски, — меня встретили
две наших девушки.

Он помнил кэбы и двухколесные экипажи на Стрэнде!

Мы сели в пустой поезд и отправились в обратный путь
по крутому склону.

— Знаете, — сказал я, — я видел все виды кровельно-
го сланца и даже облицованный сланцем камин, но мне не
показали ни одного сланцевого карандаша или ручки.

— Этого производства больше не существует, — объяснили мне. — В старые времена выпускали миллионы
сланцевых карандашей. Работа кропотливая, тщательная
полировка. Но министерство здравоохранения запретило
использование в школах сланцевых карандашей и ручек.
Дескать, они негигиеничны.

Мы спустились к подножию горы. Я все смотрел вверх,
на галереи и террасы. Здешний сланец стал кровлей домов
Лондона, Парижа и Нью-Йорка. Мне вспомнился остров
Портленд: там, указывая на карьеры, говорят:

— Вот откуда пришел Святой Павел!

Карьер Динорвик может указать на свои серо-голубые
пещеры и сказать:

— Вот откуда явились лучшие крыши мира...

6

В пабе Лланбериса меня заинтересовал мужчина среднего возраста: во-первых, потому что он был валлийцем, а
во-вторых, потому что постоянно что-то писал. Кто-то пишет, не привлекая к себе внимания, кто-то — мимоходом, а
этот человек не расставался с пером и чернилами. Похоже,
ему страшно нравилось переносить свои мысли на бумагу.
Он останавливался на половине предложения, на мгновение поднимал глаза кверху, словно ожидая, что некий бо

подарит ему верное слово. Когда фраза нравилась, довольная улыбка освещала его лицо, он вставлял одну или две запятые, добавлял черточку к букве *t* и продолжал писать с видом полного удовлетворения. Я его возненавидел.

Однажды вечером мы остались в пабе одни. Я читал, с опаской ожидая того момента, когда мой тайный враг перейдет к столу и примется за излюбленное занятие. Когда этот миг настал, я решил выйти на улицу и выпить пива с рабочими. Но тут произошло удивительное событие. Этот человек поднялся и произнес:

— Позволите вас угостить, сэр?

Господи, подумал я, неужто он собирается обсуждать со мной книгу, которую пишет? Как мне от него избавиться?

— Спасибо, — услышал я сам себя.

Меня подвели хорошие манеры.

Итак, мы уселись и, начав с банальных тем — о погоде и о правительстве, о состоянии дорог и урожае, — разговорились и повели беседу об Уэльсе и о валлийцах. Мой собеседник начинал мне нравиться. После разговора о камнях с огамическими надписями я узнал, что мой собеседник — член Кембрийского археологического общества. Он сказал, что готовится к лекции о каменных кругах. Я попросил повторить заказ и мысленно извинился перед своим визави за то, что посчитал его самодовольным графоманом.

— Больше всего в валлийцах меня интересует их ранимость, — сказал я.

— Да, мы — ранимый народ. Все покоренные народы ранимы.

— Да разве вы покорены?

— Духовно, возможно, и нет, но вспомните, что сказал Оссиан: «Они шли воевать, но каждый раз терпели поражение». Такова история всех кельтов, за исключением тех, что живут в Ирландии.

— Вы что же, сторонник автономии?

— Нет, я достаточно старомоден, чтобы верить в культурный национализм, о котором сейчас столько говорят. Я за автономию интеллекта!

Теперь он принялся расспрашивать меня.

— Что вы думаете об Уэльсе? — спросил он.

— То, что о нем известно очень много и в то же время очень мало.

— Согласен.

— Что я хочу сказать: в Уэльс приезжают много людей, которые возвращаются домой, не понимая, что встретились с другой культурой. Каждый год к вам приезжают тысячи предпринимателей. Они не сознают, что это территория другого племени. По возвращении они говорят, что вы неприветливы, злы или лживы. А что заставит саксов и бриттов любить друг друга, никто пока не выяснил.

Мой собеседник громко рассмеялся.

— В ваших словах много правды.

— Будь я валлийцем, меня бы страшно раздражало невежество и покровительственное отношение туристов. Вы подходите к этому философски и извлекаете из него пользу, но все равно раздражает, не правда ли? Здесь, на севере, вы живете двойной жизнью — валлийской и английской. У меня нет ни малейшего представления о валлийской стороне, но думаю, она намного интереснее и разумнее, чем английская. Кстати, больше всего вреда валлийцам принес стишок, который знает каждый английский школьник...

— «Таффи был валлийцем, Таффи был воришкой...» — подсказал археолог.

— Правильную версию знаете?

Он продекламировал:

Таффи был валлийцем, Таффи был воришкой,
Таффи стянул мой окорок, и это уж слишком:

Я к Таффи пошел, чтобы вздуть его малость,
А он ко мне снова залез и стянул, что еще оставалось.

Есть и другое окончание этого стишка, — сказал он. —
Вот такое:

Я к Таффи пошел, прихватив оловянную кружку,
Забрал, что мое, а Таффи разбил черепушку.

— Верно ли, что этот стишок, — спросил я, — сочинили во время Приграничной войны, и под говяжьей ногой
подразумеваются коровы, которых валлийские разбойники
увели из Шропшира, а мозговая кость означает овец, уг-
нанных в ответном набеге?

— Так принято думать, — ответил он. — Но есть и
другая версия. Может быть, этот стишок не имеет никакого
отношения к Уэльсу и его жителям! Кажется, так считал
Белленден Керр. Он полагал, что это древний нижненемецкий стих, разоблачающий жадность и эгоизм священников.
Таффи — искаженное «Tayf», так называли высокие черные шапки, которые надевали голландские священники во
время официальных мероприятий.

Он взял лист бумаги, вынул ручку (у меня екнуло сердце) и стал писать. Затем подал мне листок:

Tayf je was er wee helsch m'aen, Tayf je was er drief,
Tayf je gee em t'oone hye huys een stoel er leeck af beefe.

— Вы хотите сказать, что это нижненемецкий?

— Да, я думаю, таково происхождение стишка. Не знаю,
когда он сделался популярным в Англии, но нетрудно понять: если теория Керра верна, нет ничего проще, чем пере-
делать «Tayf» в Таффи и посчитать этот стих сатирой на
валлийцев.

Согласившись друг с другом, мы заказали еще пива.

Археолог сказал, что несколько столетий назад все считали, что лесной голубь выкрикивает такие слова: «Take two cows, Taffy, take two...»[1] Это — явное напоминание о приграничных конфликтах.

— Когда в следующий раз услышите воркование лесных голубей, прислушайтесь, и вы наверняка разберете эти слова, — сказал археолог. — И вы заметите также, что если голубю помешать и заставить замолчать, он возобновит свое воркование с того места, на котором остановился. Например, если он остановится на слове «возьми», то в следующих раз продолжит: «две коровы, Таффи...»

Я пообещал, что при первой же возможности обязательно прислушаюсь.

— Почему лук-порей является национальной эмблемой Уэльса? — спросил я.

— Это неизвестно. Традиционно считается, что начало эмблеме положила битва при Мейгене, состоявшаяся в седьмом веке. Англы сражались под предводительством Эдвина, а бриттов вел в бой король Кадваллон. В другой легенде говорится, что, когда король Артур одержал крупную победу над захватчиками-саксами, он, по совету святого Давида, приказал своим солдатам прикрепить к шлемам лук-порей, чтобы отличать их от противника...

— А в ранних хрониках об этом упоминается?

— Нет. Кажется, нет. Думаю, что не ошибусь, если скажу, что до Шекспира о луке-порее как национальной эмблеме никто не говорил. Нарцисс? Да, это тоже валлийская эмблема. Она связана со святым Давидом...

Тот разговор побудил меня открыть книгу, которую я захватил с собой в путешествие. Это — книга Фредерика Харриса «Шекспир и валлийцы». По счастливой случай-

---

[1] «Возьми две коровы, Таффи, возьми две...» (*англ.*)

ности я напал на хорошую историю о луке-порее и нарцис-
се. Вот она:

«В изгнании Генрих VII вспомнил, что барды постоянно
обращались к старому пророчеству: будто бы валлиец наденет британскую корону. Генрих тайком проник в Уэльс, чтобы напомнить соотечественникам об этом прорицании.

Мы можем проследить маршрут короля в двух местах.
В Мостин-холле до сих пор показывают окно, через которое
он бежал в горы, пока пришедшие за ним солдаты Ричарда
понапрасну барабанили в дверь. В Корсигедоле (Ардудуи)
ему тоже повезло, и он благополучно уплыл из Бармута. Во
время этого странствия и возникла наша национальная эмблема. Гарри Тюдор, как внук Екатерины Валуа, использовал в своем гербе зеленый и белый цвета Валуа. Его партиза-
ны использовали эти цвета в качестве пароля. Они не носили
их с собой. Если встречали друг друга в поле, то попросту
срывали цветок — дикий гиацинт, нарцисс, любое растение, у которого был зеленый стебель и белый корень. Если
встречались в доме, то поднимали лук — порей или репча-
тый, либо любое другое овощное растение, у которого были
эти два цвета. С тех пор мы носим лук-порей или нарцисс
как напоминание о тех днях.

На церемонии инвеституры принца Уэльского в Карнарвоне в июле 1911 года лук-порей заменили нарциссами. Валлийские страховые агенты также предпочли красивый цветок скромному овощу».

Я пошел завтракать, преисполнившись гордости, с на-
мерением рассказать археологу о своем открытии. К моему
разочарованию выяснилось, что он уехал на рассвете.

Глава восьмая,

*в которой я совершаю аморальный поступок — подни-
маюсь на Сноудон в вагончике, хотя потом продолжаю
восхождение пешком, восхищаюсь способностями валлийской пастушьей собаки, любуюсь лучшей в Уэльсе
панорамой, заглядываю в Бармут и провожу базарный
день в Долгелли.*

1

Жизнь в Сноудонии прекрасна своим разнообразием.
В горных реках можно ловить маленькую пятнистую форель либо целыми днями бродить по болотам, не встретив
ни души. Хотите — вскарабкайтесь на вершину (здесь самые красивые горы в Великобритании) или посидите возле
крохотного черного, мертвого на вид озерца. В здешних лесах нетрудно заблудиться, да и открытого пространства
сколько угодно. Есть тут и укромные уголки, и страшные
горные ущелья. Если все это вас не прельщает, просто посидите возле отеля и подивитесь, почему люди, которые
выглядят более или менее разумными, совершенно глупе-
ют, стоит им усесться в транспорт.

В разгар лета, думаю, я бежал бы из этой части Уэльса,
как бежали в Ирландию эльфы и феи, гонимые холодным

железом. Уже в мае первые орды саксов устраивают набеги на Сноудонию. Пневматические шины их автобусов следуют по тем же дорогам и останавливаются в тех же живописных местах, по которым некогда катили и которые некогда облюбовали викторианские экипажи.

Я люблю тишину ночи, когда звезды горят над горами и отражаются в неподвижных озерах. Мне нравятся темные тропинки, ведущие к аккуратным горным деревенькам и маленьким уютным пабам, где часто при свете газовых или масляных ламп местные, присмотревшись к вам, становятся открытыми и дружелюбными. Так ведет себя большинство валлийцев, если вы им понравитесь.

Забавно сидеть в уголке и смотреть на человека, жизнь которого прошла в многолюдном Манчестере или Бирмингеме. Приезжий изо всех сил старается «окультурить» аборигена и проявляет дружелюбие. Чтобы не обидеть гостя, хозяева предлагают ему напитки, за которые тот щедро расплачивается. Пытаясь подружиться, он говорит излишне громко, желание выказать интерес превращает его в инквизитора, он не понимает, что установил барьер, навсегда отделивший его от этих людей.

С мужчиной, который способен видеть блуждающие огни на кладбище, он разговаривает, как с механиком на своей фабрике. Он не сознает, что их склад ума, взгляды и прошлое не совпадают, это абсолютно разные субстанции, как огонь и вода. Зато валлийцы это хорошо знают. Потоком дружелюбных и эмоциональных слов они защищают себя от того, чего не понимают. Приезжий думает, что отлично с ними сошелся. Они же говорят то, что, по их мнению, должно ему понравиться. Это — духовное фехтование. Так легко проявлять экстравагантность в разговоре на неродном языке — все равно что тратить чужие деньги. А когда страстный турист обнаруживает, что некоторые заявления его собеседников не соответствуют действительности, он возвращается домой и заявляет, что все валлийцы — лгуны. Горцы тоже идут домой по темным улицам и говорят по-валлийски. Интересно было бы знать, что именно...

2

Вы можете подумать, что это выдумки, но валлийцы, знающие климат своей страны, подтвердят реальность и правдивость этой истории.

Шесть часов. Восхитительное утро. На голубом небе солнце, горы словно повернули к нему макушки и поют от счастья. Озеро, словно голубое блюдце. Горные ручьи разбухли от дождей и несутся по каменным руслам. Похоже, Уэльс встретился с летом. Я задумал подняться на Сноудон. Долгое время изучал карты и решил в конце концов проехать через Лланберис и начать подъем в Пен-и-Пассе, а спуститься по другой дороге в Беддгелерт.

Пока я завтракал, набежали облачка. Я подготовился — надел правильные ботинки, взял правильный посох, упаковал правильный рюкзак, а выходя, сказал коридорному:

— Замечательный день для Сноудона!

— Да, конечно... возможно, — последовал загадочный ответ.

Валлийцы, пока не узнают вас поближе, слишком вежливы, чтобы возражать. Теперь-то я знаю, как следовало перевести эту фразу:

— Да какой там замечательный, уж не свихнулся ли ты, приятель?

В Лланберис я добрался почти в полдень.

Что же приключилось с погодой? Небо стало совсем серым. Солнце исчезло. Горы занавесил туман.

— Вы ничего не увидите, — сказал мне местный житель. — На вашем месте я бросил бы эту затею.

Ну уж дудки! Я был преисполнен энтузиазма. Побродил по Лланберису, ожидая, когда прояснится. В конце деревни нашел удивительную железнодорожную станцию, наподобие тех, что встречаешь в витрине магазина игрушек. Совершенно игрушечный локомотив выскользнул из-под навеса и прикрепился к длинному открытому вагону. В этом вагоне сидели человек пятнадцать: один мужчина в шляпе-котелке, женщины в основном в черных платьях. Казалось, они собираются на похороны эльфа.

Я остановился в удивлении, и тут ко мне подошел мужчина и, поняв, вероятно, что я собрался в горы, предложил купить железнодорожный билет на Сноудон.

Если я скажу, что возмутился, то это слишком мягкое выражение! Я люблю и уважаю горы. Я еще достаточно молод и могу подняться сам. Я знаю, что значит одолеть высоту: сердце рвется из груди и кажется, что земля принадлежит тебе одному. Неужели я возьму билет? Я был оскорблен до глубины души!

Кондуктор пояснил, что надвигается буря, и никто в здравом уме на гору сейчас не полезет, да и вагон на самую вершину не поднимется. Он прибавил, что готов продать мне билет на три четверти пути. Это будет стоить восемь шиллингов.

— А почему вы не доедете до самого верха? — спросил я.

— Там седловина, — ответил он. — Она очень узкая, с обеих сторон пропасть глубиной в несколько тысяч футов. Нас просто сдует ветром.

— Когда вы отъезжаете?

— Мы ждем телефонного сообщения с вершины.

— Там что же, почта есть?

— Да.

— И гостиница?

— Да.

— Тогда дайте мне билет, хотя это аморально.

Вот так я и совершил нравственное падение.

Занял переднее место рядом с кондуктором. Позади меня была стеклянная перегородка, а за ней — грустные туристы.

Согрешив, я неожиданно почувствовал себя счастливым. Более того, я с удовольствием вспоминал прекрасных людей, с которыми мне доводилось совершать восхождения в горах: Уипкорда Форди, который взлетал на Бен-Невис, словно горный козел; преподобного отца из Партика, поднимавшегося торжественно, как и подобает священнику; неистового доктора, несущегося в гору подобно рассерженному дикарю. Как бы мне хотелось, чтобы эти три мушкетера оказались сейчас в Лланберисе и увидели меня в вагоне. То-то я насладился бы их негодованием...

Наконец мы получили разрешение со Сноудона. Локомотив за вагоном удивленно взвизгнул и принялся медленно толкать нас наверх. Через полчаса мы вошли в облака. Время от времени ветер продувал в них дыру, и мы смотрели вниз, на зеленую долину и каменные стены. Вагон с пыхтением двигался по узкой колее. Холодало. Ветер поджидал нас за каждым углом и набрасывался, словно кавалерийский отряд из засады.

«Плакальщики» в вагоне испытывали сильный дискомфорт. Некоторые улеглись на сидения, прячась от ветра. Две женщины попытались опустить брезентовые полы. Поезд остановился. Кондуктор вышел из-за перегородки и предупредил, что если полы будут опущены, мы вывалимся из вагона раньше, чем доберемся до седловины.

По мере подъема облака наползали снизу. В такой день в горах человек ищет укрытия и держится поближе к тропе. Ветер рассвирепел не на шутку. Мужчина, сидевший рядом со мной и не произнесший до этого ни единого слова, прорычал мне в ухо:

— День очень неудачный...

— Вы из какого района Шотландии? — крикнул я в ответ, догадавшись о его происхождении по выговору.

— Стерлинг! — заорал он.

— Что вы здесь делаете?

— Провожу отпуск.

В этот миг вагон остановился. Ни с той, ни с другой стороны ничего не было видно. Ветер был поистине жутким. Вагон тихо покачивался. И было чертовски холодно. Кондуктор посоветовался с машинистом локомотива и сказал, что придется повернуть назад.

— Что за чушь! — возмутился шотландец. — Давай двигай...

— Я здесь работаю больше тридцати лет, — заявил кондуктор, — через седловину ехать опасно.

Я вышел посмотреть на седловину, и порыв ветра едва не сбил меня с ног. В темноте проступала тропа десяти-двенадцати футов шириной, а с обеих ее сторон можно было различить казавшуюся бездонной пропасть.

Когда я вернулся, шотландец все еще пытался убедить кондуктора ехать наверх. Но тщетно — кондуктор заявил, что обязан заботиться о безопасности пассажиров. Он ни за что не поведет поезд через седловину во время бури.

— Зря только деньги истратил, — проворчал шотландец, а потом крикнул, обратившись ко мне: — Мы могли бы выпить наверху!

Тем не менее, к облегчению туристов, мы двинулись в обратном направлении. Одна старая дама сидела совершенно спокойно, сложив руки. Ее очки поблескивали от сконденсировавшейся влаги. Казалось, она сидит у себя дома, в гостиной.

По мере приближения к земле облака редели. Солнце силилось пробиться сквозь пелену. Мы посмотрели наверх и увидели над Сноудоном темные тучи. Похоже, бесы собрались там на шабаш. Я проникся большим уважением к Сноудону и был страшно недоволен собой. Мысленно поклялся, что обязательно поднимусь на вершину, когда погода наладится...

Около станции мы потопали ногами, пытаясь согреться. Кондуктор сказал, что внезапная буря пришла с запада. Шотландец все еще негодовал.

— Послушайте, — обратился он ко мне, — вы заплатили восемь шиллингов за билет?

— Заплатил.

— Вы должны были заплатить меньше, как я, — сказал он и ушел довольный.

3

В Уэльсе вы встречаете его повсюду. Это — главное божество узких улиц. Маленькое черно-белое существо с лисьим туловищем и повадками студенческого старосты. Это пастуший пес — вельш корги.

Когда овцы катятся по дороге серой волной, он рядом. Никогда их не обижает, просто наблюдает за глупыми животными и делает то, что требуется, со спокойной уверенностью женщины-хозяйки.

Пастух идет позади, курит трубку и думает свои пастушьи думы, пока вы не устанете ждать и в возмущении не нажмете на клаксон.

Будь пастух один, стадо охватила бы паника. Ужасное ощущение физической катастрофы, которое, возможно, эти несчастные скудоумные создания за сотни лет привыкли связывать с запахом лукового соуса, погнало бы одних овец туда, других — сюда, а большинство просто встали бы как вкопанные, замерев от ужаса.

Ягнята потеряли бы матерей, забегали бы в поисках спасения, и, при наличии терпения и отсутствии жалости, вы ехали бы так добрых полмили, распугивая бедных животных.

Ни одному человеку с палкой не удастся предотвратить это бедствие. Самый великий полководец, гениальный организатор был бы бессилен.

И только маленький четвероногий пес может справиться с этой ситуацией. Он оглядывается, смотрит на тебя быстрыми карими глазами, бежит вперед, ведет стадо, придерживает овец властным взглядом, освобождая для тебя проход. Ты едешь, а он улыбается:

— Я знаю свою работу, — говорит он этой улыбкой. — Я для нее рожден.

Валлийские пастухи и фермеры любят своих собак.

— Я отдал за него десять шиллингов, — сказал один пастух, — и не продал бы и за десять тысяч фунтов. Никогда, клянусь...

— Это огромные деньги, — уточнил я, справедливо полагая, что пастух не представляет, сколь велика названная сумма.

— Да ладно, — ответил он. — За двадцать фунтов я бы его не продал! Я не могу без него делать свою работу.

На дороге в Лланберис я увидел овчарку, совершившую без всякой суеты спасение, которое не смог бы осуществить ни один человек. Две овцы каким-то образом забрались на высокую скалу. Мы с пастухом видели их в окуляры бинокля. Глупые животные стояли на краю пропасти.

Пастух задумался: ему не хотелось рисковать драгоценной собакой.

— Он сделает это, — сказал он под конец и вернул мне бинокль, однако я чувствовал, что ему страшно не хотелось отпускать собаку на столь рискованное предприятие.

Пес повернулся, ожидая распоряжения. Пастух громко свистнул.

Собака побежала через вересковые заросли, посмотрела наверх и увидела овец. Пригнулась и оценила ситуацию. Побежала в одну сторону, потом поняла, что не сможет добраться до овец, побежала другим путем и обнаружила, что перед ней отвесная скала. Вдруг пес исчез.

Мы увидели его через несколько минут. Он осторожно приближался к овцам сверху. Одно неловкое движение с его стороны, и овцы, запаниковав, свалились бы в пропасть. Но пес знал, что делает!

Он скользил по скале, как хорек. Полз, распластавшись на животе. Овцы заметили его и повернулись в его сторону. Он, казалось, их гипнотизировал. Они были неспособны пошевелиться.

Подчинив их своей власти, храбрый пес добрался до края пропасти, встал между животными и пропастью и залаял. В отчаянной борьбе рассудка и страха он одержал победу. Насмерть перепуганные овцы подпрыгнули, взлетели наверх и оказались в безопасности.

Через несколько минут они уже неслись назад, а позади них, широко улыбаясь, бежал маленький друг пастуха.

— Ты мой хороший, — сказал пастух.

Пес знал, что его хвалят. Он подбежал к ногам хозяина. Все, кто видел подобные чудеса, должно быть, интересовались, как тренируют таких животных.

В валлийских горах я видел черно-белого щенка во время первого урока. Он был привязан к своему отцу крепкой веревкой.

Старый пес оказался мастером своего дела. По мановению руки или свистку хозяина убегал за несколько миль в поисках стада. Мог отделить одну овцу от стада, отогнать животных в левую или правую сторону. Словом, все умел и познал все премудрости своего ремесла.

Щенок не имел ни о чем ни малейшего понятия. Когда свисток погнал его родителя через поле, он помедлил, а затем побежал следом, влекомый веревкой.

Щенок включился в игру. Он думал, что это забава. Прозвучал второй свисток, и старая собака упала как мертвая. Щенок не понял. Веревка потянула его вниз. Так все и продолжалось. Родитель кидал щенка на землю несколько раз.

— Много времени не займет, — сказал пастух. — Он быстро научится узнавать сигналы. Его отец и дед — лучшие собаки в нашем районе.

Целый день я наблюдал за партнерством человека и животного. Приятно, что в этой работе нет места жестокости. Собака уважает человека и охотно ему подчиняется, а человек знает, что четвероногий друг круглый год готов исполнить малейшие его желания и видит в нем бога.

4

Валлийское название Сноудона — И Уиддва — иногда неправильно переводят как «видный издалека». Первоначально пик назывался И Уиддва Фаур, что значит «большое погребение».

Хотя эта гора и ниже Бен-Невиса на 846 футов, выглядит она внушительнее. Конусная вершина, напоминающая жерло остывшего вулкана, величественно возвышается над пятью другими пиками. В ясный день ее видно из всех уголков Северного Уэльса.

Часто вершину скрывают облака, и потому человек свил вокруг нее облако из легенд. Развитое воображение валлийцев обязано частично наследственности, частично — окружающей среде. Человек, родившийся от кентских родителей и выросший на невысоких меловых холмах среди зеленых лугов и садов, отличается от того, кто с детства запомнил бури в горах. Наша первая попытка примирить себя с окружающей средой опирается на легенду. Английские дети слышат рассказы об эльфах и гоблинах. Никто из этих существ не отличается жестокостью, некоторые озорничают, к примеру Пак, но в целом все они — милые и дружелюбные. Они не пугают, живут себе в красивых лесах, в полях или на речном берегу. Шотландский эльф — это заблудший язычник, скрывающийся в пуританском краю Джона Нокса. Вы не можете говорить с ним, как с английским эльфом, не то он вас заколдует и вы проснетесь через сто лет, как Рип Ван Винкль или два волынщика из Стратспея. То же самое можно сказать и об ирландских эльфах. Они играют на волынках внутри холмов, но вы тем не менее слышите их музыку. Добрые католики затыкают себе уши. Другими словами, если климат и ландшафт местности суровы для проживания людей, то и эльфы злы и опасны, а там, где природные условия мягкие и спокойные, и эльфы способны на добрые поступки.

Валлийские эльфы и прочие чудесные существа интереснее прочих, потому что, как мне кажется, они происходят из Англии. В Уэльсе два вида чудесных существ — опасные (те живут в горах) и милые. Последние живут в лисьих норах, а по ночам танцуют при свете луны. Существуют тысячи историй о добрых существах, танцующих на грибных полянах, как это происходит и в Англии. Они играют чудесную музыку, и иногда им, как Робину Доброму Малому, хочется сыграть на подойниках. Интересно, уж не древние ли эльфы римской Британии эти валлийские Робины, загнанные в горы саксами?

Впрочем, стоит всего лишь перейти перевал Лланберис или забраться на Сноудон, чтобы понять, что самые древние эльфы этой части Уэльса должны быть очень злыми и ужасными. Если в этих диких местах и встречаются добрые эльфы, то смело можно утверждать, что они родом из более мирного края.

Легенды Сноудона — это легенды о великанах и демонах, об ужасных сражениях в облаках, о раскаленных докрасна камнях в долинах и о лошадях, копыта которых грохочут подобно грому.

Горами возле Долгелли распоряжались великаны. «Троном» главного великана, Идриса, была гора Кадер, других великанов звали Иссидион, Оффром и Исбрин; их имена совпадают с названиями местных гор. На Сноудоне жил самый сильный великан — Ритта. Он носил платье, сплетенное из бород убитых им королей. Самым страшным оскорблением для человека в те времена было обрезание бороды.

Ритта, похоже, оказывал сдерживающее влияние на древнюю знать. Два короля, Нинниау и Пейбиау, хвастались друг перед другом на склоне Сноудона.

— Посмотри, какое у меня обширное поле, — сказал один.

— Где? — спросил другой.

— Вот, — ответил первый, указывая на небо.

— Разве ты не видишь мои бескрайние стада? — спросил второй.

— Где?

— Все звезды.

— Они пасутся на моих пастбищах, — сказал первый.

Слово за слово хвастовство переросло в войну, и тогда вмешался Ритта, великан Сноудона: следуя своей варварской привычке, он отрезал обоим королям бороды. Новость о наказании распространилась по всей земле, и двадцать восемь королей Британии пошли в Уэльс мстить за это оскорбление. Ритта взял всех в плен и, прежде чем отрезать им бороды, мрачно заметил:

— Это *мое* поле!

Сноудон навеки связан с Мерлином и Артуром.

Волшебник Мерлин впервые появляется на куполообразной горе Динас-Эмрис между Беддгелертом и Кэйпл-Кьюригом, где Вортигерн строил себе цитадель. Уложенные днем камни ночью сваливались. Вортигерн потребовал у жрецов объяснения. Те сказали, что нужно найти мальчика-сироту и спрыснуть его кровью фундамент здания. Спустя некоторое время на улице Кармартена увидели мальчика, которого дразнили приятели, потому что он был сиротой без отца. Мальчика схватили и доставили на Динас-Эмрис. Этот мальчик и стал впоследствии великим и бесстрашным Мерлином из легенд о короле Артуре.

Когда его стали расспрашивать, он выказал столь обширные познания, что его пощадили, а жрецов предали смерти. Мерлин дал Вортигерну свое объяснение феномена.

— В горе есть пещера, — сказал он, — и в ней живут два дракона — красный и белый. Днем они спят, а ночью дерутся, и из-за этого рушатся стены.

Красный дракон символизировал бриттов, а белый — саксов. Замок не будет построен, пока битва не завершится. Это объяснение оказалось чистой правдой.

Белый и красный дракон сражались несколько столетий. Белый, казалось, часто одерживал победу, но красного дракона так и не добил.

И вот на одинокий Сноудон является загадочный герой, король Артур. Возможно, об этом романтическом персонаже мы доподлинно ничего никогда не узнаем. Его слава прокатилась по всей Европе. О нем написаны бесчисленные поэмы, и их продолжают сочинять. Талиесин и Лливарх Хен (или Лливарх Старый, VI век) упоминали его мимоходом. Однако спустя несколько столетий Артур вернулся: он постепенно вошел в историю как искоренитель язычников-саксов. Мужественный король символизирует героическое сопротивление валлийцев (бриттов) прибывшим из-за моря захватчикам.

Некоторые историки сомневаются в его существовании; другие видят в Артуре римского солдата или романизированного бритта. После того как римские легионы покинули остров, он помнил, как вести организованные военные действия в последовавшие за тем смутные и кровавые дни.

Вот что думаю я. Представьте отставного полководца, брошенного в британской провинции, из которой выведены регулярные войска. Представьте, что на провинцию напали дикари. Что должен делать полководец? Надеть доспехи и попытаться вспомнить все, что он знает о тактике и организации сопротивления по методике исчезнувшей армии. Со временем, после нескольких жарких сражений, его память полностью восстановится. Его амбиции совпадут с устремлениями угнетенного народа, и тот признает в нем своего лидера.

Бывший римский командир Артур, благодаря отличной военной подготовке, одержал победу над саксами в двенадцати сражениях. Шестьсот мест на Британских островах хранят память о нем. Высоколобые критики называют Артура «культурным мифом» или расовым тотемом. Думаю, разумнее посмотреть на него как на реального человека — римского солдата, поднявшегося среди руин Западной империи и сумевшего за короткое время отогнать варваров к морю.

Сказочный Артур — это, конечно же, Артур из книги Мэлори и еще менее вероятный Артур Альфреда Теннисона. Этому принцу через несколько столетий после смерти суждено было вернуться на родную землю в доспехах средневековой Европы и с французским акцентом.

Но Артур останется героем Уэльса, как и Альфред — героем Англии. Гастон Парис перечислил убедительные причины считать, что в донорманнские и постнорманнские времена валлийские барды путешествовали по Англии и континентальной Европе, распевая песни об Артуре (зарождению рыцарского романа мы, должно быть, частично обязаны Уэльсу). Память об Артуре, герое и национальном лидере, долгие столетия жила в сердцах валлийцев. До восшествия на престол Генриха II люди верили, что Артур, живой и невредимый, вернется с острова Авалон и поведет

валлийцев к победе над англичанами так же, как вел их предшественников на войну с саксами.

Валлийцы столь сильно в это верили, что Генрих II счел
своим долгом разрушить легенду, а уже потом приняться за
покорение Уэльса. Поэтому в 1189 году услужливые монахи
из Гластонбери неожиданно обнаружили кости короля Артура и его жены Гвиневры среди могил в своем монастыре!

Что стало с гробом Артура? Гиральд Камбрийский, который жил в то время, цитирует надпись на гробнице: «Hic
jacet sepultus inclytus rex Arthurius, in insula Avallonia, cum
Wennevereia uxore sua secunda» — «Здесь лежит король
Артур с острова Авалон вместе с Гвиневрой, его супругой».

Но на валлийцев это открытие впечатления не произве-
ло. Они продолжали верить в то, что их герой ждет повода
возвратиться. Возле очагов рассказывали, как Артур и его
люди явили себя неким простым пастухам на склоне Сноудона. Их будто бы видели за шахматами в большой пещере
в недоступном горном районе, или же они спали, положив
рядом с собой щиты и мечи. Иногда какой-нибудь путник
терял дорогу в глухом месте и наталкивался на Артура и его
воинов, что стояли, опираясь на копья, и с закрытыми глазами ждали судьбоносного набата.

Даже ветры Сноудона выкрикивают имя Артура, и, когда
валлиец Генрих Тюдор сделался Генрихом VII, королем
Англии, он назвал своего первенца Артуром. Несчастный
принц умер, уступив наследство более здоровому брату. Тот
стал Генрихом VIII, но несколько столетий люди по-валлийски воспевали достоинства принца Артура.

5

Шесть часов, хорошее, ясное утро.

Я смотрел на небо и горы. Небо чистое, солнце яркое, на
горах белая роса, собравшаяся за ночь. Белые туманы спу-

стились в долины и лежат там, как дым. Легкие облачка прицепились к горным вершинам.

Горы обращают мысли к Богу, и именно такое спокойное утро вызывает у человека благоговейный трепет. Иегова обещал конец света не в песках пустыни Синай, а на горной вершине, под звук труб. В тот миг небо встретится с горами. Глядя на горы Сноудонии, я чувствовал, что их окутанные туманом лощины и закрытые облаками вершины хранят языческие тайны. Старые боги Британии, эти дискредитированные, анемичные божества, изголодавшиеся по крови, возможно, собираются в потаенном месте, чтобы вспомнить запах жареной человеческой плоти.

Я стоял и смотрел, а туманы шевелились под усиливающимся солнечным светом. Они были похожи на людей, пробужденных солнцем. Ползли настороженно, крадучись, выпуская нежные клубы пара. Вскоре небо стало бледно-голубым.

Около десяти часов я отправился покорять Сноудон. Это самая легкая для восхождения гора Великобритании и в то же время самая опасная. Вы можете проехать вверх по железной дороге или на пони из Лланбериса, либо подняться к вершине по одному из известных маршрутов.

На вершине перевала я оставил автомобиль и пошел по тропе, которая привела меня к озеру Ллин-Теирн. Озеро осталось позади меня с левой стороны, а спустя полмили я дошел до длинной узкой полоски воды на высоте 1500 футов над уровнем моря. Это было озеро Ллин-Ллидау. Я оказался в дикой горной местности. Мрачно-величавые отроги Сноудона приняли меня в свои объятия. Ветерок устроил на озере легкую рябь. Прямо передо мной возвышался сам Сноудон. Нижняя часть склона скрывалась за менее высокими холмами. Великолепная гора! Словно угасший вулкан, она четко выделялась на ясном небе. Я смотрел на ее ущелья и пропасти. Голые скалы блестели на солнце мокрым серебром. Петляющая тропа, по которой я должен был подняться, совершенно терялась в огромном подножии.

Я запел от радости: ну разве не здорово, что Сноудон наконец-то скинул свою облачную шапку?! Через озеро я перешел по грубой каменной дамбе. Над противоположным берегом в небе кружил коршун. Он на мгновение завис в воздухе и нырнул, словно баклан.

Тропа некоторое время шла рядом с северным берегом озера, потом резко свернула мимо одиноких скал к другому озерцу. Ветер стал холоднее.

Теперь началось серьезное восхождение. Тропа, по которой мог бы проехать автомобиль или телега, закончилась, и передо мной предстал крутой серпантин на каменистой осыпи. Он вел к отдаленной вершине.

В горле пересохло, мелькнула мысль о холодном пиве. Я шел вперед, отказывая себе в передышке. Дал мысленное обещание: когда доберусь вон до того хребта, полежу немного. А когда добрался, увидел сидевшего там толстого мужчину. Он был в одной рубашке, без куртки, и очень сильно раскраснелся. Тщеславие погнало меня вперед. Целый час я заставлял себя идти наверх, сердце колотилось, холодный ветер ворошил волосы. Неужели на Сноудон забраться труднее, чем на Бен-Невис? Надо признать, Сноудон пугает: в ясные дни его жуткий конус нависает над головой, тогда как вершина Бен-Невиса обычно прячется в облаках, и поднимаешься в уверенности, что худшее позади. Я оглянулся на путь, который прошел, и воспрянул духом: позади лежали ужасные скалы, а передо мной тропинка, местами прятавшаяся, местами снова появлявшаяся, виляя, лезла наверх, в полное одиночество.

Я преодолел приличное расстояние. Где-то впереди высилась вершина, бросая мне вызов. Становилось все холоднее.

За скалой, на которой пообещал себе отдохнуть, я увидел двух лежащих на спинах амазонок, блондинку и брюнетку. На блондинке был приличный твидовый костюм, на брюнетке — неприличные шорты цвета хаки. Подле них валялись совершенно им не подходящие огромные рюкзаки. Они сели и инстинктивно поправили волосы, потом вспомнили, что они альпинистки, помедлили и улыбнулись.

— Господи! — воскликнул я. — Ну и гора!

Они выглядели смущенными, и я понял, что они живут в каком-то симпатичном пригороде.

— Вы читали «Балладу о Белой Лошади» Честертона? — спросил я.

— Да, я читала, — ответила брюнетка. — Она потрясающая.

— «Прежде чем боги, творцы богов, сошли в подземный чертог, — процитировал я, — Белую Лошадь на склоне холма кто-то вырезать смог».

— А дальше как? — спросила девушка, наморщив лоб.

— А дальше так: «Прежде чем боги, творцы богов, пили нектар на заре, / Белая Лошадь на склоне холма искрилась, как в серебре. / Сотни, сотни и сотни лет повсюду росла трава, / И Белая Лошадь, в войну и в мир, взирала на острова».

— Да, разве не потрясающе? — сказала брюнетка, в то время как ее подруга блондинка ела шоколад, приняв меня, по всей видимости, за сумасшедшего.

— Никто не может забраться на гору без «Баллады о Белой Лошади».

— Да ведь у вас-то ее при себе нет, — заметила брюнетка.

— Она у меня в голове.

— О, это потрясающе. Прочтите еще.

Я читал, пока не заметил, что блондинка начала выказывать признаки нетерпения.

Интересно встречать людей на горе, не менее интересно встречать их в густом тумане или на корабле. Я подумал, что неплохо бы написать рассказ о человеке, встретившемся на горе с девушкой и решившем, что она само совершенство, а позднее — увидевшем ее в долине среди других человеческих созданий.

— Для Сноудона день просто замечательный, — сказала блондинка.

— Потрясающий, — сказала брюнетка.

— Вы знаете Мосли? — неожиданно спросила блондинка.

— Освальда?[1] — осведомился я.

— Нет. Бирмингем, — сказала она.

— А, Мосли, Бирмингем, — протянул я. — Я знал этот район, прежде чем вы появились на свет. Возможно, проходил мимо вашей коляски.

— Сколько вам лет? — спросила блондинка.

— Почти сорок, — гордо ответил я.

— А мне восемнадцать.

— Выглядите вы намного старше; можно сказать, карга.

— Потрясающе, Джоан, — сказала брюнетка. — Я теперь буду называть тебя каргой!

Вот так по-дурацки мы флиртовали на склоне Сноудона, глядя на тени облаков, что скользили по далекой земле. Женщины умеют лежать необычайно грациозно. Тигры и леопарды тоже обладают такой способностью, все их движения красивы. И неожиданная красота женщин в мгновения, о которых они не подозревают, намного притягательнее, чем миллион подстроенных уловок, не дотягивающих до этой высоты. Я думал о художнике, который мог бы написать этих девушек: крепкие ноги, загорелые руки, ясные глаза, светлые и темные волосы, раздуваемые ветром, и все

---

[1] О. Мосли (1896—1980) — английский политик, основатель Британского союза фашистов.

на фоне высоких голых скал. Лошадей здесь не было, не то Альфред Маннингс хорошо бы передал ощущение, сумел бы схватить игру света, яркость утра и контраст между смеющейся юностью и вечным спокойствием гор.

Девушки из Бирмингема сказали мне, что уже идут вниз. Они поднялись на вершину в безоблачную погоду. Видели Англси: остров лежал на воде, словно зеленый корабль. Видели Ирландское море. На горизонте что-то темнело, возможно, это были ирландские горы Уиклоу. На севере они видели побережье Северного Уэльса; заглянули за длинную череду гор и увидели зеленую долину Клуида.

— Это было совершенно потрясающе, — сказала брюнетка. Она встала и оглянулась на Сноудон. Я бы хотел, чтобы женщины оставили шорты футболистам и этим тощим изможденным мужчинам с волосатыми ногами, что бродят по городским улицам.

— Облака идут! — сказала она.

Я вскочил и попрощался. Они помахали мне рукой. Как приятно, когда тебе машут женщины, пусть даже незнакомые!

Тропа поднялась и, изогнувшись змеей, поползла по каменной осыпи. В воздухе я чувствовал жестокость высокогорья. Это ощущение всегда приходит к человеку, когда он в горах один. Через полчаса волосы и лицо покрылись холодной влагой: меня задел край рваного облака. С моря его потянуло к вершине Сноудона. Так магнит притягивает к себе железо. Облако мешало подниматься по тропе, в некоторых местах отмеченной маленькими каменными пирамидками. Наконец я добрался до развилки, свернул налево и по холодному воздуху и смутному ощущению пустоты понял, что я почти дошел до цели. Туман стал гуще.

Внезапно я различил человеческий силуэт. Серая фигура при моем приближении превратилась в пожилую женщину с красным носом. Она держала над собой открытый зонтик. Что за странное зрелище на вершине Сноудона! Компания ведьм удивила бы меня меньше; визжащие фурии были бы здесь уместнее, чем солидная матрона с зонтиком. Возле женщины с зонтом я увидел группу дрожащих мужчин и женщин, жалких и несчастных. Они приехали сюда на поезде.

На вершине Сноудона стояла деревянная хижина. Я вошел внутрь. Люди толпились у гостеприимной плиты, пили горячий кофе. Я заметил кондуктора.

— Скоро уйдет облако?

— Сегодня вы ничего не увидите, — ответил он. — Панорамы точно не дождетесь.

Снаружи плыл густой туман, ветер, мрачно завывая, перекидывался через вершину. Маленький мужчина притопывал ногами и болтал руками, словно замерзший извозчик. На нем было тонкое серое пальто и шляпа. На очках собралась влага.

— Черт! — сказал он раздраженно. — Дуба можно дать от холода.

Мне захотелось рассмеяться: он был таким нелепым.

— Можете взять ее себе, — сказал он внезапно.

— Что взять? — удивился я.

Он взмахнул рукой.

— Всю эту чертову гору — Сноудон. Она ваша. Берите.

Почти всхлипнув, он обернулся к кондуктору и спросил, когда поезд пойдет обратно.

Все происходящее напоминало ночной кошмар. Из тумана возникали странные фигуры. Я разглядел пожилого священника. Лицо у него было встревоженное. Если он верил в существование небес, то сейчас был как никогда близко к ним, но тем не менее выглядел страшно несчастным. Еще я увидел старую женщину, хрупкую и слабую. Она и ста ярдов не смогла бы подняться самостоятельно. Сейчас она стояла на вершине монстра, окутанная облаком, и растерянно моргала. Видел я и молодого человека из северной страны. По всей видимости, он воспринимал это восхождение как замечательное приключение. Все, что он говорил, сопровождалось взрывами визгливого женского смеха.

В меня вселились дьяволы, живущие в облаках на всех горах. Захотелось, чтобы с нами случилось что-нибудь понастоящему шокирующее. Хорошо бы разразилась гроза.

Из хижины послышался взрыв смеха, крики «Пошли!», и фигуры двинулись к поезду. Возглавлял процессию маленький мужчина, подаривший мне гору. Заработал двигатель, затем наступила мертвая тишина.

Я двинулся сквозь холодную влагу. Стало светлее. Один или два раза ветер пробил дыры в тумане, и на секунду далеко внизу я увидел яркую картину — зеленые поля и освещенные солнцем озера. Затем все снова заволокло туманом. И вдруг я вышел из темноты в летний день. Повернувшись, я увидел край серого, призрачного облака, двигавшегося у меня за спиной.

Насладившись видом, я направился вниз. Рассмотрел кружившего в небе коршуна, дошел до зеленой травы и скал. В небе звучал хор ласточек. Я добрался до разрушенных зданий шахты возле озера. Снова оглянулся и увидел прилепившееся к верхушке Сноудона облачко, размером не более человеческой ладони.

6

Вот какое впечатление Сноудон произвел на Джорджа Борроу, когда в невероятно хороший день тот восходил на гору вместе со своей приемной дочерью Генриеттой:

«Мы стояли на Уиддве в холодном разреженном воздухе, хотя внизу день был удушливо жарким, и наслаждались невыразимо величественной картиной, охватывающей

значительную часть материкового Уэльса, весь остров Англси, краешек Камберленда, Ирландский канал и туман-
ные очертания гор Ирландии. Пики и заснеженные вершины тут и там высились вокруг нас и под нами, некоторые в
ярких лучах солнца, другие — в глубокой тени. Все было
исполнено разнообразия, но наибольшим восторгом напол-
нили нас многочисленные озера и лагуны, которые, подобно полированному серебру, отражали солнце в глубоких
долинах. "Ты находишься на вершине Сноудона, — сказал я Генриетте, — валлийцы считают его, возможно, справедливо, самой замечательной горой мира; это отражено во
многих их поэмах, среди которых — "Судный день", принадлежащий перу Горонви. Вот что он писал:

> Ail I'r ael Eryri,
> *Cyfartal hoewal a hi*[1].

Сейчас ты стоишь на вершине Сноудона, валлийцы называют его Уиддва, что значит "заметное место", или "купол". Зимой он покрыт снегом. У валлийцев сложены о нем
две любопытные строфы, сплошь состоящие из гласных, за
исключением одной согласной, а именно R.

> Oer yw'r Eira ar Eryri, — o'ryw
> Ar awyr i rewi;
> Oer y'r ia ar riw 'r ri,
> A'r Eira oer yw 'Ryri.

> O Ri y 'Ryri yw'r oera, — or ar,
> Ar oror wir arwa;

---

[1] «Чело горы сравняется с землею, и воды будут вкруг него шептаться» (*вал.*).

O'r awyr a yr Eira,
O'I ryw i roi rew a'r ia[1].

Вот на таком языке я прочел стихи о Сноудоне. Генриетта внимательно меня выслушала. Трое англичан, стоявших рядом, насмешливо улыбались, а валлийский джентльмен проявил искренний интерес. Он подошел ко мне, взял за руку и воскликнул:

— Wyt ti Lydaueg?

— Нет, я не бритт, — ответил я. — Я хотел бы быть им или кем угодно, только не представителем нации, знания которой ограничены областью зарабатывания денег и видящей позор в том, что выходит за эти пределы. Мне стыдно, что я англичанин.

Я пожал ему руку и, позвав за собой Генриетту и гида, пошел в домик, где Генриетта выпила отличного кофе, а мы с гидом поделили бутылку сносного эля. Освежившись, мы тронулись в обратный путь.

Справа, чуть в сторону от вершины, к Кейпл-Кьюригу ведет крутая тропа-серпантин. Генриетта указала мне на растение возле этой тропы. Я хотел спуститься и сорвать его для нее, но наш гид спрыгнул первым с ловкостью горного козла, моментально вернулся и грациозно подал растение моей дорогой девочке. Она оглядела его и сказала, что

---

[1] Студен могучий Сноудон
    И снегом заметен.
    И снежный лен, что так студен,
    Лелеет Сноудон.

    Сей снежный лен, он столь студен,
    Что мерзнет Сноудон.
    Взнесен могучий Сноудон
    И снегом заметен.

растение принадлежит к виду, который она давно хотела иметь. На обратном пути ничего примечательного не случилось. В Лланберисе нас с беспокойством дожидалась жена».

7

Из Беддгелерта дорога ведет к морю и широкому песчаному устью, которое во время прилива заполняется соленой водой. Горы здесь отступают от моря и смотрят вниз на зеленую полосу, плоскую, как Голландия, перерезанную каменными стенами и усеянную маленькими фермами. Это Морва Харлех, много столетий назад омывавшаяся водами залива Кардиган.

Итак, я пересек Карнарвоншир и въехал в соседнее графство — Мерионитшир. Обе эти местности стали графствами после того как Эдуард I подавил восстание Ллевелина, но название «Мерионитшир» уводит нас вспять на восемь столетий истории Уэльса. Мерион был одним из многочисленных сыновей Кунедды, который в 420 году, во время хаоса, последовавшего за уходом римлян из Британии, завладел этой территорией.

Ну и графство! Огромные горы, узкая полоска болотистой местности возле моря, а через горы идут дороги, вернее, призраки дорог. О могуществе римлян они говорят больше, чем даже стена Адриана, протянувшаяся на восемьдесят миль между Солуэем и рекой Тайн. Неукротимые завоеватели проложили путь через валлийские горы к залежам серебра и свинца. Стоя в этих горах на таких реликвиях, как Римские ступени позади Харлеха, можно представить себе длинную вереницу рабов, несущих на согнутых спинах корзины с рудой. Эти ступени, числом около двух тысяч, разной высоты, многие годы являлись загадкой для археологов. Кто-то утверждал, что они валлийские, другие говорили, что римские, а королевская комиссия по античным памятникам недавно объявила их средневековыми. Это разноголосие мнений не должно нас беспокоить: точно по такой тропе, как эта, римские легионы медленно продвигались по Кембрийским горам.

Проехав несколько миль, я прибыл в Харлех.

8

Если бы меня попросили выбрать ландшафт, в котором отразился бы весь Уэльс, я пригласил бы желающих на высокую стену над морем и предложил посмотреть на север, в сторону Сноудона.

Этот вид, на мой взгляд, истинно валлийский. Так же и белые скалы Дувра олицетворяют для нас Англию, долина реки Твид — Шотландию, а горы Керри — Ирландию. Это — один из тех ландшафтов, что навсегда отпечатываются в сознании. Это — память о доме, приносящая боль и утешение бесчисленным шотландцам и валлийцам во всех концах света. Это — земля людей Харлеха...

Широкое полукружье яркого песка тянется на долгие мили. Вспененные волны медленно накатывают на берег.

Справа на скале высится замок Харлех. Вид у него среди всех валлийских замков самый грозный. Кажется, его руины оживут при первом звуке трубы: эти стены помнят свист стрел и видят устремленные к небу копья. Крепость беззвучно нашептывает что-то о Бране Благословенном и его сестре, королеве Ирландии Бранвен Белогрудой.

Далеко внизу — зеленая долина, бывшая некогда морем. Большой замок обращен к горизонту и похож на ненароком задремавшего рыцаря. На севере голубым щитом выстроились горы Сноудонии.

Я смотрел на Харлех. Горы в некоторых местах были цвета черного винограда. Сноудон высвободил из облаков могучую голову. Голубые холмы у его подножия сложились длинными складками. Соседи Сноудона на западе и востоке, Моэл-Хебог и Моэл-Сиабод, мнились вырезанными из синего бархата.

Чудесный вид! Лучшая панорама Уэльса! Валлиец, должно быть, видит в ней национальный символ своей родины. В этих голубых горах валлийский дух скрывался, страдал, голодал — и выжил.

«Люди Харлеха» — все знают эту великолепную валлийскую песню. Ее поют каждый день даже те, кто никогда не видел Харлеха.

Мелодия традиционная, слова написал Сериог Хью, сын фермера, ставший клерком в управлении железной дороги Манчестера. Вторую половину жизни он работал начальником станции в Северном Уэльсе. Это Роберт Бернс Уэльса, но своей славой он обязан не только этой песне. Во время войны Алой и Белой роз он мужественно защищал замок Харлех вместе с Дафиддом ап Айвеном и отражал осаду, затеянную сэром Ричардом Гербертом.

Харлех сражался за Алую розу Ланкастеров, а йоркисты месяцами осаждали его ворота. Когда храброму гарнизону предложили сдаться, Дафидд ап Айвен ответил: «Я удерживал замок во Франции до тех пор, пока об этом не услышала каждая старушка Уэльса, и я буду удерживать замок в Уэльсе, пока об этом не услышит каждая старушка во Франции!»

Итак, осада продолжилась. Когда угроза голодной смерти стала неотвратимой, замок вынужден был сдаться, — после того как Эдуард IV пообещал прощение Дафидду и «людям Харлеха». Король попытался отказаться от своего обещания, когда замок сдался, но тогда сэр Ричард Герберт пригрозил вернуть валлийский гарнизон в замок. Королю пришлось сдержать слово. Вот так мир получил великий марш.

Харлех, как и множество других валлийских городов и деревень, связан с прошлым, хотя и не безразличен к будущему. Доказательством тому — колледж Харлеха. Целью этого учебного заведения является образование рабочего класса Уэльса. Колледж напоминает средневековый монастырь, и это в нонконформистской стране! Преподаватели идут в города и деревни и утоляют жажду населения в знаниях. Они поддерживают тесную связь с Университетом Уэльса, Ассоциацией образования рабочих и другими подобными организациями.

Студенты-рабочие получают стипендию или гранты от образовательных ассоциаций.

Колледж Харлеха столь же типичен для современного Уэльса, как замок для Уэльса средневекового. Графство напоминает Шотландию в стремлении к знаниям. Уважение к просвещению пронизывает всю жизнь валлийцев. Отличительной чертой системы образования является демократическое предоставление возможностей к обучению. Самоотверженность старшего поколения, тяжко работавшего ради образования детей (шотландские фермеры не уступают в этом валлийцам), дала миру много великих ученых. Большинство знаменитых валлийских священников прошлого столетия родилось на маленьких фермах или в рабочих лачугах. Такие люди, как сэр О. М. Эдвардс, сэр Джон Рис, сэр Генри Джонс и мистер Ллойд Джордж, были сыновьями людей, мудро распорядившихся возможностями, предоставленными им отцами.

Колледж Харлеха должен посетить всякий, кто приедет в Уэльс. Он олицетворяет собой прекрасное чувство равенства, свойственное валлийцам. К тому же это наиболее свежее (учебному заведению всего несколько лет) проявление веры валлийцев в то, что наличие возможности — половина успеха.

9

Западное побережье Уэльса поражает своим богатством и разнообразием: здесь есть море и болото, горы и леса, что не позволяет предпочесть одно место другому. Не успел я причислить панораму Харлеха с голубым щитом гор на севере к самым совершенным ландшафтам Уэльса, как оказался в Бармуте. Город, как и все валлийские города, пострадал, на мой взгляд, от архитекторов, но, когда на Бармут ярко светит солнце, а яхты скользят по заливу, может показаться, что смотришь на Гибралтар, пусть поменьше и не такой экзотичный.

Длинный деревянный мост, переброшенный через широкое устье Минаха, наряду с Плимут-Хо является, возможно, самым красивым искусственным променадом Великобритании. Вы смотрите в сторону материка, где бурлит соленый прилив, в сторону гор вокруг Долгелли. Горы складками находят одна на другую, и получается сплошная длинная линия, пламенеющая утесником, зеленеющая травой, темнеющая лесами. Незабываемое сочетание воды, гор и леса, непревзойденный ландшафт валлийского высокогорья...

Дорога к Долгелли то поднимается, то опускается, проходит по райским долинам меж освещенных солнцем гор. Речное устье осталось позади, но вот вы снова видите блеск воды. Русло сужается, река прокладывает себе дорогу. С правой стороны открывается потрясающий вид на гору Кадер-Идрис и ее отроги. По мощным склонам скользят тени облаков. Проходящее облако словно обдувает гору дымком и движется дальше по голубому небу. В Пенмэнпуле, где лесистые холмы отражаются в спокойной воде, есть мост.

Вскоре вы въезжаете в город из серого камня; из труб поднимается серый дым, за садами круто вздымается Кадер-Идрис.

Это Долгелли.

10

Суббота. День в Долгелли перевалил за вторую половину.

Я сижу на зеленом стуле возле гостиницы. Фасад обращен на площадь, и я думаю, что оказался в самом иностранном уголке Уэльса. Да, Карнарвон казался чужим, но Долгелли мог бы находиться в австрийском Тироле.

На площади полно альпинистов. Толпа преимущественно мужская. Раньше я наблюдал такое на ирландской ярмарке. Мужчины стоят группками. Судя по всему, это фермеры и их работники. Я вижу бриджи, кепки и шляпы-котелки. Большинство держит в руках грубые палки или вырезанные из забора жерди. Некоторые косматы, точно горные пони; встречаются блондины; есть маленькие и темные, как испанцы; попадаются высокие, светлые и тощие, как шотландцы. Время от времени проходят попарно местные девушки. Мимо мужчин они прогуливаются неоднократно, улыбаются в ответ на обращенные к ним фразы.

Деревенский полицейский проявляет в этот день свою власть. Он стоит посреди площади, странный и одинокий в синей форме. Выглядит он совершенно неуместно, как те смуглые мужчины в синей форме, что контролируют движение на улицах Гибралтара.

Долгелли — суровый горный городок. Здания из горной породы напоминают шотландские дома и, кажется, построены на века. Позади площади Кадер-Идрис поднимается к облакам. Ее склоны, ярко-зеленые, серовато-зеленые и коричневые, прорезаны ущельями и изрезаны поперек узкими тропами.

Вот из такой дикой страны пришли эти мужчины с быстрой речью и неторопливыми движениями. Я смотрю на них и скучаю по горным пони, на которых они, как мне кажется, должны были бы приехать на рынок. Но они прибыли сюда на автобусах. Гротескная мысль. Они стоят так часами и выглядят в точности как новобранцы Ллевелина Великого или Оуэна Глендовера. Кажется, они ожидают именно вождей, а не автобуса, который отвезет их через горы в Балу или на юг, в зеленую долину реки Дови.

Валлийские горцы на площади Долгелли — зрелище, без сомнения, такое же древнее, как сам Уэльс. Все знают друг друга и домочадцев, вплоть до третьего и четвертого колена. Многие, возможно, породнились, поженив детей. Их жизни разделены милями гор, дома прячутся в тени вершин, они встречаются друг с другом не чаще раза в неделю на таких вот сборищах под сенью Кадер-Идрис. Поэтому им есть о чем поговорить, и они передвигаются от одной группы к другой. Таким вот образом в горах распространяются новости. Интересно, сколько горцев выписывают газеты? Очень может быть, что ни один! Они слышат все, что хотят узнать о мире — их мире, — на маленькой каменной площади Долгелли...

Наступает время прощания: большой автобус сворачивает на площадь. Народ срывается с места. Горцы собираются толпой и сразу теряют ту живописность, которая отличала их, когда они стояли, опершись на палки. Слышится поток валлийских пожеланий. Постепенно площадь пустеет. Часть людей поднимается в соседние горы, к светящимся окнам своих домов. Темнеет. Колокол отбивает вечерний час. Это происходит каждый вечер в церкви Святой Марии. Кадер-Идрис исчезает из вида, и только по широкой звездной дуге на небе можно определить место ее нахождения.

11

В Долгелли в странном контрасте к мрачным и солидным протестантским часовням находится римская католическая церквушка, чуть крупнее сарая. Не все осознали, что Уэльс в течение долгого времени после Реформации оставался католической частью Британских островов. В Уэльсе было только три протестантских мученика, и пострадали они в правление Марии Кровавой.

«Католицизм не просто отстаивал прежнюю религию, — пишет мистер У. Ллевелин Уильямс в работе «Создание современного Уэльса». — Он отстаивал также валлийскую нацию. Протестантизм был чуждым растением, привитым английскими или англизированными властями. Люди оглядывались на дореформенные дни, когда Уэльс был не просто частью Англии, когда при дворах валлийский язык не был под запретом и когда валлийские законы и обычаи все еще соблюдались. Все, что имелось лучшего и благородного в истории Уэльса, переплелось с историей аббатств, оставшихся без крыш. Это — памятники валлийской набожности и искусству... Каждая приходская церковь, названная в честь местного святого, но не имевшая значения для протестантской экономики, вела валлийца, преданного идеалам прошлого, назад, к рассвету христианской цивилизации. Везде, куда доходил звук монастырского колокола, царили мир и довольство. Церковь давала бесплатное образование умным сыновьям бедняков; она оказывала благотворительность старикам... Вместе с Реформацией явились странные доктрины и странные законы. Ушли добрые владельцы монастырских земель, а их место заступили нуждающиеся авантюристы, которые не думали о прошлом и не рассчитывали на будущее, им важно было урвать все от настоящего».

Мистер Уильям интересно рассуждает о бессознательном сохранении католических обычаев в протестантском Уэльсе:

«Остатки католических практик и верований сохранились до наших дней. "Мэри Луид"[1] зимними вечерами по-прежнему веселит сельских валлийцев, хотя мало кто знает, что она родилась из рождественской мистерии. Дети, настоящие консерваторы, до сих пор крестятся во избежание дурного предзнаменования или когда связывают себя клятвой. Пуританская традиция похорон — *gwylnos*, — знаменующая бессмертие души, проявляется в патетической заботе об ушедших. Она зародилась в древние времена и выразилась в произнесении поминальных молитв. Прекрасный обычай возложения цветов на могилы друзей и родственников знаменует — возможно, неосознанно — влияние католицизма на веру и обычаи валлийцев. Быть может, это мелочи, но то, что они сохранились после двух столетий строжайшей пуританской дисциплины, чрезвычайно важно и доказывает сильное влияние старой веры».

Долгелли выглядит не менее сурово и пуритански, чем какой-нибудь город на севере Шотландии, однако вера в нем, столь много значившая для древних валлийцев, сосуществует с нонконформизмом, на котором и стоит современный Уэльс.

Когда в июле 1927 года открылась маленькая католическая часовня, должно быть, звучали испуганные крики: «Нет папизму!» В городке в те дни было пять или шесть католиков. С тех пор, как мне говорили, их число выросло до двадцати пяти.

---

[1] «Мэри Луид» (Mary Lwyd, буквально «серая лошадь») — новогодняя церемония: ряженые обходят селение с песнями, а впереди процессии несут на шесте череп лошади. Участники шествия состязаются с хозяевами домов в искусстве декламации стихов.

Полагаю, только очень бедные люди, те, кому нечего терять в социальном или экономическом отношении, пойдут на мессу в Долгелли. Когда воскресным утром на каменной базарной площади звонят колокола, в голову мне приходит мысль: уж скорее богатый человек пролезет в игольное ушко, чем войдет в маленькую церковь, где горят свечи.

Возможно, это сенсация, которая ждет Долгелли.

Глава девятая,

в которой я еду к Бале, вспоминаю знаменитых валлий-цев, слушаю историю о короле Артуре, наблюдаю за из-готовлением валлийского твида, въезжаю в Аберисту-ит, разговариваю с профессорами о сельском хозяйстве, пускаюсь на поиски волшебника и нахожу водопровод Бирмингема.

1

Столь многие говорили мне, что я должен увидеть озеро Бала, что в один прекрасный день я выехал из Долгелли по красивой дороге. Я был разочарован. Городом Бала я заин-тересовался больше, чем озером. Этот самый большой при-родный источник свежей воды в Уэльсе, на мой взгляд, ус-тупает по красоте как озеру Лох-Ломонд, так и Килларни. Впрочем, он обладает спокойным величием. В хорошую погоду, когда зеленые холмы и далекие горы — Кадер-Идрис, Арениг и Аранский хребет — освещены солнцем, озеро и вправду можно назвать красивым.

Улицы в городе Бала короткие, широкие, с посаженны-ми вдоль них деревьями. Воздух чистый, свежий и празд-ный. Город обладает своеобразной атмосферой и достоин-ством. Я немного опоздал и не услышал рассмотрение дела в местном суде. Сидя в вестибюле гостиницы, глядящей окнами на здание суда, я видел, как выходили свидетели. В черных одеяниях они больше смахивали на людей, пришедших на похороны. Судили автомобилиста, въехавшего ночью в стадо овец. В результате две овцы погибли, да и фермер едва избежал смерти. Это происшествие очень всех взволновало.

Именно в Бале Джордж Борроу нашел достойный эль: «Богатый бархатистый вкус, хмеля почти не чувствуется». Я выпил кружку эля и решил, что все так и есть (кроме богатства и бархатистости), но привезли этот эль из Бертон-на-Тренте. Еще в этом городе Борроу отметил самое большое количество Джонсов на душу населения. Вот и мне много раз приходило в голову, что Джонсам следует арендовать равнину Солсбери, чтобы устраивать там собрания клана! Очень затруднительно, должно быть, жить в маленьком городке, где почти каждого зовут Джонс. Фамилия «Джонс», кстати, есть искажение имени Джон (Иеуан).

Валлийские имена интересны и необычны. Английские фамилии часто образовывались по типу местности, в которой проживали люди, например Хилл (холм) и Вудс (лес), или по роду занятий, например Смит (кузнец), Купер (бондарь), Тейлор (портной) и Бейкер (пекарь), или по внешним характеристикам, например Уайт (белый), Браун (коричневый) и Блэк (черный). В Уэльсе фамилия часто образуется по имени отца. Очень многие валлийские имена начинаются либо с буквы *П*, либо с *Б*. Это остаток валлийского слова «ап», что означает — «сын» (такого-то). Сын Гарри (*ap Harry*) превратился в Парри. Сын Хью (*ap Hugh*) сделался Пью. Сын Ричарда (*ap Richard*) стал Причардом; ап Хауэлл носит теперь фамилию Пауэлл, и так далее.

Говорят, что первым сократил валлийские имена Роберт Ли, епископ Личфилда, бывший в 1535 году председателем суда валлийского Приграничья. Пеннант в своей книге об Уэльсе отмечает, что «Томас ап Ричард ап Хауэлл ап Иеван Вичан, лорд Мостин, и его брат Пирс, родоначальник семьи Трелэр, первыми сократили свои фамилии. Произошло это по следующему поводу: во время правления Генриха VIII Ли заседал в очередном суде. Устав от огромного количества *ап* в фамилиях членов жюри, он распорядился, чтобы присяжные называли только фамилию или название своего имения. С тех пор Томас ап Ричард ап Хауэлл ап Иеван Вичан стал зваться просто Мостин. Можно не сомневаться, что многие древние роды это страшно унизило».

Балу должен посетить всякий, кто по-настоящему интересуется Уэльсом, потому что этот город сыграл огромную роль в истории валлийского нонконформизма.

«В формировании современного Уэльса неоспоримую и главенствующую роль сыграли два человека. Это — король Генрих VIII и возрожденец Хауэлл Харрис, — пишет Уоткин Дэвис. — Первый предоставил Уэльсу возможность встать вровень с Англией. Второй поднял Уэльс из средневековой летаргии и позволил местному населению осознать свои возможности. В самый темный час истории, в 1916 году, Британская империя доверила свою судьбу валлийцу. Этот валлиец появился благодаря Генриху VIII и был создан Хауэллом Харрисом».

Харрис — один из наиболее необычных персонажей в истории Уэльса. Люди, говорившие по-валлийски в его время (середина восемнадцатого века), были, вероятно, самыми отсталыми в Европе. Этот страстный мистик был исполнен желания пробудить народ к духовному спасению. Он бесстрашно играл со смертью. Целые области его ненавидели, а он не обращал на это внимания. Его били, забрасывали камнями, в него стреляли. Собрания, которые он устраивал, заканчивались драками. Женщины в его конгрегации в порыве страсти сбрасывали с себя одежду.

Этот неукротимый человек проповедовал по всему Уэльсу. Иногда за день он проезжал сотню миль, устраивал тайные моления на горных вершинах, чтобы ускользнуть от преследователей. Однажды он семь ночей подряд спал, не снимая одежды.

«Вчера был замечательный день, — писал он по одному поводу. — Я был на большом пиру, противостоял дьяволу на его же земле; мы устроили спор в нескольких ярдах от трактира, где должна была состояться беседа. Никогда еще я не чувствовал в себе столько силы. Кого-то я поразил в самое сердце, многие рыдали, один человек потерял сознание, другие бились в судорогах, и все преисполнились благоговения».

Вот таким человеком был Харрис. Очень скоро весь Уэльс охватило евангелистическое возрождение. На сцену вышли другие проповедники. Движение разрослось, и за сто лет неверующее крестьянство превратилось в самый богобоязненный слой населения Британских островов. И на пике популярности движения удивительный Харрис внезапно ушел от мира! Он организовал секту, члены которой вложили все свои сбережения в общественный фонд. «Семья», как ее называли, была религиозной и трудолюбивой. Они стригли шерсть и вязали из нее разнообразные изделия. Купили печатный станок, усовершенствовали земледелие. В ту пору, когда в Англии только начинали знакомиться с энергией пара, диковинная секта Хауэлла Харриса стала провозвестником промышленной революции в Уэльсе.

Один инцидент в бурной карьере Хауэлла Харриса почти невероятен. В 1759 году, во время войны с Францией, он вступил в местное ополчение! По всей вероятности, и волонтером он был не худшим, чем евангелистом, так как

вскоре его сделали прапорщиком, а потом и капитан-лейте-
нантом. Увы, во время войны он дошел лишь до Ярмута,
иначе мы бы услышали о нем гораздо больше! Последние
его годы прошли в общине. Пятнадцать священников при-
общали святых тайн конгрегацию из двадцати тысяч человек, пришедших на его похороны.

Среди героев Уэльса он занимает одно из первых мест.
Благодаря Харрису и его великим последователям, один из
которых — достопочтенный Томас Чарльз, зачинатель движения воскресных школ в Уэльсе, Бала по праву считается
религиозным центром княжества. В Бале имеется теологи-
ческий колледж.

Харрис и Чарльз не менее удивительны и интересны, чем
Ллевелин и Глендовер. Даже человек, ненароком заглянув-
ший в Уэльс, непременно о них услышит. Валлийская часовня и воскресная школа значат для Уэльса больше, чем
может это себе представить англичанин, шотландец или
ирландец. Интеллектуальная жизнь Уэльса выросла в этих
не отличающихся красотой зданиях. Часовня в Уэльсе не
просто церковь: это клуб, в котором сосредоточена вся религиозная и социальная жизнь сообщества. В часовне чита-
ют лекции, здесь же дают концерты, здесь собираются члены литературных кружков.

Чарльз, создавший воскресную школу — а валлийская
воскресная школа предназначена не только для детей, но и
для взрослых, — был противоположностью пылкому Харрису. Харрис и его «возрожденцы» пробудили в людях тягу
к религии. Люди, что шли за ним, как Чарльз из Балы, были
студентами и организаторами. Воскресные школы Чарльза
начинались просто: в них учили читать. Впоследствии они
стали средоточием культурной жизни Уэльса. В этих школах валлийский язык и сохранился, и обогатился.

Роман валлийской церкви с валлийской воскресной школой — часть долгой и славной истории Уэльса.

2

Маленькая ферма крепко стоит на земле в тени высокой горы. Стены большой темной кухни облицованы крупными плитками голубого сланца. С потолка на крюках свисают окорока. В этой комнате старая миссис Эванс целый день метет, моет и хлопочет возле огромного очага. Дверь закрывается только на ночь, так что частенько петух в сопровождении своего гарема стоит на пороге, подняв лапу, и с любопытством смотрит в полумрак.

Моя спальня — странное место: она выбивается из общего стиля. Дело в том, что летом старые мистер и миссис Эванс немного подрабатывают — сдают спальню гостям из города. С течением времени эта комната стала похожа на все арендуемые помещения. Ее изобличает некая фальшь, столь отличная от почти суровой реальности фермы. Кровать из мореного дуба, обтянутое ситцем кресло-качалка... в маленькой комнате все еще витает дух жившей здесь до меня худенькой учительницы. Миссис Эванс, пытаясь угодить городским гостям, в одно из редких посещений Шрусбери купила для комнаты несколько бессмысленных украшений. Одно из них — фарфоровый юноша в присыпанном золотом костюме восемнадцатого века, любезно склонившийся перед безносой девушкой. В комнате есть две картины. Одну из них, вероятно, купили вместе с фигурками. На ней изображена смерть генерала Гордона, на другой картине — исключительно глупого вида девушка с длинными волосами. В разгуле фантазии художник назвал картину «Вольная страсть».

Со всей этой нереальностью контрастируют три карточки с черными уголками. Они повешены над дверью в рамках. Это — фотографии умерших родственников семьи Эванс. Единственная литература, которую удалось обнаружить, нашлась под подушкой в кресле-качалке: три экземпляра журнала мод «Уэлдонс» за прошлый год. Наверняка их позабыла рассеянная учительница.

Из окна этой чистой, женственной комнатки можно увидеть свинарник, поглощающий всю жизнь мистера Эванса, а также кур, уток и гусей, отнимающих часть жизни миссис Эванс. Прямо на ферму с горы бежит ручей, отчего земля здесь очень влажная и болотистая. Впрочем, в этом есть и преимущество — природный бассейн для уток и гусей.

Миссис Эванс — само очарование. Годы тяжелого труда и горе оставили сотни морщин на ее лице. Можно было бы назвать это лицо печальной картой, если бы оно не освещалось твердой верой в доброту и мудрость Господа.

«Все к лучшему», — говорит она. Думаю, она сказала это и после того, как два ее сына погибли во Франции.

Это, конечно же, трагедия старого мистера Эванса. На маленькой ферме ему помогают не его кровь и плоть, а — от случая к случаю — двое местных парней. После смерти фермера некому будет продолжить его дело. В Англии живет замужняя дочь, но это совсем другое. Двое стариков остались одни в кухне со сланцевым полом, и их жизнь почти закончена, а из сумрака, с каминной полки, на них смотрят двое молодых людей в форме валлийских фузилеров.

Мистер Эванс — энергичный маленький валлиец с ироничным взглядом. Его старческое лицо напоминает орех, но серые глаза светятся, как у юноши. Единственные книги, которые он читает, — валлийская Библия и сборник псалмов. Тем не менее он обладает разнообразнейшими знаниями и помнит уйму валлийских легенд. Как истинный кельт, он уважает всех поэтов и писателей. Ему нравится, когда я сижу за кухонным столом и пишу при свете масляной лампы, потому что процесс связывания слов в предложения его завораживает. Когда я нелицеприятно высказываюсь о некоторых поэтах и писателях (а это бывает довольно часто), он обижается, поэтому я меняю тему и говорю что-нибудь забавное, заставляя его смеяться. Думаю, в его генах заложено древнее уважение к бардам.

Как-то раз я попросился вычистить свинарник. Сказал, что писательство — дело для стриженых женщин и длинноволосых безумцев. Он явно расстроился, и мне никак не удавалось уговорить его дать мне вилы.

К вечеру он очень устает и садится возле очага с миссис Эванс. Старушка усердно вяжет что-то из черной шерсти. Иногда мистер Эванс берет Библию и читает жене по-валлийски. Иной раз поворачивается ко мне, если я пишу что-то рядом:

— Простите, может, я вам мешаю?

Я говорю, что мне ничто не мешает. Это неправда: я сижу, притворяясь, что работаю, а сам слушаю древний язык Британии. Слова поднимаются и падают, словно река, несущаяся с горы.

Возможно, самые важные эпизоды его жизни связаны с молитвенными собраниями. Иногда он рассказывает о великих проповедниках, которых ему приходилось слышать. Он говорит о них так, как грек мог бы говорить о Демосфене. Рассказывает, что его отец однажды слышал проповедь Джона Элиаса на Англси. Он считает Элиаса величайшим проповедником всех времен и народов.

— Мистер Эванс, — прошу я, — не расскажете ли вы мне о короле Артуре?

— Неужели он вам еще не надоел?

— Нет...

— Так, дайте вспомнить... Пастух из Долвидделана пошел в Лондоне на ярмарку, а ярмарка была большая, сотни и тысячи людей... Да, так вот, когда пастух переходил Лондонский мост, его остановил человек и сказал ему: «Добрый вечер, пастух, могу я посмотреть на твой посох? Где ты его взял?» И пастух ответил: «Я вырезал этот посох собственными руками из орешника, что растет возле пещеры в моей стране». Тогда странный человек сказал ему, что в этой пещере спрятано большое сокровище. Но если он захочет взять часть этого сокровища, то должен быть очень осторожным, чтобы не разбудить короля Артура и его людей. Они спят в этой пещере. Если пастух заденет колокольчик, висящий за входом, воины проснутся. «Если дотронешься до этого колокольчика, — сказал человек, — король Артур спросит тебя: "Что, пришел день?", а ты должен ему ответить: "Нет, день еще не пришел — спи!"» Сказав это, странный человек исчез, и пастух понял, что с ним говорил волшебник. Пастух вернулся в Уэльс, нашел пещеру, возле которой вырезал себе посох, и вошел внутрь...

В этом месте рассказа мистер Эванс становится похожим на Ллойд Джорджа. Его глаза сияют. Он поднимает руки.

— Он вошел в пещеру и увидел большое богатство: серебро и золото до самого потолка. Король Артур и его воины спали, положив рядом с собою мечи. Пастух взял себе немного сокровищ и, выходя из пещеры, задел колокольчик, висевший у входа... Послышался ужасный шум, загремели мечи и доспехи. Король Артур и его воины проснулись и поднялись. Пастух напугался и замер на месте. Он услышал голос: «Что, пришел день?» Пастух уронил сокровища и ответил: «Нет, день еще не пришел — спи!» — и опрометью выбежал из пещеры. Прошли дни, месяцы и годы. Пастух пробовал искать эту пещеру, но так ее и не нашел...

Я поднимаюсь по узким ступенькам со свечой в эмалированном подсвечнике. Открываю окно и в темноте слышу шум горной реки. Звезды светят ярко, и я вижу округлые формы гор, подпирающих небо.

3

В седьмой день недели на Уэльс нисходит тишина.

Тишина такая глубокая и значительная, что ее ощущаешь даже в деревне. Я высовываюсь в окно, и мне кажется, что субботняя тишь опустилась и на коровники, и на птичники, и на овчарни. Через двор проходит человек. Это мистер Эванс. Но как он переменился! Он похож на незнакомца в собственном доме. Куда девались грязная рабочая одежда и большие башмаки? На нем просторные черные брюки, белый воротничок, черный галстук, черный пиджак, а на голове — тщательно вычищенная шляпа-котелок. Даже куры и утки смотрят на него по-другому. Я уверен, что свиньи, более близкие его компаньоны, знают, что он идет в часовню.

Миссис Эванс тоже выглядит иначе. Она не только надела черный костюм старинного покроя, но даже перчатки! Торжественность нарядов отразилась и на лицах. Это чета настоящих пуритан.

В молчании мы направились в маленькую методистскую часовню. Молча прошли по двору, молча открыли ворота, молча медленно двинулись по улице. На боковой улице встретили мистера и миссис Уильямс и их большого, похожего на корову сына.

— Жаль бедного мистера Эдвардса.

— Да ведь я его видела в Бале на прошлой неделе, и он так хорошо выглядел.

— Бедная миссис Эдвардс. Как это печально...

В мрачном настроении мы медленно движемся к часовне. Мне становится известно, что мистер Эдвардс был церковным старостой. Несколько дней назад его нашли мертвым в коровнике. Мистер Уильямс — более светский человек, чем мой дорогой старый мистер Эванс. Хотя на нем одежда черного цвета, а выражение лица вполне благочестивое, мысли его направлены на материальные предметы. Он интересуется, сколько денег оставил мистер Эдвардс. Но мистер Эванс отказывается говорить на эту тему, давая понять, что это не подходящий предмет для Божьего дня.

Часовня находится в довольно большом и уродливом здании в поле. Валлийские церкви относятся к георгианскому периоду архитектуры: эти суровые строения, в отличие от английских приходских церквей, никогда не сочетаются с ландшафтом. Такие здания не следовало бы строить на открытом пространстве. Их архитектурный облик зародился в самый неудачный период истории церкви, когда в восемнадцатом веке произошло возрождение классицизма, и церкви строили на манер ратуш.

Мы вошли в простой зал. Его огибала галерея, опиравшаяся на тонкие железные колонны. Внизу — отгороженные места, наподобие лож, со скамьями из мореного дуба. У каждой такой ложи — своя дверь. Те, что побогаче, рассчитаны на одного или двух человек. Складывается впечатление, что некоторые члены паствы отправятся на небеса не в автобусе, а в частном автомобиле. В дальнем конце часовни имелась огромная кафедра, тоже из мореного дуба, и возвышение с полукружьем перил и мягкими стульями для стариков.

На перила наброшена черная ткань, и маленькие черные банты из крепа привязаны к цоколям ламп. Как мне сказали, это сделано в память о бедном мистере Эдвардсе, покойном церковном старосте.

В часовне полно народу. Люди пришли или приехали из соседних селений. Это типичные валлийские крестьяне: согбенные старухи, ширококостные фермеры, худые, темноволосые юноши и на удивление красивые девушки.

Мистер Эванс, серьезный, словно статуя, оставил нас с миссис Эванс в ложе, а сам пошел к возвышению. Поднялся по ступеням, сказал несколько слов священнику. Слышно было, что он выразил соболезнования по случаю смерти мистера Эдвардса. Потом вынул из кармана большой платок, высморкался и оглядел паству. Служба началась.

Священнослужители сидят, повернувшись спиной к пастве и обратившись лицом к кафедре, регент — возле маленькой фисгармонии, поставленной в первом ряду между лож. Священник поднимается на кафедру и начинает молиться по-валлийски. Он среднего возраста, довольно пухлый, монашеского вида. Его голос доведен до совершенства полностью настроенного эмоционального инструмента. Приятно слушать слова, которые произносятся с таким удовольствием. Я слушал, не понимая ни слова, и тем не менее сделал вывод: в валлийских часовнях можно услышать лучших ораторов Великобритании.

Объявили псалом. Регент играет мелодию. Мы встаем и поем. Валлийские псалмы отличаются красотой и страстью, неведомой Англии. В отличие от наших скучных псалмов они необычайно мелодичны. Нет никакой необходимости понимать валлийский язык, чтобы уяснить, что валлийские псалмы с их страстной живостью сыграли, должно быть, огромную роль в возрождении нонконформизма. Поют все — мужчины, женщины и дети. Никто не мычит. Пение искреннее, от всей души.

Священник приготовился к проповеди. Прихожане уселись на свои места, но не со скучающими лицами, как в Англии, а с нетерпеливым ожиданием, словно зрители в театральном партере. Валлийцы любят риторику. Во многих деревнях Уэльса молитвенное собрание — событие года. Всем известно красноречие знаменитых валлийских проповедников. Сотню лет душа Уэльса выражала себя в церковных службах, и каждый валлийский ребенок слышал истории о великих священниках прошлого. Джон Элиас предпочитал произносить проповеди на открытом воздухе, при большом стечении народа. Как-то раз он рассказывал о Боге, выпускающем стрелу из лука, и столь велика была эмоциональная сила проповедника, что толпа расступилась, чтобы дать место выпущенной стреле.

Священник читал свою проповедь. Я его, разумеется, не понимал, однако мне страшно нравилось эмоциональное содержание речи. Он наклонился над кафедрой и произносил слова не в безличной и отстраненной традиции английской церкви, а страстно, адресуя свою речь каждому члену паствы. Начал он спокойно, делая красноречивые паузы. Затем ускорил темп. Прихожане отреагировали, и атмосфера наэлектризовалась. Священник это почувствовал. Такое же явление бывает в театре: актер чувствует реакцию зала — симпатию, одобрение — и ощущает свое могущество. Я восхищался тем, как священник владеет голосом, как постепенно подходит к кульминации. Он — прирожденный оратор. Неожиданно, словно помимо воли, он перешел на *hwyl* — знаменитую интонацию валлийского проповедника. Его голос то поднимался, то падал, оказывая удивительный гипнотический эффект на аудиторию. В этом *hwyl* есть нечто, напоминающее военный клич, берущий за сердце. Священник был похож на проповедника прошлых времен, объявляющего о Божьей каре, или на вождя племени, призывающего к бою.

Впечатление, которое он произвел на аудиторию, трудно описать словами. Дюжие фермеры смотрели на него по-детски влюбленно. Женщины промокали глаза платками. Некоторые шептали что-то по-валлийски. Я чувствовал, что, если он продолжит еще немного, паства не выдержит и начнется хаос. Люди сидели, затаив дыхание. Неожиданно голос умолк. Проповедь закончилась.

С чувством, похожим на облегчение, я услышал следующий псалом. Он вернул нас вспять, прочь от опасного эмоционального возбуждения прошедших тридцати минут. Как странно встретиться с таким эмоциональным накалом в пустом кальвинистском зале!

— Вам понравилось? — спросил мистер Эванс, когда мы пошли домой.

— Да.

— Как жаль, что вы не поняли службы. Наш мистер Парри — великий проповедник.

Я осознал, острее, чем когда-либо, какую огромную роль сыграли часовни в формировании валлийского национального самосознания. Службу отличала семейная атмосфера. Священник был отцом этой семьи, а другие церковные служители приходились ему младшими братьями.

Мы съели холодный завтрак и дождались часа, когда полагалось посетить воскресную школу.

4

Воскресная школа в Уэльсе необычна, потому что ее посещают не только дети, но и взрослые. В старину пожилые люди и молодежь ходили в школу по обязанности: там людей учили читать на их собственном языке.

В часовне было полно народу — и молодых, и старых. Одну комнату на верхнем этаже отдали малышам. Их учили алфавиту. В другом классе были дети и подростки от десяти до семнадцати лет. Они сидели маленькими группами по пять-шесть человек, и у каждой группы был свой учитель. Взрослые находились в часовне.

Священник обратил на меня внимание еще на утреннем богослужении. Заметив, что мы пришли, он приблизился и в самой любезной манере отвел меня от старого мистера Эванса и усадил на возвышение. Я страшно смутился: прихожане, похоже, ожидали от меня потока красноречия. Ничто не пугает меня больше, чем публичное выступление. За свою жизнь я только дважды произнес хорошую речь, причем одну из них репетировал несколько недель. Каждая корова, выглядывавшая из-за ворот между Йорком и Беверли, вынуждена была ее выслушивать и удивлялась, должно быть, когда я обращался к ней: «Господин председатель, леди и джентльмены». Так что от одной мысли о выступлении в суровой часовне у меня застыла кровь в жилах.

Поднялся дьякон и по-валлийски произнес длинную речь о Послании к евреям. Единственные слова, которые я понял, — «апостол Павел». Священник, что весьма любезно с его стороны, написал на обратной стороне конверта суть своей речи. Оказалось, что воскресная школа должна была изучать послание Павла к евреям. Каждый семестр изучалась одна из книг Библии.

Двадцатилетние девушки и юноши сидели рядом с седобородыми старцами и с глубоким вниманием слушали оратора. Картина удивительная: за пределами Уэльса я такого не встречал.

Дьякон закончил, и заговорил священник. Его манера весьма отличалась от утренней. Он был весел, дружелюбен и раскован. Я понятия не имел, о чем он говорит. Из уважения ко мне он перешел на английский. И тут я с ужасом понял, что он сделал относительно меня поспешные и неправильные выводы. Он знал, что я писатель, и начал осыпать меня комплиментами. Мне вдруг стало жарко, я залился румянцем — священник решил, что я занимаюсь изучением валлийских воскресных школ.

— Он оказал нам великую честь тем, что собирается изучить нашу школу, — сказал он, и я почувствовал, как глаза всех прихожан обратились на меня. Несколькими живыми фразами он превратил меня в великого эксперта. Оказалось, что я — человек, интересующийся всеми хорошими начинаниями. Разве не замечательно, что человек столь выдающихся достоинств решил посвятить себя изучению валлийских воскресных школ? Он уверен, что каждый прихожанин с радостью меня выслушает и узнает о моих открытиях и выводах.

Поскольку я впервые оказался в воскресной школе, положение мое было столь же фальшивым, как и в прошлый раз, когда директор хора представил меня как «великого музыканта». Готовность приходить к преждевременным заключениям — отличительная черта взрывного, драматического темперамента валлийцев. Но что я могу им сказать? Одно ясно: нельзя подвести священника в его же часовне. Придется притвориться специалистом.

Сам не зная почему, я вдруг заговорил об Италии. Люди смотрели на меня живыми и умными глазами. На рассказ меня, должно быть, вдохновил контраст между темной маленькой часовней на краю валлийской вересковой пустоши и ярким, жарким итальянским солнцем, темными церквями, шпилями и запахом ладана. Я рассказал им о святом Андрее, чьи кости лежат в золотом гробу собора Амальфи; о святом Павле и его скитаниях; даже описал торжественную мессу понтифика в соборе Святого Петра. Рассказал, как папа под звуки серебряных труб въезжает на носилках, поставленных на плечи мужчин, и его обмахивают веерами, словно какого-нибудь фараона, въезжающего в храм Карнака. Отчаянно и неуклюже я пытался соединить все это с Кальвином и методизмом, пока не услышал тихий внутренний голос: «Что ты за осел!» Я моментально утратил уверенность в себе, скомкал конец рассказа и уселся.

По некоей неведомой причине речь имела успех (или местные были слишком вежливы, чтобы я подумал иначе). Я оставил их — старых и молодых — изучать Послание к евреям. Они собрались в маленькие группы, каждая со своим учителем, а я вышел в полуденное солнце, поклявшись, что никогда больше не попаду в такую ловушку.

За вечерним чаем мистер Эванс сделал мне величайший комплимент:

— Вы будете великим проповедником.

Но я подумал, что навсегда уронил себя в глазах миссис Эванс. После моего выступления она вела себя со мной по-другому. Наверное, стала подозревать меня в папизме.

5

Стоящий под горой каменный солдат держит в руках винтовку со штыком. Он смотрит мрачно и угрожающе на долину с маленьким водопадом. Думаю, такое же выражение лица у него было в детстве, когда мать рассказывала ему о дьявольской собаке или о ведьме, скачущей на коне по вересковой пустоши бурной ночью. На солдате форма валлийского пехотного полка.

Перед солдатом на каменной плите выбиты имена. Их около тридцати — Джонс, Эванс, Парри, Томас; они ушли из этого валлийского городка, чтобы никогда сюда не вернуться.

Валлийцы верны своей военной истории. По всему Уэльсу стоят каменные солдаты или просто маленькие кельтские кресты, посвященные памяти людей, погибших на войне. Уэльс не переставал сражаться. Впервые мы встречаем бриттов, когда они бросают вызов Цезарю у белых скал Дувра. Мы видим их в сражении с саксами. Позже видим, как они помогают саксам против норманнских баронов. Затем в течение нескольких столетий Уэльс сделался поставщиком рекрутов для войн с Францией. Валлийские стрелки — настоящие победители в сражениях при Креси и Азенкуре. Они научили нас правильно натягивать лук. «В каждой английской гражданской войне — от Генриха III до Карла I — легче было рекрутировать пехотинца среди бедняков Уэльса, чем среди степенных мирных англичан», — пишет профессор Дж. М. Тревельян.

Каменные воины Уэльса стоят в горах и долинах, где они играли детьми. Они соединяют Креси с Ипром, Азенкур — с Галлиполи.

«Воинственная и древняя страна...»[1]

6

Снова я направился в Долгелли, на этот раз по дороге от Кадер-Идриса до Махинлета. На этой дороге, между горами, есть тихое темное каровое озеро Тал-и-ллин. Ощущение такое, что именно из этого озера некогда поднялась белая рука, сжимающая Эскалибур.

В нескольких милях отсюда в сторону Аберистуита находится деревенька Талибонт. Перед водяной мельницей мне было не устоять. Она скрипела и стонала, как большое стадо свиней. Это была большая старая мельница, позеленевшая от водорослей. Река, что крутила ее жернова, бежала по чистым камням. О такой реке в плохой сезон мечтают рыбаки.

Никто никогда не покупал в Талибонте форель с рынка, ведь иногда на жернова мельницы вместе с водорослями попадал лосось фунтов на восемнадцать.

В этом месте я обнаружил самую идиллическую фабрику в Уэльсе. На твидовой фабрике работают десять человек, словно промышленная революция никогда и не начиналась. Форелевая река дает им электричество. Примерно сто лет назад кто-то купил машины, которые до сих пор работают!

— Фабрика начала работать в 1809 году, — сказали мне, — когда фермеры привезли шерсть. Жители стали

---

[1] Дж. Мильтон. Комос. Перевод Ю. Корнеева.

из нее ткать полотно, одеяла. Надомное ремесло. Женщины сучили шерсть, мужчины вязали одежду. Затем промысел стал приносить прибыль, и скоро заработали четыре завода...

Слово «завод» в Талибонте означает грубый барак среди посаженных вокруг деревьев, цветы у самой двери и музыку форелевой реки, соревнующуюся с шумом ткацкого станка.

— Затем заводы расширились. На них стали изготавливать каски для шахт, твердые, как сталь, похожие на шлемы, однако производство умерло, когда шахты закрылись. После войны наступил кризис, и мы взялись за изготовление валлийского твида. Сейчас дела идут хорошо. У нас много заказчиков, мы посылаем полотно в Италию, Германию и другие зарубежные страны. Мистер Стенли Болдуин носит костюмы из валлийского твида. Возможно, мистер Ллойд Джордж ему порекомендовал, потому что мы посылаем в Криккиэт много твида...

Мне показали магазин. В прежние времена фермеры приносили шерсть на завод; сейчас завод посылает человека в горы, и тот забирает шерсть у фермеров.

В каждом настриге шесть сортов шерсти. Валлийский твид изготавливают только из шерсти первого и второго сорта. Поэтому он мягче, чем твид Харриса. В нем нет грубого волоса, который выпирает из харрисовского твида и плохо прокрашивается.

— Здесь делают все — от выбора шерсти до стирки готового полотна... Проходите, посмотрите первую операцию.

Два человека работали на гребнечесальной машине. Это очень старая машина, но она помнила, как следует чесать. На верхнем этаже мне открылось удивительное зрелище. Здесь я увидел примитивные крутильные и прядильные машины, работавшие более восьмидесяти лет! Я словно очутился на фабрике Аркрайта[1].

— Они всегда работают исправно, — сказали мне с гордостью.

Прядильная машина, занимающая всю длину этажа, была изготовлена Шофилдом, Кирдом и Маршаллом из Хаддерсфилда. Вероятно, вы видели подобные в музее.

У нее двенадцать шпулек, по двенадцать нитей на каждой. Они работают на 240 веретенах. Каретка движется на десяти металлических колесах. Эта старушка прядет не хуже любой современной машины в Ланкашире!

Машина начисто лишена темперамента. Она движется вперед и назад по железным рельсам, пусть неуклюже, зато эффективно. И выражение у нее такое отстраненное, словно она думает о старой подружке, «Прядущей Дженни»[2].

На другом «заводе» четыре ручных ткацких станка. Хороший рабочий может за неделю изготовить от 85 до 100 ярдов пряжи и заработать от 3 до 4 фунтов. При этом в Талибонте деньги тратить не на что. И это самый приятный цех, который вы можете себе представить. Вы сидите у станка, челнок квохчет, как курица, а вы тем временем через окно можете окликнуть мистера Уильямса, который только что выловил под мостом отличную форель.

Рисунки валлийского твида на удивление разнообразны. Ткачи производят пряжу всех модных стилей, а некоторые из них с гордостью называют своим ноу-хау.

Один дом, служащий в качестве демонстрационного зала, доверху заполнен зимней работой, потому что наезжают в

---

[1] Аркрайт Ричард (1732–1792) — английский предприниматель, изобретатель кольцевой прядильной машины.

[2] «Прядущая Дженни» — прозвище многоверетенной прялки, изобретенной около 1764 г. Дж. Харгривзом (или Т. Хайзом).

Уэльс главным образом летом. В это время ткачи и получают прибыль.

— Вы намерены расширять производство или вам достаточно сегодняшнего дохода?

— Мы надеемся расшириться и обновить оборудование. Валлийский твид хорош сам по себе, и нам не важно, кто приедет на него смотреть. Мы хотим сшить костюм для гольфа принцу Уэльскому...

За разговором я заметил удочку на тюке твида.

Человек, который водил меня по цехам, бросил на нее такой тоскливый взгляд, что я инстинктивно посмотрел из окна на реку. Ему не терпелось пойти порыбачить, поэтому я быстро распрощался.

Очень скоро я был в Аберистуите.

7

Аберистуит ведет двойную жизнь. Это не просто морской город, изображения которого красуются в поездах. За его гостиницами и пансионами, красивыми горами, за пирсом и берегом из серо-голубой гальки скрывается нечто более важное, чем праздники. Аберистуит — самый старый университетский город Уэльса.

Каждый день на променад выплескиваются потоки студенток. Они идут парами, иногда по трое и по четверо, без шляп, в черных мантиях. Несут под мышкой книги и стрекочут без устали! Есть в этом хоре что-то, слегка напоминающее Гилберта и Салливана, когда видишь у моря студенток, шагающих по набережной мимо строгих викторианских пансионов.

Из сурового здания общежития в одном конце променада они движутся в другой его конец, к университету, зданию общего вида (если так можно выразиться). Чувствует ся, что когда-то архитекторы купили полный комплект работ Вальтера Скотта по неоготике, да так и не сумели его переварить.

Сыны Уэльса, в отличие от его дочерей, никогда не собираются вместе под одной крышей. Вы можете видеть их в окнах студенческих общежитий по всему городу. Кто-то согнулся над книгой, кто-то пишет, иногда глазеет в окно с отрешенным выражением, свойственным юноше, только вступающему в жизнь.

Университетские города всегда интересовали меня, но в то же время наводили тоску: мне уже никогда не будет снова двадцать лет.

Интеллектуальная деятельность Абериступта и его репутация туристского центра и курорта делают город одним из самых важных населенных пунктов Уэльса.

У него больше прозвищ, чем у любого другого города княжества. Путеводители называют его «Брайтоном Уэльса». Официальный корпоративный путеводитель поднимает статус города и называет его «Биаррицем Уэльса». Люди вроде меня, восхищенные его ученостью, окрестили город «валлийскими Афинами». Но по-настоящему хорошее сравнение — это «валлийский Сент-Эндрюс».

Как и шотландский университетский город, он известен за пределами страны, но не за прилежание, а за умение проводить свободное время.

Абериступт для человека из Бирмингема означает купание, плавание на лодке, времяпрепровождение на Чертовом мосту, но для валлийца это город, где Блодвен старается стать учительницей, а Дэвид, освободившись от неквалифицированного сельского труда, становится профессионалом.

Я каждый день смотрю на архитектуру колледжа, и каждый раз меня удивляет в нем что-то новое. Он похож на незаконнорожденного ребенка Лондонского суда. Этакое невероятное и неуместное прославление готики. Архитектор постарался ничего не упустить, не затушевать, здание выглядит как учебник по архитектуре. Сначала мне показалось, что в Аберистуите представлен совершенный пример этого стиля, столь полно явленного в Англии, но критический запал разрушил это впечатление. Мне помог шекспировский мемориальный театр в Стратфорде-на-Эйвоне, известный как «рождественский пудинг».

— Почему вы построили такое героическое здание? — спросил я у местного профессора.

— Мы не собирались, — ответил он. — Само собой получилось. История интересная. В середине прошлого века пионер железных дорог Томас Сэвин выдвинул интересное предложение — бесплатное питание и проживание в течение недели для тех, кто возьмет обратный билет из Юстона до Аберистуита. Думали, что в город хлынет поток гостей, и настолько сильна была уверенность, что мы истратили 80 000 фунтов на здание, которое на тот момент являлось самой эффектной гостиницей Великобритании. Но схема провалилась! Отель забросили. В 1870 году здание купили за 10 000 фунтов, и в нем разместился колледж Университета Уэльса. Конечно же, со времени открытия колледжа в 1872 году мы расширились во всех направлениях. Сельскохозяйственный факультет и зоологические лаборатории переехали в другие помещения. Та же история с музыкальным факультетом, факультетами международной политики, географии и антропологии, с химическими лабораториями. Может настать день, когда мы покинем старое здание и разместим все факультеты под одной крышей. Мистер Джозеф Дэвис Брайан, наш бывший студент, питает надежду на бесплатное получение 84 акров земли около Национальной библиотеки...

Основание Университета Уэльса благодаря мужественным усилиям валлийцев, как я уже писал, является одним из выдающихся достижений современного Уэльса, а в то время, когда люди только мечтали об университете, кто-то прислал в Аберистуит первую валлийскую Библию. Библия собрала вокруг себя другие книги и, словно магнит, притянула в город рукописи и редкие тома.

Так было положено начало великолепной Национальной библиотеке, одной из лучших библиотек королевства. Сейчас в ней свыше 200 000 книг и 5000 рукописей. Если студент изучает древнюю литературу Уэльса, ему нужно приехать в Аберистуит.

Итак, этот приятный морской город живет двойной жизнью; он с улыбкой встречает внешний мир, но его назначение куда глубже: он является краеугольным камнем валлийской нации. Как бы ни гордился Аберистуит своими морскими бризами и широкой гаванью, еще больше он гордится той ролью, какую сыграл в национальной жизни Уэльса.

8

Около десяти лет назад в саду Аберистуита провели необычный эксперимент. Профессор университета решил вырастить траву с определенными свойствами с целью улучшения валлийских пастбищ.

Ему удалось из обыкновенной травы вырастить нечто, напоминающее спаржу!

Из этого скромного эксперимента появилась станция по выращиванию растений при сельскохозяйственном факультете университета. Эксперименты профессора Р. Стэплдона известны теперь во всем мире.

Гости приезжают в Уэльс со всех концов мира, чтобы увидеть все собственными глазами. Ферма Аберистуита сделалась центром по выращиванию травы и других сельскохозяйственных растений в Великобритании. Приехав туда, я увидел несколько сотен акров земли, засаженных различными травами. Увидел овец, участниц эксперимен-

та. Увидел теплицы необычного дизайна, в которых смеши-
вались разные сорта трав.

Новая трава совершенно не похожа на обычную луго-
вую мураву. Она скорее напоминает куст. С травой проделывают необычные эксперименты. Профессора берут какой-то сорт травы и, соединяя штаммы, получают траву
высотой в четыре фута. Она идет на сено. Смешивая другие
штаммы, получают низкую траву, животные кормятся ею
на пастбище.

— Мы применяем научные методы, — сказал один из
профессоров. — Вы увидите траву, которая всего поколение назад была обыкновенной травой и росла, как пшеница
или овес...

Мы подошли к длинной теплице. В ней были высажены
элитные сеянцы. Девушки пристраивали вокруг них бумажные пакеты, чтобы защитить траву от пчел.

Здесь были теплицы, полные невероятных трав, гигантских растений, которые походили скорее на тростник, чем
на траву.

Затем мы подошли к клеверу.

Эксперименты с клевером поражают.

Тут был клевер со всех концов света. Его выращивали
на валлийской почве.

Если вы валлийский фермер и скажете специалистам
станции, в каком районе Уэльса находится ваша ферма, они
подведут вас к газонам с итальянским, скандинавским, рус-
ским, французским и американским клевером и покажут,
как будет выглядеть ваше поле, если вы решите купить им-
портные семена.

Если вам все это не понравится, они подберут клевер —
как врач составляет рецепт. Учтут состав вашей почвы, климат, высоту над уровнем моря и скажут:

— Это ваш клевер. Ни один другой с ним не сравнится.
Вы окупите ваши деньги с лихвой.

И вот сортовой клевер готов к размножению. Поражают предосторожности, которые предпринимают ученые. Теплицы герметично закрываются. Ни одна муха не пролетит.

Профессор ловит шмеля, после чего не подозревающего о своей миссии посланника науки моют, удаляя с него чужую пыльцу, помещают в стеклянную трубку и дезинфицируют.

Наступает великий момент: шмелю позволяют влететь в сортовой клевер и питаться там, где ему захочется.

На лужайках я увидел группы связанных друг с другом овец. Каждая группа питалась на определенном участке. У овец на мордах было усталое выражение, как у людей, вынужденных жить в отелях первого класса.

— В каждой группе овцы одной породы. На начало эксперимента, то есть три года назад, все весили одинаково, — объяснил профессор. — Они питаются на участках с разной травой.

Их периодически взвешивают, фиксируют и другие данные. В конце эксперимента — примерно через год — у нас будет новая информация о кормлении животных на определенном сорте травы...

Некоторые овцы, однако, посрамляют науку! Часть, питающаяся специально выращенной травой, отказывается отличаться от животных, употребляющих не столь экзотическую пищу. Но ученые не тушуются. Они делают записи, думают и начинают все сызнова!

Неспециалист, глядя на эту замечательную ферму, удивляется тому, что такая обыкновенная вещь, как трава, завела блестящих ученых в мир мистики. Ученые до сих пор не понимают законов, управляющих ростом травы. За каждым углом их подстерегают загадки.

— За десять лет мы многое узнали, — поведал один из них, — но нам предстоит много лет упорной работы, успехов и неудач, прежде чем мы скажем, что знаем о траве все.

Пока нам удалось вырастить для сельского хозяйства хорошую траву. В этом и состоит наша задача. Чисто академическая сторона нашей работы вторична по отношению к практическому ее применению на фермах Британии.

9

Среди мудрецов Университета Уэльса есть единственный профессор сельскохозяйственной экономики в Великобритании. Это профессор Эшби, который знает большинство секретов фермерства Уэльса. Я встретился с ним, частично потому что был наслышан о его мудрости, частично потому, что понятия не имел, что это такое — «сельскохозяйственная экономика».

Я нашел его в окружении книг, папок, статистических сборников и карт. Человек среднего возраста, сын рабочего с фермы, он окончил Оксфорд и сам поднялся по карьерной лестнице.

— Чем занимается ваш факультет?

— Изучением финансовой стороны фермерства, — ответил профессор Эшби. — Агроном занят селекцией и выращиванием растений, дающих лучший урожай, химик — подкормкой, а экономист спрашивает, сколько это стоит, почему цены высоки или низки, каков будет доход, какова зарплата. Он узнает наилучший тип фермерского хозяйства, выясняет, не платит ли землевладелец слишком большую ренту и какова роль промышленности в обеспечении экономичности и эффективности ферм. Важна также роль посредника — не слишком ли высоко оплачиваются его услуги? Маленькая ферма Уэльса — не изолированное предприятие; она подвержена всем экономическим ветрам мира. Ферма в горах в той же степени подвержена финансовым бризам или бурям, что и небесным ветрам. Когда в угольных шахтах или городах растет уровень безработицы, ослабевает спрос на масло и цены падают, дети безработных едят маргарин и страдают от рахита, а дети мелких фермеров идут в школу в рваных ботинках. Когда новозеландский фермер увеличивает производство масла от своих коров, валлиец вынужден следовать его примеру. К несчастью, он редко становится лидером. Проще сказать, наши проблемы влияют на распределение богатства в сельском хозяйстве.

Я спросил профессора, сколько людей на данный момент заняты в сельском хозяйстве Уэльса.

— В Уэльсе примерно 41 000 фермеров, в основном мелких. Фермеры нанимают около 37 000 работников. Число фермеров и их родственников, занятых в фермерской работе, составляет 56 000 человек, что значительно превышает число наемных работников. Получается такая пропорция: три члена фермерской семьи на двух наемных работников.

В некоторых графствах, таких как Кармартен, приходится по два наемных работника на пятерых фермеров и их родственников. С другой стороны, в Англии на одного фермера приходится три наемных работника, а в некоторых графствах даже по семь или восемь...

Я попросил профессора Эшби рассказать о различиях между фермерством Уэльса и Англии.

— Фермерство в Уэльсе носит пасторальный характер, — ответил он. — На продажу производится немного, свыше 95 процентов продукции составляет домашний скот. Земля в Уэльсе в целом более низкого качества, и аренда ниже, чем в Англии. Но у валлийского фермера выше шанс увеличения производства и продвижения по социальной лестнице.

— Что вы думаете о валлийском фермере как таковом?

Профессор задумался.

— Мое отношение меняется в зависимости от настроения, — сказал он, — и от проявлений фермерской натуры.

Иногда мои мысли не годятся для публикации! Но в целом я пришел к выводу, что с местным фермером работать замечательно. Он осторожен и, как все мелкие фермеры, тяготеет к консерватизму. Что нужно здешним фермерам, так это хороший руководитель из их же рядов. Фермер, который поведет за собой других фермеров. Таких много, но требуется еще больше.

Кто-то позвонил профессору с просьбой прочитать лекцию о бухгалтерском деле, поэтому я с ним распрощался.

10

Меня представили молодой женщине, чей отец, как говорят, известный колдун. Я поинтересовался, какого рода он колдун, потому что, как известно, существует три вида колдунов: те, кто продал душу дьяволу в обмен на черную магию; те, кто изучал колдовство по книгам, и те, чьи предки передали колдовской дар по наследству. Оказалось, что он относится к последней категории.

— Что, люди до сих пор верят в проклятия и колдовство? — спросил я.

— Да, конечно, — сказали мне.

И назвали имена двух колдунов, известных в Кардиганшире.

— И не только в Кардиганшире, — вмешался человек, желавший отстоять славу местных волшебников, — но и во всем Уэльсе.

Я узнал, что этих колдунов называют *consuriwr*.

— И люди к ним ходят?

— Ну конечно, — сказали мне. — На днях одна женщина потеряла десять фунтов в купюрах, и *consuriwr* велел ей посмотреть в определенном месте. Она их там и нашла.

— И еще один мужчина пришел из Кардиффа, чтобы узнать у *consuriwr* о своей девушке.

— В самом деле? И что сказал *consuriwr*?

— Он сказал: «Не женитесь на ней. Если женитесь, ни одного дня не будете счастливы».

Я узнал, что люди ходят к колдунам, если болеет скот, если нездоровы дети, если происходит что-то неожиданное, если теряют деньги, а также за любовными чарами. Таланты валлийского *consuriwr* напомнили мне шотландское «второе зрение». Это — белая магия.

Мне дали адрес *consuriwr* и сказали, чтобы я отправился к нему на следующий день. Утром я обнаружил, что у моего автомобиля сломалась рессора. Уж не расплата ли это за суеверия, мрачно подумал я. Может, на машину навели порчу? Когда все гаражи отказались заменить рессору, я приготовился к худшему. Пришлось нанять автомобиль.

Приехал дружелюбный маленький валлиец. У него был серьезный вид, высокий голос и шляпа-котелок. Мы поехали по дорожному серпантину в направлении Плинлимона. Вскоре я обнаружил, что мой маленький водитель знает всех и все. Он оказался одним из самых восторженных рассказчиков, каких я когда-либо встречал. Поскольку я уселся позади него, он поворачивался, чтобы увидеть мою реакцию и снимал одну руку с руля. Автомобиль наклонялся направо, и мне становилось не по себе. У него была еще одна странная привычка: каждую свою фразу он сопровождал словами «вы понимаете» или «вы понимаете, что я имею в виду». К тому же в его речи отсутствовали запятые, точки с запятой и точки.

— Да конечно я знаю этого колдуна вы понимаете, — сказал он, — он великий человек вы понимаете я возил многих людей к нему вы понимаете из Кардиффа вы понимаете и Бристоля вы понимаете и Бирмингема вы понимаете и летом девушек вы понимаете задать ему вопросы об их молодых людях ну вы понимаете но однажды зимой если вы понимаете что я имею в виду из Лондона приехал человек и сказал мне вы понимаете можете ли вы отвезти меня к колдуну вы понимаете а шел снег и я сказал ему «Да я могу отвезти вас к колдуну если смогу переехать через Понт-Маур» вы понимаете и я сделал это хотя нам пришлось дважды выходить вы понимаете и счищать снег с лобового стекла и он сказал мне по пути что видел в Лондоне всех предсказателей если вы понимаете что я имею в виду и ни один из них не мог сказать ему то что он хотел знать вы понимаете а я сказал...

Я прервал этот пулеметный огонь тем, что привлек его внимание к дороге, потому что во время речи он то и дело поворачивался ко мне и каждый раз инстинктивно набирал скорость и совершал грациозный, но небезопасный жест правой рукой.

— Да вы видите эту каменную стену вы понимаете много лет назад через нее перелетела в туман карета с четырьмя лошадьми если вы понимаете что я имею в виду и никто вы понимаете...

Я посмотрел через каменную стену и увидел страшную пропасть.

— ...не спасся если вы понимаете что я имею в виду это был страшный несчастный случай вы понимаете...

— Но что тот человек из Лондона хотел выяснить у колдуна?

— Я не знаю вы понимаете потому что он мне не сказал но когда мы ехали назад он обмолвился что это стоило тысячи фунтов вы понимаете то что он услышал от колдуна.

— Понимаю.

Затем мы поехали по одному из самых мрачных горных перевалов Уэльса. Казалось, здесь не бывал ни один турист. Перевал выглядел таким, каким его создал Бог. Выполз туман. Полил дождь. По склонам побежали ручьи, оставляя после себя узкие белые следы. По обе стороны дороги вставали неприступные суровые горы. Время от времени туман отплывал в сторону, и на мгновение с левой стороны нам являлся Плинлимон, а с правой — дикие горы, по которым не ступала нога человека. Здесь можно потеряться и умереть, всего в нескольких милях от цивилизации.

Мы остановились в тени высокой горы. Водитель, в манерах которого вдруг засквозило уважение и даже почтение, сказал, что дом колдуна находится в конце тропинки. Я пошел по ней и увидел маленькую ферму. Постучал в дверь. Через мгновение дверь отворилась, но открыл ее не колдун, а очаровательная девушка. Я сказал ей, что пришел проконсультироваться у *consuriwr*. Она не удивилась. Сказала, что сожалеет, но ее отца вызвали в другое место, и до ночи его не будет. Я был разочарован, но пообещал приехать в другой раз.

Маленький водитель с нетерпением ожидал меня. Он очень мне посочувствовал, когда узнал, что колдун уехал.

— Ничего, — сказал я, — мы поедем в Райадер и Лладриндод-Уэллс.

Дикие и пустынные места тянулись вокруг миля за милей. Мы увидели ручей.

— Это река Уай вы понимаете, — воскликнул маленький водитель.

— Не та ли это река, что течет через Херефордшир?

— Да конечно это та самая река вы понимаете...

Я остановил его и вышел, чтобы взглянуть на исток прекрасной равнинной реки. Это был горный ручей. Он бежал с вершины, понятия не имея о своей великой судьбе. Я мысленно проследовал за ним через Уэльс в Англию, увидел, как расширяется русло, припомнил, как выглядит река летним днем в Россе, когда на ее берег выходит стадо и, хлопая хвостами, отгоняет мух.

Мы снова углубились в горы, кружили по серпантину дорог. Наблюдали облака, задевавшие горные вершины, из-под дождя въезжали в хорошую погоду и снова попадали под дождь. Постепенно пейзаж смягчился. Мы спустились с высот, въехали в великолепную долину реки Уай и оказались в аккуратном каменном городе, задумчиво глядящем вдаль. Это был Райадер.

Городок насчитывает девятьсот пятьдесят жителей и тем не менее является столицей Радноршира, одного из наименее известных графств Англии и Уэльса. Я встречал людей, которые думали, что Рутланд находится в Уэльсе, а Флинтшир в Англии. Уверен, не многие смогут сказать, где расположен Радноршир. Райадер говорит с английским акцентом. На самом деле он мне напомнил о городах на болотах Йоркшира.

«Радноршир... уникален тем, что, по сравнению с любым другим графством в Англии или Уэльсе, в нем живет меньше всего людей на одну квадратную милю», — пишет А. Дж. Брэдли в «Истории Уэльса». В целом здесь менее двадцати тысяч жителей, хотя площадь графства не слишком мала. Между прочим, в среднем это примерно столько же жителей, сколько было во всей Англии при Тюдорах — очень наглядно для людей с историческим складом ума. Недостаток населения вызван не тем, что значительную часть территории занимают горы, а тем, что это — сельская страна, как в свое время Англия. Здесь нет ни промышленности, ни достойных упоминания городов. Раднор также удивляет тем, что он насквозь валлийский, несмотря на то, что уже целое столетие в границах города никто по-валлийски не говорит. И это вопреки тому, что вокруг западных городских границ древний язык по-прежнему в ходу. Английский язык в Радноршире на удивление хорош. Ну а чему, собственно удивляться? На этом иностранном языке изъясняются уже несколько поколений. Ближе к Шропширу звук *r* приобретает саксонское заднеязычное произношение, а западные уроженцы графства Шропшир, возможно, из-

за своего валлийского происхождения, соединяют английский язык Приграничья с валлийской интонацией. Речь
Приграничья по обеим сторонам границы фактически оди-
накова, хотя носители языка не допускают смешанных браков. Фермерские жены и дочери говорят превосходно, в их
речи нет опущенных *h*; правда, имеется несколько других
особенностей, например явное нежелание связывать себя
словом. Это роднит их с шотландцами. Если, к примеру, вы
постучите в дверь фермерского дома и вежливо спросите,
не живет ли здесь мистер Джонс, то, если даже он сам от-
ворит вам дверь, то не менее вежливо ответит: «Надеюсь,
что так». Такое пристрастие к уклончивым выражениям
принимает причудливую форму. В большинстве фраз местных жителей присутствует выражение «или что-нибудь
еще». «Я завтра поеду на ярмарку в Найтон — купить лошадь» и затем, после ощутимой паузы — «или что-нибудь
еще». Человек, разумеется, не собирается покупать ничего,
кроме лошади!.. Но если люди в Сассексе, Лондоне и Норфолке никогда не слышали о Радноршире, то западные жители графства Шропшир хорошо о нем знают. При отсутствии городов Шрусбери — виртуальная столица. Иногда
его называют столицей Северного Уэльса, с чем, конечно
же, не согласится ни один его житель.

В Райадере меня повстречала беспризорная английская
гончая. Некоторое время спустя — еще одна. Пес вел себя
необычно: он стоял на задних лапах во дворе гостиницы, пытаясь сдвинуть крышку с мусорной урны. Крышка со звоном
свалилась. Собака схватила кусок пищи. Служащая, привле-
ченная шумом, выскочила во двор и прогнала бедную собаку.

— На днях, сэр, одна из этих собак влезла в кухню и
утащила целую баранью ногу, — сказала она.

— Но почему в Райадере гончие воруют баранину? —
спросил я.

— Потому что бедняжки голодные, сэр, — объяснила она мне, словно ребенку.

Впоследствии я узнал, что некоторые местные фермеры держат свору гончих. По окончании охотничьего сезона они выпускают собак в город, чтобы животные сами добывали себе пропитание. Несчастные создания вынуждены бегать по улицам в поисках хоть какой-то еды. Я считаю, что, если фермеры Райадера не в состоянии держать свору, пусть лучше бросят охоту...

Я проехал несколько миль, чтобы увидеть бирмингемский водопровод, одно из чудес Уэльса.

11

Всем известен водопровод Бирмингема. Вода поступает по трубам, длина которых составляет 73,5 мили. На фоне утонченного горного пейзажа плещутся три водных резервуара — Кэбан-Кох, Пен-и-Гарег и Крейг-Гох. Здешний ландшафт больше, чем что-либо в Уэльсе, напоминает мне озеро Лох-Ломонд. Долина Элана, притока реки Уай, на мой взгляд, красивее любого озерного ландшафта в княжестве.

Вы можете подумать, что необходимость каждый день обеспечивать большой современный город двадцатью семью миллионами галлонов воды потребует уймы работников. При личном знакомстве у меня сложилось впечатление, что эти огромные потоки отправляет в Бирмингем горстка людей, которые лишь поворачивают рычаги или наблюдают за шкалами приборов гидростанции.

Резервуары устроены с помощью плотин. Ими перегородили Элан и Клэрвен — притоки реки Уай. Четыре резервуара, или озера, расположены ступенями, один выше другого. Вода обрушивается через дамбу от озера к озеру, образуя величественную искусственную Ниагару.

Я заинтересовался озером, возникшим вследствие затопления части долины Элан, в которой стояли два дома, связанные с Шелли. Многие книги об Уэльсе утверждают, что дома ушли под воду, но это не так.

— Мы разобрали их по камешку, — сказали мне. — Там еще была церковь. Пришлось построить новую. Она стоит на берегу резервуара. Прежде тут была гора.

В один из этих домов Шелли приехал вскоре после несчастливого брака с молодой Гарриет Вестбрук. Возможно, он — единственный великий английский поэт, который когда-либо делал Уэльс своим домом. Валлийцы считали его сумасшедшим. В Тремадоке, в доме Тан-ир-Аллт, ныне разрушенном, у Шелли состоялась загадочная встреча. Многие дивились этому эпизоду его нервической жизни и приписывали встречу воспаленному воображению поэта. Ночью он ворвался в дом, истекая кровью, с пистолетом в руке. Сказал, что защищался от вооруженных людей, покушавшихся на его жизнь. Сейчас, кажется, все полагают, что нападавший на Шелли человек был фермером по имени Эванс. Его возмущала привычка поэта ходить по горам с заряженным пистолетом и из сострадания стрелять в овец, болевших паршой. Если Эванс хотел напугать Шелли и заставить его уехать, ему это удалось. На следующий день Шелли вместе с домочадцами покинул Тремадок.

Посреди долины Элан стоит башня. Она забирает воду из резервуаров и прокачивает ее через фильтрующий слой, прежде чем отправить в центральные графства Англии. Меня провели по винтовой железной лестнице ниже уровня озера. Мы спускались по темной железной трубе, и снизу до нас доносился грохот.

— Многие уходят! — прокричал чиновник. — Не выносят шума!

Мы пришли в грот под землей. В туннеле бушевала темная вода. Вид не из приятных. Если что-нибудь пойдет не так, подумал я, мы утонем, как крысы.

Когда поднялись обратно, я взглянул на спокойное озеро. Мужчина в лодке пытался поймать форель в водном резервуаре.

12

Лландридод-Уэллс — самый известный курорт в Уэльсе. Есть и другие — Билт-Уэллс, Ллангаммарч-Уэллс, Лланартид-Уэллс, Трефриу в Карнарвоншире, но слава Лландридода вышла за пределы княжества.

Мне так понравился его живописный вид, что я решил непременно испить местной целебной воды. Курорт находится в саду. Природные лечебные источники выходят на поверхность в узкой лесистой долине, и муниципалитет распорядился привести в цивилизованный вид окружающую местность. Лландридод окружают великолепные природные ландшафты.

Меня всегда удивляло, что Плиний в первом веке нашей эры упомянул только два британских курорта — Бат и Лландридод (*Balnea Siluria*).

Лландридоду, как и Харроугиту, повезло: на этих курортах большое разнообразие лечебных источников — около двенадцати видов. Их можно разделить на три группы: мягкие солевые, мягкие солевые с содержанием сероводорода и железистые.

Я вошел в парковый павильон и выпил стакан воды с привкусом соли. Она показалась мне приятной и безобидной. Такую воду прописывает врач, когда вашему здоровью ничего не угрожает.

Хотя служащие гордо заявляют, что древние римляне лечились их водами от ревматизма, тому нет никаких доказательств. Настоящая история Лландридода начинается примерно двести лет назад, при Карле II. Тогда королевский врач посоветовал Веселому монарху лечение водами. Интересно, произошло ли это во время загадочного визита Карла II в эти места? Открытие курорта датируется более поздней датой, когда здесь появилась первая гостиница.

На обратном пути маленький водитель излил на меня очередной речевой поток:

— Мир изменился вы понимаете и война изменила его вы понимаете и здесь в Уэльсе мы никогда не любили прислуживать вы понимаете что я имею в виду в то время как в Англии где я бывал не раз слишком много прислуживаются вы понимаете и я считаю что это неправильно потому что мы все рождены равными вы понимаете и человек может уважать другого человека и не снимать перед ним каждую минуту шляпу если вы понимаете что я имею в виду и если народ Уэльса мог бы править своей страной а не позволять англичанам из Лондона править нами вы понимаете это было бы лучше для всех вы понимаете...

Мы повернули к болотам. Темнело. Мелкий дождь сгустился в плотный туман, в котором не видно было фар. Повороты неслись на нас с бешеной скоростью, из пустоты выныривали каменные стены, рваные облака мчались к земле. Студеный ветер грозно свистел. Мне страшно хотелось расспросить маленького водителя о валлийском национализме, но я не решался: а вдруг он настолько увлечется, что опять примется отрывать от руля руку и оглядываться в мою сторону?

Несколько часов в темноте и холоде под свист ветра неслись мы по горным дорогам, пока не увидели у подножья горы огни Аберистуита.

Глава десятая,

*в которой всю дорогу до Кардигана идет дождь, я смот-
рю на Фишгард и вспоминаю последнее французское
вторжение, посещаю город Святого Давида и вскоре оказываюсь в «маленькой Англии позади Уэльса».*

1

Валлийский дождь... Он обрушивается с энтузиазмом
человека, сообщающего плохую новость. Изливается водопадом, затягивает пеленой море, небо и горы. Огромных гор,
стоявших здесь с зарождения мира, как не бывало.
Дождь — отдельная стихия. Человек теряется в нем, как в
тумане. Ветер, спутник дождя, раскачивает пелену влаги
влево и вправо, даже перекидывает через возвышенности.
Вместе с ветром дождь огибает углы, пробирается в рукава
и за шиворот. Крохотный ручеек бежит по дороге, соединя-
ясь с другими, пока не сольется в небольшую речку. В горах
эта речка мчится сквозь вереск и, распадаясь на сотни ли-
липутских водопадов, перемахивает через каменные стены
на перевалах. Человек с изумлением взирает на это и думает, что, должно быть, Оуэн Глендовер снова взялся за свои
трюки. Такой вот ветер и дождь обрушились на шатер короля Генриха IV, когда английские солдаты разыскивали

валлийца. Неудивительно, что пошел слух, будто Оуэн мог управлять стихиями: дождем в Уэльсе словно бы руководил злой волшебник, вознамерившийся утопить землю и стереть из памяти людей все сухие места.

В такую бурю я и покинул Абериступт и взял курс на юг. Я знал, что еду по прибрежной дороге, потому что об этом говорила карта. Но, взглянув направо, вместо залива Кардиган я увидел призрачную серую пелену, меланхолический занавес падающей воды.

Над морем висел туман. Время от времени, взглянув вниз и направо, я различал скользящую по воде свинцовую тень каботажного судна или скалу, до блеска умытую дождем. Ветер загнал чаек на материк. Часть птиц расселась на каменных стенах, другие летали над полями.

Через несколько миль я подъехал к насквозь промокшему городку Аберайрон. Ни души. Вошел в паб, скорее для того чтобы укрыться, а не по какой-либо иной причине, и увидел печального старика, сидевшего над пинтой эля. Он сказал, что времена нынче плохие и лучше не станут. У него была странная привычка на каждую услышанную фразу отвечать «О Господи». Если вы говорили, что день выдался ужасный, он отвечал: «О Господи, да». Но своей присказке он мог придавать разное значение. Звучала она то жалобно, то возмущенно, то ворчливо, то слезливо, утвердительно, потрясенно, недоверчиво и снова утвердительно. Он сказал, что Аберайрон был раньше рыболовным портом, но нынче жители ловят летом рыбу только для туристов. Специализацией городка сделался валлийский твид.

Я вдруг решил — скорее от скуки — купить себе отрез твида, и мой грустный знакомец любезно предложил проводить меня в магазин.

— Этот твид ткут на ручном станке?

— О Господи, ну разумеется...

Итак, мы отправились в лавку. Я купил кусок довольно яркого коричневого твида, толстый материал, вроде харрисовского, но без длинного ворса. Такой твид выбирают только в сырую погоду. В Аберайроне твид дешевле, чем в Талибонте. Я заплатил четыре шиллинга и шесть пенсов за ярд. По такой же цене вы купите его в Кенмэре, графство Керри, и некоторых районах Донегола.

В благодарность за услугу я предложил оплатить пиво. Лицо моего грустного попутчика словно застыло. Он вскинул руку и вымолвил, словно я попросил его помочь похоронить мертвое тело:

— О Господи, нет...

Я вышел под дождь, дивясь его странной привычке, такой же монотонной, как «вы понимаете что я имею в виду» у водителя из Аберистуита. Но старик вкладывал уйму смыслов в свою присказку, иногда выпускал «о», иногда — «Господи».

Оттенки удивления, которые может выразить валлиец в междометии «о», поражают. Некоторые растягивают этот звук на несколько секунд. «О-о-о-о-о-о-о-о-о-о-о-о-о! Это ужа-а-сно!» — говорят они о том, что на самом деле и не ужасно, и не удивительно, а звук «о» поначалу выходит из гортани приглушенным, а потом набирает силу, выражая удивление и недоверчивость.

Я заинтересовался, какое слово способно выразить самые тонкие чувства, и пришел к выводу, что это слово «darling»[1] в женских устах. Есть обыкновенное «darling» — и есть «dar-*ling*». В втором случае оно звучит неодобрительно. Встречается также «dar-LING» (произносится напевно, с повышением тона). Имеется в виду далекий возлюбленный. Есть также «Oh DAR-ling» — тут выражается настоящее чувство, и «D-a-rling» — дама готова

---

[1] Дорогой, милый (*англ.*).

расплакаться. Можно выразить неожиданное подозрение — «Darling?» Такой вопрос приводит мужчину в состояние растерянности. А еще резкое, снова неожиданное «DARLING!» — восклицание, предшествующее резкой отповеди. Есть и опасное «darling», надоедливое, липнущее, означающее неприятности; а также совокупность почти неотличимых друг от друга, но всегда страстных «darling» — от староанглийского «deorling» до слова, которое старается выговорить беззубый человек и которое, возможно, означает «Durham» — «Дарем».

Вот с такими глупыми мыслями, разбрызгивая воду, я катил по темной дороге, которая к тому моменту ушла от моря и углублялась в материк. Дождь не прекращался, тучи заслоняли горы. Наконец я поднялся на мост в городке Кардиган.

В Уэльсе то и дело удивляешься: оказывается, город, название которого известно во всем мире, величиной чуть более деревни. Кардиган — городок на реке Тейви. Магазины в нем сосредоточены на одной улице. У города такой вид, словно он отстранился от дел и ушел на покой. На главной улице меня остановила большая толпа священников. Они вышли из общественного здания справа от главной улицы и встали группой под сотнями зонтов. Здесь были и священники, и их суровые супруги. Выяснилось, что в Кардигане проходит ежегодная религиозная конференция. Она столь известна, что даже лондонские газеты, печатающиеся в Манчестере, привлекли на подмогу коллег из Уэльса и напечатали программу конференции по-валлийски. Это настораживало. Если бы газетчики поступили, как всегда, и поместили передовицу под броской шапкой: «СВЯЩЕННИК НАПАДАЕТ НА СОВРЕМЕННУЮ МОЛОДЕЖЬ!», я не стал бы покупать газету. Но мысль о двух лондонских газетах, знаменитых своим невежеством в отношении Шотландии, Уэльса и Ирландии и вдруг вздумавших похвалить Кардиган, так меня поразила, что я купил газеты и принес их в паб. Это заведение, казалось, перенесли сюда из Солсбери. Здесь я с некоторым предвкушением открыл газеты и прочел в новостной колонке: «Священник нападает на современную молодежь».

В пабе собралось много дородных, довольных жизнью фермеров. Они не походили на фермеров с севера. Ни тебе мрачных лиц, ни погруженности в себя. Говорили по-валлийски и настроены были весело.

Я вошел в обеденный зал и обнаружил там тихую панику. Три или четыре официантки пытались рассадить огромную толпу священников и других служителей культа. Пахло жареной бараниной. Похоже, она придавала священникам силы для еще одного наступления на молодежь. Мне вдруг страшно захотелось пирога со свининой, а потому я вышел на улицу.

Магазины в Кардигане закрываются ровно в час, и на город спускается тишина, глубокая и торжественная, словно во время сиесты в Испании. Я нашел магазин, где хорошенькая валлийская девушка продала мне не только пирог, но и несколько сэндвичей со смородиной, любимых и молодежью, и стариками.

Дождь вдруг прекратился, и вскоре я снова был в дороге.

2

Маленький город Фишгард стоит на вершине горы, далеко внизу открывается бухта.

Когда светит солнце, Фишгард становится самой красивой гаванью, какую вы когда-либо видели. Темно-синяя вода покоится в объятиях двух скалистых мысов, вонзающихся в Атлантику. Бухта достаточно глубока, чтобы в ней могли бросить якорь самые крупные лайнеры. В основном здесь можно увидеть суда с красными трубами, что ходят в ирландский Росслар, но иногда захаживают и лайнеры из Нью-Йорка, доставляющие почту.

Глядя на бухту, вспоминаешь последнее нападение на Британские острова. В этом событии ощущается сильный привкус водевиля, хотя в свое время оно вызвало немало волнений.

Это произошло 22 февраля 1797 года в десять часов утра. Три военных корабля и люггер направлялись к бухте со стороны мыса Сент-Дейвидс-Хед. Люди на мысу решили, что это британцы, поскольку на них развевались британские флаги, а потому радостно их приветствовали, пока отставной моряк не узнал французские военные корабли. В Пембрукшире началась паника. Мужчины и женщины, прихватив все ценное, бросились спасаться бегством.

Французские корабли бросили якорь и высадили десант в маленькой бухте Каррег-Гвастад, примерно в полумиле к западу от Фишгарда. Отрядом из шестисот пехотинцев и восьмисот заключенных командовал ирландский американец, генерал Тейт. Можно себе представить переполох в Пембрукшире, который не знал военных действий со времен гражданской войны, когда на пороге появился враг, а местные войска находились далеко от Фишгарда. Курьеры помчались в гарнизоны. Лорд Каудор, в то время губернатор графства, жил в тридцати пяти милях отсюда. Его разбудили посреди ночи с сообщением о нападении. Он выпрыгнул из постели и принял на себя обязанности главнокомандующего. Йоменам и народному ополчению послали сигнал — знаменитый «горящий крест». Много, должно быть, в ту ночь было драматических прощаний и героических моментов, когда фермеры, поцеловав жен, цепляли к поясу мечи или хватали мушкеты и спешили к бухте.

Лорд Каудор прибыл в полдень на следующий день вместе со смешанным отрядом йоменов и ополчения. Всего в его отряде было семьсот пятьдесят человек, но за «армией» следовала огромная толпа, вооруженная мотыгами, лопатами, косами и серпами. Капитану Дэвису, участвовавшему в боевых действиях, поручили расставить всех по местам. Он весьма умело провел эту операцию.

Французы тем временем ликования не испытывали. По какой-то причине (думаю, мы ее так и не узнаем) флот неожиданно поднял паруса и покинул десант! Оставшиеся на берегу с тревогой наблюдали за таинственными приготовлениями защитников острова. Увидев роскошно одетых всадников, их приняли за офицеров армии. Ветер, унесший вдаль военные корабли, начал дуть в сторону французского лагеря. Как гласит легенда, французов обуял ужас, когда на отдаленных холмах они увидели наступавшее войско в красных мундирах. Они не догадывались, что хитрый капитан Дэвис велел валлийским женщинам надеть красные плащи и высокие касторовые шляпы! Говорят также, что по распоряжению этого валлийского Улисса женщины расхаживали по горе взад и вперед, чтобы враг подумал, будто к защитникам побережья идет на подмогу большая армия. Два часа мужественные «красные плащи» изображали британских гренадеров!

В десять часов вечера два французских офицера подняли белый флаг. Их пригласили на военный совет на старом постоялом дворе «Роял Оук». Французы вручили следующее письмо от генерала Тейта:

Бухта Кардиган
5-е вантоза[1], 5-й год Республики

Сэр,

С учетом обстоятельств, при которых отряд под моим командованием высадился в этом месте, считаю излиш-

---

[1] Вантоз — шестой месяц французского республиканского календаря (19—21 февраля — 19—21 марта).

ним осуществление каких-либо военных операций, поскольку они приведут к кровопролитию и грабежам. Офицеры корпуса выразили желание вступить в переговоры на основе принципов гуманности. Если Вы придерживаетесь тех же убеждений, сообщите об этом подателю сего письма, и недоразумения будут исчерпаны.

С уважением и пожеланием здоровья

Тейт, бригадный генерал

Британцы к тому времени уже уверились в собственном превосходстве. Несчастным французам сказали, что если те немедленно и безоговорочно не сдадутся, то будут атакованы армией численностью двадцать тысяч человек! После чего фицерам завязали глаза и отвели обратно к бухте.

На следующий день, рано утром, майор Экланд, уроженец Девоншира, недавно переселившийся в Пембрукшир, выехал к французам с ультиматумом, составленным на не слишком хорошем английском языке и подписанным лордом Каудором:

Сэр,

Превосходство в численности войска, находящегося под моим командованием и ежечасно увеличивающегося, не дает мне иного выбора. Я требую безоговорочной сдачи в плен всего Вашего отряда. Всецело поддерживаю Ваше намерение избежать кровопролития, которого не произойдет только в случае Вашей немедленной сдачи. Майор вручит Вам это письмо. Ожидаю Вашего решения до десяти часов.

С уважением и т. д.

Каудор

Французы, разумеется, безоговорочно сдались. Сначала они открыли полки своих мушкетов и высыпали порох, затем под бой барабанов прошагали без оружия и без знамен к перекрестку дорог на Фишгард и Гудвик.

Пленных развели по местным тюрьмам, и, если я знаю что-либо о йоменах и ополченцах, британские победители устроили целую череду застолий! Но рассказ еще не закончился. Две валлийские девушки, прислуживавшие в одной из тюрем, влюбились в двух французских солдат. Они тайком передали им берцовую говяжью кость, и французы сделали подкоп. Ночью несколько солдат выбрались через эту дыру, и девушки провели их к грузовому судну, стоявшему в гавани. Французы поднялись на судно, но не смогли отплыть, потому что был отлив. Тогда они захватили яхту лорда Каудора и убрались восвояси!

Французы женились на своих валлийских возлюбленных, и рассказывают, что когда в Амьене был подписан мир, девушки приехали в Пембрукшир, где им был оказан теплый прием!

Так закончилось вторжение в бухту Фишгарда.

3

Я ехал по унылой, продуваемой солеными морскими ветрами земле. Машина то карабкалась наверх, то катилась под гору. Казалось, в конце пути меня поджидает что-то великое и незабываемое: ведь дорога, по которой я ехал, была пустынной, старой и печальной. День выдался серенький, на зеленую равнину накатывались волны Атлантики, высокие горы Уэльса остались на востоке.

Я подъехал к селению с тремя улицами. Тихая деревенька, посередине — серая башня, которую словно сдуло с большой церкви. Приблизившись, я увидел, что башня составляет часть великолепной церкви, прячущейся в низине. Архитектор хотел защитить храм то ли от океанских ветров, то ли от пиратов, этого нам узнать не дано, но вряд ли найдется другая такая церковь, столь надежно укрытая от ветров и от людских глаз.

Собор Святого Давида — самое значительное историческое здание Уэльса. Я спустился по тридцати девяти ступеням и, прежде чем войти, посидел какое-то время, глядя на церковь. Снаружи, решил я, восхищаться нечем, разве что связанными с собором фактами.

Это самый старый собор Великобритании. При его основании встретились римская Британия и Уэльс. Заложен он был святым Давидом примерно в 550 году, то есть за сорок семь лет до того, как папа Григорий послал святого Августина обратить Англию в христианство! Когда в этих местах построили первую христианскую церковь, то, возможно, единственными другими христианскими церквями в Британии были белая часовня святого Ниниана в Уитхорне и маленькая келья отшельника в Гластонбери.

Святой Колумба только что основал свой первый монастырь в дубовой роще Дерри, еще не покинул Ирландию, чтобы основать христианскую общину на острове Айона. Смотришь на церковь и не веришь своим глазам: ведь она стояла здесь до Айоны, до Кентерберийского собора, до Линдисфарна!

Я смотрел на собор и пытался вообразить, как выглядели острова, когда святой пришел в это суровое место, чтобы построить церковь. По всей Англии были разбросаны римские руины, и в римских городах, таких как Лондон, на улицах росла трава, из разрушенных стен пробивались сорняки. Саксы боялись призрачных старых городов, думали, что здесь водятся привидения. Возможно, так оно и было. Бриттов вытеснили в горы, и они унесли римское христианство с собой.

Какой-нибудь почтенный старец мог бы рассказать, как будучи мальчиком, беседовал со стариками, пережившими тот жуткий хаос, что последовал за уходом римских легионов после четырехсотлетней колонизации страны. Он наверняка слышал истории о спокойных и безопасных римских временах. Для него и для его поколения те, конечно же, были «добрыми, старыми временами». Ему много рассказывали о руинах, до сих пор разбросанных по окрестностям, о храмах и театрах, о просторных виллах и мостовых, о мозаиках, садах, оранжереях и рыбных прудах.

Этот валлиец, или бритт, вспомнил бы об ужасной жизни, об убийствах, набегах, сражениях с язычниками-англами и саксами, приплывавшими из-за моря. Он рассказал бы своим детям о том, как люди собирались возле дровяного очага в хибарке, слепленной из прутьев и грязи. А ведь от прежних прекрасных времен их отделяло всего несколько лет. Тогда Британия процветала под защитой Рима.

В это время и жил святой Давид. Говорят, он родился в 530 году, через 140 лет после того, как Гонорий вывел из Британии легионы. Возможно, он родился от британца, бывшего римлянином по мыслям и речи. Мы мало о нем знаем. Он принадлежит своему веку, подобному туману в горах. Ветер на мгновение относит туман в сторону и показывает скрытую часть ландшафта, а потом снова закрывает все, превращая в непроницаемую тайну. «Дэви Сант» был великим — и хорошим человеком. Все, что нам известно о нем из исторических документов, — то, что он прославился как проповедник и обличитель пелагианизма. Знаем, что умер он в семьдесят лет.

«Валлийская попытка продлить политическое единство, завещанное Римом Западу, — пишет сэр О. М. Эдвардс, — находит свое выражение в рыцарских романах об Артуре, смутное и величественное присутствие которого постепенно становится доминирующим в политической мысли Уэльса. Валлийский поэт скитался под дождем от одной могилы к другой, задавая все тот же простой вопрос: "Чья это могила?" Кто-то спал под могучим дубом, кто-то — на берегу, под шум прибоя; один нашел вечный покой на вершине горы; другой — в низине. Одна могила была длинной и узкой; другая покрыта мертвой травой и увядшими листьями. В одной могиле лежал неизвестный; в другой спал король Кинддилан, что скакал на белом коне с красным мечом. Среди могил на горе, в долине и на морском берегу не было могилы Артура. Король стал духом единства, независимости и государственной мудрости; "глупо было бы думать, что у Артура есть могила".

Исторический период, наделивший Уэльс мифическим защитником, подарил ему также и святого покровителя. В лице святого Давида представлена окончательная победа Христа над полчищем божков — будь то Ллуд Серебряная Рука, покровитель стад и кораблей; заточенный в зачарованный дворец Мерлин; Ллир; старый король Кол; Гвидион ап Дон, создавший из дуба, ракитника и цветов прекрасную девушку, имя которой переводится как "цветочный лик"; или богиня мудрости и знаний Керидвен. Божества были разными — могучими, увечными, некоторые обладали удивительной властью, другие славились добрыми поступками. Исчезновение этой пестрой толпы не было окончательным; многие из божков, особенно добрые, в новой религии сделались святыми, некоторые и по сей день существуют в суевериях».

И в тихом месте, где скалы западного Уэльса смотрят на Ирландию, святой Давид Уэльский построил маленькую церковь во славу Божью. Произошло это почти за полстолетия до того, как папа Григорий I направил блаженного Августина в землю англов, бывшую римскую Британию, дабы обратить ее в христианскую веру.

———————

Я вошел в собор. Здание меня поразило; произвел впечатление камень, из которого оно построено, пурпурных и красных тонов, арки, стиль — предтеча норманнского; великолепная, но совершенно неуместная дубовая крыша. Все это резко контрастировало с суровой наружностью собора.

В маленьком Уэльсе норманнских соборов больше, чем в любой европейской стране, но это — первое большое норманнское здание, посвященное Богу. Крохотные часовни в этой местности жгли и грабили даны, и только при третьем норманнском епископе, Петере де Лейя, появился нынешний собор Святого Давида. Как и все древние церкви, собор неоднократно перестраивался и реставрировался.

Самой красивой частью собора, на мой взгляд, является алтарь. Великолепна утонченная и гармоничная работа по камню. Алтарь сохранился в неизменном виде со времен Петера де Лейя. Интерьер здания уступает соборам Англии, но алтарь уникален и совершенен.

За алтарем находится часовня епископа Воэна с изящным ребристым сводом. В девятнадцатом веке в ее алькове сэр Гилберт Скотт, реставрируя здание, обнаружил старинный ларец с мощами двух людей. Эти ларцы подновили и оставили на месте. В 1921 году их снова обнаружили, когда вносили некоторые изменения в интерьер здания. На этот раз ученые исследовали мощи. Оказалось, что они принадлежат необычно высокому мужчине и мужчине маленького роста. Один из черепов, как говорят, свидетельствовал о выдающихся умственных способностях его владельца. Было сделано заключение, что мощи принадлежат святому Давиду. Известно было, что он отличался высоким ростом. Другие останки, возможно, принадлежали легендарному учителю и родственнику Давида, Юстиниану.

К востоку от хоров находится простая гробница, известная как гробница Святого Давида, хотя, разумеется, это просто место, где покоился ларец с мощами святого. В нескольких ярдах от нее саркофаг из пурбекского мрамора, самая интересная гробница в соборе. Она принадлежит Эдмунду Тюдору, графу Ричмонду, отцу короля Генриха VII.

Странное ощущение: стоишь в церкви на западной окраине княжества возле могилы родоначальника Тюдоров и предка елизаветинского века. Первоначально гробница находилась в церкви Серых братьев в Кармартене и была перенесена в собор Святого Давида по приказу внука Эдмунда Генриха VIII после роспуска парламента.

Эдмунд был старшим сыном сквайра с острова Англси, Оуэна Тюдора. Тайная любовная связь Оуэна с вдовой Генриха V, Екатериной Валуа, вызвала большой скандал. Единственным достижением Эдмунда было то, что, женившись, он произвел на свет ребенка, который впоследствии стал Генрихом VII. Ему не суждено было увидеть «мальчика, рожденного стать королем». В браке он прожил не больше года, и ребенок родился после его смерти.

Итак, здесь покоится дед Генриха VIII и прадед Елизаветы — валлиец, не подозревавший о том, что он основал династию и примирил свою страну с ее древним врагом.

Когда вечернее солнце падает на собор Святого Давида, золотит старый камень и освещает покатые зеленые холмы, белые извилистые дороги и маленькие фермы, крошечный город погружается в воспоминания. Стихает морской ветер, из труб поднимается дым, а человек, смотрящий на церковь в ложбине, знает, что она хранит редкостные воспоминания.

4

Шестнадцать миль и семнадцать холмов отделяют город Святого Давида от города с английским названием — Хаверфордуэст.

Я пишу, сидя на зеленом холме в Пембрукшире.

Что-то сверхъестественное произошло с Уэльсом! Это не Уэльс — это Англия.

Невозможно поверить в то, что этот зеленый холм — валлийский; невозможно поверить, что лес под ним тоже валлийский; что беленый фермерский дом в долине валлийский, что ворота с тяжелыми каменными столбами — валлийские ворота. Как только вы пересекаете границу Кардиганшира и попадаете в Пембрукшир, вам кажется, что вы оставляете Уэльс позади. Вы словно бы в Корнуолле, Девоне или, скорее всего, в Сомерсете.

Пембрукшир — странная по форме, вытянутая юго-западная часть Уэльса. Если посмотреть на карту, станет ясно, что в Пембрукшире и города называются по-английски.

Проведите по карте линию: на севере вы увидите труднопроизносимые валлийские названия, а на юге — привычные, домашние имена.

Названия сотни здешних населенных пунктов имеют английское окончание «-стон» — Панчестон, Радбакстон, Лэмстон, Харольдстон. Встречаются и очаровательные английские имена, такие как Тавернспайт, Спиттал и Нью Хеджес. Да разве я поверю, что это — Уэльс?

С точки зрения национального единства Пембрукшир по отношению к Уэльсу все равно что Ольстер по отношению к Ирландии. Это более старый пример колонизации. И это единственная попытка сделать Уэльс английским, выдержавшая проверку временем.

На севере все старые английские города-крепости давно валлийские. Можете ли вы найти более валлийский город, чем Карнарвон или Конви? Но здесь, на западе, есть фламандская колония, осевшая в Уэльсе 830 лет назад во время правления Генриха I и Стефена. Это — один из наиболее интересных примеров национальных различий на Британских островах, сохранившийся за многие века.

В Ольстере вы, конечно же, увидите потомков скоттов, поселившихся там во времена правления короля Якова I; в Норфолке, особенно в Норидже, встретите мужчин и женщин, явных потомков фламандских ткачей времен Плантагенетов. Некоторых жителей Бостона в Линкольншире можно переселить в Нидерланды, и никто не примет их за чужаков, но нигде в Англии нет ничего похожего на это графство. Здесь два народа, позабыв о вражде, живут бок о бок. Границы их территории отмечены языком, архитектурой и названиями мест.

Это графство, наполовину английское, наполовину валлийское, представляет собой одну из диковинок Британских островов.

«Англичане, как мне рассказывают, последние годы усиленно вторгаются в Уэльс, — пишет А. Г. Брэдли. — Говорят, что раздел проходит посреди деревенской улицы! Читатель вряд ли поверит в то, что одна сторона улицы всю жизнь понятия не имеет о соседях, живущих на противоположной стороне, и лишает себя главного деревенского удовольствия — возможности посплетничать. Но в одно из моих посещений Пембрукшира я стал свидетелем скандала. Дело в том, что на английскую сторону назначили попечителя, а он оказался валлийцем. Он был хорошим специалистом, владел обоими языками, был приятен в общении. Тем не менее в постое все ему вежливо отказывали. В конце концов полицейский, независимый член общества, устроил его у себя. Но у попечителя была лошадь, и обойтись без нее он не мог. Он напрасно хлопотал о провианте и месте на конюшне: все двери перед ним захлопывались. В итоге бедняга вынужден был переехать на валлийскую сторону».

Хаверфордуэст, согласно английскому выражению, стоит на хорошей горе. Вы можете перенести его куда угодно — в Девон или Сомерсет, и он везде будет выглядеть к месту. В нем нет ничего валлийского, и даже голос Хаверфордуэста — это голос Англии.

5

Если вы сдавали экзамен по географии, то наверняка знаете, что Милфорд-Хейвен находится в Девоне. Между ним и Плимут-Хо есть известное сходство. Сразу вспоминаются Фрэнсис Дрейк и Непобедимая армада. И с изумлением узнаешь, что Милфорд-Хейвен — единственный большой рыбачий порт княжества Уэльс.

Городу не повезло. Во времена средневековья отсюда отправлялись в Ирландию. Именно из Милфорд-Хейвена в 1172 году Генрих II двинулся покорять Ирландию. Несколько веков город являлся национальным портом, пока Телфорд не проложил дорогу от Шрусбери до залива Менай и правительство не перенесло ирландские почтовые перевозки в Холихед. Следующим ударом для Милфорда стало закрытие верфи в 1814 году.

Но Милфорд, как и Норидж, умудрился пережить превратности судьбы и даже, как это часто бывает с городами и отдельными людьми, выиграл на этом. На руинах былых надежд выросла большая рыболовная промышленность — единственная в своем роде в Уэльсе, — и доки, открывшиеся в 1888 году, ныне привечают один из лучших траулерных флотов королевства.

Незабываемая картина — возвращающиеся с уловом траулеры. Их около 120, это самые крупные и современные рыболовные суда Великобритании. В море они уходят на одну-две недели. В разгар ловли морякам бывает некогда побриться. Рыбаки бегают по палубе в больших сапогах, подготавливают и разгружают улов.

На берегу их поджидают сотни людей. На набережную вываливают тонны рыбы на раздробленном льду. Ни в одном порту не встречал я столько чаек, философски поджидающих отходов. Под их крыльями словно выбеливаются оцинкованные крыши.

Зрелище улова на набережной Милфорда так же живописно, как и в других местах, где мне довелось побывать. Люди работают всю ночь, сортируя и моя рыбу. К рассвету подготовлено около 60 000 квадратных футов площади под улов. Рыба похожа на армию, выстроившуюся для строгой проверки. Покупатели приходят в 8 часов утра. Торгуют до десяти. Вскоре после этого специальные железнодорожные составы выходят из порта. Они везут рыбу в вечно разинутые голодные рты Лондона, Манчестера и Кардиффа.

Ни в одном порту страны не закоптят сельдь быстрее, чем в Милфорд-Хейвене. Я услышал сигнал-предупреждение. Он означал, что коптильни должны быть наготове: на подходе траулер с сельдью. Я видел, как корабль пришел, как он выгрузил на берег груды серебряной красноглазой рыбы. Несколько минут спустя девушки уверенными движениями крепких обнаженных рук выпотрошили рыбу; еще несколько минут — и сельдь повисла над дымом тлеющих дубовых деревяшек.

— Рыба, что несколько часов назад плавала в Атлантике, утром будет подана на завтрак в Лондоне, — сказал мне человек, ответственный за коптильню.

Если устанете смотреть на рыбу и корабли, можете поохотиться за призраком леди Гамильтон. Ее муж, сэр Уильям Гамильтон, лежит на местном кладбище. Он был крупным землевладельцем в этой части Уэльса.

Память о Нельсоне хранит довольно странная реликвия, оставшаяся со времен Нильского сражения. Это — обломок взорванного Нельсоном французского корабля «*L'Orient*». Подвиг капитана увековечила в стихах миссис Фелиция Хеманс.

Но Милфорд, если честно, мало об этом вспоминает: он заботится о том, чтобы копченая сельдь поспела к завтраку в Лондон!

К востоку отсюда, в бухте Милл-Бей, можно увидеть место, где высадился Генри Тюдор, граф Ричмонд, в ходе одной из своих авантюр. Это событие повлияло на историю не только Уэльса, но и Европы в целом. Мир попрощался со средневековьем, когда Генри Тюдор ступил на берег Милл-Бея.

Жизнь Генри в ссылке, его приключения, притязания на корону и жену являются самыми романтическими эпизодами истории. Возможно, только внешняя непривлекательность, осторожность, свойственная его натуре, и успех во второй половине жизни помешали ему стать героем баллад. Первый Тюдор, чья валлийская кровь соединила Уэльс с Англией и чья твердая рука вывела обе страны на дорогу порядка и здравомыслия, провел свою молодость столь же романтично, как и Красавчик принц Чарли.

Он родился в замке Пембрук, когда его матери, Маргарите Бофорт, едва исполнилось четырнадцать лет. Благодаря матери и ее происхождению от Джона Гонта Генри впоследствии предъявил права на английский трон. Отец умер в год его рождения, и Генри взял под опеку дядя, Джаспер Тюдор. Когда мальчику исполнилось пять лет, его дед, Оуэн Тюдор, отважный сквайр с острова Англси, на то время семидесяти шести лет, вместе с Джаспером Тюдором сошелся с врагом при Мортимер-Кросс. Оуэна взяли в плен и казнили; Джасперу удалось бежать. Маленький Генри остался беззащитным в замке Пембрук. Так начались его приключения.

В четырнадцать лет, уцелев после многих передряг, Генри оказался во Франции вместе со своим дядей Джаспером. Война Алой и Белой розы между тем продолжалась. Английская аристократия истекала кровью, и с каждой смертью молодой валлиец Генри Тюдор приближался к трону. Это встревожило Эдуарда IV, который вознамерился схватить Тюдоров. Много лет им пришлось прожить вдали от родных берегов.

Когда Эдуард IV умер, Ричард, граф Глостерский, убил мальчика-короля Эдуарда и его брата в лондонском Тауэре и захватил корону. Уэльс и Англия обратили взоры за Ла-Манш — на Генри Тюдора, графа Ричмонда. Во Францию зачастили шпионы и гонцы. Одного из них направила мать Генри, бывшая на тот момент замужем за лордом Стэнли. Лорд предложил Генри жениться на законной наследнице, принцессе Елизавете, старшей дочери покойного короля Эдуарда IV. Такой брак мог объединить дома Йорков и Ланкастеров: Генри Тюдор по материнской линии приходился правнуком Джону Гонту, а Елизавета представляла дом Йорков.

Генри решил испытать судьбу. Он пустился в плавание вместе с флотилией из сорока кораблей, снаряженной герцогом Бретани. Существуют разные версии того, почему он вернулся во Францию. Одна из них гласит, что он будто бы услышал об арестах и казнях тех, кто готов был поддержать его в Англии. Другая версия такова: во время шторма корабли Генри отнесло от побережья Девона. Третья версия говорит — и в Уэльсе придерживаются именно ее, — что Генри причалил к берегу и несколько месяцев скрывался в Мостине, графство Флинтшир. Рассказывают, будто отряд Ричарда обыскивал вечером Мостин-холл, когда Генри собирался обедать, и молодой граф сбежал, выпрыгнув из окна.

Как бы там ни было, первая его попытка завоевать невесту и корону окончилась неудачей. Генри вернулся во Францию. Но в Англии о нем помнили, и даже природа, если слухи правдивы, была на его стороне. Огромные толпы ходили полюбоваться на замечательный розовый куст, на стеблях которого цвели красные и белые розы!

Примерно в это время во Францию прибыл гонец, доставивший Генри Тюдору письмо и кольцо от принцессы Елизаветы. Гонец нашел Генри в монастыре возле Ренна. Генри поцеловал кольцо и прочитал письмо. Затем, с типичной тюдоровской осторожностью, три недели хранил молчание, после чего поехал в Париж и поклялся жениться на Елизавете Йоркской, если победит узурпатора Ричарда III.

После этого обета английские студенты Парижского университета принесли Генри присягу как королю Англии. Королева-регентша Франции выдала ему крупную денежную сумму и потребовала оставить заложников в качестве гарантии. Генри проявил мрачную тюдоровскую сметку — оставил будущего шурина, маркиза Дорсе, к которому относился с подозрением.

У Ричарда III были во Франции шпионы, поэтому новость быстро дошла до Англии. На расстоянии двадцати миль друг от друга расставили всадников: они могли за день покрыть расстояние в 100 миль. Ричард знал о предстоящем появлении Генри и опубликовал прокламацию, в которой излил всю свою злость на родственника:

«Королю, нашему сюзерену и господину, стало известно, что Пирс (Кортни), епископ Экстера, Джаспер Тюдор, сын Оуэна Тюдора, называющий себя графом Пембруком, Джон, граф Оксфорд, и сэр Эдвард Вудвилл с другими мятежниками и предателями, пораженными в правах Высоким судом парламента по обвинению в убийствах, прелюбодеяниях и вымогательствах и иных деяниях, противных Богу, покинули родную страну и перешли под покровительство герцога Бретани, посулив ему некоторые блага...

Упомянутые предатели избрали своим предводителем некоего Генри Тюдора, сына Эдмунда Тюдора и внука Оуэна Тюдора, обладающего столь ненасытной алчностью, что он посягнул на имя и королевский титул. На сие он не имеет никакого права. Всякому известно, что он бастард и с отцовской, и с материнской стороны. Дед упомянутого Оуэна рожден бастардом, а его мать была дочерью Джона, герцога Сомерсета, сына Екатерины Суинфорд. Отсюда следует, что титула у него быть не может. Если ему удастся достигнуть исполнения мнимой цели, в его руках окажется жизнь каждого человека, средства к существованию и управлению; посредством этого он сможет разрушить все, что есть благородного в нашем королевстве.

Вышеупомянутый сюзерен желает, чтобы его подданные были готовы к обороне, послужили его величеству, если придется оказать сопротивление новоявленным королям, мятежникам, предателям и прочим врагам.

Заверен сей документ в Вестминстере 23 июля, на второй год нашего правления».

6

Наступил август 1485 года.

Зеваки облепили скалы Пембрукшира. Они хотели видеть, как объединенные флоты Франции и Бретани бросают якорь у Милфорд-Хейвена. На берег ступил молодой человек двадцати восьми лет. У него длинное, бледное, сдержанное лицо. Вместе с ним на берег сошел его дядя, Джаспер Тюдор.

— Добро пожаловать, ты хорошо позаботился о племяннике, — так приветствуют Джаспера. Это мрачный намек на принцев, убитых в Тауэре их дядей, Ричардом III.

Генри Тюдор привел с собой небольшой французский отряд. Все население Уэльса страшно взволновано этим событием, но многие лорды воздержались от приветствия, как и вожди кланов Хайленда, когда Чарльз Эдуард Стюарт высадился в Шотландии. Впрочем, заминка эта кратковременная. Пусть Англия видит в бледном молодом человеке наследника Джона Гонта, Уэльс видит в нем Кадваладра, валлийца, воина древней крови, который, согласно пророчеству Мерлина, усядется на английский трон. Англичане могут считать брак с Елизаветой Йоркской союзом Роз, а валлийцы называют его союзом потомка Риса Диневора[1] с женщиной, в жилах которой течет кровь Ллевелина Великого.

Итак, Генри, граф Ричмонд, идет по Уэльсу, собирая по пути армию. Он направляется в Кардиган. К нему с небольшим отрядом присоединяется Ричард Гриффит, приводит своих людей правитель Южного Уэльса Рис ап Томас. Генри движется к Махинлету, пересекает долину Северна, минует Ньютаун и Уэлшпул и входит в Шрусбери. О валлийском марше узнают другие отряды, которые примыкают к нему: Ричард ап Хауэлл ведет за собой из Флинтшира отряд, насчитывающий тысячу шестьсот шахтеров. В Ньюпорте Генрих принимает под свои знамена первых английских сторонников — пятьсот человек под командованием сэра Гилберта Талбота.

Две недели идет он по Уэльсу со все возрастающей армией. Раздумывает, окажет ли поддержку лорд Стэнли, женатый на его матери. Семья Стэнли управляет Северным Уэльсом, а Рис ап Томас — Югом. Лорд Стэнли с братом, сэром Уильямом, пока безмолвствует. У них две армии. Они наблюдают за происходящим, но держат нейтралитет. Тем временем Генри Тюдор входит в Англию.

---

[1] Лорд Диневор — сын последнего валлийского правителя.

Король Ричард III появляется в Лестере на закате дня. Он восседает на великолепном белом коне. На короле те же доспехи, что и при Тьюксбери. Шлем увенчан позолоченной короной. Позади короля — лучшая конница Европы. Армия насчитывает около тринадцати тысяч человек. У Генри Тюдора всего пять тысяч. В ту ночь Ричард спит не в замке Лестера, а на постоялом дворе «Голубой кабан».

Рано утром Ричард выходит из южных ворот Лестера. На мосту его нога цепляется за выступающий сучок, и слепой нищий кричит:

— На обратном пути твоя голова зацепится за ту же деревяшку!

Армия Ричарда и маленькая валлийская армия Генри в ту ночь встают лагерями одна против другой: одни на поле Редмор, другие на Босуортском поле.

Рано утром валлийская армия поднимается по пологому холму навстречу восходу. Солнечные лучи освещают три штандарта. На одном из них святой Георгий; на втором Красный Дракон Кадваладра; на третьем — мышастая корова Тюдоров. Правый фланг возглавляет Джон де Вир, граф Оксфорд; сэр Уильям Стэнли, принявший решение в последний момент, ведет за собой левый фланг; Генри — в центре. Король Ричард надеется смять валлийцев конницей. Один налет следует за другим, но ему навстречу выдвигается сэр Уильям Стэнли. На Босуортском поле происходит объединение Северного и Южного Уэльса.

Два часа — и сражение окончено. Ричард — что бы о нем ни говорили — был бесстрашным солдатом. Он трижды выходит против Генри, и трижды его атаки отбивают. Пришпорив коня, Ричард мчится вперед: он хочет лично сразиться с Тюдором, бешено скачет к английским и валлийским штандартам. Короля спешивают, кровь течет ручьем. С мертвого тела сдирают доспехи. На кусте шиповника находят шлем с короной. Лорд Стэнли принимает окончательное решение и, надев шлем с короной на голову Тюдора, называет его Генрихом VII, королем Англии и Уэльса.

Вечером того же дня обнаженное и окровавленное тело короля Ричарда III перебрасывают через седло и везут по мосту. Голова мертвеца задевает ту самую деревяшку. Исполняется пророчество слепого нищего.

Средневековью пришел конец. Начался современный мир: Генрих VIII и королева Елизавета, Шекспир и открытие Америки; коммерция и промышленность; империализм и сомнительные блага, пришедшие вместе с ним. Начало всему этому положил бледный, хитрый и победоносный молодой валлиец, направившийся в Лондон в августовский день 1485 года.

7

Чтобы понять Уэльс и его место в англо-кельтском сообществе Великобритании, необходимо осознать, что, когда Генриха VII признали королем Англии, княжество посчитало, что отомстило за норманнское нашествие. В эпоху Тюдоров валлийцы были в такой же чести в Вестминстере, как и шотландцы при Стюартах (главный советник Елизаветы, Уильям Сесил, сделавшийся на английский манер Сесилом, был валлийского происхождения).

Генрих въехал в Лондон в компании валлийцев. Над его головой развевался Красный Дракон Уэльса. Мало кто знает, что пост чиновника, должность которого именуется «герольд Красного Дракона» — его офис до сих пор находится на Куин-Виктория-стрит, — был учрежден Генрихом VII в ознаменование победы Красного Дракона Кадваладра. Тюдор-победитель въехал в Лондон не на боевом коне, как сделал бы другой на его месте, а в неуклюжем экипаже, более пригодном для женщины. Это был странный въезд, немало удививший лондонцев. Возможно, он предвещал новый век, достигший кульминации в правление женщины, внучки Генриха Елизаветы.

Въехав в Лондон, Генрих перво-наперво пошел в церковь Святого Павла и во время исполнения «Te Deum» вывесил свои штандарты.

Вскоре Генрих женился на Елизавете Йоркской. Бракосочетание отпраздновали во дворце «со всей подобающей пышностью. Устроили многочисленные пиры, на лондонских улицах вспыхивали фейерверки, горожане пели и танцевали». Обязанности прелата исполнял кардинал Буше, в руке он держал букетик из двух изящно перевязанных роз — белой и красной.

В том же году Елизавета родила мальчика, и Генрих, знавший легенды о короле Артуре и песни бардов, предрекавшие, что когда-нибудь английский трон займет бритт, назвал своего первенца Артуром. Итак, легенды о принце, спавшем в пещере Сноудона и дожидавшемся своего часа, наконец-то стали реальностью.

Высокая честь, которой удостоились валлийцы во времена Тюдоров, сделалась историческим трюизмом, и это отражено в пьесах Шекспира, однако подлинное внимание княжеству Уэльс уделил не Генрих Тюдор, а его сын, великий Генрих VIII.

Он издал Акт об унии, и под его могучей рукой лорды Марки лишились собственности, а их обширные территории были превращены в «широ». Для богатых валлийцев настали хорошие времена. Они не сомневались в расположении Лондона, но для простого народа Уэльса настали черные дни.

Романтический триумф Тюдоров хорошо подытожил профессор Дж. М. Тревельян в своей «Истории Англии»:

«Горячая поддержка валлийцами потомка их древних принцев, шедшего под штандартом Кадваладра, и память о предсказании помогли Генриху всего за неделю собрать армию ревностных сторонников в воинственной стране. С помощью нескольких французских и английских авантюристов он выиграл сражение на Босуортском поле против короля, за которого стыдились воевать его английские подданные. Такова одна из причуд фортуны: на земле Лестершира сошлись в рукопашной схватке несколько тысяч человек, в то время как другие несколько тысяч наблюдали за боем со стороны. Английский трон захватила величайшая из всех королевских династий, которая повела страну по новому пути, о чем и мечтать не мог человек, прекрасно осведомленный о древней ссоре Йорков и Ланкастеров».

8

Несколько миль — и я уже в древнем городе Кармартен. На улицах полно сельского люда. Вот я и снова в Уэльсе!

Кармартен — город с характером. Здесь есть и узкие старинные улочки, и широкие современные проспекты. То, что осталось от замка, превратилось в окружную тюрьму. Здание стоит на горе и смотрит на медлительную узкую Тауи. Мне показалось, что Кармартен — самый оживленный город Уэльса. Возможно, потому что я приехал в базарный день. Тут чаще смеялись и больше улыбались, чем в других местах княжества. Нет лучше зрелища — во всяком случае, для меня, — чем город, заполненный состоятельными фермерами, их женами, крепкими сыновьями и ясноглазыми дочерьми. Мне даже почудилось, что зеленая долина Тауи тоже улыбается. Как же все-таки отличаются люди, живущие в плодородных долинах, от мужчин и женщин в горных районах! В Карнарвоне и в базарный день чувствуется холодное дыхание Сноудона, а Кармартен довольно улыбается на фоне колосящегося поля. Я зашел в старинную церковь Святого Петра, постоял возле восковых фигур Рис ап Томаса и его супруги. Этот великий правитель Южного Уэльса помог Генриху VII взойти на трон...

Я стоял на мосту и вдруг увидел огромного жука, передвигающегося на задних лапах. А может, то была черепаха? Будь со мной Юлий Цезарь, он тут же узнал бы в этой диковине коракл древних бриттов. Чрезвычайно интересно своими глазами увидеть примитивные кораклы, до сих пор плавающие по реке Ди возле Лланголлена и по Тауи возле Кармартена. В отдаленных уголках Коннемары в Ирландии я видел каноэ, называемые *куррах*, изготовленные из шкур или парусины, натянутой на деревянную раму, но они не столь «первородны», как валлийские кораклы, похожие на почти круглую корзину, легко скользящую по воде.

Рыбак нес коракл на спине. В сезон охоты на лосося, длящийся с апреля по август, рыбаки ходят на реку и обратно с подвешенными на лямке историческими судами. Со спины они выглядят на редкость забавно — огромная неуклюжая раковина на гротескных ногах.

Я спустился с моста и заговорил с рыбаком. Он сказал, что на Тауи, возможно, около дюжины рыбаков, ходящих на кораклах. Это — наследственный промысел: сын наследует отцу, и посторонние не допускаются. Рыбаки платят налог в 3 фунта 4 пенса в год за лицензию. Во время сезона им разрешают ловить лосося сетью. Два коракла плывут параллельно друг другу с сетью примерно десяти футов шириной, натянутой между ними. Эти сети должны иметь достаточно широкие ячейки, чтобы рыба менее фунта весом в них не попадала.

— Вы позволите мне посидеть в вашем коракле?

Рыбак улыбнулся и, повернувшись спиной к реке, опустил свою неуклюжую корзину на спокойную воду. Она лежала на поверхности, словно яичная скорлупа. После минутного колебания я осторожно ступил в нее. Редко когда доводилось мне чувствовать себя столь ненадежно. Рыбак придержал суденышко рукой и вошел в лодку вслед за мной. Он взял весло, которым управляются эти лодки, и мы двинулись по реке. Мои ноги, робко попиравшие плетеное дно коракла, буквально ощущали воду! Неприятное ощущение. Рыбак держал весло одной рукой. Он уткнул конец весла себе под мышку и странными движениями шевелил лопастью в воде. Управлять кораклом — непростое искусство, да и сидеть в нем правильно тоже не так просто.

Рыбак сказал мне, что многие рыбаки на Тауи сами плетут свои кораклы.

— А для чего этот молоток? — спросил я, заметив деревянную киянку, подвешенную к сиденью.

— Бить лосося, — ответил он.

Я ничуть не расстроился, когда древний бритт направил свою ореховую скорлупку к берегу.

Глава одиннадцатая,

в которой возле Лланелли я въезжаю в Черный Уэльс, смотрю, как мужчины варят сталь, в Суонси вижу плавку меди и цинка, а заканчиваю посещением гонок на ослах вместе с женщинами Гоуэра.

1

Я проехал несколько миль по приятной дороге Кармартеншира, но, поднявшись на очередной холм, увидел сверху черный город. Дым из труб застилал длинные улицы, клубился над сланцевыми крышами мрачных домов.

Уэльс так красив и не испорчен, что первый же промышленный город привел меня в состояние шока. Этот город выглядел сумасшедшим пришельцем. Его окружало открытое пространство. Я проехал мимо группы мужчин в синих костюмах, суконных шляпах и шейных платках. Город оставил на них свое мрачное клеймо. Я остановился поблизости и, желая услышать их выговор, спросил:

— Это Лланелли?

— Да, Лланелли.

Какой заметный акцент!

Мы поговорили о погоде, работе и депрессии. Я был поражен (Уэльс меня часто удивляет) спокойными манерами, за которыми чувствовалось хорошее воспитание. Депрессия уничтожила красоту некоторых районов Англии и пагубно отразилась на характерах рабочих, но эти валлийцы отличались живостью, умом, хорошей речью, юмором и добротой. Вот как много удалось мне узнать из пятиминутного разговора. Вспоминая тот разговор с рабочими в Южном Уэльсе, я понимаю, что мое первое впечатление было верным.

В Лланелли я встретил людей, которых видишь в любом промышленном городе: коммивояжеров, менеджеров лудильного производства, молодых химиков-металлургов и тому подобное.

Один человек пригласил меня на самое эффектное и типичное зрелище в Лланелли — плавку стали. Я пообещал прийти ближе к вечеру.

2

Около десяти часов вечера горожане готовятся ко сну, но сталелитейный завод приступает к ночной смене. Свечение видно за несколько миль: оно исходит от четырех выстроившихся в ряд плавильных печей. Дверцы поднимают на шесть дюймов, и я отступаю, пряча глаза от белого жара жидкой стали.

Мужчины, обслуживающие печи, похожи на бесов: на фоне оранжевого свечения — черные как смоль, с длинными черпаками в руках. В темноту прямехонько из ада выскочила странная штуковина, которая скользила и виляла, точно огромная летучая мышь. Это по проложенным над головой рельсам движется электрическая вагонетка. Рабочий управляет ею с ловкостью таксиста на Пикадилли.

Спереди у вагонетки подъемный кран. Выгрузили металлолом — детали военных кораблей, покореженные рамы детских колясок, кровати и прочий отслуживший свой срок металл. Кран поднимает железную клеть, полную лома; вагонетка разворачивается и скользит к печи, дверца открывается, оттуда вырывается жар, клеть медленно входит в ад и осторожно опрокидывает металл в кипящее жерло.

Лишь на мгновение ты видишь кусок армированной плиты, обломок кровати, обод велосипедного колеса. Они изо всех сил пытаются сохранить себя, но тщетно: постепенно железяки теряют цвет, оседают и исчезают в булькающем месиве. Печь поглотила очередную порцию еды.

— Сейчас будет плавка в печи № 1... Идемте!

Печь № 1 готова и ждет. Мне выдают синие очки. «Бесы» встают на расстояние двенадцати ярдов от печи. Они тоже в синих очках. Ни один человек не может лицезреть расплавленные шестьдесят пять тонн стали незащищенными глазами.

«Бес» в очках подкрадывается к печи с черпаком на длинной ручке. Он засовывает черпак в сталь и крутит им в кипящем вареве. Вытаскивает. Образец стали изучается. Да, металл можно разливать.

— Всем назад!

В темноте неожиданно вспыхивает яркий свет, сыплются фонтаны огненных брызг, слышится шипение, и поток жидкой стали устремляется из печи в котел. Сталь переливается через кромку котла. В эту минуту она похожа на розоватое молоко, затем обретает красивый оранжевый цвет. В металле заперта ужасающая энергия. Если она выйдет из-под контроля «бесов» и вырвется на волю, мы все погибнем за две секунды. Жар, исходящий от нее — а мы стоим на расстоянии двадцати ярдов от котла, — почти непереносим.

Расплавленная сталь медленно льется в гигантский котел. На поверхности образуется пленка. По ней скачут искры. Лопаются пузыри. Стальной поток заканчивается. Вспыхивают последние искры, и процесс выплавки стали благополучно завершается.

В нескольких ярдах от меня работает молодой химик. Он стоит в небольшом помещении, заставленном бутылками. Дверь открыта.

Прежде чем шестьдесят пять тонн стали остынут — то есть прежде чем металл поменяет цвет со светло-красного до темно-красного, — молодой человек возьмет образец и взвесит унцию горячей стали. Проверит ее на содержание углерода, серы, фосфора, марганца, олова и никеля. Химик быстро перемещается между ретортами и пробирками. Он проверяет сталь с помощью реактивов. Записывает результаты на листе бумаги и составляет отчет, в котором пишет, что шестьдесят пять тонн из печи № 1 содержат такую-то пропорцию углерода, такую-то — никеля...

— Вы можете забраковать все эти тонны стали?

— Если обнаружу серьезную ошибку.

— Это часто бывает?

Он улыбнулся с видом превосходства.

— Только не на нашем заводе...

Вошел менеджер, посмотрел на отчет. Молодой человек выключил горелки, вымыл пробирки и бутылки.

У печи № 2 «бесы» в синих очках загружают ворота ада. Через час печь № 2 будет готова выпустить в ночь поток белого шипящего металла...

И все это — первая глава в жизни консервной банки.

Удивительно, сколько мучений испытывает сталь, прежде чем превращается в консервную банку. Длинные полосы металла нарезаются на куски. Так продавец в гастрономе режет сыр. Нарезанные заготовки снова идут в печь. Нагретые докрасна пластины раскатывают катком, пока не становятся тонкими, как картон, и плоскими, как коврик в ванной. Затем рабочий хватает пластину щипцами, сгибает пополам, штампует и швыряет к другим, уже обработанным. Пластины снова прокатывают, снова сгибают пополам и штампуют. Операция повторяется. Каждая пластина становится в восемь раз толще.

Люди работают так быстро, что каждая пластина все время в движении.

Потом спрессованные пластины поступают в руки девушек. В Уэльсе давняя традиция — женщины разделяют куски металла. Они выстраиваются в ряд. Их руки обмотаны тряпками, которые когда-то были перчатками. В ладони каждой руки кусок металла. Девушки берут пластины и быстрыми движениями снимают одну пластину за другой.

— Сколько пластин вы делаете за день?

— Восемьдесят ящиков, — сказала девушка.

Восемьдесят ящиков стальных пластин, размером двадцать восемь на двадцать дюймов, итого 4480 пластин! Вот такая дневная норма!

Смотреть на девушек, разнимающих стальные пластины, не менее интересно, чем на работу литейщиков. Они редко ошибаются. Если стальная полоса отказывается отлепиться от пачки, девушка редко в этом виновата. Должно быть, в металле произошли какие-то изменения при взаимодействии с огнем.

После продолжительной прогулки по заводским помещениям и цехам, пахнущим серной кислотой, я увидел машину, превращающую сталь в жесть! Слово «жесть» может вызвать неправильные ассоциации. Банки, в которых вы покупаете лосося, молоко, абрикосы и другие продукты, на самом деле сделаны из тонкой стали, покрытой минимальным количеством олова. В пятидесяти шести стальных листах присутствует один фунт олова.

Машина, размазывающая олово по стальному листу, напоминает печатный станок. Она невероятно умна. С одного конца в нее поступают тусклые стальные пластины; с другого конца выходят блестящие жестяные заготовки.

Наблюдать за работой машины не слишком интересно: уж очень эффективно она трудится. Даже хочется, чтобы она сделала ошибку. Но этого не происходит! Она почти нежно подхватывает каждую стальную полосу. Сталь прокатывается через валки и погружается в ванну с расплавленным оловом. Затем пластина попадает в емкость с пальмовым маслом. Масло застывает на металле тонким слоем, после чего готовую пластину обтирают с материнской заботой, пропуская через матерчатые валки. И вот долгое путешествие из печи к консервной фабрике почти закончилось.

3

Город Суонси никогда не выиграет конкурс красоты, но его жителям повезло, потому что они живут в нескольких шагах от настоящего рая — полуострова Гоуэр.

Суонси меня заинтересовал. В этом старинном городе все следы прошлого были утрачены, когда началась промышленная революция и всех охватила жажда наживы. Я удивился, увидев мемориальную доску на доме Аппер-Гоут-стрит: там родился неподражаемый Красавчик Нэш. Суонси — одно из последних мест на Земле, которое воспринимается как связанное с первым английским «джентльменом».

— Первым делом, — сказал мне житель Суонси, — вы должны посетить медный завод. Это наше первое промышленное предприятие. Мы всегда плавили медь. Несколько столетий назад корнуоллское золото по воде отправляли на переплавку в Суонси. Позже появился флот из деревянных кораблей, они обошли весь мир в поисках медной руды. Иногда они за две недели огибали мыс Горн вместе с грузом...

И хотя сегодня сталь и другие металлы потеснили медь, эта историческая отрасль промышленности превратила наш маленький порт в один из самых заметных промышленных городов Уэльса.

Я послушно обследовал мрачную и ужасную долину Ландора. Сто или сто пятьдесят лет назад она, как и остальной Южный Уэльс, была красивым, мирным местом. Промышленная революция ее изменила. Вмешалось самое ужасное изобретение человека — литейное дело. Мрачные заводские трубы торчат по всей долине, точно сказочные великаны-людоеды. Ветер разгоняет дым. Это — драма Суонси. К огню и мускульной силе — этим примитивным родителям металла — добавилась наука. За кузнецом с молотом стоит сейчас химик в очках.

— Сегодня, — сказали мне, — руду выплавляют на шахтах и привозят к нам для очищения. Она содержит 95 процентов меди, 5 процентов железа, серы и других примесей. Мы эти примеси удаляем, подготавливая медь к дальнейшей обработке.

Я вошел в плавильный цех. Такие помещения, вероятно, существовали в Древнем Египте.

На фоне яркого света выделялись силуэты рабочих с черпаками на длинных ручках. Медь булькала, словно суп в кастрюльке. В нее вдули воздух. В процессе оксидирования примеси выходят из металла, поднимаются на поверхность в виде пены, и медники эту пену снимают.

В печь, под поверхность расплавленного металла, просовывают ветви молодых деревьев. Они насыщают медь кислородом и окисью углерода, и это способствует удалению примесей.

Как все примитивно — и как верно с научной точки зрения! Пока химик описывал процесс, сыпля техническими терминами, я не мог не думать о том, что тысячи лет назад какой-то человек, слыхом не слыхивавший об окиси углерода, обнаружил, что хорошее сочное молодое деревце оказывает удивительное воздействие на кипящую медь!

Складские помещения завода удивительны. Тонны медных листов, тонны медных дисков, тонны блестящей меди, готовые отправиться в любой уголок мира.

Здесь была медь, которая через несколько месяцев попадет в мастерские и лавочки на базарах Калькутты, Каира, Иерусалима. Я видел медь, предназначенную к отправке в Норвегию и Швецию. А вот эти блестящие стопки меди войдут в тысячи ванных комнат.

Выйдя из склада, я увидел в одном из цехов груду металлолома. Такие обычно стыдливо прячут в темном углу. Странно было видеть этот хлам посреди цеха. Тут были мятые кофейники, дырявые сковороды, искореженные чашки и другие предметы, чья первоначальная форма едва угадывалась.

— А, это! — сказал мой гид. — Один болван с Ближнего Востока не смог заплатить по счетам, вот и прислал нам свой хлам!

— Что вы будете с ним делать?

— Сварим...

По пути из Ландора я увидел могильные курганы промышленности — огромные груды шлака. Деревянные корабли привезли его в Суонси в те дни, когда каждая печная труба была из меди.

4

Представляете карикатуру в стиле Бейтмана: посетитель, закуривающий сигарету на англо-персидском нефтеперегонном заводе в Лландарси? Большего поведенческого ляпсуса я и вообразить не могу. Думаю, люди, владеющие миллионами тонн нефти, скончались бы от ужаса, а пожарные бригады набросились бы на преступника.

Сначала меня обыскали на предмет зажигалок и спичек и только потом позволили войти в бензиновый город. Это одна из достопримечательностей Южного Уэльса — самый большой нефтеперегонный завод в Европе. Он напоминает амбициозный район Канады. На территории в 650 акров стоят безупречно чистые здания. С чем бы все это сравнить? С машинным отделением военного корабля!

С высоты водонапорной башни можно увидеть гавань Суонси, куда входят англо-персидские танкеры с сырой нефтью из Персии. Недалеко от доков находится площадка с резервуарами. Их там шестьдесят, и они могут вместить 160 000 000 галлонов нефти. Водонапорная башня вмещает 250 000 галлонов, а наверху находится помещение с прожектором.

— Если начнется пожар, — сказал мой гид, тщетно оглядываясь по сторонам в поисках дерева, по которому можно было бы постучать, — мы направим на огонь луч прожектора и сможем управлять тушением пожара с этой башни...

Неудивительно, что люди, охраняющие миллионы галлонов нефти, стучат по дереву при одной мысли о пожаре.

Через этот нефтяной город проложена железнодорожная ветка. По ней ходят странные маленькие локомотивы. У них нет топок труб, и они работают на сжатом паре. То и дело они подкатывают к ангарам, чтобы подзаправиться. Заправки хватает на четыре часа работы.

Проведя на заводе около двух часов, я вдруг сообразил, что не видел ни одной капли бензина и не почувствовал ни малейшего запаха.

— Бензин? — спросил мой гид. — Если вам так интересно, я могу показать.

Мы пошли туда, где стояли несколько перегонных кубов. Возле них оказался работник с безопасной лампой. Он снял задвижку с одного из кубов, посветил в темноту, и я увидел бензиновую реку.

Завод поразил меня своей беззвучной эффективностью. На выходе мне вручили спичечный коробок...

— Можете курить.

5

Город-металлург Суонси чаще других городов Великобритании говорит с вами о вещах, которых вы не понимаете. Металлурги — люди с техническим складом ума. Они любят выражаться алгебраическими формулами, и единственное, что остается, — напускать на себя умный вид и время от времени кивать.

Спелтер — одна из загадок. Призываю обычного человека послушать и постараться понять хотя бы слово, когда специалист пытается описать этот металл. Со временем до слушателя, возможно, дойдет, что, рассказывая о спелтере, эксперт имеет в виду цинк.

Самым большим предприятием по добыче и переработке цинка в Великобритании является завод неподалеку от Суонси, в Ллансамлете. Он похож на огромный лайнер с излишним количеством дымоходов.

Снаружи, в глубоких карьерах, вам покажут тонны вещества, похожего на коричневую пыль. Это — руда спелтера из Австралии, но еще не спелтер!

Думаю, правильнее назвать ее «концентратом».

Хотелось бы привести сюда группу средневековых алхимиков.

В старые времена колдуны и люди, искавшие философский камень, немало дивились спелтеру. В 1597 году они описывали его как «странную разновидность олова»; что, в конце концов, оказалось не такой уж плохой догадкой. Белый порошок оксида, в который спелтер превращается при сгорании, в былые времена назывался «философской шерстью».

После первичной обработки руда лежит, словно неудавшийся пудинг.

Она очень красная и спекшаяся. Пыль превратилась в комки!

— Это спелтер? — спросил я.

— Еще нет, — ответили мне. — Это синтер.

— Что такое синтер?

— Это десульфурированная руда спелтера. Здесь мы удаляем серу. Мы получаем тонны концентрированной серной кислоты.

Меня привели к огромным перегонным кубам. Сернистые газы превращены в такую насыщенную кислоту, что от самого слабого дуновения, исходящего от нее, перехватывает дыхание.

А руда тем временем продолжает сложный процесс превращения.

— А теперь спелтер... — начал я.

— Пока не спелтер, — возразили мне, — это сфалерит!

— Что такое сфалерит?

— Это десульфурированная руда спелтера, смешанная с углем и солью. Но вы скоро увидите спелтер. Сейчас будут разливать металл...

Зал по выплавке спелтера — одно из самых эффектных зрелищ в промышленности. Я стоял в длинном темном ангаре. Он был освещен тысячами нежно окрашенных языков пламени.

Разлив металла осуществляется четыре раза в день.

Чтобы получить одну тонну спелтера, нужно израсходовать четыре тонны угля.

Все готово к разливу металла. Рабочие подходят к муфелям и убирают заглушки. Из печи выливается тонкий поток вещества, очень похожего на ртуть.

Ну наконец-то — спелтер!

Металл сразу же разливается в квадратные формы. Там он быстро твердеет и превращается в голубоватый слиток — цинк.

Процесс является химическим экспериментом в гигантских масштабах.

— Как используют спелтер? Он — основа всех гальванических процессов.

После прогулки по заводу я подумал, что процесс обжига и дистилляции, в результате которого из коричневой пыли получается одна неприятная жидкость и один очень красивый металл, показался бы алхимику еще более странным, чем древние сказания.

6

Старые женщины, сидящие на субботнем базаре Суонси, словно ждут, когда их напишет Рембрандт. На них черные шляпы, шали и передники. Узловатые руки покоятся на корзинах с вареными сердцевидками.

Если пожелаете съесть моллюсков, женщины опустят во влажную массу блюдечко, возможно, взятое из игрушечного набора, и подадут нечто, от чего вы получите либо удовольствие, либо неприятные ощущения. Старушка улыбнется вам и предложит уксус из бутылки с отверстием в пробке. Цена — один пенни.

Эти жрицы великого бога Несварения желудка летом торгуют сердцевидками, а зимой — мидиями. Они с полуострова Гоуэр. Интересно посмотреть, как они отыскивают сердцевидок.

Над раскинувшимися на многие мили песками и над солеными речушками гуляет морской ветер. Во время отлива речки можно перейти вброд. На противоположном берегу вздымаются черные дымные здания сталелитейного завода Лланелли.

Странный фон для картины, которая, возможно, существовала на заре истории.

Я видел, как люди стояли у каменной стены в ожидании отлива. Их было около двухсот, в основном женщин, молодых и старых. Почти все приехали на ослах. Они напомнили мне племя бедуинов. На головах шали, закрепленные на висках лентой. Так они защищают лица от ветра, который временами налетает с Гоуэра (арабы схожим образом закрываются в пустыне от песка).

Почти на всех женщинах легкие туфли на резиновой подошве и черные шерстяные носки. Они глядят на море, дожидаясь того момента, когда можно будет отправиться к местам скопления сердцевидок.

Гонки по песку — дикое и забавное зрелище. Молоденькие и старушки потрусили вперед, верхом на ослах. Я поспешал за девицей по имени Мириам. Она распевала валлийские песни, несмотря на дувший в лицо ветер. Молодая и просоленная, как сельдь Бисмарка. Глаза ее были с поволокой, как у лани, а руки — сильные, как у воина.

— Да, жизнь тяжела, — сказала Мириам, — за несколько шиллингов в неделю приходится барахтаться в песке, а зимой, когда созревают мидии, терпеть ветер, дующий с моря. Трудно дышать, пальцы замерзают — не согнуть.

— Кто эти женщины?

— Жены и дочери шахтеров.

Мне вспомнилось, что женщины Норфолка добывали сердцевидок на протяжении многих столетий. Мужчины никогда или крайне редко занимаются этим промыслом. Считается, что это женское дело.

— Почему старые женщины прячут лицо под шалью, когда видят фотоаппарат?

— Потому что это плохая примета, — объяснила мне пожилая валлийка.

Получасового сбора сердцевидок вполне достаточно для большинства людей.

Женщины спешиваются, стреноживают ослов веревками и начинают рыться в песке в поиске моллюсков. Сердцевидки прячутся на глубине около дюйма. Каждый прилив приносит новый урожай. Сборщицы острыми серповидными железными крючьями быстро разрывают песок. Они подтаскивают моллюсков скребком и укладывают в сито. Морская вода просеивает песок.

Работа утомительная, от нее болит спина. Старые и опытные сборщицы учат молодых девушек своему искусству. Они показывают, как можно сберечь силы, как скрести и обрезать раковины без лишних усилий.

Мириам громко пела о чем-то далеком, о том, что случилось в Уэльсе много лет назад.

Женщины возвращаются — пока не начался прилив — с тяжелыми корзинами моллюсков. Движутся они намного медленнее.

Некоторые продают сердцевидок в раковине — так, как собрали, другие варят моллюсков, а потом продают; некоторые варят и вынимают из раковин...

Я сделал ошибку, купив большое количество моллюсков. Попросил жену хозяина постоялого двора приготовить их для меня. Она поджарила их в сливочном масле с лукопореем и подала с беконом. Думаю, человек, поедающий сердцевидки, испытывает то же удовольствие, что и щенок, грызущий надушенный банный коврик. Сердцевидка — нежная еда. Если бы эти моллюски стоили по шиллингу за штуку, их готовили бы в самых знаменитых ресторанах мира.

Но наступает момент, когда, поедая сердцевидок, начинаешь задумываться, не пора ли остановиться. Затем кладешь в рот одного или двух нежных моллюсков, наслаждаешься морским духом и... продолжаешь.

Посреди ночи к твоей постели на цыпочках подкрадывается дьявол и тяжело на тебя дышит. Ты пытаешься отодвинуться и проваливаешься в яму. Просыпаешься. Да, ты поступил неблагоразумно...

7

Полуостров Гоуэр входит в число самых изысканных областей Уэльса. Я приехал туда в солнечный день и оказался в краю золотого утесника, голубых бабочек и морского ветра. Этот восхитительный полуостров почти так же безлюден, как и самая дикая часть Сноудонии. Кажется, что ты на острове. У Гоуэра свои обычаи, свои традиции, своя речь и собственная индивидуальность.

Рыбацкая деревня Мамблз, конечно же, известна всем в Суонси. Многим ее хватает, и они не углубляются в Гоуэр. За Мамблз дороги бегут к веселым деревенькам, фермам, лесам и полям с цветущим утесником. Дороги эти непременно ведут к скалам и морю.

Две цивилизации представлены сборщицами сердцевидок и рабочими из Лланелли. Они смотрят друг на друга через полосу песков шириною две или три мили. Два разных народа живут на Гоуэре, как в Пембрукшире — англичане и натуральные валлийцы. На западе Гоуэра, как в Пембрукшире, полно мест с английскими названиями: Фернхилл, Нельстон, Олдуоллз, Рейнольдстон, Черитон, Овертон, Мур-Корнер, Пилтон-Грин.

«Если спросить у уроженца Порт-Эйнона, Миддлтона или Рейнольдстона о ком-то в восточном районе, вероятно, вам скажут: "Не знаю, он живет в Велшериз", — пишет Брэдли. — Родной язык полудюжины английских приходов, изолированных в течение столетий, вызывает у меня особенный интерес потому, что в Пембрукшире я знал анг-

личан, у которых отсутствует валлийская напевная интона-
ция, хотя в Западном Шропшире и Херефордшире она
встречается. Здесь, на куда более маленьком Гоуэре, я отмечал ее много раз, хотя она и слабо выражена.

Вот несколько примеров английского языка полуострова
Гоуэр, на которые я обратил внимание, проживая в этой
местности. Мне повезло: в качестве компаньона у меня был
ректор Порт-Эйнона, уроженец полуострова и исследова-
тель его традиций. Уроженец Гоуэра не просит вас сесть,
он предлагает вам "опустить свой вес". Такую идиому точно не понял бы толстый иностранец. Местный житель упо-
требляет слово "clever" в том значении, в котором его использовали в старину и как до сих пор используют виргин-
цы — "приятный", "симпатичный". Нанизываются в
цепочку одинаковые прилагательные. "Damp" (сырой) на
Гоуэре произносится как "doune", *greasy* (грязный) — это
oakey, *humble* (скромный) — *cavey*. Можно не сомневаться, однако, что школьные учителя даже на Гоуэре ведут себя
преступно и пытаются искоренить своеобразные местные
словечки и идиомы».

В Оксвиче, на маленькой, поросшей деревьями скале,
стоит церковь. Море так близко, что зимой волны окатыва-
ют старые камни. Я никогда не видел столь призрачной цер-
ковки. Я пришел сюда после захода солнца. В бухте прилив
высоко поднял воду. Ветра не было, церковь стояла в тени
деревьев, окруженная безлюдным маленьким кладбищем.
Из высокой травы выглядывали могильные камни.

Я вошел на кладбище. Отсюда был слышен мерный шум
волн. В длину церковь едва достигала трех ярдов. Справа
от алтаря, в нише, я увидел спящего каменного человека в
пластинчатых доспехах...

В сумерках я подъехал к камню Артура в Хланхридиа-
не. Этот большой кромлех, высотой четырнадцать футов, в

старые времена был одним из самых знаменитых и почитаемых в Южном Уэльсе. В полумраке он выглядит очень убедительно, и я готов поверить в старинную легенду о том, что по ночам камень спускается к морю напиться.

Если бы меня попросили назвать три самых интересных и очаровательных района в Уэльсе, я бы выбрал Англси, полуостров Ллин и Гоуэр. Я всегда буду вспоминать о Гоуэре как о месте, где в зарослях золотистого утесника пасутся стада диких на вид пони и где море днем и ночью нашептывает что-то маленьким одиноким бухтам.

Глава двенадцатая,

в которой я восхищаюсь Кардиффом, еду по мрачной долине Рондда, спускаюсь в шахту, разговариваю с шахтерами и их женами, слушаю хор и, взяв курс на Монмут, прощаюсь с Уэльсом.

1

Кардифф — красивый и величественный город. Когда видишь его впервые, кажется, что встретился с очаровательным человеком, о котором до сих пор слышал одну клевету. Тот, кто живет за пределами Уэльса, уверяет, что Кардифф — дымный город, и ничего, кроме труб, китайских прачечных, жалких улиц, доков и редких гонок, здесь не увидишь.

Причиной тому газеты. Почти все журналисты, пишущие об Уэльсе, обходят стороной Кардифф и Гламорганшир, словно это зачумленные места, либо отзываются о них мимоходом, как бы извиняясь. Это неправильно. Кардифф — главный город Уэльса, и никто не может сказать, что видел Уэльс, если он не заглянул в Кардифф и в графство, чьи минералы привлекли сюда более миллиона людей, почти половину населения княжества. Жители английских промышленных центров, приезжающие летом в Северный

Уэльс, чтобы забыть о собственных заводских трубах, возможно, не испытывают интереса к Гламорганширу, но настоящий путешественник обязательно посетит угольные долины, протянувшиеся на север, словно пальцы руки, ладонью которой является Кардифф.

Кардифф удивляет, это единственный красивый город, выросший из промышленной революции — благодаря тому, что он раскинулся под сенью замка, а покупка земли, примыкающей к парку Катэйс, позволила городскому совету сгруппировать общественные здания в самом сердце города. Абердин мучительно пытается сделать то, что Кардиффу удалось за одно мгновение. Ливерпуль и Бирмингем вовлечены в тот же затянувшийся процесс: они скупают старую собственность в попытке проложить дорогу цивилизованному гражданскому центру. Кардифф рос быстро, как любой другой промышленный город последних ста пятидесяти лет, но присутствие нетронутого парка в центре стало его спасением. Все градостроительные схемы последних пятидесяти лет направлены на снос домов; Кардиффу понадобилось лишь выкупить парк Катэйс и начать строительство.

Неудивительно, что горожане гордятся своим парком. В нем находится самая красивая группа общественных зданий Великобритании. Они придают Кардиффу достоинство, каким не обладает ни один другой большой провинциальный город. Центр Лондона застраивался похоже — с западной стороны Уайтхолл, с восточной — банк Англии. Приехав в Кардифф, вы первым делом направляетесь в парк Катэйс. Уроженец Кардиффа, настоявший на вашем визите, с гордостью оглядывает белые здания, непринужденно высящиеся среди зелени, и указывает на просторную пустующую площадку.

— Это место, — говорит он, — зарезервировано для здания палаты общин Уэльса.

Что ж, очень похоже. Парк Катэйс с красным драконом над ратушей выглядит как настоящая столица.

2

Кардифф — древняя римская крепость. Из нее вырос один из самых больших коммерческих городов нашего времени. Мимо высокой стены бегут трамваи. За стеной, возле реки Тафф, раскинулся зеленый парк, а в нем — замок, в котором до сих пор живут маркизы Бьют.

Странная встреча древности с современным миром — пассажиры трамваев могут через стену видеть лужайки, по которым разгуливают павлины, и стоящий на горе замок, окруженный крепостными стенами. Промышленный город сохранил свой центр, а вместе с ним — живую память о рыцарском веке.

Когда в 1090 году в Кардиффе объявился норманнский авантюрист Роберт Фиц-Хэмон, он увидел руины римского укрепления: все, что осталось от кардиффской крепости на реке Тафф. В римские времена она была аванпостом легендарной базы в Каэрлеоне. Когда Фиц-Хэмон прибыл сюда, состояние стен позволяло отреставрировать замок. Сохранились даже ворота, через которые проходил Второй легион Августа. Норманн вырыл глубокий ров и наполнил его водой из реки Тафф. На конусообразном холме вырытой земли он построил первый кардиффский замок. Рассказ о замке может стать замечательным наглядным уроком истории Британии. Здесь стоял римский лагерь. Позднее его окружила каменная стена толщиной десять и высотой тридцать футов. В некоторых местах можно увидеть красную черепицу и практически неразрушимый цемент, секрет которого знали только римляне. На месте руин возникла норманнская крепость, которая сыграла важную роль в суровой истории Уэльса во времена лордов Марки. В урочный час эта крепость, как и римский лагерь до нее, обратилась в руины. Замок, в котором живет сейчас лорд Бьют, построен чуть в стороне от прежнего сооружения.

Самой интересной особенностью замка я считаю современную реконструкцию римских ворот. Они — единственные в своем роде. Это северные ворота римского лагеря, и перестроены они превосходно, вместе с дорожкой для часовых; в отдаленном прошлом римляне держали караул здесь и охраняли Южный Уэльс.

Ни один промышленный город Великобритании не находится на столь короткой ноге с древним замком. Манчестер, Бирмингем и Ливерпуль давным-давно утратили связь со своими землевладельцами, но у ворот Кардиффского замка можно увидеть людей в ливреях, представляющих стражу, что стояла здесь в норманнские времена!

Одна особенность Кардиффа производит особенное впечатление на иностранца. Это университет. Нет другого большого города, кроме, пожалуй, Эдинбурга, где к образованию относились бы с таким энтузиазмом. Вы не можете пообедать, не увидев профессора, не можете никуда пойти, не встретив студента. Мне кажется, что благодаря университету Кардифф и выглядит таким оживленным. Иногда чудится, что в городе одна молодежь.

В парке Катэйс стоит великолепное здание Национального музея Уэльса. Он был основан ради того, чтобы «мир узнал об Уэльсе, а валлийцы узнали бы о своем отечестве». В здании находятся музей и картинная галерея.

Меня восхитила коллекция «былых дней». В ней собраны предметы валлийского ручного труда. Они созданы до эры массового производства. Среди них крепкие кухонные шкафы; мебель для загородных домов, кресла, корзины, керамическая посуда, прялки, сельскохозяйственные инструменты, вьючные седла и сотни других предметов из более приятного и спокойного, чем нынешний, века.

3

Есть и другой Кардифф.

К нему ведет длинная мрачная улица. Вывески на магазинах странные и чужие. В дверях стоят китайцы. Похоже, им снятся трагические китайские сны. Расхаживают индийские матросы в голубой форме. К стенам привалились огромные негры. В конце улицы — корабли. Вокруг гавани скопились обменные пункты коммерческих заведений, что подтверждает здравомыслие города.

Сто пятьдесят лет назад пони и ослы шли в Кардифф по ужасным дорогам, каждое животное тащило уголь. По тем же горным дорогам фургоны, запряженные четверкой лошадей, везли железо.

Перевозить тяжелые материалы было еще труднее, чем добывать их из земли. В 1798 году между Кардиффом и Мертиром прорыли узкий канал. Баржи с углем сменили лошадок, обвешанных тюками. В 1841 году железная дорога в долине Таффа революционизировала перевозку угля, и в город потянулись первые угольные поезда. Так было положено начало современному Кардиффу.

У Кардиффа ныне самая разветвленная и современная система транспортировки угля. Его доки можно назвать образцом эффективности. Угольные поезда идут в Кардифф со всех шахт Южного Уэльса. Корабли разгружаются, загружаются и уходят за несколько часов. Набережные, складские помещения, лабиринт железных дорог — все неизмеримо расширилось с 1839 года, когда второй маркиз Бьют построил гавань для торговли с зарубежными странами. Эту гавань до сих пор используют малые суда.

Я поднялся на крышу высокого склада. Рядом со мной некий человек, прищурясь, оглядывал проплывающие корабли и сообщал:

— Французский — со свежим картофелем... Немецкий — с металлическим брусом...

Кардифф ввозит лес для шахт, домашний скот, металлический брус, мороженое мясо, муку, жестяные тарелки, апельсины и сахар для заводов Киддерминстера.

Уголь — гордость Кардиффа. Мой гид впал в лирическое настроение, заговорив о реконструкции угольных подъемников. Старые механизмы поднимали десятитонные вагоны и выгружали уголь в корабельные бункеры. Новые способны поднять двадцатитонный вагон.

Я увидел на подъездном пути выстроившиеся в очередь вагоны. Один за другим они вкатывались на эстакаду, представлявшую собой на самом деле гигантский лифт. Как только вагон замирал, платформа быстро взмывала вверх внутри стальной шахты и поднимала вагон над доком футов на шестьдесят. Затем она плавно наклонялась. Слышался громоподобный шум, над конструкцией расплывалось огромное облако угольной пыли. Двадцать тонн угля сгружались в корабль за несколько секунд!

— Могу я подняться вместе с вагоном?

— Да, только встаньте с подветренной стороны, иначе станете черным, как трубочист.

Странное ощущение — плавный подъем вместе с огромным вагоном. Рабочий сноровисто снял засов на передней двери вагона, и — бум!

За какую-то минуту корабль, гавань, эстакада утонули в черном ливне! Уголь все еще грохотал по скату, когда лифт опустился вместе с пустым вагоном, и на его место встал следующий двадцатитонник.

Внизу в корабельном люке работают укладчики груза. Я предпочел бы трудиться в шахте! В темноте час за часом на них летят тонны угля. Как они, должно быть, кашляют, выплевывая угольную пыль!

Когда грохот падающего угля достигает апогея, а угольная пыль чрезвычайно уплотняется, это означает, что у Кардиффа все в порядке. Я снимаю шляпу перед здешними рабочими.

4

В парке Катэйс находится Национальный военный мемориал.

Полагаю, вряд ли кто скажет с ходу, сколько валлийцев ушли на фронт, сколько из них погибли и сколько вернулись. Военное министерство предоставило в мое распоряжение следующие цифры: на фронт отправились 557 618 валлийцев, то есть 23,71 процента мужского населения княжества.

Три полка, тесно связанных с Уэльсом, — королевские валлийские фузилеры, Валлийский полк и пограничники Южного Уэльса. Южный Уэльс — главная рекрутская площадка для Валлийского полка, а Северный Уэльс — для королевских фузилеров. Идея создания особого гвардейского полка Уэльса осуществилась в 1915 году, когда некоторое количество солдат, переведенных из гренадеров, сформировало ядро валлийской гвардии. В первом составе гвардии, среди «старых ухарей», насчитывалось три подразделения: Первый пограничный батальон Южного Уэльса, Второй батальон и Второй батальон королевских валлийских фузилеров.

В Национальном музее вы увидите книгу. В ней записаны имена всех валлийцев, сложивших голову за родину.

5

Солнечным утром я выехал из Кардиффа в направлении долины Рондда. В пригороде Кардиффа находится один из миниатюрных «городов» Уэльса. Сент-Асав и Сент-Дэвид являются «городскими» деревнями, Лландафф — «городской» пригород. Его собор, как и собор Святого Давида, заложен в столь древние времена, что невозможно указать хотя бы приблизительную дату его основания. Я назвал собор Святого Давида старейшим собором Великобритании, однако не исключаю, что Лландафф может быть немного старше. Епархия была основана в последние годы пребывания римлян в Британии. Здание сохранило некоторые черты норманнской постройки и хорошо, хотя и несколько тяжеловесно отреставрировано. Это единственный собор, в котором отсутствуют трансепты, что производит удивительное впечатление: вы видите церковь целиком. За алтарем находится самая красивая норманнская арка, которую я когда-либо встречал. Арка заставляет задуматься, сколь изысканным, должно быть, был тот первый норманнский собор в романском стиле — может, неким подобием часовни Кормака в ирландском Кашеле.

Я проехал небольшое расстояние к северу от Лландаффа, когда увидел самый маленький курорт королевства. Он называется с очаровательной простотой — источник Таффа. Кто такой этот Тафф, я так и не выяснил. Возможно, первоначально его звали Таффи!

Как я уже часто писал, курорты меня интересуют и очаровывают. Что-то успокаивающее есть в мысли о том, что излечит тебя вода, а не врач-кровопийца Харли-стрит. И потом, как приятно полежать в установленной в саду целебной ванне в Бате, Харроугите и Лландридод-Уэллсе.

Бакстон, с его чудесной голубой водой, и наш потенциальный Лидо — Дройтвич — усмиряют боль и исцеляют хвори разными способами, но с одинаковым вежливым вниманием.

Начало курорту обычно кладет открытие колодца или источника. Первый пациент. Первое излечение. Затем набегают толпы врачей! Потом, можно не сомневаться, появляется посредник. Если хотите увидеть курорт в примитивной стадии, поезжайте к источнику Таффа.

Деревня находится в красивой местности, у подножия горы Гарт. Народ здесь изрядно пострадал от депрессии. Большая часть шахт закрылась. Жители задумались над своим будущим, и им пришла в голову амбициозная мысль.

Кажется, двести лет назад источник Таффа был знаменит своими целебными свойствами. Вроде бы люди съезжались издалека, чтобы в нем искупаться. Говорят, увечные оставляли здесь свои костыли. Так почему бы не превратить источник в курорт?

Около сорока местных жителей вложили в это дело деньги. Они очистили старый источник, построили над ним скромный навес, и источник Таффа ныне готов к превращению в курорт.

Я пошел взглянуть на него своими глазами. Говорят, это единственный теплый источник в Южном Уэльсе. Вода вырывается из скалы со скоростью от шестидесяти до восьмидесяти галлонов в минуту. Температура неизменна — шестьдесят семь градусов. Источник находится всего в нескольких ярдах от реки, так что вода в нее и уходит. Одновременно источником могут пользоваться десять человек.

— Сколько лет источнику, никто не знает, но, согласно легенде, римляне пользовались им для излечения ревматизма, — поведал мне смотритель. — Анализ воды показывает, что ее состав почти такой же, как в Бате. Геологи стараются понять этот феномен. Земля, из которой бьют горячие источники Бата, насыщена минеральными солями, а у нас такого нет. В Бате, кстати, вода по-настоящему горячая, а в источнике Таффа теплая...

Вода, как в Бате, бледно-зеленого цвета, а на поверхность вырываются пузырьки углекислого газа.

— В прежние времена, — сказали мне, — источник окружали костыли и палки, которые пациенты оставляли после исцеления. Когда источником пользовались женщины, снаружи вывешивали шляпу, потому что купались нагишом.

Позднее, лет шестьдесят назад, когда те немногие, кто узнавал об источнике, приезжал сюда и купался в костюме, местные жители страшно негодовали. Они говорили, что сорвут купальники с нечестивцев: мол, природа излечивает людей только в их естественном обличье! Слава богу, до рукоприкладства не дошло.

— Есть ли сведения об излечившихся?

— Систематических записей никто не вел. Источник до сих пор известен лишь местным. Если кто-то мучился от ревматизма, ему советовали искупаться в источнике. Один человек оставил письменное подтверждение того, что, когда пришел сюда, он был так болен, что не мог сам раздеться. После трех дней купания он мог поднять руки и расстегнуть воротник. Через три недели он вернулся домой здоровым и больше не страдал. Это было восемнадцать лет назад...

— Вы верите в будущее источника?

— А почему бы и нет? У нас вода почти такая же, как в Бате. Если о нас узнают, мы расширим бассейн. Сначала поможем деревенским больным, а потом — кто знает? — можем даже построить гостиницу...

Каждый день местные мечтатели спускаются к реке и смотрят на самый маленький курорт (и самый дешевый) в мире. Им грезятся отели, костыли и больные подагрой полковники.

6

Двести лет назад долина Рондда была, должно быть, такой же совершенной по красоте и такой же пустынной, как долины Северного Уэльса. Величественные горы, прорезанные лесистыми долинами, светлые ручьи, бегущие между деревьями... Черные города вытеснили деревья из долин и с горных склонов. Ныне здесь — все равно что Шеффилд, забравшийся на Шотландское нагорье. По долинам проложены трамвайные рельсы. Железнодорожные пути соединили города. Вы видите длинную череду угольных вагонов. Словно игрушечные поезда, ползут они к кардиффским докам. Кое-где сохранились маленькие изолированные оазисы красоты. Каждый человек, работающий в шахтерских городах Гламорганшира, обязательно знает место на расстоянии часовой прогулки пешком, откуда не видно труб.

В Понтипридде я увидел большую фабрику, которая выглядит так, словно появилась в начале промышленной революции. Причина, по которой она так выглядит, проста: способ ковки якорных цепей, металлических кабелей, буев и швартовых остается неизменным с восемнадцатого века.

Все, кто видел, как военный корабль бросает якорь, должно быть, дивились огромным цепям, медленно спозающим в море. Мне приходилось во время этой процедуры стоять на полубаке линкора «Родни», но я и не подозревал, что в Южном Уэльсе увижу кузню, в которой изготовляют эти могучие цепи.

Более ста лет назад некий лейтенант Ленокс выдвинул революционную идею — отказаться от старомодных веревок, к которым крепились якоря, и заменить их металлическими цепями. Над ним, разумеется, посмеялись. Но у него хватило мужества отстоять свое предложение: он решил сам изготавливать цепи! В те дни угольная промышленность Южного Уэльса находилась в зачаточном состоянии. Не было долины Рондда в ее современном значении. Не было долины Эббуи. Зато имелись сотни поверхностных разработок: люди более или менее легко добывали уголь из земли. Вокруг этих примитивных шахт и выросли литейные цеха.

В эту все еще прекрасную часть Уэльса (Юг был не менее красив, чем Север) металлические цепи пришли раньше стальных кораблей.

Я прошел в кузницу. Ей уже более ста лет, а технология нисколько не изменилась. Люди работают у наковален группами по 3 человека. Они изготавливают цепи толщиной в руку. Новое звено, раскаленное докрасна, вынимают из огня и щипцами укладывают на наковальню. У звена форма полумесяца. Когда его присоединяли к цепи, отверстие в полумесяце закрывалось.

Работа по изготовлению цепей — почти наследственное занятие. Изготовителями цепей рождаются, а не становятся.

— Тонны наших цепей лежат на дне моря, вместе с «Лузитанией», — сказали мне. — У нее была огромная цепь.

Если вам кажется, что изготовление цепи — всего лишь битье по раскаленному металлу, вам следует оценить поразительную скорость и мастерство, с которым рабочие изготавливают цепи меньшего размера. Металлические полумесяцы вынимают из печи один за другим, присоединяют к цепи, придают им форму, и цепь растет. Новое звено присоединяется к следующему прежде, чем металл остынет и потемнеет.

— Все дело в умении и опыте, — пояснил мне один рабочий. — Нужно научиться правильно бить по металлу, рассчитывать силу удара. Новичок может стучать часами, но у него ничего не выйдет. В каждой профессии свои секреты, передающиеся из поколения в поколение. Конечно, тяжко, но машина тут не справится. Мы гордимся своей работой.

Я ехал по Черной стране. Над шахтами крутились колеса подъемных машин. Здесь и реки, и ручьи — все черное. Из недр земли, моргая, выходили на свет черные мужчины.

7

Дорога поднимается к вересковой пустоши и туману. Даже в ясные дни над горной вершиной то и дело появляется, откуда ни возьмись, бродячее облачко, и несколько миль вы едете под моросящим дождем, скрывающим окрестности. Когда мгла рассеивается, вы спускаетесь с горного хребта в долину Хартбрейк-Вэлли — долину Разбитых Сердец.

Вы видите череду шахтерских городов, основанных чуть более ста лет назад во время клондайкской золотой лихорадки. Города эти выглядят неестественно. С ландшафтом их ничто не связывает. Они существуют только потому, что под ними, в земле, спрятаны сокровища природы.

В незапамятные времена, когда гибли первобытные леса, когда огромные деревья валились наземь и оставались гнить, эти террасы и дома, трубы и часовни, заводы и железнодорожные колеи уже числились в планах у Времени. Мертвые деревья, лежавшие глубоко под землей, должны были снова зацвести, и в результате появилась долина Разбитых Сердец.

Города очень похожи друг на друга. Они выросли неестественно, не так, как это должно происходить. Их собрали наспех. Трубы грозят небу тонкими пальцами. Под металлическими мостами бегут почерневшие реки. На запасных путях стоят сотни вагонов с углем. Пассажирский поезд, составленный из грязных вагонов (железнодорожные компании, кажется, специально приберегают их для шахтерских районов), отходит куда-то, словно спасаясь бегством. Должно быть, устремляется на поиски приключений.

Долина Разбитых Сердец пролегает к северу от шахт. Шахтерские долины Уэльса тянутся на север от Кардиффа, словно пальцы от ладони. Когда наступают трудные времена, рука немеет, пальцы опускаются. Первыми ощущают кризис самые северные города.

В долине Разбитых Сердец вы увидите шахты, трубы которых больше не дымят, и людей, потерявших работу. Им остается лишь кучковаться на перекрестках, потому что рождены они только для того, чтобы добывать уголь. Никакой другой работы они не принимают. Они расскажут о том, как вода заливает шахты.

Долина Разбитых Сердец поражена болезнью, которую принято называть «послевоенной депрессией». Города молча взирают на шахты, некогда дававшие им средства к существованию.

Но эти города, при желании путешественника, готовы обнажить истинную красоту, красоту гордости и терпения. Красота Северного Уэльса — это красота гор, рассветов и ночных туманов. Но на Юге вы видите женщин, старающихся сохранить домашний очаг, и мужчин, не теряющих надежду вопреки всему.

Если бы тысячи людей, весело шагающих по горным перевалам Сноудонии и посещающих руины мертвых замков, провели бы несколько дней на Юге, поговорили бы с местными, постарались бы войти в их положение, представили бы себе тяжесть их жизни, нация со временем проявила бы больше понимания и сочувствия к проблемам шахтерского Уэльса.

Валлийский горняк — гордый и тонко чувствующий человек. Он — я не побоюсь этого слова — истинный джентльмен. Я встречал его и в толпе, и наедине. Я видел его за работой; сидел у его очага и часами с ним говорил. Меня часто посещает такая мысль: а если бы я вошел в шахту в четырнадцать лет и проработал бы под землей до зрелого возраста — сумел бы я сохранить любознательность среднего валлийского шахтера?

Его интеллектуальные интересы удивительны. В Тонипанди на углу улицы я слышал, как два молодых горняка обсуждали теорию относительности Эйнштейна. Знаю, это исключительный случай, но он показателен.

Я встречал шахтеров, чьи культура и умение выразить свои мысли словами вызывают восхищение. Эти люди знают, как думать. Любознательность выводит их на неожиданные дороги. Музыка входит в число их увлечений. Меня представили шахтеру, который, изучая сборник псалмов, самостоятельно выучился играть на музыкальных инструментах.

Невольно чувствуешь восхищение обществом, в котором это — далеко не единственное достижение.

— Наш Хью, — сказали мне, — настолько пристрастился к музыке, что слышал ритм в скрипе колес вагонеток.

(Груженные углем вагонетки проезжают несколько миль от угольного разреза к лифту. На разных покрытиях колеса скрипят по-разному. Хью улавливал в этом скрипе музыку. В кармане у него был кусок мела, и на вентиляционных дверях он записывал мелодии. Двери служили ему отличными досками.)

Только представьте себе! Человек слышит музыку во мраке шахты и записывает мелодии при свете рудничной лампы!

— Где сейчас Хью? — спросил я.

— Преподает музыку в Америке.

Я попросил объяснить мне истоки этой любознательности шахтера.

— У каждого шахтера есть увлечение, полезное или бесполезное, уж как получается. Одни занимаются своими делами в свободное время, другие получают образование, чтобы сбежать из забоя. Почему мы так разбрасываемся? Трудно сказать. Возможно, это реакция на физический труд. Шахтер работает в темноте, потом поднимается на свет. Это — новый мир. Хочется что-то в нем сделать. Кто увлекается разведением голубей, кто выпиливает лобзиком, кто ходит на собачьи бега, кто столярничает, кто музицирует, поет в хоре или ходит в кружок литературного чтения. В нашем краю в четырех библиотеках каждый месяц берут 40 000 книг...

Люди из долины Разбитых Сердец стоят у дороги, словно чего-то ждут. Мужчины бродят возле огромных гор шлака, который земля вытолкнула из себя в более благоприятные годы. Возможно, они надеются найти спасение в том, что называется побочными продуктами. Быть может, представляют, как в лаборатории ученый склоняется над пробирками и газовыми горелками — он совершит великое открытие, и жизнь наладится.

Но долина Разбитых Сердец не нанесена на карты. Добровольно сюда никто не едет. Даже длинные столы в гостиницах, за которыми когда-то обедали коммивояжеры, наполовину пусты.

Надеюсь, кто-то последует моему совету. Шахтерские долины не хотят сочувствия или благотворительности. Они нуждаются в понимании. Они очень дружелюбны, и их красота — не красота солнца или луны, а красота человеческого сердца.

8

Маленькие серые дома словно съезжают со склона в долину. Позади них поднимается холм повыше, это уже почти гора, на вершине которой лежит черная, непристойная груда шлака. Через долину перекинут железный мост, и по нему ходят угольные поезда, направляющиеся в кардиффские доки. Черные тропы, уплотнившиеся, словно эбонит, под ногами многих поколений, круто поднимаются от серых домов к божеству всех долин Гламорганшира — шахте.

Она стоит позади высокой стены и дымит. Внезапные струи пара выбеливают воздух, колеса подъемных машин крутятся день напролет без передышки. Их черные силуэты мрачно выделяются на фоне неба.

Мужчины тяжко нисходят в забой и спустя несколько часов возвращаются, черные, как дьяволы.

Надземная часть шахты представляет собой несколько домов из красного кирпича. Над ними возвышаются два больших колеса: одно поднимает уголь, другое — опускает клети с рабочими под землю. Есть что-то зловещее в этих колесах, вращающихся круглые сутки. Джон Беньян уподобил бы их колесам преисподней...

— Итак, вы хотите спуститься в забой, — сказал служащий. — Дайте мне ваши спички и сигареты и наденьте вот это.

Он дал мне костюм из саржи. Когда я в него облачился, чиновник протянул мне специальную лампу, испускавшую слабый зеленоватый свет.

— А теперь пойдемте.

Обстановка возле ствола шахты, пока мы ждали клеть, была странной и довольно пугающей. Я старался представить себе, что почувствую, опустившись в недра земли.

Посмотрел вверх, на зеленые поля. Я знал, что во всех направлениях, на многие мили вокруг, множество мужчин в данный момент спускалось на полмили в глубь Земли... Клеть с углем выползла на поверхность. Ее место заняла пустая клеть. Большие колеса крутились быстрее и быстрее. Движение натянутого стального троса было почти незаметным.

Группа шахтеров поджидала свою клеть — дневная смена. Чистые, бледнолицые. Среди них было много парней с манерами взрослых мужчин, хотя по виду — совсем еще мальчишки, лет пятнадцать-шестнадцать. У каждого к поясу привязана рудничная лампа.

Эти валлийские шахтеры — одни из самых вежливых и мягких людей, с какими мне доводилось сталкиваться. Человек со стороны, пришедший на фабрику, чаще всего становится предметом шуток, но эти люди, знавшие, что я намерен провести несколько часов в забое, казались искренне заинтересованными. Им, похоже, было приятно, что я хочу посмотреть на их работу. Когда я задавал особенно глупый вопрос, они улыбались и спокойно объясняли. Я вспомнил бывшего шахтера из Карнарвона, который рассказывал:

— Проклятая работа. Мы никогда не говорим жене «доброе утро», как все нормальные люди. Прощаемся каждый раз, потому что никто не знает, как все обернется, понимаете?

Клеть вышла наверх, нагруженная подземными дьяволами. Они руками стирали с лиц пот, на щеках засыхали черные полосы. Выделялись белые глазные яблоки и кроваво-красные губы, как у «Менестрелей Кристи»[1]. Эта смена работала с 6:30 утра. На какую-то секунду мне показалось, что в клети сидят арестованные негры. Затем дверь открылась, и они вышли...

Любопытное зрелище! Во всех книгах я читал, что, когда новая смена встречает старую, слышатся шутки и смех — «Привет, Билл, дружище, как дела?» или «Здорово, Альф» и тому подобные восклицания. Но не в угольной шахте!

Старая смена вышла на свет усталой, грязной. Никто и не посмотрел на чистюль, собирающихся вниз. Одного

---

[1] Американский шоу-ансамбль, музыканты которого гримировались под чернокожих.

взгляда на этих мужчин и мальчиков было для меня достаточно, чтобы понять: труд шахтера — семь с половиной часов — по-настоящему тяжелая работа. Они думали только о душе и еде.

Первая группа новой смены флегматично вошла в клеть. Клеть приподнялась на пару дюймов — и полетела в шахту, словно брошенный в колодец камень. Через несколько минут вернулась.

— Теперь наша очередь, — сказали мне.

Облепленная сырой угольной пылью клеть должна была опускаться на дно шахты с огромной скоростью. Мне сказали, что на половине спуска скорость достигнет пятидесяти миль в час. Я ухватил рудничную лампу и приготовился к худшему.

Клеть содрогнулась и начала падать! Стены шахты рванулись вверх. В лицо ударил холодный сырой ветер. Затем — темнота! Наши рудничные лампы сделались похожими на светящихся червей. Клеть падала все быстрее. Грохот, рев; казалось, мы находимся во взбесившемся вагоне метро. Я почувствовал, как ноги оторвались от пола клети и меня словно за уши тянет вверх. Все присели, чтобы не упасть, и я схватился за сырой железный поручень.

Затем — едва я подумал, что случится, если что-то пойдет не так — дьявольская клеть повела себя прилично: она немного снизила скорость, сделалась сравнительно устойчивой и через несколько секунд очень бережно опустила нас на дно ствола...

Наступила оглушительная тишина. Здесь было холодно и промозгло, как в склепе. Ощущение полумили земли над головой пригибало к полу. Длинный темный туннель — главная дорога — устремлялся наверх, в безмолвный мир. Вокруг заплясали зеленые искры — рудничные лампы новой смены. От главного спуска отходили другие туннели.

Уголь из разрезов, более чем в миле отсюда, поступал в составах из двадцати пяти сцепленных друг с другом вагонеток. Здесь их грузили в клети и подавали наверх.

Мы молча отправились к разрезу. Под ногами клубился рыхлый серый порошок из смеси каменной и угольной пыли. Такое покрытие минимизирует опасность возгорания и взрывов.

Когда мои глаза привыкли к темноте, я поднял лампу и увидел тут и там погнутые, словно спички, стальные балки: их придавило ужасающим весом земли. Все это напоминало ад. Вдруг я услышал из туннеля громкий оклик.

— Привет, Билл!

Через несколько секунд невероятно тихий голос, искаженный, как у чревовещателя, ответил издалека:

— Привет!

— Нам предстоит долгая прогулка, — сказал мой гид. — Угольный разрез находится на расстоянии более мили. Пошли!

Мы зашагали меж узких рельсов.

Туннель был кое-где высотою десять футов, в других местах снижался, так что приходилось наклонять голову. Полная тишина и оторванность от мира в первые минуты сильно нервировали. Невольно вспомнились ночные окопы.

Зеленый свет рудничной лампы осветил черное лицо шахтера.

— К нам гости, Билл! — сказал мой гид.

Я пожал черную руку.

— Первый раз внизу? — спросил Билл. — Нравится?

— Нет.

— Ну ничего, привыкнете! — Билл сверкнул зубами и молочными белками глаз.

И тут мы услышали шум.

Простое эхо. Такого звука наверху вы не услышите. Он нарастал, превратился в грохот, затем послышался металлический лязг. Казалось, шедшие впереди шахтеры освободили дракона, и теперь тот, разрывая в клочья камни, ползет в темноте на нас.

Что-то скользнуло вдоль моей ноги. Я опустил лампу и увидел быстро двигающийся стальной трос. Шум нарастал.

— Небесная музыка, — прокомментировал мой гид. — Это уголь.

И тут раздался чей-то громкий голос:

— Пропустите состав! Дорогу составу!

Мы сошли с рельсов, прижались к стене и стали ждать. Лязг и грохот становились все ближе. Затем на нас обрушился поток воздуха, и мимо промчались нечеткие очертания поезда — вагонетка за вагонеткой.

В полумиле над нами, вспомнил я, растет трава, цветут цветы, стоят дома, и все залито солнцем. А в этом заброшенном мире нет ничего, кроме составов, идущих в кромешной темноте.

Мы пошли дальше, потные и черные: то и дело вытирая с глаз пот запачканными в угле руками. Покинули участок, вентилируемый сжатым воздухом, и вошли в душный туннель. Здесь я неожиданно наткнулся на лошадь! Она стояла в темноте, впряженная в вагонетку.

Через несколько минут мне открылось необыкновенное зрелище — «лицо» угольного разреза.

Мы знаем уголь как куски в ведерке и понятия не имеем, как он выглядит глубоко под землей. Я смотрел на блестящую черную стену, возможно, семи футов высотой. Наверху была скала, подпертая шестами и стальными балками. Даже ребенок понял бы, как опасно ковырять эту мягкую черную поверхность, когда над твоей головой нависает скала, готовая обрушиться и похоронить тебя под собой.

Семь с половиной часов в этом месте каждый день! Пожалуй, я понял, почему смена, окончившая работу, никогда не шутит со сменой, идущей вниз! Семь с половиной часов в миле от света, в тесном помещении с ненадежной крышей над головой, в атмосфере военного окопа!

Меня познакомили с несколькими шахтерами. Один был музыкантом. Мы поговорили о музыке. Он был поклонником Генделя! Мы разговаривали о музыке в этом чистилище! Другой шахтер обожал собак. Поговорили о собаках, улыбались, смеялись и пожимали друг другу руки. Мне показалось, что я попал в ад, населенный ангелами.

Затем мы ощупью двинулись назад. Я рад был вернуться. Мало кто, похоже, не понимает, что человек в шахте все равно что солдат на фронте. Мы все ненавидим войну, но знаем, что боевой дух и осознание долга, объединяющие людей в минуты опасности, — прекрасные чувства.

По пути домой с «фронта» я попросил показать мне шахтерских пони.

— В Уэльсе нет шахтерских пони, — сказали мне. — У нас лошади.

Меня привели в шахтерскую конюшню, шесть яслей, освещенных электричеством. За лошадьми, отдыхавшими от смены, тщательно ухаживали. Я заметил, что над каждым стойлом написано имя лошади, как бывает в конюшнях беговых лошадей.

— Воин находится под землей уже пятнадцать лет, — сказал мой гид. — Разве он выглядит несчастным? Недокормленным?

Конь и в самом деле выглядел отменно.

— Сколько лошадей ослепли?

— Я ни разу не встречал слепую шахтерскую лошадь, — сказал гид. — Да, спустя несколько лет лошадь, выведенная из-под земли, частично теряет зрение, но никогда не слепнет. Они получают отличный корм, хорошее стойло, и работа у них не такая изматывающая, как у лондонских лошадей, что трудятся наверху...

— А как насчет травм?

— После каждой смены откатчик обязан сообщить о травме, какой бы пустячной та ни была. Докладывают о любой царапине. Ветеринар немедленно осматривает лошадь и лечит, если необходимо. Жестокость? С этим мы никогда не сталкивались. В каждой шахте на этот счет имеются строжайшие правила. Если откатчик повел себя жестоко, он получает красную метку. Три красные метки — и человек уволен. Никаких поблажек.

Шахтерская лошадь умна и сообразительна. Она знает своего хозяина, и хозяин, естественно, заботится о ней.

Откатка угля — работа не только человека. Это работа человека и лошади. Надо видеть, как откатчик, обняв лошадь за шею, разговаривает с нею, гладит, что-то шепчет.

— По утрам, — сказал гид, — откатчики приносят для своих лошадей что-нибудь из дома. В их карманах всегда лежит кусок сахара.

Я возвращался наверх с новым представлением о шахтерах. Теперь каждый раз при взгляде на ведерко с углем я буду вспоминать их, черных, как смола, мокрых от пота, возле угольной стены в полумиле от света дня...

— Ну, и что вы думаете? — В ответ на меня сверкнули белые зубы и белки глаз. — Вы постоянно на линии огня...

— Мы привыкли. Кто-то же должен это делать! Всего вам доброго!

Клеть вздрогнула и устремилась вверх, к свету. Я больше не обращал внимание на лязг и грохот. Знал, что наверху меня ждет солнечный свет и зеленая трава! В клеть начала капать вода. В стволе постепенно светлело. Клеть подпрыгнула и остановилась.

Я невольно зажмурился. Дневной свет ослеплял. Когда я наконец открыл глаза, то увидел, что идет дождь. Как это здорово! Каким чистым и удивительным он мне показался!

Когда я вышел из клети, приятель засмеялся, увидев мои черные руки и не менее черное лицо. Я вновь осознал, почему люди, поднявшиеся наверх, не обращают внимания на тех, кто спускается вниз.

9

Я проезжал мимо здания деревенской администрации в воскресный день и услышал хор мужских голосов. Казалось, он вот-вот поднимет крышу дома. Звучание было столь чудесным, что я остановился, отворил дверь и вошел внутрь. Да, конечно, вы можете остаться и послушать, сказали мне с неизменной вежливостью, которую в Южном Уэльсе проявляют к заезжему человеку в любом шахтерском городе или деревне.

Около тридцати молодых людей в синих костюмах из саржи окружили видавшее виды фортепиано. Аккомпаниатор знал свое дело, а дирижер, стоя лицом к хору, взмахивал палочкой и притопывал ногой, погрузившись в музыку с валлийским самозабвением. Хористы показались мне спустившимися с небес ангелами, облаченными в синюю саржу...

Это были шахтеры в своей лучшей воскресной одежде. На каждом молодом человеке по случаю воскресенья был темный костюм, белый воротничок и темный галстук.

Нечасто приезжему выпадет такая удача — увидеть разом тридцать шахтеров с чистыми лицами. Обычно попадаются тысячи бредущих домой горняков, черных, как негры. Лица этих людей удивили бы того, кто привык думать о шахтере как о грубом и равнодушном ко всему человеке. Я видел перед собой одухотворенные, умные лица.

Если бы я не знал об их профессии, то подумал бы, что передо мной студенты духовной семинарии.

Мужские хоры в Южном Уэльсе набирают в забоях. Англичане, если задумаются над этим, подумают, что страсть к пению имеет отношение к айстедводу, или решат, что здесь замешаны деньги. Это не так. Большинство хоров не могут позволить себе петь на айстедводе, и мало кто из их участников зарабатывает деньги. Они поют для удовольствия.

Есть старая поговорка: два англичанина образуют клуб, два шотландца — Каледонское общество, а два ирландца — банду мятежников. Эту присказку можно продолжить: два валлийца образуют хор.

Но почему?

Потому что валлийцы лучше всего выражают себя в пении. Это — национальный талант. Их голоса — лестница к небу. В пении они преображаются.

— Не хотите ли, чтобы мы спели что-нибудь по-валлийски?

— Конечно хочу!

Хор сгруппировался. Это — характерная черта валлийских хоров. Певцы во время исполнения любят смотреть друг на друга. Кажется, что каждый обращается к остальным. Они запели что-то невыразимо печальное. По крайней мере три хориста казались готовыми к мученичеству. Песня закончилась, и выражение лиц изменилось: певцы с улыбкой вернулись на землю.

— А теперь что-нибудь по-английски! Пожалуйста!

Они запели, вот только в песне, кроме слов, не было ничего английского. Ни зеленой деревенской лужайки, ни веселых пьяниц в кабаке. Они пели религиозно! И я понял, что пение в Уэльсе — духовное действо, нечто вроде молитвы.

— Хотите, споем по-итальянски?

И шахтеры, встречающиеся в деревенском клубе по воскресеньям, затянули под руководством дирижерской палочки чрезвычайно трудный хорал на итальянском языке!

(Да, подумал я, англичане никогда бы не подумали, что шахтеры Уэльса проводят таким образом свой воскресный день!)

Валлийцы — живой, темпераментный народ. Шахтерский хор так же типичен для Уэльса, как типична игра в крикет на английской лужайке. Я снова почувствовал собственную чужеродность, как тогда, в Карнарвоне, где большинство людей говорят по-валлийски.

— Когда у меня плохое настроение, я пою, — сказал мне один валлиец. — Правда, от песни становится еще тяжелее. Если встречаю троих или четверых приятелей, начинаю петь вместе с ними, и скоро настроение улучшается. Я на время забываю о своих неприятностях.

Я вышел из деревенского клуба со странным ощущением: в валлийских шахтерах есть нечто, способное поднять их из темноты забоя в высоты, не слишком удаленные от рая.

Как-то вечером я стоял на монмутширском холме и смотрел в сторону Уэльса. Мне было жаль покидать эту дружелюбную страну, и в голове промелькнула тысяча воспоминаний; некоторые из них я изложил в этой книге, другие, отложившиеся в дальних уголках сознания, пришли ко мне, когда я смотрел на речную долину. Вечерняя мгла легла на нее, словно серый дым.

Я вспомнил озеро, гору и долину, берег реки и лес, соленые озера западного побережья и высокие скалы юга, на которые накатывают высокие морские волны. Вспоминал замки, тихие древние города, деревушки с их обитателями, спокойными и дружелюбными. Словом, все хорошее и счастливое, что встречается нам во время путешествий, вспоминается, когда готовишься покинуть страну, по которой бродил как турист.

Уэльс — красивая и романтическая страна. Все, что в ней есть замечательного, досталось ей благодаря смелости и предприимчивости ее народа. Валлийцы, как истинные кельты, являют собой странную смесь идеализма и материализма, отваги и осторожности, тщеславия и униженности. Они темпераментны и чувствительны, страстны, и эта страсть почти римская по духу. На их сознание повлиял древний язык, и они, хотя могут говорить по-английски, думают по-валлийски. И у них есть такие мысли, которые не выразить английскими словами. Валлийцы, возможно, изменились меньше других народов, живущих на Британских островах. Если бы живший во втором веке римский колониальный чиновник перенесся вдруг в Сноудонию, он, несомненно, принял бы сегодняшних горцев за бриттов своего времени.

Горы встают преградой на пути перемен. В каких бы горах ни оказались, вы всегда наткнетесь на старые воспоминания, верования, привычки, не меняющиеся на протяжении столетий. Когда я вспоминаю Уэльс, перед мысленным взором встают горы — освещенные солнцем, в утреннем тумане, нещадно поливаемые дождем, зловещие невидимки. Мистические и поэтические свойства Уэльса появились и проявились благодаря меняющемуся настрою гор, ибо ни один человек не может, проживая на этих вершинах, не думать о Боге...

Сгустились сумерки. Я слышал привычные звуки, доносившиеся с ферм: лай собак, мычание коров, идущих с пастбища.

На Уэльс надвигалась ночь, крадучись спускаясь с отдаленных гор Сноудонии в деревушки. Погас день на острове Бардси, призрачные тени собирались в сотнях разрушенных крепостей, а в гладких глубинах каровых озер загорались первые звезды.

Миссис Эванс зажгла масляную лампу в маленькой кухне со сланцевым полом. Мистер Эванс, стоя на пороге, глянул в сторону Арениг-Фаур и сказал, что завтра будет хороший день, а два валлийских солдата смотрели с каминной полки в комнату, за которую — теоретически — они погибли. В другой долине шахтер отправился на ночную смену, шагал к забою по крутой тропе между мрачными домами. А может, вынул свою зеленую рудничную лампу и стоит среди бледнолицых мужчин, пахнущих угольной пылью, дожидаясь, когда из темных глубин земли вынырнет мокрая клеть. В городке, примостившемся в тени высокой горы, археолог из Лланбериса пишет с почти чувственным удовольствием ученую статью о друидах; в Карнарвоне служащий замка, сняв форму и поставив палку в угол комнаты, на один вечер освобождается от воспоминаний о первом английском принце Уэльса. Рыболовный флот Милфорда пускает дым из труб к ночным звездам; небо над Лланелли стало оранжевым от пламени печей, свежий ветер носится над обширными песками Хланхридиана.

Прощайте.

Я перешел через мост с воротами в Монмут, повторяя строки:

> Сей древний край и древний сей язык,
> Лелеющий и холящий былое.

Содержание

В ПОИСКАХ АНГЛИИ

ОТКРЫТИЕ УЭЛЬСА

Генри В. Мортон

ПО АНГЛИИ И УЭЛЬСУ

ПУТЕШЕСТВИЯ ПО БРИТАНИИ

Ответственный редактор *Е. Г. Кривцова*
Редактор *Т. В. Павлова*
Выпускающий редактор *О. К. Юрьева*
Художественные редакторы *М. В. Демичева, А. Г. Сауков*
Технический редактор *Л. Л. Подъячева*
Корректоры *Н. В. Волохонская, Е. П. Николаева, О. В. Фокина*

ООО «Издательство «Мидгард».
198020, г. Санкт-Петербург, Нарвский пр., д. 18
URL: www.midgardr.ru, E-mail: info@midgardr.spb.ru

ООО «Издательство «Эксмо»
127299, Москва, ул. Клары Цеткин, д. 18/5. Тел. 411-68-86, 956-39-21.
Home page: **www.eksmo.ru**   E-mail: **info@eksmo.ru**

Оптовая торговля книгами «Эксмо»:
ООО «ТД «Эксмо». 142702, Московская обл., Ленинский р-н, г. Видное,
Белокаменное ш., д. 1, многоканальный тел. 411-50-74.
E-mail: reception@eksmo-sale.ru

*По вопросам приобретения книг «Эксмо» зарубежными оптовыми покупате-
лями* обращаться в ООО «Дип покет» *E-mail:* foreignseller@eksmo-sale.ru

International Sales: International wholesale customers should contact «Deep Pocket»
Pvt. Ltd. for their orders. foreignseller@eksmo-sale.ru

По вопросам заказа книг корпоративным клиентам, в том числе в специальном
оформлении, обращаться по тел. 411-68-59 доб. 2115, 2117, 2118.
E-mail: vipzakaz@eksmo.ru

Оптовая торговля бумажно-беловыми и канцелярскими товарами для школы
и офиса «Канц-Эксмо»: Компания «Канц-Эксмо»: 142700, Московская обл., Ленинский р-н, г. Видное-2, Белокаменное ш., д. 1, а/я 5. Тел./факс +7 (495) 745-28-87
(многоканальный). e-mail: kanc@eksmo-sale.ru, сайт: www.kanc-eksmo.ru

Полный ассортимент книг издательства «Эксмо» для оптовых покупателей:
В Санкт-Петербурге: ООО СЗКО, пр-т Обуховской Обороны, д. 84Е.
Тел. (812) 365-46-03/04. **В Нижнем Новгороде:** ООО ТД «Эксмо НН», ул. Маршала
Воронова, д. 3. Тел. (8312) 72-36-70. **В Казани:** ООО «НКП Казань», ул. Фрезерная,
д. 5. Тел. (843) 570-40-45/46. **В Самаре:** ООО «РДЦ-Самара», пр-т Кирова, д. 75/1,
литера «Е». Тел. (846) 269-66-70. **В Ростове-на-Дону:** ООО «РДЦ-Ростов», пр. Стачки, 243А. Тел. (863) 220-19-34. **В Екатеринбурге:** ООО «РДЦ-Екатеринбург»,
ул. Прибалтийская, д. 24а. Тел. (343) 378-49-45. **В Киеве:** ООО «РДЦ Эксмо-Украина»,
ул. Луговая, д. 9. Тел./факс (044) 501-91-19. **Во Львове:** ТП ООО «Эксмо-Запад»,
ул. Бузкова, д. 2. Тел./факс: (032) 245-00-19. **В Симферополе:** ООО «Эксмо-Крым»,
ул. Киевская, д. 153. Тел./факс (0652) 22-90-03, 54-32-99. **В Казахстане:**
ТОО «РДЦ-Алматы», ул. Домбровского, д. 3а. Тел./факс (727) 251-59-90/91.
gm.eksmo_almaty@arna.kz

Мелкооптовая торговля книгами «Эксмо» и канцтоварами «Канц-Эксмо»:
127254, Москва, ул. Добролюбова, д. 2. Тел. (495) 780-58-34.

Подписано в печать 17.09.2008. Формат 84×108 $^1/_{32}$.
Печать офсетная. Бумага тип. Усл. печ. л. 38,64+вкл.
Тираж 4000 экз. Заказ № 3616.

Отпечатано с электронных носителей издательства.
ОАО "Тверской полиграфический комбинат". 170024, г. Тверь, пр-т Ленина, 5.
Телефон: (4822) 44-52-03, 44-50-34, телефон/факс: (4822)44-42-15
Home page - www.tverpk.ru Электронная почта (E-mail) - sales@tverpk.ru